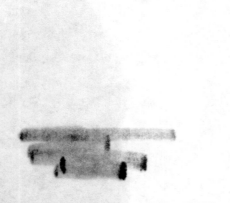

Genesis

John Case

Genesis

ROMAN

Traduit de l'américain
par Nicole Hibert

Albin Michel

Titre original :
THE GENESIS CODE

Publié avec l'accord de The Ballantine Publishing
Group, une filiale de Random House, Inc.

© John Case, 1998

Traduction française :

© Éditions Albin Michel S.A., 1998
22, rue Huyghens, 75014 Paris
ISBN 2-226-09557-8

... Dieu né de Dieu,
Lumière née de la lumière
Vrai Dieu né du vrai Dieu,
Engendré et non créé...

Credo de Nicée,
Concile de Nicée I, an 325 de notre ère.

PREMIÈRE PARTIE

JUILLET

Chapitre 1

L'abbé Azetti était dans les affres de la tentation.

Immobile sur les marches de l'église, tout en égrenant son chapelet, il coula un regard en direction de sa trattoria favorite, de l'autre côté de la place déserte, puis consulta sa montre. Il n'était que treize heures trente-neuf. Et il mourait de faim.

En théorie, l'église était ouverte de huit à quatorze heures et de quinze à vingt heures. Voilà du moins ce qu'annonçait la plaque fixée sur le portail, or l'abbé Azetti devait reconnaître que cette plaque faisait autorité. Après tout, elle était là depuis près de cent ans. Cependant...

La trattoria se trouvait dans la via delle Felice — un nom bien ronflant pour cette ruelle médiévale, pavée et tortueuse, qui reliait la place centrale au mur d'enceinte de la cité.

Montecastello di Peglia, l'un des plus pittoresques et des plus sauvages villages d'Italie, coiffait un piton rocheux qui, du haut de ses trois cent cinquante mètres, dominait la plaine ombrienne. La piazza di san Fortunato, où gargouillait une petite fontaine blottie dans l'ombre fraîche de son unique église, le couronnait. Cette place paisible, qu'embaumaient les pins, attirait nombre d'amoureux et d'étudiants des Beaux-Arts ; ils venaient admirer depuis les remparts la mosaïque bigarrée du cœur de l'Italie et se pâmer devant la beauté des champs de tournesols ondoyant sous un soleil de plomb.

Mais, pour l'instant, ils ne se pâmaient pas. Pour l'instant, ils mangeaient.

Tandis que l'abbé Azetti, lui, mourait de faim. Le vent coulis qui musardait sur la place lui apportait une alléchante odeur de pain chaud, de viande grillée avec une rondelle de citron et un filet d'huile d'olive.

Malheureusement il devait ignorer les protestations de son estomac. Montecastello était d'abord et avant tout un village. Il n'y avait même pas de véritable hôtel, seulement une pension tenue par deux Britanniques expatriés. L'abbé Azetti, qui vivait ici depuis moins de dix ans, était un étranger et le resterait jusqu'au prochain millénaire. Il était donc suspect et, par conséquent, surveillé en permanence, épié même par les doyens du village auxquels rien n'échappait et qui se languissaient de son prédécesseur (« notre bon curé », disaient-ils, alors qu'Azetti était « le nouveau curé »). Si l'abbé Azetti s'avisait, durant les heures de confession, de fermer l'église une minute trop tôt, on ne manquerait pas de le remarquer et Montecastello crierait au scandale.

L'abbé soupira et, tournant le dos à la piazza, se glissa dans la pénombre de l'église. Il régnait dans l'édifice, érigé à une époque où le verre était une matière précieuse, un perpétuel crépuscule. Hormis le candélabre électrique qui diffusait une lueur blafarde et les quelques bougies dégoulinantes de cire qui brûlaient dans la nef, les étroits vitraux percés en haut du mur ouest constituaient l'unique source lumineuse du lieu. Bien que peu nombreux et de petite taille, ces vitraux créaient parfois d'étonnants jeux de lumière lorsque, comme en ce moment, ils diffractaient le soleil de l'après-midi en rayons qui tombaient obliquement sur le sol.

L'abbé Azetti dépassa les panneaux en acajou représentant en bas-relief le chemin de la Croix, et constata avec un sourire de satisfaction qu'un éclat de soleil frappait justement le confessionnal. Il s'avança, offrant son visage à l'aveuglante clarté. L'espace d'un instant, il se plut à imaginer le tableau qu'il offrirait, campé ainsi dans cette flaque de lumière, à un éventuel témoin. Puis, embarrassé par cet accès de narcissisme, il pénétra dans le confessionnal et tira le rideau. Il s'installa sur son siège, dans l'obscurité, et s'arma de patience.

L'antique confessionnal était coupé en deux par une cloison de bois séparant le pénitent du prêtre et munie d'une grille. Le confesseur pouvait l'obturer à l'aide d'un petit panneau coulissant. Sous cette grille était fixée une étroite tablette qui occupait toute la largeur de la cloison. L'abbé Azetti avait l'habitude d'y

12

poser les doigts lorsqu'il entendait ses paroissiens en confession. Ce faisant, sans doute imitait-il ses prédécesseurs, car la tablette était usée par toutes les mains pieuses qui, au fil des siècles, l'avaient effleurée.

L'abbé Azetti soupira à nouveau, leva le poignet à hauteur de ses yeux pour regarder le chiffre lumineux inscrit sur le cadran de sa montre. Treize heures cinquante et une.

Les jours où il ne sautait pas le petit déjeuner, il appréciait les heures passées dans ce confessionnal. Comme un musicien interprétant une cantate de Bach, il écoutait sa voix intérieure et, dans chaque inflexion, chaque note, entendait le murmure des prêtres qui l'avaient précédé en ce lieu. L'antique isoloir résonnait de secrets chuchotés et de paroles d'absolution. On y avait avoué des milliers de péchés — ou plutôt, estimait l'abbé Azetti, une dizaine de péchés commis des milliers de fois.

Soudain, un bruit familier, de l'autre côté de la cloison, interrompit la méditation de l'abbé — le froissement du rideau, puis le grognement d'un vieil homme qui s'agenouillait. Le confesseur prit une inspiration et, d'une main légère, ouvrit la grille.

Pardonnez-moi, mon père, car j'ai péché...

L'ombre masquait le visage du pénitent, cependant l'abbé Azetti reconnut aussitôt la plus éminente personnalité de Montecastello : le Dr Ignazio Baresi. En un sens, le Dr Baresi était comme l'abbé — un étranger venu d'horizons lointains et transplanté dans cette province à l'étouffante beauté. Les deux hommes étaient la cible des ragots villageois, ce qui les avait fatalement rapprochés. S'ils ne se considéraient pas vraiment comme des amis, du moins étaient-ils des alliés, autant que le permettaient leur différence d'âge et des centres d'intérêt assez éloignés. En réalité, ils n'avaient en commun qu'une instruction trop poussée. Le docteur, à plus de soixante-dix ans, affichait sur les murs de son bureau une impressionnante collection de diplômes et de certificats témoignant de ses réussites dans le domaine de la science et de la médecine. Le prêtre ne jouissait pas d'un tel prestige — il n'était qu'un activiste quinquagénaire en délicatesse avec le Vatican.

Le vendredi, ils se retrouvaient autour d'un échiquier. Ils s'installaient à la terrasse du Caffè Centrale, sur la piazza, et sirotaient du vin santo. Ils parlaient peu, n'échangeaient jamais de confidences. Leurs conversations se bornaient à quelques remarques

13

sur la météo, des souhaits de bonne santé, et des commentaires du genre : échec au roi en quatre coups. Malgré tout, après plus d'un an de propos décousus, chacun savait de l'autre deux ou trois petites choses. Cela leur paraissait suffisant.

Ces derniers temps, le docteur venait moins régulièrement à leurs rendez-vous. L'abbé avait appris que le vieil homme était souffrant et, en l'écoutant à présent, il comprit que Baresi était sur la mauvaise pente. Il parlait d'une voix si sourde que son confesseur devait coller l'oreille à la grille pour entendre ce qu'il disait.

Non que l'abbé fût particulièrement curieux. A la vérité, il n'avait guère besoin d'écouter les paroissiens qui fréquentaient son confessionnal. Depuis le temps, il connaissait toutes leurs faiblesses. A soixante-quatorze ans, le docteur avait probablement blasphémé, peut-être s'était-il montré peu charitable. Avant sa maladie, il aurait pu convoiter une femme, voire commettre le péché de chair — mais désormais tout cela était terminé pour ce pauvre homme qui semblait décliner de jour en jour.

De fait, la fin prochaine du docteur éveillait chez les villageois une excitation plutôt malsaine, une expectative dont l'abbé Azetti ne se sentait hélas pas totalement exempt. Après tout, *il dottore* était un homme riche, dévot et célibataire. Par le passé, il avait eu des largesses pour le village et pour l'église. On pouvait penser que...

Quoi ?

Le prêtre concentra son attention sur la voix tremblante du docteur. Comme la plupart des pénitents, il essayait de se justifier et, plutôt que d'exposer son péché, mettait l'accent sur ses intentions (louables, bien sûr). L'orgueil l'avait aveuglé, disait-il, ensuite la maladie lui avait fait prendre conscience de sa condition de mortel. Il avait mesuré ses erreurs. Ce n'était pas très original, songea Azetti : l'approche de la mort avait le don d'aiguiser le sens moral des êtres.

Le prêtre s'attardait complaisamment sur cette pensée, lorsque le docteur aborda enfin le vif du sujet et entreprit de décrire le péché dont il s'accusait.

Quand il eut terminé, son confesseur lâcha une exclamation :

— *Quoi ?*

Le Dr Baresi répéta ce qu'il venait de dire d'un ton pressant. Puis il donna des détails. En écoutant ces terribles précisions,

14

l'abbé Azetti comprit qu'il n'avait pas mal interprété le récit de son paroissien, et il sentit son cœur se décrocher dans sa poitrine. Ce que cet homme avait fait — les actes qu'il avait perpétrés — dépassait l'entendement. C'était un péché si grave, si absolu, que le Ciel ne s'en remettrait peut-être jamais.

Etait-ce seulement possible ?

Le docteur se taisait à présent, il respirait avec peine et attendait dans la pénombre que son ami, son allié, l'absolve.

Mais l'abbé Azetti demeurait muet, incapable d'articuler un mot. Il ne parvenait même plus à penser. Il était tétanisé, comme si on l'avait brutalement précipité dans un torrent glacé. Il suffoquait, sa langue était sèche et dure comme du bois.

Le docteur voulut parler, mais une quinte de toux le secoua, si violente que le confessionnal en fut ébranlé. Le prêtre craignit un instant que le vieil homme ne tombe mort de l'autre côté de la cloison. Au lieu de quoi, il entendit qu'on tirait le rideau, puis il y eut un bruit de pas.

L'abbé Azetti ne bougea pas, hébété. Comme mue par une volonté propre, sa main droite traça le signe de croix. Il se redressa, sortit de l'isoloir et se retrouva dans la flaque de lumière. L'espace d'un instant, ce fut comme si le monde avait disparu. Il n'en restait qu'une colonne de poussière dorée qui s'élevait vers les cieux. Peu à peu, ses yeux accommodèrent, et il aperçut la frêle silhouette du docteur, dont les cheveux blancs auréolaient la tête d'un halo fantomatique. Il descendait l'allée centrale, appuyé sur sa canne qui frappait bruyamment les dalles. Le prêtre avança d'un pas.

— *Dottore !* Je vous en prie !

Son appel résonna dans toute l'église. Le vieil homme hésita, puis se retourna lentement, et ce que l'abbé lut sur son visage n'avait rien à voir avec le remords. Le docteur était en route pour l'enfer, la peur irradiait de tout son être.

L'instant d'après, il franchissait le porche.

Chapitre 2

L'abbé Azetti écrivit *Chiuso* sur un bout de carton qu'il accrocha sur le portail, après quoi il ferma l'église et partit immédiatement pour Rome.

Les paroles de Baresi résonnaient sans répit dans son âme, tel un tocsin propageant à tous les échos l'annonce d'un désastre. Cette voix sourde et désespérée le rongeait comme un mal pernicieux, et il ne pouvait lui opposer que cette injonction dérisoire : il faut faire quelque chose. Il le faut.

Alors il agissait, il se rendait à Rome.

A Rome, on saurait quoi faire.

Il demanda au mari de sa femme de ménage de le conduire jusqu'à Todi, la ville voisine. Dès qu'il fut dans la voiture, il se sentit mieux, moins tendu. Il était lancé, plus rien désormais ne l'arrêterait.

Son chauffeur était un homme corpulent et tapageur qui s'adonnait sans retenue — l'abbé Azetti ne le savait que trop — à sa passion pour les cartes et la grappa. Il n'avait pas travaillé depuis des années et, craignant sans doute de perdre son unique source de revenus, en l'occurrence le salaire de son épouse, il manifestait à l'abbé une sollicitude outrancière. Durant tout le trajet, il se confondit en excuses, déplorant le mauvais état des amortisseurs, la chaleur, l'état des routes et le comportement aberrant des autres automobilistes. Chaque fois que la voiture pilait à un stop, il plaquait un bras protecteur sur la poitrine du prêtre, comme si ce dernier était un petit enfant trop ignorant des lois fondamentales de la physique pour se cramponner quand le conducteur donnait un coup de frein.

16

Lorsqu'ils s'arrêtèrent enfin devant la gare, l'homme sortit en trombe de la vieille Fiat et se précipita pour aider son passager à descendre. La portière, cabossée lors d'une ancienne collision, s'ouvrit avec un gémissement lugubre. Dehors, il faisait presque aussi chaud qu'à l'intérieur du véhicule, et l'abbé sentit la sueur dégouliner le long de son dos. Son compagnon, tout en l'escortant jusqu'au guichet, se mit à le bombarder de questions. Monsieur le curé voulait peut-être qu'il lui achète son billet ? Qu'il lui tienne compagnie en attendant l'arrivée du train ? Et s'il amenait monsieur le curé à la gare de Pérouse, hein ? L'abbé refusa tout en bloc. *No, no, no... grazie, grazie !*

Finalement, l'homme prit congé avec une courbette respectueuse et un soulagement presque palpable.

L'abbé Azetti avait une heure à tuer avant l'arrivée du train pour Pérouse. Là, il prendrait la correspondance et devrait patienter encore une heure avant de monter dans le train pour Rome.

Il sortit sur le quai écrasé de chaleur et s'assit sur un banc. L'air était saturé de poussière et d'ozone, la soutane noire de l'abbé lui collait à la peau.

Mais il appartenait à la Compagnie de Jésus. Malgré la touffeur ambiante, il ne s'avachit pas sur son siège, ne se laissa pas aller à la somnolence. Il se tenait parfaitement droit.

Eût-il été un simple curé affecté dans un village de la campagne ombrienne que la confession du Dr Baresi n'eût probablement pas eu de suite. Selon toute vraisemblance, il n'en aurait même pas compris le sens, ni *a fortiori* les conséquences. Et même s'il avait compris, il n'aurait pas su quoi faire ni à qui s'adresser.

Mais Giulio Azetti n'était pas un simple curé.

Les laïcs avaient un terme pour définir les caprices du destin : la coïncidence. Aux yeux d'un ecclésiastique, cependant, ce concept paraissait inacceptable, voire démoniaque. L'abbé Azetti se devait de considérer l'enchaînement des événements comme l'œuvre d'une main invisible, le fruit d'une volonté et non du hasard. Envisagée de ce point de vue, sa présence dans ce confessionnal, pour entendre cette confession-là, prenait un sens et s'inscrivait dans un plan extraordinairement complexe. Les voies de Dieu sont impénétrables, comme disait le dicton.

Immobile sur le quai, l'abbé Azetti médita sur la portée du

17

péché que lui avait avoué le Dr Baresi. Pour parler simplement, c'était une abomination — un crime contre la religion, mais aussi contre le cosmos. Une offense à la nature qui contenait en germe la fin de l'Eglise. Et pas seulement de l'Eglise.

Il essaya de prier, de s'abriter derrière le bouclier de la prière pour faire le silence dans son esprit — peine perdue. La voix du Dr Baresi le hantait, même le signe de croix ne parvint pas à l'étouffer.

Secouant la tête, l'abbé fixa son regard sur les mauvaises herbes grises de poussière qui poussaient dans les fissures du béton au bord de la voie ferrée. Elles avaient d'abord été des graines entraînées par le vent et tombées dans ces fissures, des graines qui portaient en elles la promesse de ce fléau végétal ; de même le péché confessé par le docteur, si on le gardait secret, annonçait... quoi donc ?

La fin du monde ?

La chaleur de juillet était si intense que les rails et les bâtiments au-delà des quais semblaient trembloter et se dissoudre dans l'air. Sous sa soutane, l'abbé transpirait à grosses gouttes.

Il s'essuya le front d'un revers de manche et entreprit de répéter ce qu'il dirait en arrivant à Rome (à condition que le cardinal Orsini accepte de le recevoir).

Votre Eminence, c'est un problème de la plus haute importance...

J'ai appris quelque chose qui menace gravement la foi...

Les mots lui viendraient en temps utile. Le plus dur serait de franchir les barrages bureaucratiques. Il essaya d'imaginer la réaction du cardinal — un dominicain. Orsini se souviendrait probablement de lui et comprendrait qu'il ne demandait pas audience pour des motifs anodins. Mais peut-être le cardinal le soupçonnerait-il de vouloir plaider sa cause et quémander un poste à Rome, après son long exil en Ombrie.

L'abbé ferma les yeux. Il trouverait une solution. D'une manière ou d'une autre, il devrait trouver une solution.

Soudain, un grondement ébranla le sol et une vibration déplaisante transperça les semelles de ses chaussures noires impeccablement cirées. Non loin de lui, une petite fille en sandales de plastique rose se mit à sautiller. L'abbé Azetti se redressa. Le train entrait en gare.

Chapitre 3

Le Pérouse-Rome, un vieux tortillard avec banquettes de moleskine et gravures encadrées du lac de Côme, empestait le tabac bon marché et semblait s'arrêter à chaque carrefour pour embarquer de nouveaux passagers. Tourmenté par la faim (il n'avait toujours pas déjeuné) et engourdi par la lenteur du voyage, l'abbé Azetti, recroquevillé sur son siège, contemplait le paysage dans la lumière déclinante de l'après-midi. Peu à peu, la campagne se mita puis céda la place aux sinistres banlieues industrielles de la capitale italienne. Parvenu à la Stazione di Termini, le train s'immobilisa avec fracas ; les freins rendirent un dernier soupir, les portières s'ouvrirent et les voyageurs se répandirent sur le quai.

L'abbé Azetti se mit aussitôt en quête d'un téléphone. Il eut quelques difficultés pour joindre Mgr Cardone à Todi. Dès qu'il l'eut en ligne, il lui présenta ses excuses et expliqua qu'il se trouvait à Rome pour une affaire de la plus haute importance.

— *Roma ! ?*

Oui, il espérait rentrer dans un jour ou deux, mais peut-être serait-il retardé et, dans ce cas, il faudrait le remplacer à Montecastello.

L'évêque fut tellement choqué qu'il ne put articuler qu'un *Che ! ?* étranglé et vibrant d'indignation. L'abbé ne lui laissa pas le temps d'en dire plus ; il s'excusa à nouveau et raccrocha.

Comme il n'avait pas les moyens de s'offrir l'hôtel, il passa la nuit sur un banc de la gare. Au matin, il se débarbouilla dans les toilettes pour hommes et partit à la recherche d'un café où l'on n'accueillait pas les clients à coups de fusil. Il en trouva un juste devant la gare, but un double espresso et engloutit une viennoiserie qui ressemblait vaguement à un croissant. L'estomac calé, il chercha ensuite le grand M rouge signalant le métro. Direction : la cité du Vatican, en plein cœur de Rome.

Ça ne va pas être facile, songea l'abbé. Non, pas facile du tout.

Les affaires du Vatican, comme celles de n'importe quel Etat indépendant, étaient gérées par un appareil bureaucratique, la curie, qui avait pour mission de diriger cette gigantesque entité connue sous le nom d'Eglise catholique, apostolique et romaine. Outre la secrétairerie d'Etat, chargée notamment des questions diplomatiques, la curie comportait neuf congrégations comparables à des ministères et dotées d'attributions spécifiques.

La Congrégation pour la doctrine de la foi, lointaine héritière de la Congrégation de la Suprême Inquisition, et connue jusqu'en 1965 sous le nom de Congrégation du Saint-Office, était la plus puissante de ces institutions. Vieille de plus de quatre cent cinquante ans, elle demeurait l'un des organes vitaux de l'Eglise. Elle avait pour tâche de promouvoir et de protéger la doctrine, et était compétente en matière d'hérésie, de délit contre la foi et d'excommunication. Dans certaines affaires extraordinaires, des membres de la Congrégation étaient autorisés à pratiquer des exorcismes et à prendre toutes les mesures nécessaires pour défendre la foi.

C'étaient précisément ces deux dernières prérogatives qui avaient incité l'abbé Azetti à quitter son village pour se rendre à Rome.

Le cardinal Stefano Orsini, qui dirigeait la Congrégation pour la doctrine de la foi, avait fréquenté trente-cinq ans plus tôt les bancs de l'Université pontificale grégorienne en compagnie d'Azetti. Orsini était maintenant un prince de l'Eglise, à la tête d'un dicastère comprenant neuf cardinaux de moindre rang, douze évêques et trente-cinq prêtres — tous érudits de premier ordre.

Les bureaux du cardinal se trouvaient dans le palais du Saint-Office, à l'ombre de la basilique Saint-Pierre. Azetti connaissait bien les lieux, il avait passé les cinq premières années de sa vie religieuse dans une petite salle brillamment éclairée du deuxième étage, au milieu des livres et des manuscrits. Beaucoup d'eau avait coulé sous les ponts depuis cette époque et, tandis qu'il gravissait l'escalier menant au troisième étage, l'abbé sentit les battements de son cœur s'accélérer.

Ce n'était pas l'effort qui lui faisait battre le cœur plus vite, mais la vue de ces marches creusées en leur milieu, usées par les milliers de pieds qui les avaient foulées. Lui-même avait, vingt ans auparavant, maintes fois monté cet escalier et, en voyant ce marbre érodé, il réalisa soudain que son existence s'était écoulée inexorablement et touchait à sa fin.

Cette pensée le suffoqua. Un instant, il hésita et crispa si fort sa main sur la rampe que ses jointures blanchirent. L'émotion le submergea ; non pas de la nostalgie, mais plutôt... un terrible sentiment de perte qui lui nouait la gorge. A pas lents, il reprit son ascension avec l'impression de s'immerger de plus en plus profondément dans le regret.

Aujourd'hui, il n'était qu'un étranger de passage dans le palais du Saint-Père, pourtant il connaissait si intimement ce décor — le grain des peintures murales, le cuivre lustré de la rampe, les rectangles de lumière que les fenêtres projetaient sur le marbre — qu'il en avait l'âme déchirée.

Il avait toujours cru qu'il passerait l'essentiel de sa vie dans l'enceinte du Vatican. Qu'il travaillerait à la bibliothèque ou enseignerait dans l'une des universités pontificales. Qu'il resterait ici, dans ce bâtiment. Il avait même été assez ambitieux pour penser qu'il revêtirait un jour la pourpre cardinalice.

Au lieu de quoi, depuis dix ans, il était le curé de Montecastello, le berger d'un troupeau d'ouailles formé de boutiquiers, de journaliers et de petits entrepreneurs. Sans doute manquait-il d'humilité, mais il ne pouvait s'empêcher de se poser la question : qu'est-ce qu'un homme comme lui faisait dans un trou pareil ?

Il possédait un doctorat de droit canon et une connaissance approfondie de la politique vaticane. Durant des années, il avait été membre de la Congrégation pour la doctrine de la foi, puis de la secrétairerie d'Etat. Il avait accompli sa tâche de manière remarquable, avec intelligence et humanité, et surtout avec efficacité. On considérait alors qu'il était promis à un brillant avenir. Envoyé à l'étranger pour parachever sa formation, il avait été nommé sous-secrétaire auprès du nonce apostolique, d'abord au

Mexique, ensuite en Argentine. Tout le monde estimait qu'il deviendrait nonce à son tour, un ambassadeur du Saint-Siège.

Mais les choses avaient tourné autrement. Il s'était attiré les foudres de la curie en organisant des manifestations contre la brutalité du régime militaire de Buenos Aires. Il avait harcelé le gouvernement et la police pour savoir ce qu'il était advenu des personnes disparues, il avait reçu des journalistes de la presse internationale et tenu des propos si virulents que des notes diplomatiques avaient été échangées entre les deux Etats — et ceci à deux reprises.

Après l'élection du pape Jean-Paul II, il était clairement apparu que le Vatican ne tolérerait plus l'activisme politique de prêtres comme Azetti. Le nouveau pontife, un Polonais conservateur formé à l'école de la guerre froide, appartenait à l'ordre des Dominicains. A ses yeux, la justice sociale était une affaire séculière et non religieuse.

Comme souvent au cours de l'histoire, les dominicains et les jésuites poursuivaient des buts différents. Nul ne s'étonna donc que la Compagnie de Jésus dans son ensemble fasse l'objet de critiques. L'ordre fut réprimandé pour ce que le nouveau pape appelait un « manque de mesure » ; on reprochait à ses membres de s'intéresser davantage à la politique qu'aux devoirs de leur ministère.

Ce blâme irrita fortement l'abbé Azetti. Quoiqu'il eût prononcé, comme tout jésuite, le vœu d'obéissance au pape, il était révolté. Comment pouvait-il être prêtre et ne pas se ranger au côté des pauvres ? Dans un entretien confidentiel avec un journaliste américain, à Buenos Aires, il déclara à son interlocuteur que Jean-Paul II ne condamnait pas l'activisme politique en général, mais seulement un certain activisme. Il aurait pu s'en tenir là. Malheureusement, pour bien préciser sa pensée, il ajouta qu'on encourageait les activités anticommunistes mais qu'on ne tolérait aucune critique contre les régimes fascistes, au mépris des milliers de victimes torturées et assassinées.

Deux jours plus tard, ses déclarations étaient publiées, à peu près *in extenso,* par le *Christian Science Monitor.* Une photo d'Azetti au premier rang d'un cortège, sur la Plaza de Mayo, accompagnait l'article. En légende du cliché figuraient son nom et la question : *Un nouveau schisme ?*

Vu les circonstances, Azetti put s'estimer heureux de ne pas être excommunié. On le rappela au Vatican et on le disgracia. Pour lui inculquer l'humilité, on l'expédia dans une paroisse si modeste et si reculée que personne ne fut en mesure de lui dire où elle se situait exactement. Près d'Orvieto, affirmaient les uns. Ou peut-être de Gubbio. En Ombrie, certes, mais où ? Il dut examiner une carte d'état-major pour repérer l'endroit : une tête d'épingle au nord de Todi. C'était là qu'il vivait depuis, comme simple curé de campagne.

Mais tout cela appartenait au passé.

L'abbé Azetti pénétra dans l'antichambre dont il se souvenait si bien. Le décor en était spartiate : deux bancs de bois, un bureau ancien et un simple crucifix sur le mur. Un ventilateur tournait lentement au plafond, brassant l'air chaud.

Le réceptionniste était absent, la pièce vide et silencieuse. Sur la table, une cohorte de toasters volants traversaient en battant des ailes l'écran d'un ordinateur portable. L'abbé Azetti chercha une sonnette et, n'en trouvant pas, toussota timidement.

— Il y a quelqu'un ? marmonna-t-il.

Pas de réponse. Il s'assit sur l'un des bancs, prit son chapelet et se mit à prier.

Il entamait sa deuxième dizaine d'*ave*, lorsqu'un religieux en robe blanche émergea du bureau du cardinal. Une expression de surprise se peignit sur son visage.

— Puis-je vous aider, monsieur le curé ?

— *Grazie*, dit Azetti en se redressant d'un bond.

Le religieux lui tendit la main.

— Donato Maggio.

— Azetti ! Giulio Azetti... de Montecastello.

Le frère Maggio plissa le front.

— C'est en Ombrie, précisa Azetti.

— Ah oui, bien sûr.

Les deux hommes restèrent un instant face à face, souriant d'un air gêné. Puis Maggio s'assit à son bureau.

— En quoi puis-je vous être utile ?

Azetti s'éclaircit la voix.

— Vous êtes le secrétaire du cardinal ?

— Je ne suis là que pour deux ou trois semaines, le temps que les choses se calment. En ce moment, voyez-vous, il règne ici une certaine effervescence... il y a beaucoup de changements. Mais, en réalité, je suis archiviste adjoint.

23

Azetti opina, tout en triturant le bord de son chapeau. Il aurait dû deviner la fonction de Maggio. *Rat de bibliothèque*. L'expression consacrée lui revenait brusquement en mémoire. Dans sa jeunesse, c'était ainsi qu'on désignait ceux qui trimaient sur les archives et exhumaient pour les cardinaux, les évêques, les professeurs des universités pontificales, parchemins enluminés et textes anciens. Maggio avait la goutte au nez et les yeux myopes de ses congénères. A force d'étudier des documents séculaires, poussiéreux et moisis, sous un mauvais éclairage, ils présentaient tous les mêmes symptômes.

— Très bien, dit Maggio, les sourcils froncés. Que puis-je faire pour vous ?

Il était déçu qu'Azetti ne lui ait pas demandé la raison de cette « effervescence » et de ces « changements ». Il aurait pris plaisir à évoquer, naturellement à mots couverts, la santé du pape, et à observer la réaction de son interlocuteur. Mais ce dernier semblait perdu dans ses pensées, et Maggio dut répéter sa question.

— En quoi puis-je vous aider ?

— Je désire voir le cardinal.

— Je suis désolé, mais...

— C'est urgent !

Maggio lui lança un regard dubitatif.

— Il s'agit d'un délit contre la foi, expliqua Azetti.

Le rat de bibliothèque esquissa un petit sourire.

— Il est très occupé, vous ne l'ignorez pas.

— Certes, cependant...

— Tout le monde vous le dira : les demandes d'audience doivent être déposées longtemps à l'avance.

D'une voix monocorde, comme s'il psalmodiait, Maggio entreprit alors de décrire par le menu la marche à suivre. Tout d'abord, Azetti aurait dû consulter l'évêque de son diocèse. Néanmoins, puisqu'il ne l'avait pas fait... et puisqu'il était à Rome, on pouvait envisager un rendez-vous avec l'un des collaborateurs de la Congrégation afin qu'Azetti lui expose son problème. Eventuellement, si on le jugeait utile, il aurait *peut-être* le privilège de s'entretenir avec le cardinal. Toutefois la procédure réclamerait des semaines. Voire des mois. Une lettre serait sans doute plus indiquée. N'est-ce pas ?

L'abbé Azetti tambourinait sur le bord de son chapeau. Par le passé, on l'avait accusé d'arrogance, on lui avait reproché de considérer que ses propres préoccupations primaient tout le reste, alors que l'Eglise avait d'autres priorités. N'était-il pas en train de commettre la même erreur ?

Non, pas cette fois. Il n'était pas question de passer par un intermédiaire ni d'envoyer un courrier. Il devait parler au cardinal Orsini.

Il pivota et se rassit.

— J'attendrai.

— Je crains que vous ne m'ayez mal compris, dit Maggio avec un pâle sourire. Le cardinal ne peut recevoir tous ceux qui souhaitent le voir. C'est purement et simplement impossible.

— Je comprends très bien, mais j'attendrai.

Et il attendit.

Le matin, il arrivait à la basilique Saint-Pierre à sept heures. Il disait ses prières et s'installait sur un banc pour observer les fidèles qui défilaient devant la célèbre statue de Pierre et se penchaient pour baiser le pied de l'apôtre. Des siècles de dévotion avaient usé le métal au point que les orteils ne se distinguaient plus et que la semelle de la sandale se fondait dans la chair du pied.

A huit heures, Azetti gravissait les marches menant à l'antichambre du troisième étage. Là, il se présentait au frère Maggio qui le saluait froidement et inscrivait son nom dans un registre, d'une écriture pointue et hostile. Le curé de campagne s'installait alors sur le banc inconfortable et y demeurait jusqu'à la fin de la journée, sans abandonner son poste un seul instant. A cinq heures, lorsque les bureaux du cardinal fermaient, il redescendait l'escalier, longeait la colonnade du Bernin et quittait le Vatican par la porte Sainte-Anne.

Durant ces longues heures d'attente, il avait tout loisir de songer à Orsini. Il le revoyait tel qu'il l'avait connu durant leurs années d'études : un homme lourd, plutôt gauche, doté pourtant d'une intelligence acérée. Un être brillant et froid, dénué de compassion et totalement indifférent à l'opinion d'autrui.

Orsini n'avait qu'une passion : l'Eglise ; pour l'assouvir, il écrasait sans l'ombre d'une hésitation quiconque s'avisait de se mettre en travers de sa route. Son ascension fulgurante dans la hiérarchie vaticane était prévisible, et sa nomination à la tête de la Congrégation pour la doctrine de la foi n'avait surpris personne. C'était en quelque sorte un travail de policier, or le cardinal avait une âme de policier. Azetti le comparait à l'inspecteur Javert des *Misérables* — acharné, implacable. La vertu enracinée dans un cœur de pierre.

Mais, bien sûr, de tels hommes étaient nécessaires et même indispensables. A qui, sinon à Orsini, rapporter la confession du Dr Baresi ? Il saurait quoi faire et veillerait à ce que ce soit fait.

Azetti, quant à lui, préférait ne pas s'appesantir sur cette question, ne pas songer aux actions qu'il faudrait peut-être entreprendre. Aussi, pour ne pas y penser, s'abîmait-il souvent dans la prière.

Il passait ses nuits sur un banc de la gare. Il avait très vite découvert que, s'il laissait son chapeau à larges bords près de lui pendant qu'il dormait, il y trouvait quelques billets à son réveil. Personne ne l'importunait. Au matin, il se lavait dans les toilettes pour hommes, puis filait au bistrot où il dépensait ses aumônes en café, croissants et bouteilles d'eau minérale.

Dès le quatrième jour, le père Maggio renonça à se montrer courtois. Il ignorait les salutations d'Azetti et se comportait comme si l'abbé était transparent. D'autres intermédiaires prirent le relais, offrant leur aide à Azetti qui la refusait poliment mais fermement. Il ne discuterait de son affaire qu'avec le cardinal.

Parfois, un curieux passait la tête par l'entrebâillement de la porte, pour apercevoir le curé fou, et s'éclipsait en hâte. On chuchotait dans les couloirs. Au début, les commentaires qu'échangeaient les membres du personnel trahissaient de l'amusement. Peu à peu, cependant, l'atmosphère se chargea d'irritation.

— Qu'est-ce qu'il veut au juste ?

— Voir le cardinal.

— Mais c'est impossible.

— Evidemment !

Bref, Azetti agaçait et, de surcroît, gênait tout le monde. Il faut dire que, malgré ses ablutions matinales, il commençait à sentir mauvais. Lui si soigneux de sa personne en était atrocement embarrassé, mais il était bien forcé d'assumer sa déchéance, puisqu'il n'avait pas le choix. Malgré ses efforts pour conserver un minimum d'hygiène corporelle, il avait les cheveux graisseux, la crasse s'incrustait dans les replis de sa peau et raidissait ses vêtements. Hélas, il n'y pouvait rien.

Il attendait la nuit pour se laver, lorsque les toilettes pour hommes lui paraissaient désertes. Cela n'empêchait pas qu'il fût sans cesse dérangé. Voir un curé se débarbouiller en public semblait être un spectacle distrayant qui attirait les badauds.

Il n'y avait pourtant pas grand-chose à voir. Les lavabos étaient minuscules, l'eau désespérément froide, le savon liquide ne moussait pas et, surtout, il n'y avait pas de serviettes, seulement des sèche-mains qui soufflaient de l'air chaud. L'abbé avait beau se contorsionner et prendre les positions les plus acrobatiques, il ne pouvait tout simplement pas sécher certaines parties de son anatomie sans déclencher un esclandre. Résultat, la crasse s'accrochait à lui et, pour la première fois de son existence, il mesurait ce qu'enduraient les sans-abri.

— On ne peut vraiment pas l'évacuer ?

Six jours s'étaient écoulés, et on commençait à parler de lui sans vergogne, comme s'il était un étranger ou un animal incapable de comprendre. Comme s'il n'était pas là.

— De quoi aurions-nous l'air ? C'est un prêtre, tout de même !

Azetti ne flanchait pas. Il lui suffisait de se remémorer les paroles de Baresi. Il ne retournerait pas à Montecastello avant d'avoir déposé son fardeau. Plutôt que d'être le seul dépositaire de la confession du docteur, il attendrait dans cette antichambre jusqu'à la fin des temps.

Le septième jour, Mgr Cardone arriva de Todi et s'assit à son côté.

Pendant une longue minute, l'évêque au visage ratatiné de vieil oiseau garda le silence. Ses petits yeux noirs et luisants, sous des sourcils broussailleux, fixaient le mur. Puis il se fendit d'un sourire glacé et posa la main sur le genou d'Azetti.

— On m'a dit que vous étiez là.

— Ah, fit Azetti, comme si cette déclaration répondait à toutes les questions qu'il pouvait se poser.

— Eh bien, Giulio... que se passe-t-il ? Je peux sans doute vous aider.

Azetti secoua la tête.

— Non, à moins d'intercéder pour moi auprès du cardinal...

L'évêque se donna beaucoup de mal. Il déploya tout son

charme, parla à l'abbé sur le ton de la confidence, comme à un égal. Azetti savait fort bien — mieux que quiconque — comment les choses fonctionnaient. Il y avait des voies hiérarchiques à suivre, un protocole à respecter — des formalités, quoi. Azetti savait fort bien — mieux que quiconque — que le temps du cardinal était infiniment précieux et que ses collaborateurs avaient pour mission de le préserver. Allons, Giulio, partons d'ici.

No, grazie. Molto grazie.

Du coup, l'évêque passa à l'attaque. Franchement, Azetti, vous manquez à tous vos devoirs. Vous avez abandonné votre église ! Nous avons eu un baptême, un décès — un service funèbre ! Qu'avez-vous donc de si important à faire ici ? Les gens commencent à jaser !

Puis il essaya les cajoleries. Si Azetti se confiait à lui, il intercéderait en sa faveur. Selon toute vraisemblance, le cardinal n'était même pas informé que l'abbé attendait depuis des jours et des jours.

A nouveau, Azetti secoua la tête.

— Je ne peux parler qu'au cardinal.

Furieux, l'évêque se leva d'un mouvement brusque.

— Si vous persistez dans cette attitude, Giulio...

Azetti chercha les mots susceptibles d'apaiser le courroux du *monsignore,* mais à ce moment Donato Maggio apparut sur le seuil.

— Le cardinal va vous recevoir, dit-il.

Orsini avait décidé que, finalement, c'était encore la meilleure manière de se débarrasser du curé.

Stefano Orsini trônait derrière son imposant bureau, revêtu de sa soutane noire soutachée de pourpre et coiffé d'une calotte rouge. Dans son large visage aux chairs flasques brillaient deux énormes yeux bruns, pareils à ceux d'un molosse d'humeur peu amène. Quand l'aigre fumet émanant de son visiteur lui assaillit les narines, ses traits se crispèrent.

— Quel plaisir de vous voir, Giulio ! Prenez donc un siège. Je crois que vous êtes là depuis un certain temps.

— Votre Eminence...

L'abbé Azetti se posa sur le bord d'un fauteuil de cuir et attendit que le frère Maggio se retire. Dans son esprit enfiévré résonnaient les paroles si souvent répétées au cours des derniers jours.

Au bout d'un instant cependant, il se rendit compte que Maggio était assis près de la porte, les jambes croisées.

Il toussota.

— Eh bien ? dit le cardinal.

Azetti jeta un coup d'œil en direction de Donato Maggio. Le cardinal considéra tour à tour les deux ecclésiastiques.

— C'est mon assistant, Giulio.

Azetti hocha la tête.

— Et je tiens à ce qu'il soit présent, ajouta Orsini.

Azetti opina. Il voyait bien que la patience du cardinal touchait à ses limites.

— Est-ce votre libération que vous venez réclamer ? demanda Orsini d'un ton dédaigneux. Seriez-vous fatigué de la vie rurale ?

Azetti entendit le frère Maggio ricaner dans son dos, mais il n'y prêta pas attention. Il réalisait soudain que ces années de relégation l'avaient dépouillé de toute ambition. Cette idée pouvait paraître effrayante ; pourtant, dans le fond de son cœur, il savait qu'il n'avait rien perdu d'essentiel, qu'on ne l'avait pas amputé d'une part de lui-même. Au contraire, il se sentait guéri d'une mauvaise fièvre.

Il embrassa du regard le bureau du cardinal et comprit que, malgré la nostalgie qui l'avait étreint lors de son arrivée dans ces lieux, il ne voudrait pour rien au monde revenir au Vatican, reprendre sa place dans cet univers semé de chausse-trappes. A Montecastello, il avait trouvé un bien plus précieux que l'ambition.

Il avait trouvé la foi.

Mais, bien sûr, ce n'était pas une chose à dire à Orsini — quoique le cardinal fût au Vatican une sorte d'oiseau rare, un vrai croyant, un ardent et inébranlable soldat du Christ. Toutefois Orsini se moquait éperdument de l'âme d'Azetti. Il ne s'intéressait qu'au pouvoir et, si Azetti lui parlait de sa foi, ses propos seraient interprétés comme une ruse, une manœuvre politique.

— Je ne suis pas ici pour des motifs personnels, dit-il, soutenant sans ciller le regard rapace du cardinal. J'ai des informations à vous soumettre, des informations qui concernent l'Eglise. Il s'agit d'une chose qui ne peut...

Le cardinal leva la main.

— Giulio, s'il vous plaît, dit-il avec un sourire glacé. Epargnez-moi les préambules.

Azetti soupira, jeta un nouveau coup d'œil au frère Maggio. Puis, oubliant le discours qu'il avait si soigneusement élaboré pendant tous ces jours, il se jeta à l'eau.

— J'ai entendu une confession..., bredouilla-t-il. Une confession qui a bien failli me donner une attaque.

Chapitre 4

Durant les jours qui suivirent, le cardinal Orsini fut la proie du tourment.

Il se tourmentait pour l'Homme. Pour Dieu. Et il se tourmentait pour lui-même. Que devait-il faire ? Que pouvait-on faire ? La confession du Dr Baresi avait de si considérables implications que, pour la première fois de son existence, Orsini jugeait le fardeau trop lourd. A l'évidence, il aurait fallu en référer au pape, mais la plupart du temps le Saint-Père était à peine lucide, son esprit vacillait. Une affaire pareille risquait de l'achever.

Le problème était d'autant plus accablant que le secret s'imposait. Le cardinal ne voyait personne à qui se confier. De fait, seul le frère Maggio était au courant de la situation — ce qu'Orsini se reprochait amèrement. Azetti ne souhaitait pas qu'il assiste à leur entretien, mais lui avait insisté. *C'est mon assistant, Giulio. Et je tiens à ce qu'il soit présent.*

Pourquoi avait-il réagi de la sorte ? Parce que tu as passé trop d'années au Vatican, se tançait-il, et que tu ignores tout du monde réel. Dans ton arrogance, tu n'imaginais pas qu'un curé de campagne pût avoir quelque chose d'important à dire. Et maintenant, te voilà avec Donato Maggio pour seul confident.

Donato Maggio, songea-t-il avec un grognement d'affliction. L'archiviste, qui assumait à l'occasion les fonctions de sous-secrétaire, ne se gênait pas pour exprimer ses opinions en matière de théologie. Traditionaliste, il appelait — bruyamment — de ses vœux « un catholicisme plus musclé » et avait à plusieurs reprises évoqué la « vraie messe » — ce qui, évidemment, était une critique à peine voilée des réformes mises en œuvre par Vatican II.

Quoiqu'il n'eût jamais discuté ces questions avec Maggio, le cardinal Orsini devinait quelles étaient ses positions. Lui et ses semblables prônaient la liturgie établie par le concile de Trente (le prêtre disait la messe en latin et tournait le dos aux fidèles). A leurs yeux, la messe en langue vernaculaire était une imposture. Et, par conséquent, un sacrilège. Ils estimaient également que l'office du samedi soir ne pouvait en aucun cas remplacer les obligations dominicales.

En résumé, ils s'opposaient à toute tentative de moderniser l'Eglise afin de la rendre plus accessible.

Maggio ne se contentait pas de refuser farouchement d'éventuels changements tels que l'ordination des femmes, la possibilité pour les membres du clergé de se marier ou la légitimation du contrôle des naissances. Son conservatisme allait bien plus loin que ça. Il voulait tout bonnement annuler les réformes déjà en cours. A côté de lui, l'homme de Neandertal faisait figure de progressiste.

Inutile, dans ces conditions, de lui demander ce qu'il pensait des agissements du Dr Baresi. Les religieux de son espèce n'avaient pas d'opinions, seulement des réflexes on ne peut plus prévisibles.

Mais, au bout du compte, le cardinal Orsini n'eut pas à supporter longtemps sa terrible solitude. L'abbé Azetti avait choisi, pour débarquer au Vatican avec sa bombe à retardement, une période particulièrement troublée. La santé du pape suscitait de telles inquiétudes que le conclave s'attachait d'ores et déjà, dans la plus grande discrétion, à sélectionner parmi les prélats un successeur au souverain pontife. On dressait et révisait sans relâche de courtes listes de *papabile*. Les téléphones cellulaires avaient été bannis de la cité vaticane, de crainte que les journalistes et autres observateurs n'écoutent des conversations censées demeurer confidentielles.

Tout le monde vivait sur les nerfs. Les journées se passaient en réunions secrètes, et le cardinal Orsini naviguait d'un bureau enfumé à l'autre pour échanger à mi-voix avec ses pairs des commentaires sur la maladie du Saint-Père. Il suffisait d'ailleurs de se croiser dans un couloir pour aborder derechef des questions aussi capitales que l'avenir de l'Eglise et l'identité du prochain pape.

Obsédé comme il l'était par la confession du Dr Baresi, qui

lui semblait passer avant les autres problèmes, le cardinal Orsini ne put s'empêcher de confier son tourment à certains de ses proches. Sans doute était-ce inévitable. Il sollicita donc l'avis de deux ou trois personnes — pas plus.

Ses confidents réagirent de la même façon : d'abord ils s'abîmaient dans une méditation horrifiée, puis concluaient qu'il n'y avait rien à faire — ou plutôt qu'il y avait une seule chose à faire, or on ne pouvait l'envisager sans être saisi d'effroi. Pourtant tous convenaient que rester les bras croisés était aussi, en un sens, une forme d'action, aux conséquences incalculables...

Parfois Orsini en avait le vertige. Il n'y avait rien à faire, se répétait-il. Mais cela équivalait à laisser le monde s'éteindre comme un cœur fatigué. Un cœur qui battait depuis la nuit des temps.

L'affaire était si phénoménale que les confidents d'Orsini ne résistèrent pas non plus au besoin de s'en ouvrir à leurs amis. La nouvelle se répandit. Une semaine à peine après les révélations d'Azetti, on débattait ferme au Vatican, quoique dans le plus grand secret. L'un après l'autre, les prélats explorèrent les archives vaticanes, en quête d'une réponse qu'ils n'obtinrent pas. Les textes anciens ne renfermaient aucun enseignement capable de les éclairer. Il apparut que les problèmes soulevés par la confession du Dr Baresi n'avaient, dans l'histoire de l'Eglise, jamais été abordés — et ce pour la simple raison qu'ils étaient jusqu'ici inimaginables.

Ce vide dogmatique permit d'aboutir à une sorte de consensus. Après des semaines de discussion informelle, la curie décida que, quoi qu'ait pu faire le Dr Baresi, on devait y voir *la volonté de Dieu.*

En vertu de quoi, nul n'y pouvait rien. Il fallait attendre le rétablissement du souverain pontife ou l'élection d'un nouveau pape qui étudierait éventuellement la question et y répondrait peut-être *ex cathedra.* D'ici là, mieux valait ne plus s'en mêler.

Tous s'inclinèrent.

Sauf le frère Maggio. Quand il apprit la décision des prélats, une expression de sombre détermination se peignit sur son visage.

Dès le lendemain, il prenait le train pour Naples.

Umbra Domini, « l'Ombre du Seigneur », avait installé ses bureaux dans une villa cossue de la via Viterbo, non loin de l'Opéra. Fondée en 1966, peu après la dernière session du concile Vatican II, la congrégation jouissait depuis trente ans du statut d'institut séculier, avec plus de cinquante mille membres et des missions dans treize pays. Elle avait longtemps réclamé le statut d'ordre régulier, toutefois la plupart des observateurs considéraient qu'Umbra Domini pouvait se satisfaire de son sort et se féliciter de rester au sein de l'Eglise.

La confrérie s'était violemment opposée aux réformes de Vatican II. Ses porte-parole vilipendaient les efforts du concile pour démocratiser la foi, qu'ils jugeaient comme une soumission au modernisme, au sionisme et au socialisme. A leurs yeux, la réforme la plus révoltante était sans conteste la rénovation de la liturgie. En abandonnant le latin, on ne se contentait pas de fouler aux pieds une tradition séculaire. On brisait le lien qui unissait les catholiques du monde entier. Pour Umbra Domini, la messe en langue vernaculaire était un « rite abâtardi ». A cela une seule explication : durant les délibérations de Vatican II, l'Antéchrist occupait le trône de saint Pierre.

Mais ce n'était pas tout. Quoique ses positions ne fussent consignées dans aucun document public, la congrégation rejetait l'opinion adoptée par les libéraux, à savoir que les autres religions détenaient des parcelles de vérité et que leurs adeptes (ainsi que le proclamait Vatican II) se tenaient aussi « dans la lumière de Dieu ». Dans ce cas, argumentait-on, l'Eglise était coupable de persécution et de crime contre l'humanité. Car comment justifier mille six cents ans d'intolérance et de stricte observance de la doctrine, dont l'Inquisition avait marqué l'apogée ? Pour Umbra Domini, la cause était entendue : le dogme représentait l'unique vérité et les adeptes des autres religions étaient des infidèles, des ennemis de la Sainte Eglise.

Les adversaires de l'organisation réclamaient l'excommunication de ses membres, cependant le pape hésitait, peu désireux de provoquer un nouveau schisme. Durant des années, les émissaires du Vatican avaient, en coulisse, négocié avec les leaders d'Umbra Domini et ils étaient parvenus à un compromis. Le Vatican reconnaissait officiellement l'existence de la congrégation et l'autorisait à dire la messe en latin. En contrepartie,

Umbra Domini s'engageait à ne plus faire de déclarations publiques et à renoncer à toute forme de prosélytisme.

Par la force des choses, la confrérie se replia sur elle-même. Ses chefs disparurent de la scène et cessèrent de donner des interviews. De temps à autre, des articles paraissaient dans la presse européenne et américaine. On y laissait entendre que le mouvement prenait des allures de secte. Le *New York Times* lui reprochait « un goût obsessionnel du secret et des pratiques de recrutement plus que douteuses », tout en mettant l'accent sur l'immense fortune amassée en quelques années par Umbra Domini. En Angleterre, le *Guardian* allait plus loin. Evoquant « le nombre impressionnant de politiciens, d'industriels et de magistrats » affiliés à cette association, le quotidien prétendait qu'un « groupe politique néo-fasciste était en train de se constituer sous le couvert d'un ordre religieux ».

Silvio della Torre, le jeune et charismatique timonier d'Umbra Domini, s'était immédiatement employé, avec son charme coutumier, à démentir cette allégation.

Ce jour-là, il s'adressait à une centaine de nouveaux membres — parmi lesquels se trouvait Donato Maggio — réunis dans la petite église napolitaine de San Eufemio — un édifice cédé à la congrégation peu après sa constitution et qui lui servait toujours de maison mère.

Cette église avait une longue histoire. Construite au VIIIᵉ siècle sur le site d'un ancien temple dédié à Mithra, elle avait connu bien des vicissitudes. En 1972, elle tombait en ruine — la toiture fuyait, les murs menaçaient de s'écrouler — au point qu'on envisageait de la raser par mesure de sécurité. On avait choisi d'en faire don à Umbra Domini.

L'ordre avait tenu sa promesse de la restaurer, quoiqu'elle n'eût rien pour attirer les touristes qui, dans un rayon de quelques centaines de kilomètres, pouvaient admirer à loisir les œuvres de Giotto, de Michel-Ange, Léonard de Vinci, Fra Filippo Lippi, ou encore de Raphaël et du Bernin. San Eufemio ne possédait aucun trésor propre à séduire les amateurs d'art.

Certes, l'extérieur s'ornait d'une assez belle porte en bois de cyprès, datant du VIIIᵉ siècle. Mais l'intérieur paraissait étriqué et baignait dans une perpétuelle pénombre, les rares vitraux, très anciens et à peine translucides — ne laissant filtrer qu'une lumière glauque.

Les autres curiosités de San Eufemio étaient tout aussi... décourageantes. Elles se résumaient à un horrible reliquaire renfermant le cœur d'un saint tombé en désuétude et à une lugubre Annonciation, fierté de la petite église. Les siècles avaient tellement assombri le tableau qu'il fallait un grand soleil pour en distinguer les détails. On découvrait alors une Vierge au visage inexpressif, en contemplation devant le Saint-Esprit que l'artiste n'avait pas représenté par la traditionnelle colombe mais par un œil flottant entre ciel et terre.

Dans ce sinistre décor, Silvio della Torre brillait comme un flambeau. C'est du moins ce qu'avait pensé Donato Maggio le jour où il avait entendu le jeune prêtre répondre aux accusations de la presse.

Della Torre avait fait preuve d'une admirable aisance. Il avait souri puis écarté les bras avec une expression de consternation.

— L'incohérence des journalistes me sidère. D'abord ils nous reprochent de trop parler, avait-il dit, faisant référence à l'époque où Umbra Domini claironnait ses opinions à tous les vents. Et maintenant ils nous reprochent de garder le silence. Ils confondent délibérément, parce que ça les arrange, discrétion et secret, congrégation et conjuration... Ce qui prouve à quel point ils sont dignes de confiance.

Un murmure amusé couru dans l'assistance.

— Les journalistes ne comprennent jamais rien à rien, avait conclu della Torre. De cela au moins, vous pouvez être certains.

Des rires avaient salué cette boutade.

Le frère Maggio souriait. Umbra Domini comptait parmi ses membres de nombreux religieux comme lui. Cependant Donato Maggio avait ceci de particulier que, non content d'appartenir à l'ordre des Dominicains, il travaillait au Vatican. Ce faisant, il avait un pied dans chaque univers, et comprenait la crainte que l'un inspirait à l'autre. Pour le Vatican, Umbra Domini était un groupe extrémiste difficilement tolérable, une sorte de Hezbollah catholique qui attendait l'occasion de mettre le feu aux poudres. De son côté, Umbra Domini voyait le Vatican tel qu'il était ou semblait être : comme un obstacle. Une entité massive, sénile mais omniprésente.

Quoique le frère Maggio n'eût jamais été officiellement présenté à Silvio della Torre, il n'eut aucun mal à obtenir une audience privée. En apprenant que l'un des assistants du cardinal Orsini souhaitait s'entretenir avec lui d'une affaire de la plus extrême importance, della Torre l'invita à dîner le soir même.

Son secrétaire personnel avait peut-être surestimé la position de Maggio au sein de l'équipe du cardinal, mais... tant pis. Même si Maggio n'était qu'un archiviste de bas étage, della Torre voulait entendre ce qu'il avait à dire.

Ils se retrouvèrent non loin de San Eufemio, dans une petite trattoria : I Matti. Si la devanture du restaurant ne payait pas de mine, l'intérieur surprenait par son raffinement. Le frère Maggio fut accueilli avec déférence par un maître d'hôtel qui le conduisit dans un cabinet particulier du premier étage. La pièce était meublée d'une simple table dressée sous une haute fenêtre de style palladien, et éclairée par le feu qui crépitait dans la cheminée ainsi que par deux candélabres anciens fixés au mur. Sur la nappe immaculée, on avait disposé des bougies et un bouquet de gypsophile.

Silvio della Torre regardait par la fenêtre lorsque le frère Maggio entra. Il se retourna, salua le maître d'hôtel d'un signe de tête et fit face à son invité. Celui-ci, qui l'avait seulement vu dans la pénombre de l'église San Eufemio, fut saisi par son étonnante beauté. Âgé d'environ trente-cinq ans, le leader d'Umbra Domini était un homme grand et athlétique. Ses vêtements, d'une sobre élégance, sortaient manifestement de chez le bon faiseur. Ses épais cheveux bouclés étaient si noirs qu'ils prenaient, dans la lumière des candélabres, des reflets bleutés. Mais Maggio fut surtout fasciné par les yeux de della Torre ; frangés de longs cils noirs, ils avaient la couleur des aigues-marines, oscillant entre le bleu et le vert.

« Des joyaux enchâssés dans un visage façonné par Dieu », songea Maggio, plutôt satisfait de cette formule. Il faut dire que les mots lui venaient sans peine, il était quasiment un professionnel, puisque à ses moments perdus il aimait à écrire de la poésie.

Quand della Torre s'approcha, Maggio pensa que ses traits rappelaient ceux des statues du Forum. Le profil romain dans toute sa pureté classique, nota-t-il *in petto*.

Puis il sentit son cœur s'accélérer. Il dînait avec Silvio della Torre !

— *Salve*, dit della Torre en lui tendant la main. Vous devez être le frère Maggio.

Maggio bredouilla que oui, en effet, c'était bien lui, après quoi son hôte l'invita à s'asseoir. Tout en bavardant, della Torre remplit leurs verres de greco de tufo et porta un toast.

— A nos amis de Rome !

Le repas fut simple et délicieux, comme la conversation. Pour se mettre en bouche, ils commencèrent par une *bruschetta*, un croûton frotté d'ail avec une pointe d'huile d'olive, et discutèrent longuement de football, de la Lazio de Rome, de la Sampdoria de Gênes, des revers que subissaient les équipes de première division. Un serveur leur ouvrit une bouteille de montepulciano. Quelques minutes plus tard, un deuxième serveur leur apporta des *agnelotti*, farcis de poireaux et de truffes. Maggio, dans un élan poétique, fit remarquer que les *agnelotti* ressemblaient à des « petits coussins moelleux », à quoi della Torre répondit par une plaisanterie qui parut au dominicain un brin salace (mais sans doute avait-il mal compris).

La discussion roula ensuite sur la politique, et Maggio découvrit avec ravissement que della Torre et lui étaient d'accord sur tout ou presque. Les démocrates-chrétiens étaient lamentables, la Mafia reprenait du poil de la bête, et les francs-maçons s'infiltraient partout. Quant aux juifs, alors là... Ils échangèrent aussi quelques commérages sur la santé du pape et analysèrent les chances respectives des candidats à sa succession.

On leur présenta le plat suivant, une truite, dont le serveur leva les filets d'une main experte. Dès qu'ils furent à nouveau seuls, della Torre déclara qu'il était heureux de voir qu'avec le frère Maggio, Umbra Domini avait un ami sûr dans la Congrégation pour la doctrine de la foi. Maggio se sentit flatté et, entre deux bouchées de poisson — fondant à souhait —, disserta sur le fonctionnement interne de la Congrégation et la personnalité des hommes qui avaient accès à *il terzo piano* — le troisième étage du palais apostolique, où se trouvaient les appartements du souverain pontife.

— C'est toujours utile, dit della Torre, de savoir ce que pensent le cardinal Orsini et le Saint-Père.

A la truite succéda une salade, puis une *bistecca alla fiorentina*, grillée au feu de bois. Enfin le dîner s'acheva. Le serveur reparut pour débarrasser la table et passer le ramasse-miettes sur la nappe. Il posa devant les deux convives une bouteille de vin santo et une assiette de biscuits. Après avoir remis une bûche dans la cheminée et demandé si ces messieurs désiraient autre chose, il quitta la pièce en refermant la porte derrière lui.

Quand della Torre eut rempli les verres de vin, il se pencha vers le frère Maggio et planta son regard dans le sien.

— Donato, dit-il d'une voix sourde et caressante.

Maggio se racla la gorge.

— Silvio ?

— Arrêtons avec ces conneries. Pourquoi sommes-nous ici ?

Le frère Maggio tressaillit et, pour masquer sa surprise, se tamponna délicatement les lèvres avec sa serviette. Lorsqu'il se décida à la reposer, il prit une inspiration et se racla à nouveau la gorge.

— Un prêtre — un curé de campagne — est venu au Vatican voici quelques semaines. Il avait quelque chose à raconter au cardinal.

Della Torre hocha la tête pour l'encourager à poursuivre.

— Il arrive que j'assiste aux entretiens du cardinal... sauf quand il estime que le sujet est trop grave pour tomber dans mes modestes oreilles. Cette fois il a jugé que ce n'était pas important, aussi suis-je resté dans le bureau durant sa conversation avec le prêtre.

Maggio ricana.

— A l'heure qu'il est, je suppose que le cardinal s'en mord les doigts.

— Il s'agit donc d'une question épineuse.

— En effet.

Della Torre demeura un instant silencieux.

— Vous dites que cet entretien date de quelques semaines ?

— Oui, et depuis ils n'ont quasiment pensé qu'à cela.

— Pourquoi ?

— Parce qu'ils devaient décider de l'action à mener.

— Ah ! Et qu'ont-ils décidé ?

— Rien. Ou, plus exactement, ils ont décidé de ne rien faire, ce qui revient au même. C'est pour cette raison que j'ai souhaité vous voir.

Della Torre opina d'un air pensif. Puis il emplit à nouveau le verre du frère Maggio et murmura :

— Eh bien, Donato... si vous me racontiez cette histoire ?

Le frère Maggio s'accouda sur la table et joignit les mains.

— Tout a commencé par une confession...

Lorsqu'il eut terminé son récit, Silvio della Torre demeura pétrifié sur son siège, un cigare éteint entre les doigts. Seul le crépitement du feu troublait le silence qui régnait dans le cabinet particulier.

Puis della Torre regarda Maggio droit dans les yeux. Son visage exprimait une absolue sincérité.

— Donato, je vous remercie de m'avoir parlé de cette affaire.

Le frère Maggio sourit et vida son verre. Après quoi il se leva.

— Il faut que je rentre, dit-il.

Della Torre acquiesça, fixant sur lui un regard pénétrant. Maggio eut le sentiment qu'un lien secret et indestructible se nouait entre eux.

— Merci d'avoir eu le courage de porter cette affaire à ma connaissance, déclara della Torre. Ils ne pouvaient pas décider d'une action à mener, car il n'y a rien à décider. Il n'y a qu'une seule chose à faire.

— Je savais que je devais m'en remettre à vous, dit le frère Maggio avec ferveur. Ils sont faibles, tragiquement faibles. Ils viennent de nous le prouver.

Le chef d'Umbra Domini se redressa à son tour. Maggio lui tendit la main mais, dans un geste inattendu, della Torre la prit entre les siennes et la baisa. Une seconde, le religieux crut sentir sur sa peau la caresse d'une langue. Il en éprouva un léger vertige, puis della Torre lui lâcha la main.

— *Grazie*, dit-il. *Molto grazie*.

DEUXIÈME PARTIE

NOVEMBRE

Chapitre 5

Jusqu'à la soirée du 2 novembre, Keswick Lane était l'une de ces rues tranquilles dont on dit qu'il ne s'y passe jamais rien. Sinuant à travers un quartier résidentiel de Burke, une banlieue nord de Washington, dans l'Etat de Virginie, la rue était bordée de maisons à quatre cent mille dollars devant lesquelles s'alignaient des BMW, et de jardins où trônaient les barbecues les plus perfectionnés disponibles sur le marché. Les demeures de Cobb's Crossing — ainsi avait-on baptisé le lotissement — se voulaient de style néo-colonial et, quoique chacune s'efforçât de se distinguer de sa voisine par la couleur et autres menus détails architecturaux, elles étaient toutes du même millésime : elles dataient de six ans. Cependant, comme les promoteurs avaient eu soin de préserver le maximum d'arbres et de prévoir de nombreux espaces paysagers, l'ensemble avait des faux airs de quartier ancien et respectable.

La chaussée flambant neuve démentait toutefois cette apparence. Tel un tapis d'un noir profond, que ne gâtait aucun défaut, Keswick Lane décrivait une gracieuse courbe pour se terminer en cul-de-sac. En fait, cette rue aurait été idéale pour des enfants qui auraient pu s'y amuser sans se soucier des voitures. Mais, à une seule exception près, les enfants du quartier n'avaient plus l'âge de jouer dehors. Vu le prix des maisons, leurs propriétaires jouissaient d'une confortable position sociale (avocats et juristes, hommes d'affaires) et n'étaient donc plus de la première jeunesse. Leurs rejetons, pour occuper leurs loisirs, prenaient des cours d'équitation et de karaté, jouaient au football ou disputaient des parties de lacrosse[1], quand ils ne passaient pas leur temps à anéantir les démons, le nez collé sur l'écran de leur ordinateur.

Aussi flottait-il dans Keswick Lane comme un parfum d'abandon. Les flâneurs y étaient rares.

Hormis, bien sûr, les promeneurs de chiens. Presque toutes les demeures du voisinage hébergeaient un chien. Leurs maîtres étant absents durant la journée, c'était le soir que les toutous faisaient la tournée de Cobb's Crossing.

Le 2 novembre, on pouvait encore voir çà et là quelques vestiges de Halloween : des citrouilles ramollies sur les marches des perrons, des bouts de squelette en carton accrochés aux poignées de portes, des fausses toiles d'araignée aux fenêtres.

Il était près de minuit, et une femme qui venait de rentrer chez elle après avoir assisté à une représentation de *Tosca* au Kennedy Center promenait son retriever prénommé Moka dans Keswick Lane.

Moka obligea sa maîtresse à s'arrêter en face du 207 pour renifler avec fébrilité le pied d'une boîte aux lettres.

Soudain, il leva le museau et grogna sourdement. Ses oreilles frémirent, son poil se hérissa le long de son épine dorsale. A l'instant même où il aboya, un éclair éblouissant fulgura, suivi d'un fracas de verre. Un homme se propulsa à travers la fenêtre du 207.

Il brûlait comme une torche.

Nimbé d'un halo de flammes, il atterrit dans un massif d'azalées, tituba et s'écroula sur la pelouse. Un son étrange s'éleva dans la nuit, une sorte de plainte inhumaine, et bien qu'elle fusât de la gorge de l'homme, ni le chien ni la femme ne comprirent qu'elle émanait de lui.

De l'autre côté de la rue, le retriever tirait sur sa laisse en hurlant à la mort. Sa maîtresse était clouée au sol, les yeux écarquillés. Elle ne parvenait pas à analyser ce qu'elle voyait et concentrait son attention, non pas sur l'homme, mais sur la fenêtre qu'il avait fracassée.

Sur le panneau vitré étaient fixées des lattes de bois disposées en treillis pour donner l'illusion d'une fenêtre ancienne à petits

---

1. Lacrosse : jeu d'origine indienne qui se joue entre deux équipes de douze joueurs munis de raquettes à long manche (*N.d.T.*).

carreaux. Or un morceau de ce treillis s'était planté dans le corps de l'homme, et la femme contemplait avec fascination ce grillage blanc empanaché de flammes qui crachait des gerbes d'étincelles. Ça lui rappelait le feu d'artifice auquel elle avait assisté pendant ses vacances à Mexico, quelques années auparavant, et l'incongruité de ce souvenir achevait de la paralyser. Durant plusieurs secondes, elle resta plantée sur le trottoir, tenant d'une main ferme le chien qui aboyait et se débattait. Puis l'homme, qui roulait sur la pelouse, heurta le tronc d'un bouleau et s'immobilisa.

Ce fut seulement à ce moment qu'elle reprit ses esprits. Elle lâcha le chien et, tout en retirant sa veste, courut vers l'homme. Il avait les sourcils carbonisés, ses cheveux flambaient, il hurlait de douleur. Tombant à genoux, elle lui jeta son vêtement sur la tête pour étouffer les flammes.

Tout à coup, elle entendit un grondement sinistre dans son dos. Une coulée de lumière se répandit sur la pelouse, le chien se mit à glapir. Elle se retourna, vit que les tentures de la fenêtre s'étaient embrasées. Un instant après, la maison était en feu.

Elle se redressa, s'élança vers la demeure voisine et tambourina à la porte. Le propriétaire apparut sur le seuil, en caleçon, une bouteille de bière à la main, l'air hébété.

— Appelez le 911 ! lui cria-t-elle. Vite !

Quand elle regagna le 207 — les bras chargés de couvertures — une dizaine de personnes se trouvaient dans la rue. La plupart d'entre elles étaient en tenue de nuit, un manteau jeté sur les épaules. Deux voisins, dont l'un était pieds nus et vêtu d'un simple pantalon de pyjama, transportaient tant bien que mal le blessé, pour l'éloigner de la fournaise. L'homme gémit lorsqu'ils le déposèrent sur le trottoir.

— J'étais en train de promener Moka, dit la femme. Je passais juste devant quand...

Elle avait conscience de parler à tort à travers et, en tant que psychologue, savait que c'était là une réaction typique à un violent choc émotionnel. Puis elle aperçut dans l'allée, près du garage, une voiture à pédales, jaune et rouge, et pensa brusquement aux habitants de la maison en feu. Comment s'appelait la femme ? Karen ? Non... *Kathy* ! Elle avait un adorable petit garçon, le seul enfant du quartier ; le week-end il pilotait sa voiture sur le trottoir. Le soir de Halloween, il était venu sonner à sa porte déguisé en lapin, une citrouille en plastique orange dans les bras. Elle revoyait clairement le bambin campé sur le perron, flanqué de sa mère.

— Mais qui es-tu donc ? lui avait-elle demandé, en dissimulant un paquet de bonbons derrière son dos.

— Ze suis le lapin de Pâques, avait-il zozoté d'un air solennel. Sa mère souriait.

Pourquoi n'avait-elle pas songé à eux plus tôt ? Des bulles se formaient sur le capot de la petite voiture rouge qui commençait à fondre. La mère et son fils étaient-ils dans la maison ? Dans cet enfer ?

— Oh, mon Dieu... mon Dieu ! balbutia-t-elle en se précipitant vers le brasier.

Elle atteignait les marches du perron, lorsque quelqu'un la tira brutalement en arrière et la ramena sur le trottoir.

Le chien hurlait toujours à la mort.

Au service des urgences du Fair Oaks Hospital, les infirmières s'apprêtaient à découper les vêtements du blessé avec des ciseaux, quand l'une d'elles fronça les sourcils.

— Polyester, dit-elle.

Le coton brûlait, mais le polyester fondait. Si on y touchait, on arrachait la peau avec.

La victime portait un polo noir à col roulé et, rien qu'à voir la gangue visqueuse qui lui entourait le cou, l'infirmière savait que le déshabiller ne serait pas une partie de plaisir. Il souffrait de brûlures au troisième degré et ne couperait pas à l'infection. Mais il s'en remettrait. C'étaient surtout ses poumons, brûlés eux aussi, qui suscitaient des inquiétudes.

Au bout d'un moment cependant, le pouls et la tension du blessé se stabilisèrent. On l'emmena sur un chariot au bloc opératoire afin de le préparer pour l'opération. Il faudrait d'abord pratiquer une trachéotomie, car son pharynx atrocement tuméfié l'empêchait de respirer. Ensuite on débriderait les plaies, on extrairait les débris divers fichés dans son corps, on l'écorcherait comme un animal, et on le laisserait ainsi. Purulent, la chair à vif.

L'anesthésiste se disait qu'il n'existait rien de pire que les brûlures, lorsque le blessé se mit à marmonner d'une voix éraillée, à peine humaine et horrible à entendre.

— C'est drôle, dit l'une des infirmières, il n'a pourtant pas l'air d'un Hispanique.

— Ce n'est pas de l'espagnol, objecta l'interne de garde qui se tenait près de la table d'opération, ses mains gantées levées à hauteur des épaules. C'est de l'italien.

— Ah bon, et qu'est-ce qu'il raconte ?

— Je ne sais pas trop, je ne connais pas vraiment cette langue.

L'interne se pencha sur le blessé pour écouter plus attentivement.

— Je crois qu'il prie...

Chapitre 6

Alors que le blessé était au bloc opératoire, les pompiers du comté de Fairfax maîtrisaient l'incendie de Keswick Lane. Deux hommes s'apprêtaient à pénétrer dans la maison. Les voisins les avaient informés que deux personnes y habitaient : la propriétaire et son fils de trois ans ; elle était mère célibataire, en tout cas on ne lui connaissait pas de mari. Sa Volvo se trouvait dans le garage.

Malgré le froid de novembre et l'heure tardive, une cinquantaine de badauds s'attroupaient à présent devant la demeure. La scène avait quelque chose d'apocalyptique. Les ambulances, les voitures de police, les camions de pompiers et les cars-régies envahissaient la rue, les gyrophares jetaient alentour des éclairs aveuglants — jaunes, rouges et bleus —, les tuyaux s'entortillaient sur la pelouse transformée en bourbier.

Deux équipes de télévision et un journaliste de radio ajoutaient encore au chaos, tirant des câbles enchevêtrés et transbahutant des projecteurs d'un côté à l'autre de la chaussée. La mine grave, ils collaient leurs micros sous le nez des pompiers et des curieux.

— Vous êtes du quartier ?

— Ah non, j'ai pas les moyens. Seulement, je m'étais branché sur la fréquence des flics et j'ai entendu qu'il y avait le feu. Alors je suis venu voir.

Selon toute probabilité, personne n'avait pu réchapper de l'incendie — à l'exception de l'homme brûlé.

Les pompiers commencèrent par fouiller les décombres du rez-de-chaussée. Ils n'y trouvèrent pas de survivants. L'exploration de l'étage fut retardée par l'état de l'escalier qui menaçait de s'écrouler.

On fit pivoter le camion-grue afin de positionner la nacelle métallique contre la fenêtre. Deux hommes y avaient pris place.

Ils étaient convaincus de l'inutilité de leurs efforts. Même si les occupants de la demeure avaient réussi à se protéger des flammes, ils étaient vraisemblablement morts intoxiqués par la fumée. Néanmoins il restait une chance, minime, qu'ils se soient réfugiés dans une salle de bains et qu'ils aient eu la bonne idée de calfeutrer la porte avec des serviettes mouillées. Le feu était imprévisible — parfois il vous dévorait vivant, parfois il vous dédaignait. Avec le feu, on ne pouvait jurer de rien.

Le plus jeune des pompiers passa le buste par la fenêtre et sonda le plancher à l'aide d'un pied-de-biche. Il le jugea suffisamment solide pour sauter dans la pièce, laissant son camarade dans la nacelle, prêt à intervenir en cas de besoin.

Mais il n'y avait pas de survivants. Comme il s'y attendait, le pompier découvrit une femme adulte et un petit enfant, couchés dans leurs lits, ou ce qu'il en restait : un amas de ressorts, de laine et de toile carbonisés. Les pyjamas des victimes avaient brûlé, il n'en subsistait que des lambeaux de tissu imprimés dans leur chair. Près de la tête du bambin, on distinguait deux petits yeux de verre, vestiges d'un jouet en peluche.

L'enfant et sa mère conservaient cependant une apparence humaine. Si les secours étaient arrivés quelques minutes plus tard, s'ils n'avaient pas trouvé de point d'eau à proximité, la maison et ses occupants auraient été anéantis, réduits en cendres.

Il entrait dans les attributions du capitaine des pompiers d'informer la famille proche — et il se devait de le faire séance tenante. Quand une demeure de quatre cent mille dollars flambait, dans un quartier résidentiel comme Cobb's Crossing, et que ses propriétaires périssaient dans l'incendie, les journalistes ne tardaient pas à s'emparer de l'histoire. Certes, le feu s'était déclaré après que le *Post* eut mis sous presse, mais les journaux du matin ne manqueraient pas d'en parler. Le capitaine passa donc quelques coups de fil et apprit que la maison appartenait à une certaine Kathleen Ann Lassiter. Elle y vivait — ou plutôt elle y avait vécu — avec son petit garçon. D'après les dossiers de la compagnie d'assurances, elle avait un frère, Joseph, qui résidait à McLean.

Un frère qui, en ce moment même, était en train de rêver.

Dans son rêve, Joe Lassiter se tenait sur la rive du Potomac, juste en amont des Great Falls. Il pêchait la truite. D'un mouvement souple du poignet, il lança sa ligne qui décrivit dans les airs une parabole parfaite, idéale, et plongea à l'endroit précis qu'il avait repéré. Sitôt que le fil toucha l'eau, la truite mordit. Il entreprit de la fatiguer, tirant énergiquement sur sa canne.

Mais un téléphone sonnait quelque part. Quelle barbe ! Comme si ça ne suffisait pas que ce foutu engin se mette à retentir au beau milieu d'un concert au Kennedy Center ou en plein match de base-ball. Voilà qu'un imbécile quelconque, invisible de surcroît, avait emporté son téléphone dans sa musette. A quoi bon aller à la pêche si on prenait son téléphone ?

Il imprima à la canne une légère impulsion pour la ramener vers la droite, tout en actionnant le moulinet de sa main libre. Puis il entendit sa propre voix, toute proche.

« Bonjour, vous êtes bien chez Joe Lassiter. Je suis absent pour le moment, mais laissez-moi un message et je vous rappellerai. »

La rivière, la truite, la canne et le moulinet s'envolèrent. Réveillé à présent, il attendit le message. Mais son correspondant raccrocha avant de parler.

Abrutis, pesta-t-il, et il enfouit son visage dans l'oreiller.

Il essaya de reprendre le cours de son rêve, sans parvenir hélas à retrouver le murmure de l'eau, la sensation du poisson tirant sur la ligne. En revanche son indignation était intacte. Il en voulait à mort à ce téléphone fantôme qui l'avait dérangé. Son téléphone.

Qui se mit à sonner derechef. Cette fois, Joe décrocha.

— Oui !

La voix de l'homme, à l'autre bout du fil, était posée, le ton officiel et raisonnable. Il disait des choses inouïes qui ne pénétrèrent la conscience de Lassiter que dix minutes plus tard, alors qu'il roulait dans la nuit en direction de Fairfax. Il y avait eu un incendie. On n'avait pas pu procéder à une identification formelle, mais les corps...

Non... Non.

... les corps paraissent correspondre...

Correspondre à quoi ? A qui ?

50

... à la description des personnes qui habitaient la maison. Votre sœur...

Kathleen.

... et son fils...

Brandon. Le petit Brandon.

La route longeait le Potomac, il ne se trouvait pas très loin de l'endroit où il s'était vu pêcher en rêve. De l'autre côté de la rivière, au-delà des tours de Georgetown University, les premières lueurs de l'aube éclairaient le ciel.

Ils étaient morts. Bien sûr, l'homme au téléphone n'avait pas prononcé des mots aussi crus. « Un tragique accident », avait-il dit. Joe Lassiter serrait les dents avec tant de violence qu'il en avait des élancements dans tout le crâne.

Kathy... Pour une fois dans sa chienne de vie, Kathy était heureuse. Stable. Sereine ! Contre toute attente, elle se révélait magnifique dans son rôle de mère, et le petit...

Le visage de Brandon surgit soudain devant ses yeux, et il détourna le regard pour chasser cette image. Il baissa sa vitre, aspira une bouffée d'air froid. A Rosslyn, en face du Kennedy Center, il s'engagea sur la bretelle menant à la 66. Dans l'autre sens, on roulait déjà au pas.

Comment le feu avait-il pu se déclencher ? La maison était quasiment neuve et tout — les appareils ménagers, l'installation électrique, le chauffage — absolument tout était en parfait état. Lassiter l'avait personnellement vérifié. Il y avait des détecteurs d'incendie partout. Des détecteurs de monoxyde de carbone. Et même des extincteurs ! Depuis la naissance de son fils, Kathy avait l'obsession de la sécurité.

D'accord, il ne devrait pas penser à cette satanée baraque, mais à sa sœur. Il se réfugiait dans l'abstraction, raisonnait comme un enquêteur et non comme un frère. Sans doute était-il dans le déni, mais au fond de lui, il n'arrivait pas à croire qu'elle fût morte. Lui annoncer la mort de Kathy ne suffisait pas à en faire une réalité. Il ne parvenait pas à se convaincre que la maison avait brûlé. Or, si cette maison ne pouvait pas avoir brûlé, pourquoi Kathy serait-elle morte ? Comment Brandon serait-il mort ?

Et pourquoi ne s'étaient-ils pas enfuis dès le début de l'incendie ?

Le type au téléphone ne lui avait pas fourni assez d'informations. Il voulait en savoir plus. Il voulait tout savoir.

Il appuya sur l'accélérateur, conscient de la stupidité de sa réaction. *Un tragique accident.* Il aurait beau foncer, il ne sauverait pas Kathy.

Il avait prévu de se rendre à la morgue, située dans le centre administratif du comté, au lieu de quoi il prit la direction de la maison de sa sœur. Il conduisait comme un automate. A une centaine de mètres de Cobb's Crossing, il sentit dans l'air une âcre odeur de fumée, et son cœur chavira. Durant tout le trajet, il avait entretenu, dans quelque obscur repli de son esprit, une fragile étincelle d'espoir. On s'était trompé d'adresse, il s'agissait d'une autre Kathy Lassiter.

C'était fini, à présent. Les yeux rivés sur les gyrophares des camions de pompiers, il gara son Acura dans le virage, coupa le moteur et continua à pied.

Sans doute avait-on déjà commencé les investigations pour déterminer les causes du sinistre. C'était la routine. Il s'agissait de répondre à la question fatidique : quel facteur a provoqué cet incendie ? Les conséquences juridiques et financières étaient considérables. Le feu s'était-il déclaré à cause d'une cigarette mal éteinte ? D'un chauffe-eau déficient ? D'une cheminée mal ramonée ?

Une fois les responsabilités établies, on saurait qui devrait payer et combien. Par conséquent on s'attelait à l'enquête sur-le-champ et avec la plus grande énergie.

Il y avait six voitures garées devant le 207, que Lassiter détailla machinalement : une voiture de patrouille, deux autres voitures de police banalisées, deux véhicules de la brigade des sapeurs-pompiers, et une Camry marron appartenant peut-être à l'enquêteur de la compagnie d'assurances. Un homme en uniforme déroulait un ruban jaune fixé à un piquet, au coin de l'allée. Sur le ruban on pouvait lire, répétée à l'infini, l'inscription : POLICE — ACCÈS INTERDIT. Une forte odeur de fumée et de plastique brûlé épaississait l'atmosphère. Mais ce fut la vue de la maison qui coupa le souffle à Lassiter. Il avait devant les yeux une maison morte et, soudain, il comprit le sens des mots entendus au téléphone. *Un tragique accident.*

Sa sœur et son neveu étaient morts.

Il ne restait de leur demeure que des ruines fumantes au milieu d'une pelouse défoncée, un amas de poutres carbonisées et de métal noirci. Dans l'allée, la petite voiture de Brandon n'était plus qu'une bouillie rouge et jaune. Les vitres avaient volé en éclats, et les fenêtres, qui ressemblaient aux orbites vides d'un squelette, laissaient entrevoir les pièces dévastées, dont ne subsistaient que les murs.

Lassiter se détourna et s'approcha du policier qui déroulait toujours son ruban jaune.

— Que s'est-il passé ?

C'était un jeune flic aux cheveux carotte et au visage constellé de taches de son, éclairé par des yeux bleu layette. Il considéra Lassiter avec condescendance et haussa les épaules.

— Ben, y a eu le feu.

Lassiter eut envie de lui écraser son poing sur la figure. Il se contint cependant et s'obligea à inspirer profondément. Quand il relâcha sa respiration, un panache de buée s'échappa de sa bouche.

— Comment s'est-il déclaré ?

Son interlocuteur le dévisagea, comme s'il s'efforçait de mémoriser ses traits. Puis, d'un signe de tête, il montra les camions de pompiers.

— Ils disent que c'est un incendie volontaire.

Pour la seconde fois en quelques minutes, Lassiter eut l'impression de recevoir un coup à l'estomac. Il ne s'attendait pas à ça. Il pensait à... une cigarette peut-être. Kathy n'avait pas renoncé au tabac — elle ne fumait pas en présence de son fils, mais elle fumait. Un mégot mal éteint, un court-circuit, un incident mineur...

— Quoi ? murmura-t-il. Un incendie volontaire ?

Le jeune flic fronça les sourcils.

— Qui êtes-vous ?

Lassiter ne répondit pas, il réfléchissait à toute allure. Son cerveau enregistra cependant que le policier l'observait d'un air suspicieux ; bien sûr, il était de la partie et savait donc que les pyromanes revenaient souvent sur le lieu de leur crime.

Il aurait dû deviner en voyant les voitures de police, se dit-il. Dès lors qu'on soupçonne un acte de malveillance, un incendie devient une affaire criminelle. Et s'il y a des victimes, ça devient une affaire d'homicide.

— Mais qui aurait pu vouloir incendier la maison de Kathy ? dit-il à voix haute.

Chapitre 7

— Joe Lassiter ! Mais qu'est-ce que vous faites là, hein ?

La voix était chaleureuse, le ton faussement accusateur. Lassiter se tourna vers l'homme au visage rubicond qui lui souriait, la main tendue.

— Jim Riordan.

— Je me souviens de vous, dit Lassiter en lui serrant la main.

— Alors, qu'est-ce que vous faites là ?

L'inspecteur cherchait visiblement à impressionner les trois hommes et la femme qui l'escortaient et observaient Lassiter avec attention.

— C'est la maison de ma sœur.

Le sourire de Riordan s'effaça. Il secoua la tête, se tripota le lobe de l'oreille droite.

— Oh, bon Dieu..., dit-il. Je suis désolé, Joe. Je ne savais pas.

Assis dans un box vitré, au commissariat de police, Lassiter attendait que l'inspecteur repose le téléphone. La dernière fois qu'il l'avait vu, les rôles étaient inversés : Riordan se trouvait dans son bureau, l'air mal à l'aise. Il portait pour la circonstance ce que Joe avait présumé être son « costume du dimanche », un trois-pièces à fines rayures qui ne datait pas d'hier et paraissait le gêner aux entournures.

J'ai encore un an à tirer, avait dit Riordan, ensuite je serai à la retraite. Qu'est-ce que je vais faire ? Me rouler les pouces toute la journée ? Pas question. Alors j'ai pensé que je devrais peut-être commencer à chercher dès maintenant, à sonder le terrain. Et je me suis dit qu'il valait mieux cibler d'entrée le top niveau. C'est pour cette raison que je vous ai demandé un rendez-vous.

Lassiter avait ce genre d'entretien une ou deux fois par semaine. Quand il ne s'agissait pas d'un flic, c'était un type du FBI, de la DEA[1] ou du Pentagone qui le sollicitait. Ils voulaient tous du travail et, vu leurs compétences, jugeaient logique de s'adresser à une agence d'investigation. Mais Riordan avait retenu l'attention de Lassiter grâce à une remarque lancée au moment de prendre congé. « Bah, si ça ne marche pas... je pourrai toujours me consacrer à mon scénario. »

Voilà qui était intéressant. Les policiers capables d'écrire semblaient aussi rares que le merle blanc, or l'agence Lassiter Associates cherchait en permanence des enquêteurs aptes à rédiger des rapports lisibles et que l'on pouvait donc adresser à la clientèle — composée en majorité d'avocats et d'agents de change. Cela expliquait pourquoi la firme recrutait tant de journalistes. Si Riordan savait tenir une plume, il y aurait peut-être un poste pour lui.

— Allez vous faire foutre ! cria Riordan d'un ton si hargneux que Lassiter sursauta, revenant au présent.

L'inspecteur reposa brutalement le combiné, lança un coup d'œil à son interlocuteur et haussa les épaules.

— Excusez-moi...

Il se mit à farfouiller dans les papiers qui encombraient son bureau, trouva enfin le document qu'il cherchait et le poussa vers Joe.

— C'est un incendie criminel, indiscutablement, dit-il. Foyers multiples, résidus d'agents accélérateurs et tout le tremblement.

Lassiter parcourut le rapport préliminaire des pompiers qui comportait un croquis sommaire des différents niveaux de la maison. Des croix signalaient les divers foyers ; il en compta sept en tout, dont un dans chaque chambre. Or Lassiter savait que, dans un incendie accidentel, il n'y avait qu'un seul départ de feu.

Il releva la tête et dévisagea Riordan.

— Ce n'est pas tout, dit l'inspecteur en tambourinant sur la table. On avait ouvert le gaz, dans la cuisine et au sous-sol, et

---

1. Drug Enforcement Agency : équivalent de la Brigade des stupéfiants (N.d.T.).

trafiqué la chaudière. D'après le capitaine des pompiers, s'ils étaient arrivés cinq minutes plus tard, la maison explosait comme une bombe. Il n'en serait rien resté. Rien du tout.

Lassiter fronça les sourcils.

— Vous voulez donc dire que...

— Je dis que l'incendiaire, quel qu'il soit, n'y est pas allé de mainmorte. Il se fichait pas mal de camoufler son crime. Au contraire, il a fait les choses en grand. Comme si...

La large figure, aux traits épais, de l'inspecteur se plissa dans une expression perplexe.

— ... comme s'il pratiquait la politique de la terre brûlée. Vous voyez ? Comme s'il avait décidé de ne laisser que des cendres.

Il se pencha vers Lassiter, prêt à poursuivre, puis se ravisa et soupira.

— Je ne devrais pas vous raconter tout ça, dit-il d'un air navré. J'oublie que vous n'enquêtez pas sur cette affaire, vous êtes le frère de la victime.

— Oui, répondit Joe, comme si ça n'avait aucune importance. Si je vous suis bien, vous pensez qu'on a cherché à détruire des preuves. Mais les preuves de quoi ? Qu'est-ce que ma sœur... ?

— Pour l'instant, coupa Riordan, je crois préférable de vous emmener à la morgue pour identifier les corps. Avant d'aller plus loin, de commencer à discuter de votre sœur, il vaut mieux s'assurer qu'il s'agit bien d'elle.

Ils s'apprêtaient à sortir du bureau lorsque le téléphone sonna. Riordan hésita une seconde avant de décrocher.

— Oui ! aboya-t-il tout en enfilant son manteau.

Il écouta ce que lui disait son correspondant, puis lança un regard oblique à Lassiter.

— Bon Dieu..., marmonna-t-il. Oui... Bon, d'accord.

Il rejoignit Joe, et les deux hommes quittèrent le bâtiment. Riordan pêcha une cigarette dans sa poche et l'alluma.

— Que se passe-t-il ? demanda Lassiter.

Riordan tira sur sa cigarette et exhala longuement la fumée.

— A quel propos ?

— C'était quoi, ce coup de fil ?

Pour toute réponse, Riordan haussa les épaules.

Dix minutes plus tard, ils s'arrêtaient devant le centre administratif. Lassiter déboucla sa ceinture de sécurité et ouvrit la portière, mais l'inspecteur le retint par la manche.

Il semblait très embarrassé.

— Ecoutez, Joe... il faut que je vous dise quelque chose. (Il toussota.) Je considère qu'un médecin ne devrait jamais opérer son propre enfant. Vous êtes d'accord ?

— Pardon ?

— Un toubib ne devrait pas charcuter son gosse, un avocat ne devrait pas se défendre lui-même, et vous... vous devriez me laisser régler cette affaire.

— Merci du conseil, j'y réfléchirai.

Riordan ne tenait pas à ce que Lassiter piétine ses plates-bandes. Et il craignait qu'on ne le soupçonne de jouer les lèche-bottes, de fournir des informations à un type pour qui il espérait travailler à l'avenir.

L'inspecteur tapa du plat de la main sur le volant.

— Je parle à un mur, mais... J'ai déjà vu ça, vous savez. Des ex-flics, des agents secrets, des militaires — des gars du métier. Quand ils sont personnellement impliqués dans une affaire, ils remuent ciel et terre. Ça ne leur rapporte que des souffrances inutiles et, en plus, ils font tout foirer.

Comme Lassiter ne répondait pas, l'inspecteur poussa un lourd soupir.

— Je m'arrangerai pour qu'on vous ramène votre voiture ici. Ensuite, je veux que vous rentriez chez vous. Je vous téléphonerai plus tard.

Joe Lassiter était dans un étrange état d'esprit. Il avait l'impression de se dédoubler, comme s'il se regardait sur un écran. Il ne ressentait rien. Simplement il se disait : voilà, je vais à la morgue identifier le corps de ma sœur.

Il se vit entrer dans le bâtiment et se diriger vers la réception, une salle agréable ornée de marines. Il s'adressa à une femme en blouse blanche qui portait un badge sur lequel on pouvait lire : BEASLEY. Elle inscrivit son nom dans un grand registre vert, puis l'escorta jusqu'au local où l'on rangeait les cadavres dans des tiroirs ménagés dans les murs.

Même quand il reconnut Kathy et Brandon, il ne ressentit rien. Il s'agitait comme un pantin, sous le regard du vrai Joe Lassiter.

Des cheveux blonds de sa sœur ne subsistait qu'une bourre charbonneuse. Elle avait les lèvres entrouvertes, ses yeux bleus fixaient les néons du plafond. Ses cils et ses sourcils carbonisés donnaient à son visage une expression stupide. Brandon était dans un état pitoyable, le corps couvert de cloques.

Il avait déjà vu des morts auparavant, et Kathy et Brandon leur ressemblaient. Ils paraissaient tellement morts qu'on se demandait s'ils avaient jamais été vivants. La femme en blouse blanche — Beasley — se tenait très raide, sur la défensive, comme si elle redoutait qu'il n'éclate en sanglots, et s'apprêtait à affronter cette déferlante émotionnelle. Mais le pantin Joe Lassiter hocha la tête et confirma d'un ton calme qu'il s'agissait bien de sa sœur et de son neveu. La femme se détendit et griffonna quelque chose sur un formulaire. Il entendit distinctement la plume de son stylo crisser sur le papier et, en fond sonore, le ronflement du système de réfrigération. Il signa le document sans le lire, puis ils quittèrent la salle.

Dans le couloir, Beasley lui posa doucement la main sur le bras. Il ne sentit pas ce contact et comprit qu'elle le touchait en voyant ses doigts sur sa manche.

— Voulez-vous vous asseoir un moment ? lui proposa-t-elle. Je peux vous apporter un verre d'eau ?

— Non, ça va. J'aimerais parler au légiste.

— Oh, je ne crois pas que ce soit...

— Tom est un ami, dit-il d'un ton rassurant.

Il exagérait quelque peu, mais de fait il connaissait bien le légiste.

— Bon, je le préviens, dit-elle en décrochant le téléphone. Il est peut-être en pleine autop... enfin, il est peut-être occupé.

Dans la salle d'attente, deux jeunes Hispaniques visiblement terrifiés étaient assis sur un canapé de skaï orange. Un policier les accompagnait et ils paraissaient si nerveux que, quand on les appellerait, ils sauteraient au plafond. Lassiter se campa devant une marine — un ciel d'orage parfaitement déprimant, des vagues huileuses se fracassant sur un fatras de rochers grisâtres.

— OK ! dit Beasley d'une voix chantante.

Il se retourna.

— Vous n'avez qu'à suivre le couloir jusqu'au bout, dit-elle en reposant le combiné.

— Je connais le chemin.

— Choe !

Tom Truong se redressa et lui tendit une main délicate. Une légère odeur de formol s'exhalait de sa personne, son visage semblait sourire et se renfrogner à la fois.

— Che peux que'que chose pour toi ? Tu es sur une affaire ?

Leur relation n'était pas banale. Ils avaient joué au football dans la même équipe senior, jusqu'à ce que Lassiter se bousille le genou, deux ans auparavant. Quoique de complexion frêle, Truong était un féroce défenseur qui se servait de ses coudes comme de hachoirs et dont les tacles vous fauchaient l'adversaire à tous les coups. Ils s'étaient entraînés ensemble pendant de longs mois avant de parler de leurs activités professionnelles respectives — conversation qui s'était déroulée un soir dans un bistrot sordide, le Whitey's, devant un bock de bière. Par la suite, Lassiter avait parfois engagé Truong comme consultant et expert légiste. C'était un pathologiste brillant, méticuleux et, bien que sa maîtrise de la langue laissât à désirer, un formidable témoin. Les jurés l'adoraient.

— Non, je ne suis pas sur une affaire, dit Lassiter. Il s'agit de ma sœur. Elle est là-bas, avec mon neveu...

Truong lui lança un regard malicieux.

— Qu'est-ce tu racontes, Choe ? Tu rigoles, hein ?

— Non. L'incendie criminel...

Le sourire jovial de Truong s'évanouit.

— Lassiter..., murmura-t-il. Oh, Choe. Navré. Vraiment navré.

— Tu as déjà pratiqué l'autopsie ?

Le légiste acquiesça gravement.

— Chimmy Riordan a demandé de me dépêcher. Parce que incendie criminel, bien sûr. Ta sœur, ajouta-t-il en soupirant. Et le petit.

Ses yeux s'étrécirent pour ne plus former que deux fentes.

— C'est pas le feu qui a tué.

Lassiter opina machinalement. Soudain, il sursauta.

— Quoi ? !

La grosse tête ronde de Truong, posée sur son cou mince, dodelina.

— Pas de fumée dans les poumons, ni monoxyde de carbone dans le sang. Ça indique que les victimes sont mortes avant l'incendie. Et c'est pas tout, il y a une autre preuve. Tu as vu les corps ?

— Oui, je les ai identifiés.

— Non... Tu as vu les corps ou seulement les visages ?

— Les visages.

— Si tu regardes les corps, les deux, alors tu vois sur la peau... des petites coupures. A cause du feu. Normal, la peau craque. La chair est pleine d'eau, elle se dilate sous l'effet de la chaleur. Pas la peau, elle s'étire pas, alors elle se fendille partout. Mais dans ce cas, la femme — ta sœur — elle a aussi des coupures sur les deux mains. Pas superficielles, profondes. Parce qu'elle s'est défendue, tu comprends. Moi, che vois ça, alors che continue à chercher et che trouve. Ta sœur — coup de poignard dans la poitrine, aorte sectionnée. Le petit garçon... la gorge tranchée. D'une oreille à l'autre.

Truong se renversa dans son fauteuil, comme si ce discours l'avait épuisé. Ses mains balayèrent l'air puis retombèrent mollement, telles des feuilles d'automne. Il les joignit sur la table.

— Il n'y a plus une goutte de sang dans le petit corps, Choe. Ils sont morts peut-être une heure avant le feu.

Lassiter le dévisageait, les yeux écarquillés.

— Et le type ? demanda Truong. Le mari ?

— Quel mari ?

— On me dit qu'il y a une troisième personne dans la maison de ta sœur. Il sort par la fenêtre, il est en feu. Alors moi, che pense que peut-être...

Truong haussa les épaules.

— Où est ce type ?

— A l'hôpital.

— Lequel ?

Truong haussa à nouveau les épaules.

— Peut-être le Fair Oaks. Ou le Fairfax.

Chapitre 8

Une heure plus tard, Lassiter rejoignait Riordan dans le bureau d'un des médecins du Fair Oaks Hospital. Lorsqu'il entra dans la pièce, l'inspecteur se tenait devant la table. Il se retourna avec une certaine gaucherie, comme s'il essayait de cacher quelque chose derrière son dos. Il paraissait mécontent.

— Vous n'en faites qu'à votre tête, pas vrai ?

— Vous ne m'avez pas dit que vous aviez un suspect.

— Avant le rapport du légiste, il n'était pas considéré comme tel, se défendit Riordan. Ce n'était qu'une victime de plus.

— Un type sort de chez ma sœur par la fenêtre, il brûle comme une torche, et vous ne m'en parlez même pas ! Mieux, vous le qualifiez de victime !

— Il est brûlé jusqu'à l'os.

— Eh bien, ça prouve simplement qu'il est incompétent. Qui est-ce ?

— John Doe [1].

— Comment ça, John Doe ?

— Figurez-vous que, quand il est arrivé ici, il ne nous a pas récité son acte de naissance. Et il n'avait pas de papiers sur lui.

Lassiter demeura un instant silencieux.

— Vous avez trouvé des clés de voiture ?

— Non. Il n'avait ni clés, ni carte d'identité, ni argent. Rien, que dalle.

---

1. John Doe : nom (équivalent de M. Dupont) employé par la police, généralement pour désigner une victime non identifiée (*N.d.T.*).

— Qu'est-ce que ça signifie, selon vous ? Qu'il est tombé du ciel ? C'est votre théorie ?

— Oh, s'il vous plaît...

— Avez-vous contrôlé les voitures ?

— Quelles voitures ?

— Les véhicules garés dans le voisinage... vous les avez contrôlés ?

— Oui, répondit Riordan après une hésitation. On s'en occupe.

— *Maintenant ?* Mais...

Brusquement, Lassiter se sentit submergé par la fatigue. Accablé, il fit un rapide calcul. On avait alerté les secours aux environs de minuit. Il était à présent deux heures de l'après-midi. Quatorze heures s'étaient donc écoulées depuis le drame et, à en juger par la mine de Riordan, nul n'avait songé à inspecter le quartier et à noter les numéros d'immatriculation. Il était trop tard désormais, sauf si John Doe travaillait seul.

— Nous n'avons pas non plus de vêtements, dit Riordan. Je vous le signale pour vous éviter de poser la question. Ils étaient pleins de sang, on a dû les découper avec des ciseaux, et les infirmières s'en sont débarrassées. J'ai essayé de les récupérer, mais ils sont introuvables. Il ne nous reste plus qu'à attendre le feu vert des médecins. Quand ils nous le donneront, j'interrogerai ce type et je prendrai ses empreintes. Avec un peu de chance, nous découvrirons qui il est. D'ici là, je vous suggère de rentrer chez vous et de me laisser faire mon boulot.

— Qu'est-ce que c'est ?

— Quoi donc ?

— La chose que vous cachez derrière votre dos.

Riordan leva les yeux au ciel avec un soupir à fendre l'âme, puis il s'écarta afin que Lassiter puisse voir ce qu'il dissimulait : un plateau sur lequel étaient posés deux objets, dont un poignard long d'une vingtaine de centimètres. C'était un poignard solide, du genre de ceux qu'utilisaient les chasseurs pour dépouiller un cerf. Lassiter l'examina de plus près. En fait, ça ressemblait fort à une arme de guerre.

— K-Bar, dit Riordan.

— Pardon ?

— C'est un poignard K-Bar. Du matériel de commando.

— Nous aurions donc affaire à un militaire ?

— Possible. Mais l'essentiel, c'est qu'il portait ce machin-là sur lui. Vous saisissez ? Nous ne sommes pas dans le scénario classique : un type s'introduit dans une maison, il se fait surprendre... mettons dans la cuisine, il attrape un couteau... Non, notre homme est entré chez votre sœur avec une arme de combat... parce que ce n'est pas un couteau à pain, mais bel et bien une arme de combat.

— Autrement dit, les meurtres étaient prémédités.

— Ouais, il savait ce qu'il faisait.

Lassiter se pencha pour examiner à nouveau le poignard et remarqua sur la lame, au bord du manche, une substance brunâtre et visqueuse. Du sang, apparemment. Un cheveu y était collé. Blond et très fin, duveteux. Un cheveu de bébé. Un cheveu de Brandon.

Les paroles de Tom Truong résonnèrent dans son esprit : *il n'y a plus une goutte de sang dans le petit corps.*

Le deuxième objet posé sur le plateau était un minuscule flacon. Lassiter n'en avait jamais vu de semblable. Taillé dans du verre épais, il paraissait ancien et était fermé par un bouchon de métal sombre figurant une couronne surmontée d'une croix. Il contenait un peu de liquide incolore.

— Les infirmières et les aides-soignantes les ont tripotés allégrement, dit Riordan. Aidez-moi, voulez-vous ?

Il tendit à Lassiter une poche en plastique pourvue d'une étiquette sur laquelle on lisait :

John Doe
Réf. 3601
02/11/95

Lassiter tint la poche ouverte, tandis que Riordan, à l'aide d'un crayon, y glissait les deux pièces à conviction.

— Où est-il ? demanda Lassiter.

Riordan ignora la question.

— On va relever toutes les empreintes, dit-il, éliminer celles des infirmières et des aides-soignantes, et adresser les autres au FBI. Ensuite on essaiera de savoir d'où vient ce flacon, on analysera le liquide, et on examinera le poignard à la loupe.

L'inspecteur s'interrompit un instant.

— Ecoutez, c'est sans doute une maigre consolation, mais

votre sœur s'est défendue. Le légiste a trouvé des résidus de peau et de sang sous ses ongles — à la main droite. Je demanderai une analyse ADN et on comparera.

Il marqua une nouvelle pause.

— Maintenant, vous avez sans doute envie de rentrer chez vous.

Lassiter le suivit hors du bureau. L'inspecteur tenait la poche en plastique du bout des doigts, avec précaution. Brusquement, il s'immobilisa.

— Vous savez, je ne devrais pas vous fournir toutes ces informations ni vous montrer les pièces à conviction. Je veux dire que...

Il baissa la tête, regarda ses pieds.

— Je veux dire que, sur le papier, vous êtes suspect.

— Ah bon.

— Mais oui !

— Qu'est-ce que vous me racontez là, Jim ?

— Et si votre sœur vous avait laissé tout son argent ? S'il s'avérait que vous la haïssiez cordialement ? Hein ?

— Foutaises.

— Oui, bien sûr, répondit Riordan avec flegme. Je vous explique simplement la situation telle qu'elle pourrait apparaître aux yeux des gens. On nous bombarde de circulaires et de conférences à ce sujet. Sans arrêt, on nous bassine avec les « vices de forme ».

— Ah...

— Il faut respecter les formes, vous comprenez. On pourrait me reprocher de vous avoir montré ça, conclut Riordan en désignant la poche en plastique.

Lassiter ne répliqua pas. Il se sentait trop anéanti pour se mettre en colère. D'ailleurs, Riordan ne cherchait pas à l'offenser et, sur le principe, il avait raison.

— De toute façon, dit l'inspecteur, vous avez des amis à prévenir, des dispositions à prendre. La presse s'intéresse à cette affaire et dès que les journalistes découvriront que ce n'était pas un incendie accidentel...

Le bon sens de Riordan fit à Lassiter l'effet d'une douche froide. Depuis des heures, il avançait dans un tunnel, tellement obsédé par le besoin de comprendre qu'il en avait oublié tout le reste. Brusquement, il se retrouvait confronté à la dimension concrète de la mort et à ses propres responsabilités. Comme venait de le lui rappeler Riordan, il avait effectivement des coups de fil à passer. Il n'avait qu'une sœur, et leurs parents étaient décédés depuis longtemps, mais il fallait informer l'ex-mari de Kathy, ses amis, ses collègues de la radio. Leur tante Lillian. Brandon était un enfant sans père, cependant il avait un parrain et une marraine.

Tous ces gens ne devaient pas apprendre la nouvelle par la télévision ou les journaux. Il fallait leur téléphoner, organiser le service funèbre, choisir les cercueils, les pierres tombales, le caveau...

Il y avait tant à faire, mais il ne pouvait s'empêcher de penser à Brandon — au poignard, au sang, au fin cheveu blond. Pourquoi avait-on égorgé un gamin de trois ans ? Comment un être humain avait-il pu accomplir un tel acte ?

— Je parlerai à Tommy Truong, dit Riordan. Je me renseignerai pour savoir quand on vous remettra les corps et...

— Dans quel état est-il ?

— Qui ?

Lassiter le regarda droit dans les yeux.

— Oh... John Doe ? marmonna l'inspecteur. Il est dans un état critique, mais les médecins estiment qu'il survivra. Ça vous fait plaisir ?

— Oui.

— Moi aussi.

Riordan suivit Lassiter du regard jusqu'à ce qu'il disparaisse au bout du couloir. Ce type était bâti en athlète, pensa-t-il ; grand, les épaules larges. Et il était franchement exaspérant. Malgré le malheur qui le frappait il se mouvait comme si le monde lui appartenait.

Riordan se disait que, vu ses relations avec Lassiter, il devrait peut-être se décharger de cette affaire et passer la main à l'un de ses collègues. Mais ce serait idiot parce que, sans fausse modestie, il était le meilleur inspecteur de la Brigade criminelle — et il ne supporterait plus de se regarder dans la glace s'il se débarrassait d'un dossier uniquement pour ne pas risquer de compromettre son avenir professionnel.

En tout cas, Lassiter allait lui poser des problèmes. Ça, c'était couru d'avance. Il devrait cependant le traiter comme n'importe quel quidam, et si ça lui faisait perdre toutes ses chances de travailler un jour pour l'agence Lassiter Associates..., eh bien, tant pis pour lui.

A priori, l'affaire ne paraissait pourtant pas si compliquée. Ils avaient un suspect et détenaient l'arme du crime. Les choses se mettraient en place d'elles-mêmes, des témoins se présenteraient, Riordan n'en doutait pas. De toute façon, le procureur ne tarderait pas à inculper John Doe. D'accord, on ne connaissait ni son identité ni son mobile, mais cela n'avait aucune importance puisqu'on savait, preuves à l'appui, ce qu'il avait fait. Il avait commis un double meurtre. On se fichait de son nom et de ses motivations. Les prisons regorgeaient sans doute d'individus qui avaient trucidé leurs semblables pour des raisons incompréhensibles.

Après tout, peut-être Mr Doe était-il un illuminé. Il entendait des voix qui lui avaient ordonné de tuer le gosse et sa mère. Ou peut-être y avait-il là-dessous une histoire d'assurance sur la vie. Un ex-mari. Un amant.

Il espérait trouver une explication simple, sinon, malgré l'avertissement qu'il venait de lui donner, Lassiter ne le lâcherait pas. Il le harcèlerait sans relâche.

Il irait même plus loin. Franchement, si Riordan était à la place de Joe Lassiter, s'il possédait une grande agence d'investigation, si on avait assassiné sa sœur et son neveu... eh bien, il mènerait sa propre enquête. Il déploierait toutes les ressources dont il disposait. Et le flic chargé de l'affaire, Jimmy Riordan soi-même, ne pourrait plus faire un pas sans marcher sur les brisées de Joe Lassiter.

Ce gars avait une dizaine de collaborateurs capables de traiter le dossier — peut-être même une vingtaine ! Des anciens du FBI, de la DEA, de la CIA, du *Washington Post* — et la liste n'était pas exhaustive... — qui travaillaient maintenant pour Lassiter Associates. Par conséquent, il avait les moyens de mettre sur le coup un bataillon d'enquêteurs ; ses hommes seraient plus nombreux et — il ne fallait pas se dissimuler la vérité — plus performants que les policiers. En outre, Lassiter avait plus d'argent à dépenser que l'administration du comté.

Résultat, Jimmy Riordan se retrouverait fatalement en train d'interroger des témoins que Lassiter aurait rencontrés plusieurs jours avant lui, et de suivre des pistes que Lassiter aurait déjà éliminées, mais que Riordan, lui, serait forcé d'explorer jusqu'au bout.

Rien que d'y penser, il se sentait fatigué. De fait, il était complètement éreinté. On l'avait appelé au milieu de la nuit et, depuis, il ne s'était quasiment pas assis. Ses pieds lui faisaient un mal de chien, il ne lui restait plus une once d'adrénaline dans le corps ni de matière grise dans le cerveau. Il allait s'offrir une tasse de café, mais d'abord il devait téléphoner au commissariat.

Car Lassiter avait raison sur un point : la voiture de John Doe. Deux policiers patrouillaient dans Keswick Lane et les rues avoisinantes pour vérifier les plaques minéralogiques des véhicules garés dans les parages. S'ils repéraient une voiture suspecte, ils feraient du porte-à-porte pour retrouver le propriétaire. Si celui-ci n'était pas dans le quartier, on embarquerait l'auto et on se rendrait à l'adresse indiquée sur la carte grise. S'il n'y avait personne, on découvrirait où ce type travaillait. Et s'il était passé par une agence de location, on obtiendrait facilement des renseignements.

Riordan téléphona au poste, puis attendit dans le bureau des infirmières l'arrivée de la surveillante. Au bout d'un long moment, il vit débouler dans le couloir une femme corpulente à la poitrine imposante. Ses seins formaient une sorte d'étagère sur laquelle reposaient ses lunettes, retenues par une chaînette. Il essaya de ne pas la reluquer, mais la tentation était forte. (Une circulaire sur ce thème circulait dans le service : *Eviter les regards trop appuyés, qui sont une forme de harcèlement sexuel.*) Il nota son nom, la date et l'heure. Puis il se présenta et lui dit qu'il prenait possession des objets personnels de John Doe. Elle lui fit signer un papier, il lui en fit signer un autre.

Il emporta la poche en plastique qu'il enferma dans le coffre de sa voiture, après quoi il retourna dans le hall de l'hôpital. Il désirait s'entretenir avec l'infirmière qui avait retiré ces objets des poches de John Doe. Il tenait à procéder méthodiquement et à ne négliger aucun détail. On n'était jamais trop prudent.

Il débusqua l'infirmière des urgences à la cafétéria. Assise près du distributeur de boissons, elle lisait un roman Harlequin. Il lui posa quelques questions auxquelles elle répondit, puis il se paya un café et s'installa à une table avec son carnet.

C'était un carnet noir à spirale, de format 11 x 17, à petits carreaux. Il en possédait une centaine du même type, un pour chaque affaire importante. Sur la première page il inscrivait le nom de la victime, le numéro de dossier, ainsi que la nature du crime ou du délit. L'écriture était soignée et même élégante. (On pouvait dire ce qu'on voulait de Jimmy Riordan, mais il aurait toujours une belle écriture. Grâce en soit rendue à la bonne sœur qui lui avait appris à bien former ses lettres !)

Ce nouveau carnet était encore vierge, toutefois il se remplirait au fur et à mesure. Ensuite, comme les autres, il prendrait place sur l'étagère du bureau exigu que l'inspecteur s'était aménagé dans un coin de son appartement.

Tout en sirotant son café, Riordan réfléchit aux éléments dont il disposait. Que savait-il au juste ? Que John Doe avait assassiné deux personnes et mis le feu à leur maison. Et que, d'après l'un des internes, il avait marmonné quelques mots en italien.

Voilà qui pouvait s'avérer intéressant. Ou problématique. Songeur, Riordan déchira un sachet de lait condensé qu'il versa dans son café, lequel changea à peine de couleur. Et si John Doe était en réalité *Gianni* Doe ? L'inspecteur grimaça. Par le passé, il avait eu à traiter des affaires impliquant des ressortissants étrangers, or comme Fairfax jouxtait Washington, il arrivait que les ambassades s'en mêlent, ce qui ne simplifiait pas les choses.

Que se passerait-il si ce type venait d'un pays étranger ? S'il travaillait pour une ambassade ? S'il jouissait de l'immunité diplomatique ?

Il but une deuxième gorgée de café.

Elle lui parut nettement moins bonne que la première.

Joe Lassiter n'avait pas quitté l'hôpital. Il se trouvait deux étages plus haut et suivait une ligne verte qui zigzaguait sur le sol, d'un couloir à l'autre. Il avait des dispositions à prendre, bien sûr, mais avant ça il voulait voir l'homme qui avait massacré Kathy et Brandon. Une femme de salle lui avait dit que la ligne verte le conduirait au service des grands brûlés, alors il la suivait.

A moins d'être daltonien, ce code couleurs remplaçait avantageusement la signalisation écrite. Il n'était même pas nécessaire de savoir lire ni d'être sain d'esprit. Vous pouviez être malade, défoncé ou complètement flippé, ou ne parler que le tagal, les lignes colorées vous emmenaient là où vous le souhaitiez.

Au quartier général de la CIA, ils avaient adopté le même système, quoique dans un but différent. Quiconque se déplaçait dans les locaux portait épinglé sur sa veste un badge — VISITEUR, STAFF ou SÉCURITÉ — orné d'une bande de couleur indiquant non pas le secteur où cette personne était censée se rendre, mais ceux qu'elle devait éviter. Si cette personne longeait un couloir pourvu d'une ligne rouge et arborait un badge à bande verte, tous ceux qui la croisaient étaient immédiatement alertés (*Excusez-moi, puis-je savoir ce que vous faites ici ?*).

Il franchit une porte à double battant, le regard rivé au sol, concentré sur la ligne verte. Comme un petit garçon à l'école maternelle. Comme Brandon.

Une image surgit devant ses yeux : Brandon s'appliquant à écrire son nom en grosses lettres tremblotantes. Puis une autre image : Brandon endormi, serein, la gorge ensanglantée. Un agneau sacrifié.

Et Kathy. *Des coupures sur les mains*, avait dit Tom Truong. *Elle s'est défendue...*

Kathy. Elle dort dans la chambre obscure. Elle entend un bruit. Elle ne comprend pas ce qui lui arrive. Un poignard la frappe, par réflexe elle tend les mains...

Il passa devant le bureau des infirmières, mais nul ne lui prêta attention. Il ne savait pas très bien ce qu'il allait faire quand il atteindrait le bout de la ligne verte. Peut-être simplement regarder l'assassin.

Voilà, il y était. Il n'y avait pas grand-chose à voir. Derrière une vitre rectangulaire, on apercevait John Doe — du moins Lassiter supposa qu'il s'agissait bien de lui, puisqu'il semblait seul dans la chambre. Il était hérissé de tubes et de tuyaux, et les rares parties de son corps qui ne disparaissaient pas sous des bandages étaient enduites d'un épais onguent blanc. Lassiter s'était un jour brûlé la main, et le nom de cette pommade grasse lui revint brusquement en mémoire. Silvadène.

À sa connaissance, personne n'avait vu le visage de cet homme avant l'incendie. C'était donc un parfait inconnu. Pas de nom, pas de signalement, aucune description possible. Qui était-il ? Pourquoi avait-il fait ça ? À quoi pensait-il en cet instant ?

Était-il seulement conscient ? Lassiter l'ignorait. Mais si ce type avait une once de lucidité, il pouvait répondre à une ou deux questions. Des questions toutes simples.

Lassiter tournait la poignée de la porte, quand un homme revêtu d'une combinaison en papier surgit de derrière un paravent et, avec une exclamation furieuse, se rua·dans le couloir.

Le médecin arracha son masque. Il avait de petits yeux bleus étincelants et des dents de devant proéminentes qui lui donnaient l'air d'un écureuil.

— Je n'ai pas été assez clair ? Je vous l'ai pourtant dit et répété : c'est un local stérile !

Lassiter ne répondit pas et ne recula pas. Il se contenta de le regarder fixement, avec une telle indifférence que l'écureuil se troubla.

— Personne n'est autorisé à pénétrer dans cette chambre.

A l'évidence, l'écureuil le prenait pour un policier. Lassiter ne jugea pas utile de le détromper.

— Mr Doe est soupçonné d'avoir commis un double meurtre. J'aimerais lui parler dès que possible.

— Pour le moment, rétorqua l'écureuil d'un ton condescendant, mon patient est assommé par les sédatifs et extrêmement vulnérable à l'infection. Je vous ferai savoir quand il conviendra de l'interroger.

— Merci, vous êtes bien aimable.

— De toute façon, il ne sera pas en mesure de parler avant un certain temps.

— Ah bon ? Et pourquoi ?

L'écureuil esquissa un sourire, se tapota la gorge.

— Je vous l'ai expliqué. Il est trachéotomisé.

— Ce qui signifie ?

— Ce qui signifie qu'il ne peut pas parler.

Lassiter jeta un coup d'œil à John Doe à travers la vitre, puis se retourna vers le médecin.

— Ça durera longtemps ?

L'écureuil, exaspéré, haussa les épaules.

— Ecoutez, inspecteur... vous n'avez qu'à patienter, voilà tout. Il sera sans doute couturé de cicatrices — le côté gauche du visage, le cou, la poitrine — mais il se rétablira. En attendant, il n'ira pas très loin. Nous vous tiendrons informé de l'évolution de son état.

— J'y compte bien, dit Lassiter avant de s'éloigner.

Ce soir-là, Lassiter s'étendit sur le divan devant la télé et se mit à zapper. Il avait passé une quarantaine de coups de fil. La moitié des gens qu'il avait appelés étaient déjà au courant et voulaient connaître les détails. Avec ceux-là, à force de rabâcher le même discours, il avait fini par ne plus penser à ce qu'il disait. Il débitait son histoire avec le détachement d'un présentateur du journal télévisé évoquant les mauvaises récoltes dans l'Idaho.

Mais les autres appels avaient été infiniment plus pénibles. Ceux qui ne savaient pas étaient abasourdis par la nouvelle, et leur émotion avait achevé de l'anéantir.

Il passait d'une chaîne à l'autre, incapable de s'intéresser à un quelconque programme. Il se sentait à bout de nerfs, et l'impression d'avoir oublié quelque chose d'important ne le quittait pas. Il se servit une bière, puis grimpa l'escalier en spirale menant à la terrasse du deuxième étage. La maison s'accrochait au flanc d'une colline et sa partie supérieure était à la hauteur de la cime des arbres. Il s'accouda à la balustrade, contempla l'entrelacs de branches noires qui se découpait contre le ciel livide où ne brillait aucune étoile.

Le téléphone sonnait. Il décida d'abord de ne pas répondre, mais se ravisa.

— Allô...

La voix de Riordan lui écorcha le tympan.

— Allô ? C'est tout ce que vous trouvez à dire : allô ? Vous êtes un bel enfoiré !

Lassiter sursauta.

— Qu'est-ce qui vous prend ?

— Qu'est-ce que vous foutiez dans le service des grands brûlés ?

— C'est ça qui vous met dans cet état ?

— Je vais vous dire ce qui me met dans cet état : John Doe s'est arraché la fichue canule qu'il a dans la gorge.

— Quoi ?

— Il a essayé de se suicider. D'après les toubibs, il était tellement groggy qu'il ne pouvait même pas compter jusqu'à deux, pourtant il a arraché la canule. Il avait la main crispée dessus quand on s'en est aperçu, il a fallu qu'on lui ouvre les doigts de force.

Lassiter eut peur, soudain. Il ne voulait pas que John Doe meure. Il avait trop de questions à poser, or Doe était seul à connaître les réponses. Et il devrait payer, subir la vengeance de Lassiter.

— Comment va-t-il ? Est-ce qu'il...

— Ouais, il s'en sortira et il ne s'est pas grillé les neurones. Mais revenons à nos moutons. Qu'est-ce qui vous a pris, bon Dieu ? J'ai un nouveau partenaire, figurez-vous. Le genre jeune loup aux dents longues. Il a toujours des idées plein la tête et, sur ce coup-là, il considère que John Doe n'est peut-être pas responsable. Vu qu'il était complètement drogué, on l'a peut-être aidé.

— Quoi ? Quelqu'un aurait...

— Là-dessus, coupa Riordan, le Dr Whozee nous parle de « l'autre inspecteur ». Le jeune loup lui demande de préciser. Et la description que nous fait le Dr Whozee ne correspond à aucun de nos hommes. En fait, elle correspond à votre signalement.

— Je voulais juste le voir, avoua Lassiter.

— Ben tiens ! ricana Riordan. Vous faisiez du lèche-vitrines. Et vous trouvez ça malin ?

— Je ne suis même pas entré dans la chambre, le toubib m'a expulsé.

— Je sais.

— A quelle heure cela s'est-il produit ?

— A vous de me le dire. Où étiez-vous ?

— Une minute... Vous croyez que j'étais avec John Doe ? Que je l'ai aidé à arracher la canule ? Vous me demandez un alibi ?

Lassiter faillit raccrocher. Il était innocent et se sentait offensé par l'accusation implicite de Riordan.

— Je suis rentré chez moi et, depuis, je n'ai pas cessé de téléphoner.

— Ça peut se vérifier.

— Ne vous gênez surtout pas !

— Je suis *obligé* de vérifier, à cause de vous. Laissez-moi vous dire une bonne chose : je pense que ce type a effectivement essayé de se suicider, que vous n'y êtes pour rien. Les médecins le surveillent comme le lait sur le feu, il y a un gamin dans la même chambre, des infirmières partout. Pas moyen de l'approcher. Mais vous... vous êtes un vrai courant d'air. Vous vous faufilez dans le service, vous prétendez être inspecteur...

— Je n'ai jamais dit ça. Le médecin a simplement...

— Et moi, on me reproche de n'avoir pas mis un planton au

chevet de Doe — j'en avais pourtant réclamé un, seulement le flicard a pris son temps pour rejoindre l'hôpital. Maintenant il va falloir que je m'amuse à vérifier vos appels téléphoniques. Parce que si je ne vérifie pas, comme tout le monde sait que je vous connais, ça paraîtra louche. En plus, entre nous, je crois que vous aviez l'intention de parler à notre bonhomme.

Lassiter soupira.

— Il n'aurait plus manqué que ça, poursuivit Riordan. Imaginez que vous ayez pu discuter avec lui, à cœur ouvert, et qu'il vous ait craché le morceau. Vous savez comment l'avocat de la défense aurait présenté ça, le jour du procès ?

— Pourquoi a-t-il essayé de se tuer ?

— Il est peut-être bourrelé de remords, répondit Riordan d'un ton las.

— Je me demande...

— Rendez-moi un service, ne vous demandez rien, ne faites rien. Si vous voulez m'aider à résoudre cette affaire, ne vous en mêlez pas.

Lassiter se massa les paupières. Il sentait poindre une migraine ophtalmique.

— Je vous laisserai tranquille dès que vous m'aurez dit qui a assassiné ma sœur...

— C'est John Doe qui l'a assassinée.

— ... et quand vous m'aurez dit qui est ce type, et pourquoi il a fait ça.

Chapitre 9

Le jour des funérailles, il faisait vingt-cinq, une température anormalement chaude pour un mois de novembre. Les feuilles mortes, dorées comme des topazes, voltigeaient au gré d'un vent quasi tropical. L'hiver s'annonçait, pourtant on se serait cru en juin, si bien que les arbres aux couleurs automnales semblaient déplacés, presque artificiels.

Ceux qui venaient de loin pour assister aux obsèques n'avaient pas prévu un temps aussi clément et transpiraient dans leurs lainages et leurs manteaux de tweed. Lassiter lui-même se sentait tout étourdi. Cette chaleur incroyable, ces gens qui l'entouraient et semblaient mal à l'aise, ces feuilles qui tourbillonnaient... Il avait l'impression de se trouver sur un plateau de cinéma, mais le réalisateur du film mélangeait les séquences et les saisons.

Il avait beau faire, il ne parvenait pas à chasser ce sentiment d'irréalité.

Même les cercueils avaient l'air faux ; l'un des deux paraissait exagérément petit, comme pour souligner le caractère tragique de la situation. Le pasteur de l'église unitarienne que Kathy fréquentait depuis un an tenait son rôle à la perfection. Il affichait la gravité de rigueur, regardait les membres de l'assistance droit dans les yeux et leur serrait les mains avec émotion.

Ce n'était qu'une émotion de surface, en tout cas elle n'avait pas grand-chose à voir avec Kathy. Le pasteur dispensait largement sa compassion, il en était pétri et avait la tristesse facile. Lassiter ne lui en voulait d'ailleurs pas ; cet homme dirigeait une importante paroisse et ne connaissait pas vraiment sa sœur. Au téléphone, lorsqu'ils avaient discuté du service funèbre, le prêtre lui avait demandé de l'aider à « personnaliser la cérémonie ». Il désirait savoir comment les proches appelaient « la défunte ». Kathleen ? Ou Kate ? Peut-être Kathy ? Il avait besoin d'une ou deux anecdotes pour remémorer aux amis et à la famille « la femme qu'elle était de son vivant ».

Maintenant, immobile devant la tombe, le pasteur débitait les paroles de réconfort et les platitudes d'usage. Il parlait des espaces infinis où Kathy et Brandon évolueraient désormais, de l'éternité de l'âme. Les mots glissaient sur Lassiter sans l'atteindre. Ils durent cependant toucher la tante Lillian — sa seule parente — car elle s'appuya contre lui et pressa sa main avec ferveur.

En fait, ce perturbant sentiment d'irréalité ne l'avait pas quitté depuis l'instant où il avait appris la mort de Kathy. D'abord, il avait cru qu'il s'agissait d'une réaction normale, qu'il était sous le choc. Mais à présent il comprenait qu'il éprouvait cette étrange sensation parce qu'il avait surtout vu des enterrements au cinéma ou à la télévision. Alors il attendait un rebondissement, une révélation. Un lent panoramique sur le cimetière jusqu'à la butte herbeuse où, dans le contre-jour, se tiendrait un mystérieux personnage. Un homme qui, de loin, rendait un dernier hommage à sa bien-aimée. Ou un assassin venu se repaître du spectacle.

Lassiter attendait une image, un thème musical qui confère un peu de sens à l'événement.

Mais il ne se passait rien, voilà pourquoi tout lui paraissait irréel. Il manquait quelque chose — une raison, une justification.

Kathy et Brandon n'avaient pas été victimes de la violence aveugle, les meurtres étaient à l'évidence prémédités, pourtant... on n'en savait pas davantage. La police n'avait pas l'ombre d'une hypothèse. Et l'individu qui détenait la clé de l'énigme était dans un état critique, inconscient, le corps purulent, les poumons brûlés. On ne pourrait pas l'interroger avant des semaines.

Les gens réunis autour de la tombe semblaient recrus de fatigue. Il y avait là les parents de certains camarades de Brandon, visiblement choqués par le drame. L'institutrice avait les larmes aux yeux, sa lèvre inférieure tremblait.

Un petit garçon serrait la main d'une femme coiffée d'un chapeau à voilette, le regard dissimulé derrière des lunettes de soleil. Sa mère, sans doute.

Quelques collègues de la National Public Radio, où Kathy travaillait comme productrice, s'étaient déplacés. Deux ou trois voisins. Une copine de fac, avec qui Kathy avait échangé pendant vingt ans des cartes de Noël et d'anniversaire, et qui avait fait le voyage en souvenir de leur jeunesse. Et Murray, l'indécrottable et hypersensible Murray — l'ex-mari de Kathy.

Mais aucun ami intime, car Kathy n'avait jamais eu d'amis intimes.

Quant à la famille, elle se résumait à Lassiter et à la tante Lillian. Il ne fallait cependant pas imputer cette présence familiale réduite au caractère parfois abrupt et sauvage de Kathy. Lassiter réalisait avec stupéfaction que Lillian — la sœur de leur père, âgée de soixante-seize ans — et lui-même étaient les deux derniers rameaux d'un arbre généalogique dont on pourrait bientôt faire du petit bois.

Murray était le seul à pleurer. Son émotion, comme celle du pasteur, n'avait qu'un lointain rapport avec la défunte. Murray était du genre à sangloter quand il devait se séparer d'un vieux fauteuil. Pourtant Lassiter lui en savait gré. Ce chagrin exprimé sans retenue lui paraissait un hommage à sa sœur, mieux approprié qu'une gerbe de fleurs, fût-elle énorme.

Le pasteur acheva enfin son laïus par une métaphore sur la lumière brillant au cœur des ténèbres. Lassiter jeta une poignée de terre sur chaque cercueil et déposa une rose blanche sur celui de Kathy. Puis il se détourna.

Les autres suivirent son exemple. Un à un ils s'approchèrent pour l'embrasser ou lui serrer la main, et lui dire combien ils étaient désolés.

La femme à la voilette fut une des premières à venir le saluer. Elle se présenta sous le nom de Marie Sanders.

— Et voilà Jesse, dit-elle avec fierté.

Lassiter sourit au petit garçon en se demandant si elle était vraiment la mère de cet enfant. Il ne lui ressemblait pas le moins du monde. Il avait le teint très mat, un regard brun et profond, des cheveux noirs qui bouclaient sur son front. Il était magnifique, et elle était belle. Blonde, pâle... Il eut l'impression de l'avoir déjà vue.

— Je vous connais ? dit-il.

La question ne parut pas la surprendre.

— Je ne crois pas.

— Nous ne nous sommes jamais rencontrés ?

76

Elle esquissa un sourire nerveux.

— Je voulais simplement vous dire que je suis navrée. Kathy...

Elle baissa les yeux, secoua doucement la tête.

— J'ai appris la nouvelle par la télévision.

— Je regrette... J'ai essayé de prévenir ses amis, mais...

— Oh, ne vous excusez pas, je vous en prie. Je ne la connaissais pas très bien. En réalité, je n'aurais même pas dû apprendre sa mort.

— Mais vous disiez...

— Je ne vis pas ici, coupa-t-elle avec brusquerie. Nous étions en voyage. J'ai allumé la télé par hasard, je suis tombée sur une chaîne câblée de Washington, et...

Elle se tut et se mordilla la lèvre.

— Pardonnez-moi, je parle à tort et à travers.

— Non, pas du tout.

— J'ai rencontré votre sœur... en Europe, elle m'était très sympathique. Nous avions beaucoup d'affinités. Quand j'ai vu sa photo et celle de Brandon sur l'écran...

Sa voix tremblait et, sous la voilette, ses yeux étaient baignés de larmes.

— Quelque chose m'a poussée à venir ici...

Elle prit une inspiration et répéta d'un ton plus calme :

— Je suis vraiment navrée.

— Merci, dit Lassiter. Merci de vous être déplacée.

Puis elle s'éloigna et Murray lui succéda, en pleurs. Il entoura Lassiter de ses bras.

— C'est affreux. Je t'assure, Joe, c'est abominable.

Lassiter ne savait plus pleurer, mais la tristesse lui nouait la gorge. Il perdait l'être qui le connaissait mieux que quiconque en ce monde, qui avait partagé son enfance. L'Alliance — ce pacte solennel imaginé jadis par Kathy, cette promesse de se défendre mutuellement contre leurs parents — était désormais détruite.

Il revoyait encore son petit visage grave, dans leur salle de jeux de Washington. Ils étaient serrés l'un contre l'autre, sous l'espèce de tente qu'elle avait fabriquée avec des draps et des couvertures. Elle avait dix ans, lui cinq. « Toi et moi, il faut rester soudés. Alors j'ai décidé de constituer une alliance. » Ce mot ne faisait pas partie de son vocabulaire, pourtant il avait compris ce qu'elle voulait dire. Elle avait rédigé la liste de leurs obligations et la lui avait lue. Règle numéro un : ne jamais moucharder un membre de l'Alliance. Ils s'étaient piqué le doigt avec une épingle et avaient fait couler leur sang sur le papier qu'ils avaient ensuite enterré sous un sapin. Devenus adultes, ils avaient conservé l'habitude de signer les lettres ou les cartes qu'ils s'envoyaient d'un A penché, le symbole inventé par Kathy.

Durant plus de vingt ans, leur père Elias avait siégé au Congrès. Chaque fois que son nom apparaissait dans les journaux (ce qui se produisait souvent), il était suivi de la mention, entre parenthèses : *Représentant du Kentucky.* Elias était entré en politique grâce à l'argent de sa femme Josie dont le grand-père avait fait fortune dans le whisky. Fille unique et héritière d'un coquet capital, Josie était un beau parti pour un jeune homme ambitieux, né dans les mauvais quartiers de Louisville.

Elias et Josie ne veillaient que de loin à l'éducation de leurs enfants. Comme la plupart des membres du Congrès, ils faisaient la navette entre Washington et leur circonscription, si bien que Kathy et Joe avaient été élevés par un bataillon de nounous, de jeunes filles au pair, de baby-sitters et, plus tard, de « collaborateurs ».

Pour sa part, Joe ne s'était jamais vraiment plaint du gouffre existant entre lui et ses parents. Il redoutait l'extrême dureté de son père et voyait fort peu sa mère. Il s'en accommodait. Il fréquentait une luxueuse école privée de Washington, et la plupart de ses camarades étaient logés à la même enseigne que lui. Mais Kathy en avait souffert, du moins jusqu'au moment où elle avait décidé de s'en moquer.

Un soir, alors qu'il apportait à Josie le whisky qu'elle lui avait ordonné d'aller chercher à l'office, il avait surpris une querelle entre sa sœur et sa mère. Jamais il n'avait eu le fin mot de l'histoire, mais quand il était entré dans la chambre, Kathy fulminait :

— Tu ne nous aimes pas ! Tu voulais des enfants parce que ça se fait, voilà tout !

Josie, assise à sa coiffeuse, avait bu une gorgée de whisky et mis ses boucles d'oreilles.

— Voyons, ma chérie, avait-elle dit, sans quitter son reflet des yeux. Ce n'est pas vrai, je tiens beaucoup à vous.

Il entendait encore la voix sucrée de sa mère, son intonation snob. Croyant avoir rassuré sa fille, Josie avait saisi son atomiseur de cristal et vaporisé sur sa personne un nuage de parfum. Puis elle s'était redressée.

— Et maintenant, donnez vite un baiser à maman. Je suis en retard.

Elias considérait ses responsabilités paternelles comme autant d'obligations, et s'astreignait à réserver à ses enfants une place dans son emploi du temps chargé. C'était Kathy qui l'avait fait découvrir à son frère. Une nuit, elle l'avait entraîné dans le bureau de leur père et lui avait montré son agenda relié de cuir.

7 h — Petit déjeuner avec les Jeunes Républicains.
8 h 30 — Comité directeur du parti.
10 h 15 — *Emmener les enfants au zoo.*

Le moindre contact entre Elias et ses enfants, du moins lorsqu'ils résidaient à Washington, était ainsi programmé.
Emmener Joe chez Camillo pour une coupe de cheveux.
Parler à Kathy : les projets valent mieux que les rêves.
Ils avaient pris l'habitude de consulter l'agenda en cachette pour savoir ce qui les attendait, et d'inventer des parades pour échapper aux manifestations où on les traînait comme des singes savants. Ils se couvraient mutuellement ; ils mentaient ; en toute circonstance, ils se serraient les coudes.
Gala de soutien au sénateur Walling. Emmener les enfants.
(« Maman ! Kathy est malade, elle vomit... et moi, je ne me sens pas bien non plus. »)

Durant le lunch qui suivit la cérémonie, Lassiter éprouva le besoin de parler de son enfance avec Kathy, de l'Alliance. Il chercha Murray et la ravissante jeune femme accompagnée de son petit garçon. Comment s'appelait-elle ? Marie Machinchose. Malgré ses dénégations, il était sûr de l'avoir déjà rencontrée, de la connaître. Peut-être l'attirait-elle parce que, à l'exception de Murray, elle semblait être la seule à regretter sincèrement la disparition de Kathy.

Il finit par dénicher Murray. Mais la femme et le petit garçon avaient disparu.

Après la collation, il reconduisit Lillian à Dulles. Au retour, il

79

emprunta l'autoroute à péage et, quand il arriva chez lui, il faisait presque nuit. En principe, il avait plaisir à apercevoir la longue allée circulaire, à entendre le gravier crisser sous les roues et à sentir les trépidations de la voiture sur le pont de bois qui enjambait le ruisseau. En un sens, c'était pour cette raison qu'il avait acheté la maison. Du matin au soir, il ne songeait qu'au travail, aux réunions, aux décisions à prendre. Mais dès qu'il franchissait le ruisseau, il oubliait tout.

Les lignes de la maison, qui émergeait des arbres, l'enchantaient. Il n'existait pas de demeure semblable dans tout le district de Washington, et ceci parce que son architecte était hollandais et excentrique. Ou génial. Ou les deux. En tout cas, il vouait une haine farouche à l'angle droit. Résultat, son œuvre — évaluée à un million de dollars — était un curieux assemblage de courbes, d'angles improbables et de volumes non moins inattendus.

Ceux qui découvraient cette maison pour la première fois avaient deux sortes de réactions : les uns poussaient une exclamation de ravissement, les autres faisaient la moue et opinaient d'un air sagace, comme pour dire : « Voilà ce qui se passe quand on a trop d'argent et qu'on n'y connaît rien. » Lassiter aimait à croire qu'il pouvait juger les gens d'après leur attitude face à la maison, mais à la vérité il se leurrait. Certaines personnes qu'il aimait tendrement (Kathy par exemple) soupiraient en la voyant ou esquissaient un sourire poli.

Tous cependant s'avouaient conquis par l'agencement intérieur. La lumière y ruisselait à flots, grâce à l'atrium voûté de berceaux vitrés qui s'étirait du nord au sud sur toute la longueur de la maison. Les vastes pièces s'imbriquaient les unes dans les autres pour ne former, semblait-il, qu'un seul et même espace. Des photos en noir en blanc du vieux New York, des planches encadrées de Yellow Kid, de Krazy Kat et de Little Nemo ornaient les murs. Le mobilier était réduit à sa plus simple expression : quelques meubles et de grands canapés recouverts de housses, un piano à queue sur lequel Lassiter faisait ses gammes car il avait résolu d'apprendre à jouer de cet instrument.

Rentrer chez lui était toujours un bonheur, mais ce soir-là il n'en éprouva aucun réconfort. La maison lui parut vide et froide, elle avait plus l'air d'un blockhaus que d'un refuge.

Il se servit un verre de Laphroaig et passa dans sa pièce favorite, le bureau. Trois des murs disparaissaient sous des rayonnages de livres ; on accédait aux plus élevés par des échelles roulantes. Une cheminée en adobe, au-dessus d'une niche pour ranger le bois, occupait un coin de la salle. Malgré la température plus que clémente, Lassiter alluma un feu et se laissa tomber dans un fauteuil. Pendant vingt minutes, il resta là à boire son scotch et à regarder les flammes mordre les bûches.

Puis il se décida à écouter son répondeur. Il y avait dix-sept messages en tout. Il monta le son et sortit sur la terrasse, les yeux rivés sur les bouleaux fouettés par le vent. L'air avait fraîchi et charriait une odeur de pluie. L'orage ne tarderait pas.

Les avocats de chez Lehman Brothers souhaitaient le rencontrer. On lui signalait aussi un « plantage » à Londres. L'un de ses enquêteurs s'était montré « trop zélé » (c'est-à-dire ?) et la BBC s'en mêlait.

La plupart des autres appels provenaient d'amis et de relations qui n'avaient pas connu Kathy et donc n'assistaient pas à l'enterrement, mais tenaient à lui présenter leurs condoléances. Il y avait également un message d'une chaîne de télévision et du *Post*.

Puis la voix rauque de Monica disant qu'elle était désolée et que si elle pouvait faire quelque chose, n'importe quoi... eh bien, il connaissait son numéro.

Il envisagea un instant de l'appeler, puis se remémora leur rupture. Qu'est-ce qui ne va pas chez moi ? se demanda-t-il.

Toujours le même schéma.

Oui, ça commençait à devenir une habitude. Il rencontrait une femme qui lui plaisait vraiment. Pendant une année tout allait bien, puis les choses se gâtaient. Ultimatum, réconciliation... on jouait les prolongations et ensuite... Monica cédait la place à Claire ou à une autre. (De fait, Claire avait remplacé Monica, mais elle se trouvait à Singapour pour une conférence. Elle l'avait appelé l'avant-veille, et il lui avait annoncé la mort de Kathy. Claire ne connaissait pas Kathy, et quand elle avait évoqué la possibilité de rentrer pour les obsèques, il l'en avait dissuadée. Elle n'avait pas insisté.)

Pensif, il termina son scotch. A la vérité, il aimait les femmes et était naturellement enclin à la monogamie, en tout cas il ne fréquentait qu'une femme à la fois. *A priori,* il n'avait donc rien contre le mariage. Mais il ne voulait pas commettre d'erreur et était suffisamment romantique pour penser que, quand l'heure serait venue, il le saurait. Tous ses doutes le quitteraient, il n'y aurait rien de plus essentiel à ses yeux. Cela n'empêchait pas qu'avec Monica, le mariage semblait être... disons, une option.

Le dernier message était de Jim Riordan ; il l'écouta d'une oreille distraite, puis il se rendit compte qu'il n'avait pas compris un traître mot et rembobina la bande.

Riordan était de ces gens que les répondeurs téléphoniques mettent mal à l'aise. Il parlait trop vite et d'une voix criarde. « Désolé de vous avoir houspillé, disait-il d'un ton qui n'exprimait aucun repentir. Passez me voir demain, d'accord ? J'ai quelques questions à vous poser. »

Chapitre 10

Le bureau de Riordan se situait au deuxième étage d'un de ces affreux cubes que les municipalités avaient fait construire dans les années cinquante. Les murs extérieurs imitaient un échiquier formé de panneaux de plastique bleu et de verre, séparés par des baguettes d'aluminium depuis longtemps piqué. Le bâtiment était à la fois moderne, en ce sens qu'il était relativement neuf, et vétuste, car il semblait infiniment plus délabré que les élégants immeubles du XIXᵉ siècle qui l'entouraient.

L'intérieur ne valait pas mieux. Les dalles isolantes des plafonds étaient sales et se décollaient à moitié. Des décennies de crasse et de cire liquide matelassaient le linoléum. L'escalier rappela à Lassiter celui de son collège ; tandis qu'il gravissait les marches, des relents de lait caillé lui assaillirent les narines. Odeur réelle ou imaginaire ? Il n'aurait su le dire.

Le premier étage était réservé à la Brigade des stups. Un panneau sur la porte annonçait : *Accès interdit à toute personne étrangère au service.*

La Criminelle occupait l'étage du dessus. Il y avait deux bureaux fermés, quelques pièces vides probablement utilisées pour les interrogatoires, et une série de boxes séparés par des cloisons d'un mètre quatre-vingts. Il régnait dans les locaux un désordre indescriptible et une atmosphère survoltée de salle de rédaction, les uns pianotant sur le clavier de leur ordinateur, les autres (comme Riordan) sur le cadran de leur téléphone.

Riordan, âgé d'environ cinquante-cinq ans, possédait cette complexion irlandaise qui se patine avec le temps mais ne vieillit pas vraiment. S'il avait la figure et les mains rougeaudes, le reste de son corps devait être d'un blanc crémeux. Quand il aperçut Lassiter, il écarquilla ses yeux bleu pâle en guise de salut. Il paraissait fatigué. Du doigt, il lui indiqua un siège.

Il faisait une chaleur de fournaise, et les inspecteurs avaient tombé la veste. Lassiter remarqua qu'ils portaient tous un holster. Chaque fois qu'il pénétrait dans un poste de police, ce détail le frappait : tous les hommes étaient armés.

Cela expliquait que les anciens policiers aient du mal à se recaser, notamment chez Lassiter Associates. D'abord ils ne savaient pas écrire et avaient tendance à jargonner : ils conduisaient des « véhicules » au lieu de banales voitures et « s'acheminaient vers tel ou tel lieu » quand le commun des mortels se contentait d'y aller. En outre, le fait d'avoir sur eux une arme et une plaque de police conditionnait à tel point leur maintien qu'on devinait au premier coup d'œil à qui on avait affaire. D'ailleurs, comme les acteurs ou les politiciens, les flics s'attendaient à ce que les gens aient, face à eux, un certain type de réaction. Peu importait qu'elle fût négative, du moment qu'elle existait. Même quand ils avaient quitté la police, ce syndrome persistait longtemps.

Riordan reposa le combiné, fit pivoter son fauteuil et joignit ses grosses mains rouges.

— Le véhicule, dit-il. Nous avons trouvé un véhicule de location dans le quartier de votre sœur. J'ai pensé que vous aimeriez en être informé.

Lassiter hocha la tête sans répondre. Riordan s'exprimait avec naturel ; la regrettable incursion de Lassiter dans le service des grands brûlés l'avait irrité, cependant il ne lui en gardait pas rancune. A l'évidence, l'incident était clos.

— La voiture a été louée par l'agence Hertz de Dulles. A John Doe, aucun doute là-dessus. Le coffre pue le kérosène.

Riordan s'interrompit.

— Et alors ?

— Alors, la location a été réglée avec une carte de crédit. Au nom de Juan Gutierrez, domicilié à Brookville en Floride. J'ai demandé aux collègues du coin d'aller jeter un œil. L'adresse est celle d'une pension meublée. Un type qui se faisait appeler Juan y a pris une chambre voici deux ou trois mois. Il n'était pas souvent là. Presque jamais, en réalité.

Le téléphone sonna. Riordan décrocha et, comme le coup de fil n'avait manifestement aucun rapport avec son affaire, Lassiter en profita pour étudier le décor qui l'entourait. Les murs du box étaient décorés de dessins d'enfants représentant des hommes armés de pistolets qui se tiraient dessus. Les balles sortaient des canons comme des pointillés méticuleusement tracés. De gros traits de crayon rouge marquaient les blessures d'où le sang s'écoulait en gouttes bien rondes. Bizarrement, ces barbouillages rouges semblaient plus effrayants, plus violents que les flots d'hémoglobine qu'affectionnaient les réalisateurs de films gore.

— Où j'en étais ? dit Riordan quand il eut raccroché.

— Juan Gutierrez.

— Ah oui. *A priori,* cette pension de Brookville n'était qu'une boîte aux lettres. Mais ce n'est pas tout. On a découvert une clé de motel dans le cendrier du véhicule de location. Ça n'a pas été facile de remonter la piste, mais cahin-caha, on est arrivés au Comfort Inn, à la sortie de la 395. Chambre 214. On s'est procuré un mandat de perquisition. Dans la pièce il n'y avait qu'un petit sac de voyage, une carte du comté de Fairfax et un portefeuille.

— Un portefeuille...

— Il contient près de deux mille dollars en espèces, un permis de conduire, une carte de bibliothèque, une carte de Sécurité sociale et deux cartes Visa — le tout au nom de Juan Gutierrez, résidant à Brookville en Floride. On a vérifié, évidemment. Résultat des courses... M. Gutierrez n'est sans doute pas M. Gutierrez.

— Que voulez-vous dire ?

— Ce type n'a pas de passé. Sa vie a commencé il y a deux ou trois mois, comme s'il était né à l'âge de quarante-trois ans. Il a une carte de bibliothèque, établie en août, mais il n'a jamais emprunté un seul bouquin. Il a un permis de conduire — qui date de début septembre — mais il n'en avait jamais eu auparavant. Il n'a jamais acheté de voiture ni quoi que ce soit d'autre. Quant à ses cartes Visa, c'est le genre de cartes qu'on donne aux faillis ou aux mauvais payeurs.

— Et qui nécessite de déposer une provision à la banque avant toute opération.

— Exactement. Il dispose d'un crédit de deux mille dollars pour chacune d'elles, et il les a depuis...

— Septembre.

— Vous avez pigé. Il les a utilisées toutes les deux, il a même vidé l'un des comptes qu'il a réapprovisionné illico. Par mandat-poste.

— Nous avons donc affaire à un fantôme.

Dans les agences d'investigation, c'était le terme en vigueur pour désigner un individu vivant sous une fausse identité.

— Un fantôme amélioré.

— Comment ça ?

— Il ne s'est pas contenté de voler des papiers ou de les acheter. C'est du beau travail. Le numéro de Sécurité sociale est un *vrai* numéro qui appartient au *vrai* Juan Gutierrez domicilié à Tampa. Ce monsieur-là ne conduit pas et a sensiblement le même âge que John Doe. Avouez qu'on peut facilement les confondre.

— En d'autres termes, vous pensez que John Doe s'est donné beaucoup de mal.

— Un mal de chien, oui ! Sa couverture est parfaite. Si un flic lui demande ses papiers, pas de problème. S'il a envie de louer une voiture, ça baigne. Il veut prendre l'avion mais préfère ne pas régler le billet en liquide — parce que c'est trop voyant ? — il n'a qu'à sortir ses cartes Visa. Il peut aller sur la lune, personne ne se méfiera. Entendons-nous bien, je ne dis pas qu'il est complètement blindé. Je dis seulement que s'il n'était pas en détention, s'il n'était pas soupçonné de meurtre, sa couverture aurait tenu la route. Du coup, je me pose des questions.

— Lesquelles ?

Riordan lui lança un regard appuyé.

— Je me demande si ce n'est pas un professionnel. C'est justement pour cette raison que je vous ai prié de venir aujourd'hui.

L'inspecteur se carra plus confortablement dans son fauteuil.

— Je crois qu'il est temps de parler un peu de votre sœur.

— Pourquoi ? Il n'y a rien à en dire.

— Permettez-moi de ne pas être de cet avis.

— Allons bon ! Ecoutez, il n'y a rien dans la vie de Kathy qui puisse vous apprendre pourquoi un professionnel du meurtre l'aurait égorgée, aurait incendié sa maison, assassiné son enfant...

— Ce n'est pas elle qu'il a égorgée, mais Brandon. Votre sœur a reçu un coup de poignard dans la poitrine.

Lassiter préféra se taire. Riordan toussota et, quand il reprit la parole, ce fut d'un ton peiné. Tout à coup, il avait l'air d'un gamin qu'on a injustement réprimandé.

— Mettez-vous à ma place, Joe, dit-il. Je me démène pour vous, je me crève le...

— Vous vous démenez pour moi ? Vous avez un double meurtre sur les bras !

— Pour votre gouverne, sachez que nous avons cinquante-sept affaires d'homicide non résolues dans nos tiroirs. Or je concentre toutes mes ressources sur celle-ci. Vous saisissez ? J'ai parlé avec le Dr Whozee ce matin. John Doe ne va pas fort, il a les poumons fichus. Il s'en sortira peut-être, je ne prétends pas le contraire, mais par ici on considère que je gaspille du temps et de l'argent pour une histoire qui pourrait se résoudre d'elle-même d'un moment à l'autre.

— Vous voulez dire que, s'il meurt, vous classerez le dossier ?

— Ouais, exactement. Une fois qu'on a en main des preuves concluantes, on classe. Si ses empreintes correspondent à celles relevées sur le poignard, si l'analyse ADN est positive, si nous pouvons prouver que tel suspect a commis tel crime, alors... (il écarta les mains)... nous estimerons que l'affaire est close. Et si le suspect meurt, on n'en parle plus ! conclut-il en abattant ses mains sur le bureau.

— Et on ne se demandera pas pourquoi il a tué.

Riordan crispa les poings.

— Pourquoi, pourquoi... et s'il n'y avait pas de pourquoi ? S'il était dingue ? Ou complètement défoncé et que cette idée lui soit passée par la tête, sans raison ?

— Ça vous paraît plausible ?

— Non, admit Riordan. Dans la mesure où il s'est donné tout ce mal pour se forger une identité, ça ne me paraît pas plausible.

Il s'interrompit un instant, avant de poursuivre.

— Mais la question n'est pas là. Tant que John Doe s'accroche à la vie et que je suis en charge du dossier, j'aimerais que vous ne vous offusquiez pas chaque fois que je vous interroge sur votre sœur.

— Vous avez raison. Je suis désolé.

Radouci, l'inspecteur grimaça un sourire.

— Bon... parlez-moi d'elle.

Lassiter haussa les épaules. Il se sentait soudain très las.

— Que puis-je vous dire ? Ma sœur menait une existence plu-tôt ennuyeuse, ou du moins pas très passionnante. Elle était pro-ductrice à la National Public Radio, elle se consacrait à son travail et à son fils. Quand elle sortait, c'était pour participer à une tombola au profit de l'école maternelle ou pour assister à une réunion du groupe des parents célibataires, à l'église unitarienne. La plupart du temps, elle restait à la maison. Elle n'avait pas d'ennemis.

— Excusez-moi, mais... vous en êtes sûr ?

Lassiter réfléchit un instant. Il avait le sentiment que Kathy n'avait pas de secrets pour lui, toutefois il ne pouvait pas l'affirmer avec certitude.

— Nous étions très proches. A la mort de nos parents, Kathy avait vingt ans, et moi quinze.

— Ah oui... Votre père était membre du Congrès, je me souviens. Un accident d'avion, n'est-ce pas ?

— D'hélicoptère.

— Un drame affreux, dit machinalement Riordan. Voilà donc d'où votre sœur tenait son argent. Je me demandais comment elle avait pu s'offrir une aussi belle maison.

— Mon père a réussi à croquer presque toute la dot de sa femme, mais ma sœur et moi avons malgré tout hérité de deux cent mille dollars chacun. Kathy était économe et elle a fait de bons placements. A la naissance de Brandon, elle a vendu son appartement pour s'installer en banlieue.

— A qui laisse-t-elle son argent ?

Riordan agita à nouveau les mains :

— Excusez-moi de poser la question, mais nous n'avons pas encore abordé ce sujet.

Lassiter était l'exécuteur testamentaire de Kathy ; Riordan le savait certainement ou s'en doutait.

— Je pourrais vous montrer le testament, mais ça ne vous mènerait pas loin. Elle léguait tout à Brandon. S'il décédait avant elle, ou s'ils mouraient ensemble, sa fortune devait aller à des œuvres.

Riordan griffonnait des notes sur un bout de papier.

— Quelles œuvres ?

— L'école maternelle de Valley Drive. Sweet Briar, son *alma mater*. Greenpeace.

— Il n'y avait rien pour vous ?

— Quelques objets personnels, des photos de famille, des choses de ce genre. Le feu a tout détruit.

Riordan paraissait désappointé.

— Et les hommes ? Elle avait quelqu'un dans sa vie ?

— Pas depuis deux ans.

— Et l'enfant ? Elle touchait une pension alimentaire ?

— Non.

— Pourquoi ?

— Il n'y a pas de père.

Riordan sourcilla.

— Comment ça ? Il est mort ?

— Non.

Riordan pouffa comme un gamin.

— Expliquez-moi comment c'est possible, et je vous laisse partir tout de suite.

— Son horloge biologique commençait à s'affoler, pour reprendre l'expression de Kathy. Et comme il n'y avait pas d'homme à l'horizon... eh bien, elle avait décidé de s'en passer.

En réalité, Kathy avait présenté les choses de manière plus crue. Elle lui avait parlé de son intention de devenir mère le soir de son trente-septième anniversaire. Pour fêter l'événement, ils avaient dîné dans un hôtel de Little Washington, où Joe avait réservé des chambres pour la nuit.

En principe, Kathy ne buvait guère ; après un verre de sherry, du Dom Pérignon et un armagnac, elle était passablement pompette. Un sourire rêveur aux lèvres, elle dessinait avec sa fourchette des ronds dans le coulis de framboise qui nappait le fond de son assiette vide.

Soudain, elle releva la tête et regarda son frère. Elle vida son verre d'armagnac, le reposa en disant :

— J'en profite, je n'en boirai plus avant un bon moment.

Lassiter fut surpris. Kathy n'avait jamais eu de problème d'alcool.

— Tu as des ennuis de santé ?

— En un sens.

Du doigt, elle frotta le bord de son verre jusqu'à ce qu'il émette un son strident. Elle retira sa main et pouffa de rire.

— Et si je t'annonçais que j'envisage une grossesse ? dit-elle, les joues roses.

Il hésita. Il ne voulait pas lui remémorer ses précédents échecs, y compris avec Murray. Ni parler de l'anorexie dont elle avait souffert durant son adolescence. Elle était tombée à trente-cinq kilos et, à l'époque, les médecins craignaient que ses organes génitaux n'en soient durablement affectés.

— Eh bien, d'abord je demanderais qui est l'heureux élu, et ensuite pourquoi le cosignataire de l'Alliance n'a pas été informé de l'existence de ce monsieur.

Kathy, assise en face de lui, lécha sa fourchette. Ses yeux pétillaient.

— Et si je te disais qu'il n'y a pas de monsieur ?

— Je répondrais qu'il y a comme un défaut dans ton plan.

Kathy éclata de rire.

— Se faire sauter n'est pas un problème, bien sûr. Seulement, sans préservatif, par les temps qui courent... Et encore faut-il choisir le bon moment. Ensuite, en admettant que ça marche, le type risque de ne plus te lâcher, de te traîner devant les juges pour obtenir la garde conjointe, ou même de vouloir vivre avec toi. Crois-moi, les mecs n'amènent que des complications. Mais, heureusement, nous sommes dans les années quatre-vingt-dix. Il existe des moyens beaucoup plus efficaces pour se retrouver enceinte.

— Attends, tu veux dire que...

— Eh oui... J'ai rendez-vous demain. Pour un simple entretien, précisa-t-elle avec un sourire. On doit me donner tous les renseignements sur la procédure.

A l'époque, même s'il s'était efforcé de ne pas le montrer, Lassiter n'avait pas approuvé le soudain enthousiasme de Kathy pour la maternité. Elle était si instable, si marginale. Il ne l'imaginait pas mère. Pourtant elle avait eu raison d'écouter son instinct. Ça lui avait coûté quatre ans de patience et plusieurs déceptions aussi douloureuses que ruineuses, mais le jeu en valait la chandelle. La maternité l'avait métamorphosée et délivrée de la solitude farouche qu'elle traînait depuis l'enfance. Brandon vouait à sa mère un amour inconditionnel, mais ce n'était pas ça qui avait transformé Kathy. Pour la première fois de sa vie, elle était amoureuse. De son fils.

Le visage de Riordan vira au rouge brique. Il était choqué.

— Votre sœur est allée dans une de ces... cliniques ? Pour une... insémination artificielle ?

Le front plissé dans une expression de profonde réprobation, il coula un regard en direction du couloir puis se pencha vers Lassiter.

— Vous savez, si on ne fait pas gaffe, les femmes nous boufferont. Non, ne rigolez pas, je parle sérieusement. On deviendra des faux bourdons.

Sans doute Lassiter eut-il l'air surpris, car Riordan se crut tenu d'expliciter :

— Les mâles des abeilles. Elles ne peuvent pas se débrouiller sans eux, mais qu'est-ce qu'ils obtiennent pour leur peine ? Je vais vous le dire, moi. Dès que l'hiver arrive, ils se font virer de la ruche, et ils se gèlent les fesses.

Il s'interrompit, hocha vigoureusement la tête.

— Voilà ce qui pend au nez de la race humaine.

Une brusque inquiétude se peignit sur ses traits taillés à la serpe.

— Soit dit sans offense pour votre sœur, marmonna-t-il.

Puis il poussa un soupir à fendre l'âme, comme si toute la fatigue du monde s'abattait sur ses épaules. Il repoussa son fauteuil qui racla le sol, se redressa et tendit la main à Lassiter.

— Merci d'être venu.

— Et merci de ce que vous faites. Je regrette d'avoir été...

— Oh, oubliez ça, dit Riordan d'un air distrait. Notez que vous ne m'avez pas été d'un grand secours. Votre sœur...

Il secoua tristement sa grosse tête :

— Je n'ai rien à me mettre sous la dent.

Il glissa une main sous son bras, se tortilla bizarrement pour rajuster son holster.

— Ce n'est pas une histoire d'amour, ni d'argent, ni de famille. Je ne sais plus, moi. Peut-être que ce type est vraiment cinglé.

— Je peux vous poser une question ?

Riordan enfila sa veste et resserra son nœud de cravate.

— A quel sujet ?

— Il a passé des coups de fil depuis le motel Comfort Inn ?

L'inspecteur tapota le fond de son paquet de cigarettes sur le cadran de sa montre, en happa une, puis tâta ses poches à la recherche d'allumettes.

Il les trouva alors qu'il quittait le bâtiment en compagnie de

Lassiter. Il alluma sa cigarette, inhala et expédia un nuage de fumée vers le ciel gris.

— Je l'ignore, dit-il enfin. Je ne crois pas qu'on ait vérifié.

Il tira à nouveau sur sa cigarette.

— Mais on le fera, conclut-il.

Chapitre 11

Quelques jours après les obsèques, Lassiter se remit à écouter son autoradio. Il y avait renoncé le lendemain de l'incendie, car chaque fois qu'il allumait le poste et cherchait sur la bande FM un programme de jazz, il tombait immanquablement sur un flash d'actualité. C'était toujours la même rengaine : un résumé des faits et une brève interview de Riordan. Joe ne supportait plus d'entendre le récit du malheur des siens, saucissonné en tranches de trente secondes, entre les plaisanteries niaises d'un présentateur vedette et une info-trafic.

Figurez-vous que ce matin je me suis levé du pied gauche/Le petit garçon avait la gorge tranchée d'une oreille à l'autre/On roule pare-chocs contre pare-chocs sur le périphérique extérieur...

Pour l'heure, on parlait d'une femme découverte dans le coffre d'une voiture, sur le parking de National Airport. D'après le porte-parole de la police, c'était l'odeur, due à la chaleur inhabituelle, qui avait attiré l'attention sur le véhicule. On avait identifié le corps, disait-il. Lassiter espéra que la famille n'était pas à l'écoute.

Après l'actualité, le point sur la circulation routière. « Ça bouchonne en direction du sud, susurra une voix féminine, de Spout Run jusqu'à Memorial Bridge. » Elle n'exagérait pas. Devant lui, à perte de vue, s'étirait un ruban de lumières rouges.

Deux semaines s'étaient écoulées depuis les meurtres et, à dire vrai, il commençait à s'habituer. Son esprit s'était en quelque sorte adapté. L'idée que sa sœur et son neveu aient été assassinés dans leur lit ne le révoltait plus. Ils étaient morts, voilà, il fallait l'accepter. Lors du décès de ses parents, il avait eu la même réaction. Au bout d'un moment, leur image s'était estompée. Puis effacée, comme s'ils n'avaient jamais existé.

Il quitta l'autoroute à Key Bridge et appuya sur l'accélérateur pour rejoindre E Street.

Il travaillait dans son bureau depuis une heure environ lorsque Victoria l'appela par l'interphone. Elle avait un journaliste du *Washington Times* en ligne ; « à propos de votre sœur », précisa-t-elle.

Qu'un journaliste le relance justement ce matin, après les pensées qu'il avait ruminées durant le trajet, lui parut plutôt cocasse. Et surprenant. Les médias ne s'intéressaient pas longtemps aux affaires comme celle de Kathy. A la une des journaux et sur les ondes, un fait divers sanglant chassait l'autre.

La femme, au bout du fil, était jeune et nerveuse. Elle avait un accent chantant et la manie d'élever la voix à la fin de ses phrases, si bien que ses affirmations sonnaient comme des questions.

— Johnette Daly ? dit-elle. Excusez-moi de vous déranger, monsieur Lassiter, mais je suis en plein bouclage ? Je...

— Que puis-je pour vous ?

— Eh bien, j'aimerais avoir votre réaction — un commentaire sur ce qui s'est passé.

Un bouton clignotait sur le cadran de son téléphone ; ce devait être un appel important, sinon Victoria aurait pris le message.

— Un commentaire ? s'étonna-t-il. Vous vous intéressez toujours à cette histoire ?

Il y eut un silence, puis la journaliste murmura d'un ton affolé :

— Oh, bonté divine... vous n'êtes pas au courant ?

Sans attendre de réponse, elle enchaîna :

— Je pensais qu'on vous aurait averti tout de suite. Je ne sais pas si...

— Mais de quoi parlez-vous ?

— Ça ne me plaît pas du tout d'être la première à vous annoncer ça, mais... au cimetière Fairhaven, on a déterré votre neveu... enfin, le corps de votre neveu. Un vandale, sans doute. Et je...

— Quoi ? Vous plaisantez ?

— La police se refuse à toute déclaration, monsieur, alors je me demandais si...

— Je suis désolé, mais je n'ai rien à vous dire pour l'instant.

Il interrompit la communication et contempla le téléphone pendant une bonne minute. Puis il appela Riordan qui se confondit en excuses. Il regrettait que Lassiter ait dû apprendre la nouvelle par une petite journaliste à la gomme qui s'était branchée sur la fréquence de la police.

— Je n'ai pas été informé tout de suite, ajouta-t-il. Les gens ont mis du temps à réagir, à réaliser que c'était la tombe d'une personne assassinée. Donc on a traité ça comme une affaire de vandalisme. Je suis désolé. On aurait dû vous prévenir. Il y a quelqu'un qui n'a pas fait son boulot. Moi, sans doute, soupira-t-il.

— Mais que s'est-il passé ?

— Pour autant qu'on sache, ça s'est produit entre minuit et sept heures du matin. Il y a un gardien de nuit, seulement il s'enferme dans sa guérite pour regarder la télé. Il n'a rien vu, rien entendu. C'est qu'il est grand, ce cimetière. Un type qui allait sur la tombe de sa mère, très tôt ce matin, a donné l'alerte.

— Qu'est-ce qu'ils ont fait ? Ils ont déterré le corps de Brandon ? Pourquoi ? Est-ce qu'ils l'ont... bon Dieu, est-ce qu'ils l'ont emporté ?

L'expression consacrée lui revint soudain en mémoire : *profanateurs de sépultures.*

Riordan s'éclaircit la voix.

— Je crois que... la journaliste ne vous a pas... tout dit.

Il parlait lentement, comme s'il s'arrachait les mots un à un.

— Le corps de votre neveu a été... exhumé... et retiré du cercueil. Ensuite, d'après le labo — je vous lis le rapport —, « l'auteur du délit a utilisé une amorce au magnésium... ».

— Quoi ?

— Je lis le rapport du labo : « L'auteur du délit a utilisé une amorce au magnésium pour enflammer un mélange pulvérisé d'aluminium et d'oxyde ferrique, communément appelé...

— Thermite.

— Oui, c'est ça : thermite. Et... euh... il a brûlé la dépouille. Pour la seconde fois.

Riordan s'interrompit.

— Ça me fout la chair de poule, murmura-t-il.

Lassiter était complètement abasourdi.

— Je ne comprends pas. Pourquoi un individu commettrait-il un acte pareil ?

— Je n'en ai aucune idée. On a enquêté auprès des juridictions voisines, pour savoir s'il n'y avait pas eu des cas similaires, mais jusqu'ici on n'a rien. Les profanations de sépultures, ça arrive. Des histoires de haine raciale, notamment. Des conneries de gamins, le plus souvent. Mais là...

— Une amorce au magnésium ? De la thermite ?

— Je sais ce que vous pensez. On peut imaginer un tas de trucs bizarres... dingues.

— Par exemple ?

— Oh, s'il vous plaît...

— Répondez-moi.

— On pourrait supposer que quelqu'un voulait s'approprier une partie de son corps. Des adeptes de Satan, ou quelque chose dans ce genre-là. Mais tout ça, c'est de la foutaise. Moi, je me pose la question suivante : en quoi est-ce lié au meurtre ? Parce qu'on n'a pas la certitude que ce soit lié.

Riordan toussota.

— En tout cas, il y a une chose que nous savons.

— Quoi donc ?

— John Doe n'y est pour rien.

En fin d'après-midi, Lassiter alla courir dans l'espoir de s'éclaircir les idées, mais il ne réussissait pas à chasser de son esprit l'image du visage carbonisé de Brandon. Quand il eut regagné sa voiture, sans réfléchir il prit la direction du cimetière. Des bandes de plastique jaune bouclaient le périmètre. Un policier en uniforme, appuyé à une tombe voisine, grillait une cigarette. En voyant Lassiter approcher, il jeta son mégot et se redressa.

— C'est la tombe de ma sœur, dit Lassiter. Et de mon neveu.

L'autre le dévisagea puis haussa les épaules.

— Du moment que vous ne pénétrez pas dans le périmètre...

Lassiter s'immobilisa. La tombe de Kathy était encore couverte de monceaux de fleurs fanées. La brise faisait voleter les rubans blancs des gerbes. Tout près, la pierre tombale de Brandon, couchée sur le côté, ne laissait plus apparaître qu'un trou béant. Un monticule de terre le bordait. Il y avait, semblait-il, plus de terre que ne pouvait en contenir la fosse.

On voyait les traces du travail des techniciens de l'Identité judiciaire qui avaient couvert la pierre tombale de poudre d'aluminium et réalisé des moulages des empreintes de pas et des traces de pelle. On distinguait aussi un léger creux dans le sol —

là où on avait déposé le corps de Brandon. A l'évidence, les policiers s'étaient efforcés de recouvrir les restes de Brandon, mais ils n'y étaient pas tout à fait parvenus.

Lassiter contemplait les traînées noires sur le sol, les cendres. Elles lui rappelaient celles que les domestiques de leur grande maison de Georgetown répandaient autrefois sur les marches du perron quand il neigeait.

La vue de ces pitoyables vestiges le bouleversa. Ils conféraient une terrible réalité au fait que quelqu'un avait brûlé le petit corps de Brandon.

On l'avait exhumé, sorti de son cercueil. D'après Riordan, le crâne de l'enfant avait été défoncé d'un coup de pelle, sa dépouille inondée d'essence, enflammée à l'aide d'un produit à base de thermite, et brûlée jusqu'à ce qu'il n'en subsiste plus rien, sinon ce que Tommy Truong appelait des « résidus osseux ».

Quand il rentra chez lui, la maison lui parut trop grande et trop silencieuse. Il téléphona à Claire qui lui dit qu'elle allait passer. Un moment après, il la rappela, lui raconta ce qui s'était produit et ajouta qu'il avait peut-être besoin d'un peu de solitude.

Il se réveilla en sursaut au milieu de la nuit, tenaillé par une pensée qui lui était venue dans son sommeil. C'était très important. Il lui semblait que ça avait un rapport avec le corps de Brandon. Il devait joindre Riordan, lui expliquer. Mais il eut beau faire, il ne réussit pas à se souvenir de quoi il s'agissait. Peut-être avait-il rêvé. Frustré, il se recoucha, se tourna et passa le restant de la nuit à se retourner dans son lit.

Le lendemain matin, il vit que le *Washington Times* publiait un article sur cette histoire. Il ne voulait pas le lire, mais ne put s'empêcher de jeter un coup d'œil au titre : *On a profané la tombe d'un enfant assassiné.*

Dans l'après-midi, il reçut un étrange coup de fil de l'entreprise funéraire Evans, qui avait organisé les obsèques.

— La police m'a demandé de vous contacter, dit un homme d'un ton onctueux, vibrant d'une sollicitude que rien ne semblait devoir entamer. Dès que... euh... le légiste aura terminé son travail et que... euh... le... euh... défunt nous sera rendu... souhaitez-vous que nous procédions à une nouvelle inhumation ?

Lassiter répondit que oui, il le souhaitait.

— Aimeriez-vous choisir un autre cercueil ? La police n'a plus besoin du premier, mais il est quelque peu... euh... endommagé, voyez-vous.

Il dit que oui, il choisirait un autre cercueil.

— Encore une petite chose, monsieur Lassiter.

L'entrepreneur de pompes funèbres hésita, comme s'il s'aventurait en territoire inconnu.

— Désirez-vous être présent lors de... euh... l'inhumation ? (Il toussota.) Enfin de... euh... la nouvelle inhumation ? C'est-à-dire... euh... souhaitez-vous une autre cérémonie ?

Une fois de plus, Lassiter eut la sensation que son cœur se décrochait dans sa poitrine.

— Pas de cérémonie, bredouilla-t-il. Mais je veux être là.

— Très bien, nous vous tiendrons informé.

Deux jours plus tard, il se retrouva au cimetière. Comme la première fois, le soleil brillait. Et comme la première fois, on descendit le petit cercueil dans le trou. Mais cette fois il n'y avait pas de prêtre, pas de paroles de réconfort et personne devant la tombe, hormis Lassiter et Riordan qui était arrivé en retard. Joe se chargea lui-même, aidé par l'inspecteur, de combler la fosse. Ce travail physique lui fit du bien, mais la fosse n'était pas bien grande et ce fut vite terminé. Tous deux demeurèrent là un moment, immobiles, puis Lassiter se détourna.

— Quelle histoire..., marmonna Riordan en secouant la tête.

Il prit une cigarette dans sa poche, mais attendit pour l'allumer de s'être suffisamment éloigné de la tombe.

Après le deuxième « enterrement » de Brandon, Riordan appela Lassiter régulièrement.

— Je dois être honnête, Joe. Nous n'avons rien. Enfin, on n'a qu'un moulage de la pelle, et des empreintes bien nettes de semelles — des Nike, à propos, toutes neuves, taille 44. On n'a qu'une seule série d'empreintes, ce qui tendrait à prouver que le type a agi seul. Mais à part ça... que dalle. Pas d'empreintes digitales sur le cercueil ni sur la pierre tombale. Il portait des gants. Ce qui, en soi, est intéressant.

Hormis l'abominable profanation de la tombe de Brandon, il ne s'était produit aucun événement notable depuis le début de l'enquête. Celle-ci piétinait. Riordan mettait un point d'honneur à informer Lassiter des moindres détails, dans l'espoir de l'amadouer et d'avoir la paix. Durant leurs entretiens téléphoniques, ils avaient l'habitude de passer en revue les éléments dont ils disposaient.

Empreintes digitales :

— Devinez à qui elles appartiennent ?

— Je crois que je le sais déjà.

Comme prévu, on avait relevé les empreintes de John Doe sur le poignard, dans la voiture et sur le portefeuille découvert au Comfort Inn. Cela l'incriminait de manière incontestable, mais ne fournissait aucun renseignement sur son identité. Il demeurait John Doe.

— Notre bonhomme n'est pas fiché aux sommiers, dit Riordan, faisant référence à la banque de données du FBI qui répertoriait plus de cent millions d'empreintes digitales — tous les individus arrêtés pour n'importe quel délit ; ceux qui, à un moment ou un autre, avaient demandé un permis de port d'arme ; les militaires, les fonctionnaires, les chauffeurs de taxi, les conducteurs de bus, etc.

— Pourtant tout le monde est fiché, dit Lassiter.

— Presque.

— Je vois. Je le suis, vous l'êtes aussi, la plupart des gens le sont. Mais pas John Doe.

Sang, cheveux, tissus cutanés :

— Le sang sur le poignard est celui des victimes. Le cheveu appartient à Brandon, comme vous le pensiez. Et la peau...

— Quelle peau ?

— Ce qu'on a prélevé sous les ongles de votre sœur — eh bien, c'était la peau de John Doe, aucun doute là-dessus. L'analyse ADN a confirmé les conclusions du toubib : le bonhomme était griffé — quatre belles égratignures sur la joue, de droite à gauche. On ne s'en est pas rendu compte parce que les bandages les cachent.

Le poignard :

— On a demandé à un dessinateur de venir à l'hôpital. Ça lui a pris du temps, mais il a réussi à nous faire un bon portrait de John Doe — sans brûlures ni pansements, avec les cheveux et les sourcils qu'il a perdus. Donc, sauf si notre bonhomme avait un chignon, nous savons maintenant à quoi il ressemble.

— Et alors ?

— Alors on a fait circuler le dessin dans une vingtaine d'armureries et une demi-douzaine de boutiques de surplus de l'armée. Et je vous le donne en mille ! Un vendeur de Springfield affirme avoir vendu à notre homme un poignard K-Bar. Il y a trois ou quatre semaines.

— Il s'en souvient vraiment ?

— Comme si c'était hier.

— Et pour quelle raison ?

— Logique... Il dit que le type se tenait raide comme un passe-lacet et qu'il portait un de ces costumes européens en lin froissé...

— Armani.

— Quelque chose dans ce genre. Bref, des pèlerins comme ça, ils n'en voient pas beaucoup au Sunny's Surplus. Ils ont surtout des clients en combinaison de parachutiste ou en tenue de camouflage, des jeunes au crâne rasé... Ce type avait l'air, je cite : « de sortir tout droit du QG ». Fin de citation. Vous voulez que je vous dise, Joe ? On avance.

En attendant, le train-train continuait. A l'hôpital, des plantons à la mine morose se succédaient devant la porte de la chambre du prisonnier, vérifiant les laissez-passer de quiconque entrait ou sortait. Ces contrôles ne servaient pas à grand-chose dans la mesure où les visiteurs étaient tous des employés du service. Hormis Lassiter et quelques journalistes, personne n'appelait pour demander des nouvelles de John Doe.

Le lundi avant Thanksgiving, Riordan téléphona pour annoncer que les médecins s'apprêtaient à retirer la canule de la gorge de John Doe. Il était en état de répondre aux questions, l'interrogatoire se déroulerait le mercredi.

— Et ensuite ? demanda Lassiter.

— Il sera transféré à Fairfax. Nous le traduirons en justice — en fauteuil roulant, s'il le faut.

D'après les médecins, il avait remarquablement récupéré — même s'il garderait des séquelles. Il avait de profondes cicatrices

100

sur le cou et le côté gauche du visage ; ses poumons et son larynx
étaient endommagés.

— Il ne va pas apprécier, dit Riordan.

— Personne n'apprécierait.

— A en croire les toubibs, ce type était un sportif. Il est dans
une forme physique étonnante — en tout cas, il l'était.

— Un coureur ?

— Non — à mon avis, du moins. C'est un costaud. Peut-être
un boxeur. Un linebacker[1]. Un videur de boîte de nuit. J'en sais
rien. Un malabar, quoi. Moi, je le verrais bien en militaire.

— Qu'est-ce qui vous fait penser ça ?

— Parce qu'il a dû en voir de toutes les couleurs. Les toubibs
m'ont montré ses radios, et c'est clair — ce type a pris de sacrés
gnons. Comme s'il avait subi la torture.

— Qu'est-ce que vous racontez ?

— Il a des traces d'anciennes fractures et un tas de cicatrices
dans le dos qui ressemblent fort à des marques de fouet.

— Quoi ?

— Je vous assure, ça y ressemble. En plus, il a récolté une
blessure par balle à l'épaule droite ; la balle est ressortie à un
centimètre de la colonne vertébrale. Et ce n'est pas tout.

— Quoi encore ?

— Je vous donne mon opinion, hein. Je crois que ce type
gagne sa vie en posant du carrelage.

— Pardon ?

Riordan gloussa, manifestement content de lui.

— Je m'explique. Les toubibs disent que notre bonhomme a
les genoux calleux. Des cals épais. Alors j'ai pensé au métier de
carreleur. Comment est-ce qu'on attrape des cals aux genoux,
hein ? Vous avez une autre idée ?

Lassiter réfléchit un instant.

— Non, je ne sais pas.

— Ah ! fit Riordan. CQFD !

---

1. Au football américain, joueur de la défense (N.d.T.).

Chapitre 12

Le mercredi, jour où Riordan devait interroger John Doe, Lassiter arriva de bonne heure au bureau. Il s'enferma et fit semblant de travailler en attendant le coup de fil de l'inspecteur.

La pièce était vaste et luxueuse, avec une superbe cheminée en état de marche, une moquette gris perle et des baies vitrées donnant sur le Capitole, à l'extrémité du Mall. Les murs lambrissés de noyer étaient décorés de lithographies de David Hockney savamment éclairées. D'un côté de la pièce trônait un bureau richement ouvragé, de l'autre un canapé de cuir et deux fauteuils à oreillettes. L'ensemble créait une atmosphère de sérieux et de discrétion, conçue pour rassurer les clients fortunés, les méfiants et les anxieux.

Lassiter Associates occupant tout le neuvième étage de l'immeuble, il y avait donc, outre celui du fondateur de l'agence, trois bureaux d'angle. L'un faisait office de salle de conférences. Les deux autres avaient échu aux directeurs, Judy Rifkin et Leo Bolton. A cela s'ajoutaient huit bureaux indépendants, chacun pourvu d'une fenêtre et assigné à un chef-enquêteur ou à un chargé d'étude. Les enquêteurs de terrain, les informaticiens, les secrétaires et les divers employés étaient installés dans des boxes aménagés dans la partie centrale des locaux. Sans compter Joe Lassiter, trente-six personnes travaillaient au siège de la firme — et quarante environ à New York, Chicago, Londres et Los Angeles.

La sécurité était rigoureuse et ostentatoire — ainsi que doit l'être toute sécurité. Dans la zone de réception, un système de vidéosurveillance ultra-perfectionné enregistrait les allées et venues du personnel et des visiteurs. Au-delà de cette zone, pour accéder aux bureaux, il fallait franchir un sas biométrique qui scannait l'empreinte du pouce. Dans les bureaux, toutes les fenêtres étaient masquées par des rideaux en tissu caoutchouté qui absorbait les vibrations sonores, au cas où un espion, à l'extérieur du bâtiment, s'aviserait de capter les conversations à l'aide d'un micro-laser. Les classeurs étaient équipés de serrures à combinaison, et chaque table flanquée d'une déchiqueteuse de papiers.

Les autres dispositifs de sécurité étaient moins voyants. Lassiter Associates traitant essentiellement avec des PDG et de grands avocats, les rapports que l'agence fournissait à ses clients n'étaient pas censés faire l'objet de copies. Par conséquent, et sauf ordre contraire, on imprimait les documents sur du papier imprégné de phospore, de sorte que si l'on tentait de les reproduire (autrement qu'à la main) on obtenait une page noire.

Les ordinateurs de la firme étaient protégés par un système de verrouillage, mais surtout étaient dépourvus d'unité à disquette, ce qui était bien plus important du point de vue de la sécurité. Cela signifiait en effet qu'aucun fichier ne pouvait être copié. Des dispositifs internes contrôlaient la diffusion du courrier électronique. Et si par extraordinaire l'installation informatique devait être piratée (les installateurs juraient leurs grands dieux que c'était inimaginable), un autre dispositif rendait le décodage des données impossible, avec la technologie actuelle, avant un bon million d'années.

Tout cela était fort onéreux et, de l'avis de certains, excessif. Mais Lassiter ne s'y trompait pas : la sécurité générait sa propre rentabilité. Car le gros des revenus de l'agence provenait de deux sources : des litiges impliquant de grandes compagnies et des clients richissimes, et tout ce qui concernait les fusions et acquisitions. Qu'il s'agisse de la femme d'un ponte de la Bourse des marchandises résolue à obtenir le divorce (et la moitié des biens de son mari), ou d'une OPA périlleuse (avec perspective de greenmail[1]), les enjeux étaient considérables. Souvent, il y avait des centaines de millions de dollars à la clé, et le secret — un secret absolu — s'imposait. Dans l'idéal, la partie adverse (car il y avait toujours une partie adverse) ne devait même pas se douter

---

1. Greenmail : rachat par la société-cible, au-dessus des cours, de ses actions détenues par un raider (N.d.T.).

que Lassiter Associates était impliquée dans une affaire — sauf si l'on considérait, ce qui se produisait parfois, que la divulgation de cette information pouvait avoir un impact positif. Dans ce cas, on optait pour une enquête « tapageuse », avec surveillance agressive, confidences distillées aux journalistes et rencontres avec l'adversaire.

Pour Joe, cependant, l'essentiel était que ça plaisait à ses clients. Aux avocats, aux boursiers, aux PDG. Les caméras, les codes, les sas leur inspiraient confiance et les persuadaient qu'ils ne dépensaient pas leur argent à mauvais escient. Mieux, ça leur donnait le sentiment d'être des professionnels. (Et, comme le disait Leo : « Qu'à cela ne tienne ! A deux cents dollars de l'heure, on peut bien mettre les toilettes sur écoute, si ça leur fait plaisir ! »)

Mais Joe Lassiter avait beau disposer de la technologie la plus pointue du monde, il n'en attendait pas moins le coup de fil de Jimmy Riordan, qui ne venait pas. Il avait ordonné à sa secrétaire de ne lui passer aucun appel, hormis celui de Riordan. Résultat, un silence inhabituel régnait dans l'angle sud-ouest du neuvième étage. Le soleil était déjà au zénith, et le téléphone demeurait muet. Lassiter se fit livrer des sandwiches par la société Bon Appétit (« Bon Ap' », comme disaient les étudiants) et les mangea seul devant la cheminée en feuilletant un bouquin.

Lentement, l'après-midi s'écoula, et Lassiter envisagea de rentrer chez lui.

Il devait y avoir eu un pépin, se disait-il. Peut-être John Doe exigeait-il la présence d'un avocat qu'on avait du mal à trouver. Peut-être s'agissait-il d'un problème de communication, encore que cela parût peu probable. Riordan avait en effet prévu d'emmener un interprète, « quelqu'un qui parle italien *et* espagnol ». Peut-être l'état de John Doe s'était-il aggravé. Ou bien...

Le téléphone sonna à cinq heures et quart, alors que le soleil disparaissait derrière le cimetière d'Arlington.

— Je viens juste d'arriver, dit Riordan.

— Eh bien ?

Silence.

— Vous me demandez si j'ai appris quelque chose ? Non, je n'ai rien appris du tout.

— Quoi ?

— Un instant, dit Riordan. Ouais, ouais ! cria-t-il à un interlocuteur invisible. Je suis à vous dans cinq minutes, d'accord ? Il m'a fait le coup du mur, reprit-il. Je ne lui ai pas tiré un mot. Rien. *Nada.*

— Il avait un avocat ? Vous lui avez...

— Vous ne saisissez pas. Je vous le répète : il n'a pas prononcé un mot. Nous lui avons lu ses droits en trois langues et...

— Vous êtes sûr qu'il a compris ?

— Oh oui, il a compris. Ça se voyait dans ses yeux. Il pigeait parfaitement ce qu'on lui racontait.

— Il faut lui procurer un avocat.

— Evidemment ! Au bout de deux heures, j'en ai fait appeler un. Je me figurais qu'il réussirait peut-être à lui arracher quelque chose. Un nom, une information quelconque. On a attendu deux heures l'arrivée de l'avocat, ensuite on a poireauté... mettons une bonne demi-heure, le temps de les laisser parler, tous les deux. Seulement, c'était l'avocat qui tenait le crachoir. John Doe, lui, ne desserrait pas les dents. Alors je suis retourné dans la chambre et je lui ai expliqué la situation. Je lui ai dit que nous vivons dans un pays formidable où tous les individus sont égaux ; peu importe qui ils sont, seuls leurs actes comptent. Bons ou mauvais. Et que, par conséquent, nous n'avions pas besoin de connaître son nom pour le juger, ni même pour l'exécuter. En ce qui me concerne, je ne vois pas d'inconvénient à ce qu'il aille devant les tribunaux sous le nom de John Doe — ça ne changera pas la sentence. S'il refuse de coopérer, il peut se considérer comme un homme mort. Un mort non identifié, d'accord, mais tout ce qu'il y a de plus mort.

— Vous lui avez dit ça ?

— Oui, et je lui ai déclaré qu'il était inculpé de meurtre au premier degré et d'incendie volontaire, et que nous possédions les preuves nécessaires pour le faire condamner. Je lui ai énuméré ces preuves et je lui ai montré le poignard...

— Vous aviez apporté le poignard à l'hôpital ?

— J'avais apporté deux ou trois petites choses. J'y étais autorisé, ne vous inquiétez pas.

— Comment a-t-il réagi ?

— Il n'a pas réagi. Vous avez déjà eu affaire à un sphinx ? ricana Riordan. Il n'a manifesté un semblant de réaction que quand il a vu le flacon.

— Quel flacon ?

— La petite bouteille de parfum ou de je ne sais quoi. Celle qu'il avait dans sa poche.

— Et alors, quelle a été sa réaction ?

— Eh bien, il a... c'est difficile à décrire. Il a... écarquillé les yeux, en quelque sorte.

— Il a écarquillé les yeux.

— Ouais.

— Vous m'en direz tant.

— Je vous assure, rétorqua Riordan, ignorant le sarcasme. Ce flacon l'a surpris. Je vais donc demander au labo d'analyser à nouveau l'eau qu'il contient. Il se peut que quelque chose leur ait échappé. Il y a peut-être de la drogue là-dedans.

— Et ensuite, que s'est-il passé ?

— Je suis resté un bon moment avec lui et son avocat. Je lui ai dit que j'allais remettre mes conclusions à l'avocat général, lequel réclamerait la peine de mort ou l'emprisonnement à vie — ce qui ne fait pas une grande différence. Je lui ai dit que nous avions la preuve de la préméditation et que, à mon avis, il était mal barré. Dans deux jours, nous le transférerons dans la chambre de sûreté du Fairfax General. Après...

— Qu'est-ce qu'une chambre de sûreté ?

— Comme son nom l'indique, c'est une chambre d'hôpital qui sert de cellule. Vous savez combien de types sont blessés alors qu'ils commettent un délit ou un crime ? C'est inimaginable. Chaque juridiction dispose donc d'une chambre de sûreté. A Washington, elle se trouve au D.C. General. Ici, elle est au Fairfax. Faire garder un suspect vingt-quatre sur vingt-quatre coûte un maximum de fric, vous comprenez. Dès qu'il est un peu requinqué, on le met au coffre. Il y a des barreaux aux fenêtres, une porte blindée avec la serrure à l'extérieur...

Riordan s'interrompit pour reprendre son souffle.

— Enfin bref, je lui ai expliqué que dès qu'il serait en état de quitter l'hôpital et la chambre de sûreté, il serait inculpé et irait droit en prison. Peut-être à l'infirmerie, s'il est encore patraque, mais en prison quand même. Tout ça pour dire qu'il était vraiment mal barré. Aujourd'hui, les toubibs ne l'ont pas drogué pour qu'il soit lucide et puisse nous parler. J'ai bien vu que ça le travaillait et qu'il avait besoin de sa petite piqûre. Comme son avocat était là, je n'ai pas pu le menacer, je lui ai simplement laissé entendre que le personnel médical de la prison du comté avait autre chose à faire qu'à enculer les mouches...

— Eh bien, dites-moi...

— Ben quoi, c'est la vérité. Ils sont très occupés, ces gens-là, et il ne jouira sans doute pas du confort qu'il a en ce moment. Je lui ai raconté une anecdote tout à fait authentique — vous pouvez vérifier, le *Post* en a parlé. Il y a eu un scandale voici un an. Une affaire terrible : les prisonniers qui étaient à l'infirmerie souffraient le martyre, parce que l'infirmière leur refilait des placebos et revendait les calmants aux autres détenus.

— Jim...

— Je lui ai donc signalé qu'éventuellement, s'il se montrait plus coopératif, il pourrait peut-être rester à l'hôpital, dans la chambre de sûreté, un peu plus longtemps. Une ou deux semaines, le temps de se remettre d'aplomb.

— Et alors ?

— Rien.

— Vous êtes sûr qu'il a compris ?

— Ouais.

— Comment pouvez-vous en être certain, puisqu'il n'a pas prononcé un mot ?

— Parce qu'il parle aux infirmières. Pour leur dire qu'il a soif, qu'il a faim, qu'il a mal. Et puis... je connais mon boulot. Je dois en être à mon deux millième interrogatoire. Vous voulez mon opinion sur ce type ? C'est un dur. Je vous garantis que ce n'était pas la première fois qu'un flic l'interrogeait.

Lassiter le croyait. Dans ce domaine, Riordan avait effectivement de l'expérience.

— Et... c'est tout ?

— Plus ou moins. Le toubib nous a fichus à la porte. Mon patient a besoin de repos ! chantonna Riordan, imitant plutôt méchamment le médecin. L'infirmière est venue lui faire une injection de Démerol, et on a levé le camp. John Doe avait mauvaise mine. Il dégustait, ça se voyait à l'œil nu. Il suait, et toutes les dix secondes, on l'entendait grogner doucement — ahhh... comme ça. Je reviendrai, que je lui fais. Alors il me regarde avec un petit sourire de merde, et vous savez ce qu'il me répond ?

— Non... quoi ?

— Il me répond : *Ciao.*

— *Ciao ?*

— Ouais : salut, à la revoyure. Je le jure devant Dieu, s'il n'avait pas été déjà à l'hôpital, je l'y aurais expédié à coups de poing.

Lassiter demeura un instant silencieux.

— Qu'allez-vous faire ?

— Tout ce que je lui ai promis, dit Riordan d'un ton âpre. Pour commencer, on le transférera dans la chambre de sûreté. D'après le toubib, s'il continue à se rétablir à ce rythme, ce sera possible dès la semaine prochaine.

Le jour de Thanksgiving, Lassiter se leva à huit heures pour constater que le temps avait changé et que le ciel se vengeait. De gros flocons bien ronds tombaient un à un sur les vitres de l'atrium. On se serait cru au début d'un conte de Noël.

Il s'habilla rapidement, prit deux boîtes de thon dans la cuisine et rejoignit sa voiture. Les conserves représentaient son droit d'inscription à la Trotte de la Dinde, à Alexandria, une épreuve qui se courait sur huit kilomètres et qui, chaque année, réunissait quelque deux mille participants.

Penché sur le volant, Lassiter roulait au pas. La visibilité était quasiment nulle, il ne distinguait des véhicules qui le précédaient que les lumières rouges des feux arrière qui clignotaient derrière un rideau de flocons tourbillonnants. C'était le genre de neige dont on disait « elle va fondre tout de suite », ou « elle ne restera pas », pourtant quand il atteignit Alexandria et trouva enfin une place de parking, un tapis blanc recouvrait les alentours.

D'aucuns prétendent que courir leur permet de méditer utilement, que l'effort physique leur libère l'esprit. Lassiter n'était pas de ceux-là. Il ne réfléchissait pas quand il courait, les seules pensées qui lui venaient étaient on ne peut plus terre à terre : ne pas se tordre les chevilles ; ne pas louper le virage ; devait-il ou non enlever ses gants ; et cette douleur au genou, fallait-il s'en inquiéter ou la traiter par le mépris ?

Il en alla de même ce jour-là. Il se concentrait sur sa foulée, sur la distance qui le séparait de la prochaine borne kilométrique. Il calculait des trajectoires pour dépasser les coureurs qui le précédaient. Il chassait les flocons qui s'accrochaient à ses cils, écoutait la respiration laborieuse des autres concurrents, s'émerveillait d'avoir si chaud — alors qu'il faisait si froid. Son esprit vaguait

108

au gré des tourbillons de neige et le poussait irrésistiblement vers la ligne d'arrivée. S'il aimait tant la course, c'était justement parce que ça l'empêchait de penser. Il avait l'impression de s'abstraire, plus rien de lui n'existait sinon le mouvement.

En approchant du poteau, il prit conscience des grappes de spectateurs qui s'étiraient des deux côtés de la route, sur les derniers deux cents mètres du parcours. Ils applaudissaient, criaient des encouragements, des « Bravo ! » et des « Tenez bon ! ».

Quand il eut franchi la ligne, il tourna la tête vers l'afficheur à cristaux liquides, encapuchonné de neige, pour vérifier son temps : 29 : 52. Pas mal, se dit-il. Il entendit le directeur de course vociférer « Les hommes à gauche, les femmes à droite ! » et passa en trottinant entre les barrières, derrière un type en collant rouge. Les gens autour de lui soufflaient bruyamment, la figure rose, la tête et les épaules nimbées d'un halo de buée. La neige continuait de tomber à gros flocons.

Il n'avait pas réfléchi durant la course, il l'aurait juré. Aussi fut-il stupéfait, lorsqu'il arracha le dossard indiquant son numéro d'ordre pour le rendre aux officiels, de s'apercevoir qu'il avait pris une décision. Il se faufila entre les tables chargées de verres de jus d'orange et de barres de céréales, tout en se relaxant.

Il allait s'octroyer un congé — une semaine, un mois, six mois... le temps qu'il faudrait pour découvrir pourquoi Kathy et Brandon avaient été assassinés, et qui avait commandité le crime. Il ne reviendrait pas sur sa résolution. En fait, son congé avait d'ores et déjà commencé. Il ne lui restait plus qu'à en informer ses collaborateurs.

Il pénétra dans les bâtiments de l'école, récupéra son survêtement, l'enfila et fit quelques exercices d'élongation pour décontracter ses jambes. Il secouait machinalement la tête, étonné d'avoir été si long à se décider — même s'il ne se rappelait pas y avoir consciemment pensé. A quoi bon posséder une agence d'investigation s'il ne l'utilisait pas ? Quand un avocat ou un financier de Wall Street voulait obtenir des informations, il s'adressait à lui. Pourquoi Joe Lassiter laisserait-il à des flics une affaire aussi capitale que la mort de Kathy et Brandon ?

Sa voiture était recouverte de neige. Il nettoya le pare-brise d'un revers de manche et s'installa au volant. Il dégageait une telle chaleur animale que les vitres s'opacifièrent immédiatement et qu'il dut mettre le chauffage à fond pour les désembuer et pouvoir démarrer.

Un vent violent s'était levé. Les feux de signalisation tanguaient sur leurs câbles, les panneaux claquaient, la neige tourbillonnait devant les phares. Sur l'autre rive du fleuve couleur d'ardoise, la cité semblait avoir disparu. On distinguait seulement la lumière rouge en haut du monument à Washington, qui clignotait comme un œil maléfique.

Il se rendit directement au siège de l'agence. Il y avait une coupure de courant, et les rares voitures qui circulaient encore roulaient au pas et traversaient les carrefours avec la plus grande prudence.

Heureusement, l'immeuble était équipé d'un générateur, si bien que tout fonctionnait. Lassiter se gara dans le parking souterrain et se hâta vers les ascenseurs. Il entendait le vent mugir au-dehors. Un frisson le parcourut. Il commençait à se sentir gagné par le froid.

Dès qu'il eut atteint son bureau, il passa dans le cabinet de toilette attenant pour prendre une douche. L'eau brûlante décontracta ses muscles raidis par l'effort, dissipant l'acide lactique.

Comme il courait sur le Mall quatre ou cinq fois par semaine, il gardait toujours des vêtements de rechange dans un placard. Tout en se séchant les cheveux avec une serviette, il enfila un jean et un sweater et s'approcha de sa table.

Il embrassa la pièce du regard et, pour la première fois de son existence, la jugea déprimante. Ces rayonnages, ces boiseries, ces lithographies... qui cherchait-il à impressionner ? Il y avait çà et là une douzaine de photographies, dans de superbes cadres. Mais pas un seul cliché de Kathy ou de Brandon. Toutes ces photos le montraient en compagnie de gens célèbres ou importants. Lassiter et le prince Bandar ; Lassiter échangeant une poignée de main avec le conseiller du Président pour la sécurité nationale ; Lassiter dans un hélicoptère avec un quarteron de généraux.

Son plus beau trophée était un canular : Lassiter et le chef du parti minoritaire du Sénat prenant la pose sur le green du Country Club de la Navy. Le sénateur — la mine fière, le club haut levé, prêt à effectuer un swing dans les règles de l'art — était emblématique : l'incarnation de l'aristocratie de l'argent et des bonnes vieilles valeurs américaines. Tandis que Lassiter, lui, avait l'air d'un fou. Les lèvres retroussées, les yeux exorbités, il brandissait un fer 9 comme il l'eût fait d'une batte de base-ball.

Ce cliché voisinait avec un cadeau de Judy : un article du *Washingtonian* dans un cadre en forme de cœur, et qui établissait le hit-parade des célibataires les plus en vue de la ville (Lassiter arrivait en vingt-sixième position — ce qui, à la réflexion, était plutôt flatteur... ou peut-être pas).

Tout ceci avait compté pour lui, du moins il s'en amusait — mais à présent... à quoi cela rimait-il ? Ouvrir d'autres succursales, gagner plus d'argent, construire une maison encore plus grande ? Pourquoi ? A la vérité, il n'appréciait même pas le prince Bandar — alors pourquoi gardait-il le portrait de ce type dans son bureau ?

Il décrocha les photos qu'il entassa dans un coin. Puis il s'assit à sa table et prit une feuille de papier. Il tira un trait vertical pour partager la page en deux colonnes ; à gauche il inscrivit *Agence,* à droite *Enquête.*

Il hésita un instant. Son champ d'action était vaste et mal défini, ce qui le rendait difficile à remplacer, fût-ce de manière provisoire. En réalité, il se débrouillait pour que la machine fonctionne, il était à la fois au four et au moulin, il tenait les rênes et mettait la main à la pâte. On pouvait dire qu'il faisait un peu tout, ou qu'il faisait uniquement ce qui lui plaisait. Dans ces conditions, comment déléguer ?

Dans la colonne de gauche, il écrivit : *Bolton — fusions et acquisitions* ; puis, au-dessous : *Rifkin — autres dossiers.* Leo et Judy avaient de l'ambition et occupaient le même rang dans la hiérarchie de l'agence. S'il donnait la préséance à l'un, l'autre s'en irait. Cependant il ne suffisait pas de partager équitablement le travail entre eux : restaient les questions administratives, notamment la trésorerie et les relations avec la clientèle.

Il confierait ces responsabilités à Bill Bohacker. Celui-ci travaillait au siège de New York, mais il pouvait parfaitement faire le boulot depuis la côte Est. De toute façon, la moitié des factures de la firme étaient envoyées à Wall Street.

Bohacker — administration.

Il griffonna une note pour qu'on demande à Bill de venir à Washington le lundi matin. S'il prenait la navette, il serait là à neuf heures et, à eux quatre, ils régleraient tous les détails.

Se tournant vers l'ordinateur, il tapa le mot de passe du jour et fit défiler sur l'écran les affaires en cours, traitées par les bureaux de Washington. Il n'était personnellement concerné que par deux d'entre elles — mais il s'agissait de très gros clients. Il les appellerait pour leur expliquer la situation. En principe, ça ne devait pas poser de problème ; dans le cas contraire, il les adresserait à IGI ou Kroll — sans le moindre remords.

Il se redressa et se dirigea vers les baies vitrées. Il vit une Lincoln faire un brusque tête-à-queue au milieu de Pennsylvania Avenue. La neige s'était muée en grésil qui cinglait les carreaux.

Se détournant, il revint à la table et considéra pensivement la colonne de droite, intitulée *Enquête*. Il n'y avait encore rien d'inscrit. Il renversa la tête sur le dossier du fauteuil et ferma les yeux. Riordan avait-il négligé une piste que lui-même pourrait tenter de suivre ?

Les minutes s'égrenaient, une demi-heure s'écoula. Lassiter rouvrit les yeux et écrivit le mot *Flacon* sur la page.

Au moment de son arrivée à l'hôpital, John Doe n'avait sur lui qu'un poignard et cette étrange petite bouteille. La police savait à peu près tout ce qu'il y avait à savoir sur le poignard, en revanche elle ne possédait aucune information sur le flacon. Riordan avait prévu d'en faire analyser à nouveau le contenu — mais peut-être fallait-il s'intéresser aussi au contenant. L'objet paraissait précieux, ou du moins assez rare. Lassiter essaierait de se procurer quelques clichés et demanderait à l'un de ses enquêteurs de procéder à des recherches.

Comfort Inn, écrivit-il ensuite. John Doe avait-il passé des coups de fil depuis sa chambre d'hôtel ? Lassiter se souvenait d'avoir posé la question à Riordan, mais il n'avait pas eu de réponse. Selon toute vraisemblance, cela signifiait que Doe n'avait pas téléphoné, toutefois mieux valait s'en assurer.

Ça lui donnerait l'impression de faire quelque chose, se dit-il en considérant la courte liste.

Chapitre 13

Lassiter fut tiré du sommeil par un bruit épouvantable et un flot de lumière aveuglante qui lui vrilla le cerveau. Il referma les yeux et s'extirpa du lit. Le téléphone sonnait. Tel un vampire crucifié par le soleil du matin, il tituba jusqu'au combiné qu'il décrocha à tâtons, et se racla la gorge.

— Allô ? bredouilla-t-il.

Il y eut un silence à l'autre bout du fil.

— Vous dormiez ?

Riordan...

— Non, non.

Il ne savait pas pourquoi, mais chaque fois qu'il était réveillé par le téléphone, il avait le réflexe de mentir, de répondre à son correspondant que, non, il ne dormait pas. Même à trois heures du matin, il se sentait coupable, comme si le monde exigeait de lui qu'il fût perpétuellement sur le qui-vive. La personne qui l'appelait veillait bien, elle, alors pourquoi pas lui ?

— Vous êtes sûr ? dit Riordan.

— Oui, oui... Quelle heure est-il ?

— Oh... sept heures et des poussières.

— Un instant, s'il vous plaît.

La veille, il y avait eu une coupure de courant, et Lassiter avait oublié de reprogrammer le minuteur qui commandait la fermeture des stores et des volets. Au-dessus de lui, par la verrière, il voyait les arbres aux branches gainées de glace qui fondait en gouttelettes étincelantes. Lassiter tendit la main vers le mur et appuya sur un bouton. Peu à peu, la lumière s'atténua.

— Que se passe-t-il ? demanda-t-il en reprenant le téléphone.

113

— Je laisse tomber le dossier.

— Quoi ? Mais pour quelle raison ?

— Eh bien, pour deux raisons. La première... mais vous êtes sûr que je ne vous dérange pas ? Il m'arrive d'appeler les gens à des heures...

— Non, je vous assure que vous ne m'avez pas réveillé.

— Vous êtes un lève-tôt, alors. Comme moi.

— Je suis debout à l'aube.

— Enfin bref, d'après la direction, l'affaire est résolue. S'il ne tenait qu'à moi...

— Elle n'est pas résolue du tout !

— Je sais ce que vous pensez, mais il y a autre chose : un double homicide à Annandale, et l'une des victimes est un flic.

— Oh, je suis désolé...

— Un gars de vingt-quatre ans, un môme sympa qui venait d'entrer dans la police. Il s'était arrêté dans un bar pour prendre un café.

Riordan s'interrompit.

— Il avait un bébé de deux mois, il allait retrouver sa petite femme pour dîner et... bam ! il se fait descendre.

— C'est affreux.

— Attendez la suite. L'autre victime est thaïlandaise. Naturalisée la veille de sa mort. Le jour de Thanksgiving, elle est au boulot, à cinq dollars quatre-vingt-sept cents de l'heure et... bim, bam, boum ! elle se prend trois balles dans la figure. Bienvenue en Amérique ! Joyeux Thanksgiving... et en route pour l'éternité.

— Jim, je comprends tout à fait, mais...

— La deuxième raison, c'est qu'on m'a invité à une conférence. Il faut que je me prépare.

— Une conférence ?

— Ouais, un genre de colloque international. C'est Interpol qui organise ça. À Prague. Vous êtes déjà allé à Prague ?

— Il y a longtemps. Et qu'allez-vous faire dans ce colloque ?

— Je serai en compagnie de deux Français, d'un Russe, et *tutti quanti*. Il paraîtrait que je suis l'inspecteur américain typique, figurez-vous. On planchera sur « le rôle de la police dans une société démocratique » — vu que les Tchèques ont eu quelques soucis avec la démocratie, vous comprenez.

— Hmm, hmm.

— Tout ça pour dire qu'Andy Pisarcik s'occupera de votre

affaire pendant un certain temps. C'est un type intelligent — je vous donne son numéro.

Lassiter avait du mal à se contenir. Riordan était l'un des meilleurs policiers de l'Etat, mais il ne servirait à rien de récriminer.

— Puis-je vous demander quelques tuyaux, tant que je vous ai sous la main ?

— D'accord, répondit Riordan sans enthousiasme.

— Savez-vous si notre homme a passé des coups de fil depuis sa chambre d'hôtel ?

— Attendez..., dit Riordan d'un ton hésitant. Le Comfort Inn. On a dû vérifier, certainement. Je suis en train de rassembler les pièces du dossier pour Pisarcik, laissez-moi chercher...

Lassiter l'entendit farfouiller dans ses papiers.

— Ah, voilà. Il a téléphoné une seule fois, à Chicago. La communication a duré moins d'une minute. Aucun intérêt.

— Qui a-t-il appelé ?

— Eh bien..., marmonna l'inspecteur, manifestement embarrassé. Il a appelé un hôtel de Chicago. L'Embassy.

— Et alors ?

— Qu'est-ce que vous croyez ? bougonna Riordan, sur la défensive. Il a eu le standard. Si on lui a passé quelqu'un d'autre, ça n'est marqué nulle part. Je n'ai pas insisté. Il y a au bas mot deux cents chambres dans cet hôtel. Et la communication a duré moins d'une minute. A mon avis, il s'est trompé de numéro.

— Et le flacon ?

— On y a relevé des empreintes, celles de Doe. Le labo a fait une seconde analyse du liquide, et obtenu le même résultat : de l'eau, avec des traces d'impuretés. Autrement dit, le flacon est un point d'interrogation supplémentaire.

— Vous avez pris des clichés de cet objet, n'est-ce pas ? Pourriez-vous m'en envoyer des copies ?

Riordan soupira.

— J'essaierai. Mais je vous le répète, Joe... je ne m'occupe plus de cette affaire. A partir de maintenant, vous devez vous adresser à Pisarcik.

— Absolument. Et la pension meublée, en Floride, où le fameux Gutierrez recevait son courrier ? Vous avez l'adresse ?

Riordan émit un bref ricanement.

— Allez vous faire voir, dit-il, et il raccrocha.

Renseignements pris, il existait quatre hôtels Embassy à Chicago, et Lassiter ne se sentit pas le courage de cuisiner à nouveau Riordan. Il préféra donc appeler le bureau pour envoyer l'un de ses enquêteurs, un ancien agent du FBI nommé Tony Harper, au Comfort Inn. Tony réussirait, il n'en doutait pas, à extorquer au réceptionniste une copie de la note d'hôtel — moyennant un pourboire.

Il ne se trompait pas. Deux heures plus tard, Tony lui faxait le document et une facture d'un montant de cent dollars, pour « services rendus ».

La note d'hôtel lui fournit deux informations : d'une part les coordonnées téléphoniques de l'Embassy que le fameux Juan Gutierrez avait contacté, d'autre part le numéro de la carte Visa qui lui avait servi à louer la chambre. Pour quelque centaines de dollars, Lassiter pouvait obtenir la liste détaillée de toutes les transactions que Gutierrez avait effectuées avec cette première carte comme avec la seconde. Car Riordan lui avait dit, il s'en souvenait fort bien, que Gutierrez possédait deux cartes de crédit, depuis environ deux ou trois mois. Se procurer les relevés ne poserait pas de problème.

Ce n'était pas tout à fait légal, mais, après tout, les excès de vitesse ne l'étaient pas non plus. A l'ère de l'informatique, la notion de violation de la vie privée était relative ; *grosso modo,* ça équivalait à traverser une rue en dehors des clous : si on se faisait pincer, on payait l'amende et on poursuivait tranquillement son chemin.

Lassiter chercha dans son Rolodex les coordonnées de Mutual General Services, une agence très discrète basée en Floride.

La Mutual s'était spécialisée dans la vente d'informations confidentielles : relevés bancaires, relevés d'achats de cartes de crédit, coordonnées d'abonnés sur liste rouge, etc. Il suffisait de demander, et l'on obtenait les renseignements — rapidement et pour une somme modique. D'après Léo, ils travaillaient « à l'ancienne : en graissant des pattes ». En tout cas, ils avaient des indics dans toutes les grandes compagnies de crédit. « Ils ont trouvé un bon créneau, disait encore Leo. Et ils font du bon boulot. »

Lassiter appela la Floride et donna à la femme qui lui répondit le numéro de la carte de Gutierrez. Il souhaitait, ajouta-t-il, recevoir au plus vite la copie des relevés pour les trois derniers mois.

Cela fait, il reporta son attention sur la note du Comfort Inn. La communication téléphonique avait été facturée un dollar vingt-cinq. Elle avait donc duré moins d'une minute.

Pour réserver une chambre, ça ne suffisait pas. Et si Gutierrez voulait joindre un client de l'hôtel, il ne l'avait sans doute pas eu en ligne : le temps que la standardiste lui passe la chambre, que la personne décroche...

Mais peut-être John Doe, *alias* Gutierrez, se trouvait-il à Chicago avant de venir à Washington. La plupart des grands hôtels disposaient de messageries vocales. Peut-être Doe avait-il appelé l'Embassy pour écouter ses messages.

Lassiter disposait aussi d'une messagerie vocale, au bureau. Il composa le numéro de sa propre ligne ainsi que le code d'accès, et chronométra la communication. Une minute trente-deux secondes pour deux messages qu'il écouta et effaça avant de renouveler l'opération. Cinquante et une secondes.

Après quoi, il appela Chicago.

— Hôtel Embassy, bonjour, susurra une voix féminine.

— Je voudrais parler à Juan Gutierrez, dit-il, et il épela le nom.

— Un moment, je vous prie.

Une musique sirupeuse résonna à son oreille, pour l'aider à patienter.

— Excusez-moi, mais nous n'avons pas de M. Gutierrez chez nous.

Lassiter ne laissait jamais rien au hasard, c'était précisément ce qui faisait de lui un bon enquêteur. Si une piste semblait aboutir à une impasse, il s'assurait qu'il n'existait pas une autre issue. Aussi, au lieu de raccrocher, il insista.

— Auriez-vous l'obligeance de revérifier ? Je sais qu'il a séjourné chez vous voici quelques semaines, et j'ai cru comprendre qu'il était resté un certain temps. Peut-être vous a-t-il laissé un numéro où on pourrait le joindre ?

— Vous êtes un ami, un parent ?

— Non, je suis l'avocat de Mme Gutierrez. Elle est très inquiète.

Un déclic, puis à nouveau la musique. Lassiter ne savait pas trop ce qu'il espérait, même s'il s'avérait que John Doe avait effectivement séjourné à l'Embassy. Peut-être obtiendrait-il une autre facture, une liste de communications téléphoniques.

117

La musique se tut et la réceptionniste reprit l'appareil.

— Vous avez raison, nous avons eu un client de ce nom, mais il n'a pas réglé la note. Enfin, pas directement.

Lassiter feignit de ne pas comprendre.

— Excusez-moi, je ne...

— Il est parti sans régler sa note.

— Vous voulez dire... qu'il a filé sans payer ? Ça ne lui ressemble pas...

— Non, il ne s'agit pas de ça. Nous avions pris le numéro de sa carte de crédit lors de son arrivée. Le problème, c'est que... puis-je vous demander notre nom, monsieur ?

— Naturellement. Je suis Michael Armitage, du cabinet Hillman, Armitage et McLean, à New York.

— Et vous êtes l'avocat de Mme Gutierrez ?

— En effet.

— Eh bien, voyez-vous, le problème c'est que le compte Visa de M. Gutierrez n'est plus approvisionné. Nous souhaitions en discuter avec lui, mais... il ne s'est pas présenté à la réception.

— Ah...

— Son compte est donc à découvert.

— Je pense que nous pouvons arranger ça. Mais j'aimerais vous poser une question : combien de temps M. Gutierrez est-il resté chez vous ?

Il y eut un long silence à l'autre bout du fil. Lassiter comprit qu'il avait franchi la limite et se montrait trop curieux.

— Je crois qu'il serait préférable de vous adresser au directeur. Si vous voulez, je lui demanderai de vous rappeler...

— Parfait, dit Lassiter. Je suis très pressé, de toute façon. Je vous remercie infiniment, conclut-il en raccrochant.

Il lui fallut moins de cinq minutes pour fourrer dans un sac de voyage quelques vêtements de rechange et une tenue de jogging. Son bagage dans une main, une tasse de café dans l'autre, il sortit de la maison et, s'enfonçant dans la neige qui crissait sous ses pas, rejoignit sa voiture.

Il prit l'autoroute en direction de Rosslyn, traversa le Potomac pour rallier M Street, où se trouvait un magasin Kinko's Copies. Dix minutes plus tard, il en repartait avec un paquet de cartes de visite imprimées sur un assez beau papier gris moucheté, au nom de :

Victor Oliver, vice-président
Muebles Gutierrez
2113, 52nd Place, SW
Miami, FLA 33134
305-234-2421

Existait-il un 2113, 52nd Place ? Il l'ignorait, cependant le code postal était exact, et le numéro de téléphone correspondait à l'un des standards de la DEA, ce qui signifiait qu'il y avait en permanence quelqu'un au bout du fil pour prendre les messages, d'où qu'ils viennent et quels que soient leurs destinataires. Certes, si l'on demandait Victor Oliver, les gens de la DEA risquaient de passer un bon bout de temps à le chercher dans les bureaux.

Ce n'était pas le week-end idéal pour voyager sans réservation. On avait fermé une piste du National et, au Washington Dulles International, beaucoup de vols étaient retardés pour cause de dégivrage des appareils. Toutefois, à trois heures de l'après-midi, Lassiter montait à bord d'un avion de la Northwest en partance pour O'Hare, l'aéroport de Chicago. On lui avait attribué le siège 2B en première classe. Il considérait généralement la première classe comme un luxe inutile, hormis pour les longs voyages, mais aujourd'hui il n'avait pas eu le choix.

La place voisine était occupée par une blonde aux yeux noirs qui exhibait un décolleté un peu trop plongeant pour cette journée hivernale. Un parfum entêtant s'exhalait de sa personne et, chaque fois qu'elle adressait la parole à Lassiter, elle s'appuyait contre lui et crispait sur sa manche des doigts aux ongles rouge sang, longs de deux centimètres.

Elle s'appelait Amanda et avait épousé un promoteur immobilier qui s'absentait souvent (« D'ailleurs, pour le moment, il est en voyage »). Pour se distraire, elle élevait des bergers des Shetland et rentrait justement d'une exposition canine dans le Maryland. Lassiter opinait poliment, tout en feuilletant le magazine offert par la compagnie aérienne. Malgré son peu d'empressement, elle ne cessa de jacasser jusqu'à Chicago et lui expliqua par le menu les magouilles des concours canins et « les ficelles du métier » — vitamine E, laque à cheveux et vernis à ongles incolore. (« Une goutte sur la truffe, et elle brille comme un sou neuf ! C'est un petit truc mais, dans un concours, ces détails comptent énormément. »)

L'atterrissage la musela un instant, néanmoins elle retrouva vite son allant. Tandis que le bus les emmenait au terminal, elle se pressa contre Lassiter et lui saisit la main.

— Si vous vous sentez seul, dit-elle en lui tendant sa carte, j'habite au nord de la ville.

La carte était rose, la typographie tarabiscotée ; un petit chien faisait le beau dans un coin du bristol. Pour ne pas blesser cette femme qu'il devinait vulnérable, Lassiter glissa la carte dans la poche de son veston.

— Je ne vais pas avoir une minute à moi, mais qui sait ? On verra bien.

Il se rendit à l'Ambassadors Club de la TWA pour appeler l'hôtel.

— Hôtel Embassy, bonjour, dit une voix masculine.

Lassiter, qui possédait un don inné pour l'imitation, adopta un léger accent espagnol.

— J'ai séjourné chez vous voici quelques semaines, et j'ai dû partir précipitamment. Un décès dans la famille.

— Vous m'en voyez désolé, monsieur.

— Ma foi, c'était une très vieille dame.

— Ahh...

— Enfin... c'est la vie ! A présent, je voudrais régler ma note.

— Ah... ainsi, vous n'avez pas réglé votre note.

— Exactement.

— Oui, bien sûr, dans des moments pareils... Puis-je avoir votre nom ?

— Juan Gutierrez, répondit Lassiter, et il épela le nom.

— Un instant, je vous prie.

Lassiter entendit son interlocuteur tapoter sur un clavier et fut soulagé qu'on lui épargne l'habituel sirop musical.

— Voilà, j'y suis. Vous aviez réservé la chambre jusqu'au 12, n'est-ce pas ?

— Ce doit être ça, oui.

— Nous vous l'avons gardée aussi longtemps que possible, mais... oh, je comprends le problème : vous avez épuisé votre crédit Visa.

— Je m'en doutais.

Le réceptionniste émit un petit rire bienveillant.

— Je crains que vous ne soyez débiteur de six cent trente-sept dollars et dix-huit cents. Souhaitez-vous parler au directeur ? Il y a peut-être moyen de défalquer une ou deux nuitées.

— Non, non, je n'ai pas le temps. D'ailleurs, l'hôtel n'est pas responsable.

— Dans ce cas, nous pourrions vous envoyer la note à...

— Eh bien, il se trouve que l'un de mes collaborateurs, le señor... excusez-moi, M. Victor Oliver, sera demain à Chicago. Je lui demanderai de passer à l'hôtel pour vous régler. Cela ne vous ennuie pas ?

— Bien sûr que non, monsieur Gutierrez. La facture l'attendra à la réception.

Lassiter prit une inspiration.

— Encore une chose. J'ai laissé des affaires dans la chambre. Vous ne les auriez pas gardées, par hasard ? s'enquit-il d'un ton désenchanté des plus convaincants.

— En principe, nous les expédions à l'adresse indiquée sur la carte de crédit, mais en cas d'impayé... je pense qu'elles sont encore là. Je veillerai à ce qu'on les remette à votre collaborateur.

— Merci, vous êtes très serviable. Je demanderai à Victor de s'adresser à vous.

— C'est que... je ne prends mon service qu'à cinq heures...

— Parfait, il a des réunions toute la journée. Il n'arrivera pas avant six heures au plus tôt.

— Vous savez, n'importe lequel de mes collègues se fera un plaisir de l'aider.

— Je préfère qu'il ait affaire à vous. Vous êtes très sympathique.

— Merci, monsieur. Dites-lui de demander Willis — Willis Whitestone.

Lassiter aimait Chicago. Les gratte-ciel qui bordaient le lac, les rues ruisselantes de lumière l'éblouissaient toujours. En sortant de l'aéroport, il héla un taxi qui l'emmena dans le Near North Side, où se trouvait le Nikko, l'un de ses hôtels favoris. Le décor y était élégant, les compositions florales d'une séduisante sobriété — dans la plus pure tradition de l'ikebana —, le personnel irréprochable, et l'atmosphère japonaise en diable. Au rez-de-chaussée, il y avait en outre un excellent restaurant, où Lassiter s'attabla le soir même pour déguster des sushis arrosés de Kirin.

Quand il retourna dans sa chambre, au lieu des traditionnels chocolats des palaces américains, il découvrit sur son oreiller une figurine en papier plié à la japonaise. Un loup, ou peut-être un chien, hurlant à la lune.

Le lendemain matin, il flâna longuement dans les salles de l'Art Institute, puis passa au siège de l'agence pour saluer ses collaborateurs. Les locaux de Chicago étaient beaucoup plus petits que ceux de Washington, mais les employés travaillaient avec acharnement et le chiffre d'affaires augmentait de façon régulière, ce dont Lassiter les félicita. Il s'offrit ensuite un déjeuner — succulent quoiqu'un peu lourd — au Berghof's et, pour digérer, rentra à pied à l'hôtel. Dans les rues parées des illuminations de Noël, les salutistes agitaient leurs clochettes pour attirer les passants.

Il monta dans sa chambre, enfila un survêtement et des chaussures de sport, puis ressortit et se dirigea vers le lac. Un vent aigre lui cinglait le visage, mais il ne se laissa pas décourager. Tête baissée, il courut jusqu'au Yacht Club, distant de cinq kilomètres, et rebroussa chemin. Quand il atteignit le Nikko, la nuit était tombée.

Pour se délasser, il prit une douche brûlante puis entreprit de s'habiller : chemise en oxford bleu ardoise que Monica aimait bien (« Elle est juste de la couleur de tes yeux ! »), costume bleu sombre à fines rayures anthracite, presque invisibles, cravate rayée bordeaux, gants de cuir. Tout venait de chez Burberry, hormis les chaussures et le pardessus (un peu fatigué) en cachemire noir, acheté à Zurich huit ans auparavant. En général, il préférait des vêtements plus décontractés. Mais ce soir, il s'agissait d'impressionner Willis Whitestone.

Il gagna State Street à pied, but un verre dans un bar proche de l'Embassy dont il franchit les portes à six heures tapantes. Il éprouvait un peu d'appréhension — opérer ainsi à l'aveuglette ne lui plaisait guère. Qu'arriverait-il si John Doe avait laissé une arme dans sa chambre ou de la cocaïne ?

Il inspira profondément et s'avança dans le hall d'un pas assuré.

Willis Whitestone se montra on ne peut plus complaisant. Lassiter lui tendit une carte de visite au nom de Victor Oliver, jeta un coup d'œil à la note et posa sept billets de cent dollars sur le comptoir. Il n'empocha pas la monnaie.

— M. Gutierrez m'a dit que vous aviez été très serviable.

Willis le remercia avec effusion, tamponna la facture et lui remit un sac de cuir. Lassiter s'en saisit, salua le réceptionniste et ressortit dans la nuit glaciale de Chicago.

De retour au Nikko, il retira son manteau mais garda ses gants pour examiner le sac. C'était un bel article de maroquinerie, simple et élégant, et qui avait visiblement beaucoup voyagé, car le cuir était égratigné et râpé par endroits. L'étiquette cousue à l'intérieur indiquait : *Cerutti, Roma*. Il était pourvu d'un fond rigide, d'une large bandoulière, d'un compartiment central à fermeture Eclair et de grandes poches sur les côtés.

Lassiter le vida sur le lit pour en inventorier le contenu : deux chemises de coupe rétro, qui semblaient de bonne qualité, des chaussettes, des sous-vêtements et un pantalon en coton léger. Il y avait aussi un porte-cartes en agneau, de format 20x12, que Lassiter ouvrit d'une main impatiente. Il y découvrit un billet d'avion annulé, Miami-Chicago, un dépliant de l'agence de location de voitures Alamo, et trois traveller's cheques American Express d'une valeur de vingt dollars, contresignés par Juan Gutierrez.

Une amère déception lui tordit le ventre.

Il y avait forcément autre chose, se dit-il. Soulevant le sac, il le secoua, fouilla les poches, palpa le fond, l'intérieur et l'extérieur. Puis il recommença une deuxième et une troisième fois. Il devait y avoir un double fond, mais il ne parvenait pas à le trouver.

Enfin, il repéra ce qu'il cherchait : une poche plate ménagée à la base du sac, sur toute sa longueur. Le mince bourrelet de cuir qui reliait le fond aux côtés cédait quand on tirait dessus. Lassiter crut qu'il était en train de déchirer une couture, mais le liseré tenait grâce à une bande Velcro, cette merveille de la technologie moderne.

Il en extirpa un rectangle de carton épais et raide — qui constituait le fond du sac et s'ouvrait comme un livre, révélant deux petits compartiments ménagés dans l'épaisseur du carton. L'un renfermait une liasse de devises étrangères, l'autre un passeport. Le tout était si soigneusement camouflé qu'on ne sentait au toucher aucun renflement.

Lassiter retira de sa cachette le passeport qu'il tourna et retourna entre ses doigts. Un passeport italien, à couverture rouge et granuleuse. Le cœur battant, il l'ouvrit et lut le nom de l'homme qui avait assassiné Kathy et Brandon.

Franco Grimaldi.

La photo ressemblait au portrait élaboré par l'ordinateur de la police, en plus jeune. Lassiter éprouva une bouffée de joie et d'excitation, comme le chasseur qui a enfin sa proie à portée de fusil. Il n'y avait pourtant pas de quoi se réjouir ainsi, dans la mesure où son gibier était d'ores et déjà dans un lit d'hôpital, sous haute surveillance.

Mais John Doe avait désormais un nom, une identité — et Lassiter était persuadé que, même si cet homme ne prononçait plus jamais un traître mot, il réussirait à percer le mystère.

Jusqu'ici, il n'avait jamais compris ce besoin impérieux de savoir comment et pourquoi un être aimé avait trouvé la mort. Quand il lisait dans la presse les déclarations des parents, des amis ou des conjoints de certaines victimes, il était déconcerté par leur quête passionnée de la vérité, de la justice et du châtiment, et par leur volonté de connaître tous les détails. Pourquoi n'essayaient-ils pas d'oublier, de reprendre le cours de leur vie ?

Maintenant il les comprenait.

Il s'approcha du minibar où il prit un échantillon de scotch qu'il versa dans un verre à eau. Puis il s'assit à la table et posa le passeport devant lui.

Grimaldi, Franco. Date de naissance : 17/03/55. Sur la page opposée à la photo figurait l'adresse — 114 via Genova, Roma — sur un carré de papier blanc collé et portant un tampon officiel. Cela semblait indiquer qu'il y avait eu changement de domicile.

Lassiter souleva le document pour l'examiner par transparence et découvrit en effet une autre adresse : via Barberini — malheureusement le numéro était illisible.

Taille : 1,85 m. Cheveux : bruns. Yeux : marron.

Il feuilletait les dernières pages, où étaient imprimés les visas, quand un bout de papier s'en échappa et tomba sur le sol. Il le ramassa.

C'était un bordereau de virement sur le compte que Grimaldi possédait dans une succusarle du Crédit suisse de Zurich, Banhofstrasse. L'opération, d'un montant de cinquante mille dollars, avait été effectuée quatre mois plus tôt.

Lassiter mit le bordereau de côté et reporta son attention sur le passeport. Il pensait pouvoir reconstituer les pérégrinations de Grimaldi en examinant les visas, mais les pages étaient tellement chargées qu'il dut faire une liste. Il déchiffra tant bien que mal les divers tampons et nota soigneusement tous les déplacements de Grimaldi. Après quoi il établit une seconde liste, cette fois par ordre chronologique.

Le passeport couvrait une période de dix années, les visas les plus anciens datant de 1986. A cette époque, Grimaldi avait fait la navette entre Beyrouth et Rome. Or, en 1986, Beyrouth n'avait rien à envier au septième cercle de l'enfer. Les rares Européens restés dans la capitale libanaise étaient enchaînés à des radiateurs, les voitures piégées se bousculaient dans les rues, et de chaque côté de la Ligne verte, on tirait sur tout ce qui bougeait. Qu'est-ce que Grimaldi pouvait bien fabriquer à Beyrouth ?

Après le Liban, il s'était régulièrement rendu en Espagne, à Saint-Sébastien et Bilbao. Le Pays basque. En 1989, il avait effectué un voyage au Mozambique, à Maputo. Ensuite, plus rien pendant près de trois ans. Grimaldi avait attendu juin 1992 pour reprendre ses pérégrinations, cette fois dans les Balkans. A plusieurs reprises, il avait séjourné à Belgrade, la capitale serbe, puis — un an plus tard — à Zagreb, la capitale croate. Il s'était à nouveau tenu tranquille jusqu'en 1995 ; après Prague et São Paulo, il était arrivé à New York. Le dernier tampon, celui de la douane de John F. Kennedy International Airport, datait du 18 septembre 1995.

Lassiter secoua la tête d'un air perplexe. Grimaldi avait peut-être un deuxième, voire un troisième passeport. D'autre part, ses déplacements dans les pays de la Communauté européenne n'avaient évidemment pas été enregistrés.

Pourtant... ce trou de trois ans, de fin 1989 à juin 1992, donnait à réfléchir. Un séjour en prison ? Possible. A moins que, durant cette période, il n'ait voyagé sous une autre identité. De même, on pouvait s'interroger sur ses séjours à Belgrade, Zagreb et Beyrouth : un simple touriste n'aurait pas choisi ces destinations-là. Et que penser de ses voyages en Espagne et au Mozambique ? Des vacances ? Que faisait au juste Grimaldi quand il n'assassinait pas des innocents ? Comment gagnait-il sa vie ?

Frustré, Lassiter repoussa le passeport et prit la liasse de billets. A vue de nez, il y avait là quelque vingt mille dollars. Peut-être trente.

Et alors ? Ça ne l'avançait pas beaucoup.

Il remit le rectangle de carton en place, fourra le passeport et l'argent dans un compartiment du sac, les vêtements dans un autre. Il enverrait le tout à Riordan dès demain matin, anonymement.

En attendant, mieux valait retourner au plus vite à Washington. Il décrocha le téléphone et, après moult difficultés, réussit à se procurer une place sur un vol de nuit pour Baltimore. Ce n'était pas l'idéal, loin de là : il atterrirait à une heure du matin, et à une centaine de kilomètres de Dulles où il avait laissé sa voiture. Mais peu lui importait.

A Washington, il y avait quelqu'un qu'il souhaitait joindre sans tarder. Un homme de l'ombre.

Nick Woodburn. Son vieux copain Woody.

Chapitre 14

Dans le taxi qui le ramenait de Baltimore, Lassiter eut tout le loisir de penser à Nick Woodburn et de se remémorer de vieux souvenirs. Depuis l'enfance, Woody et lui étaient les meilleurs amis du monde. Ils avaient grandi à Georgetown, pas loin de Dumberton Oaks, et donc fréquenté les mêmes écoles privées et les mêmes camps de vacances. Pendant leurs trois premières années d'études universitaires, ils avaient été membres de l'équipe d'athlétisme de St. Alban — et si Woody ne s'était pas cru obligé de prouver qu'il méritait bien son surnom[1], ils auraient continué. Le Pépin (l'incident devait rester dans les annales sous cette appellation) se produisit alors qu'un groupe de parents visitait le campus ; ils tombèrent (quasi au sens propre, pour l'un des pères) sur Woody et une fille de l'université catholique d'Amérique qui faisaient l'amour dans les jardins de la cathédrale. Il y eut des exclamations, quelques gloussements, des cris outragés — bref un charivari qui se solda par la relégation de Nick Woodburn que l'on expédia à Bath, dans le Maine, pour sa dernière année de collège.

De l'avis général, Woody finirait mal (ou, comme le disait un copain : « Il n'ira nulle part, il est grillé »). De fait, il fut refusé à Harvard et Yale, de même qu'à Princeton, Dartmouth, Columbia et Cornell.

Pour finir, il fut admis à l'université du Wisconsin, où il se distingua en athlétisme, passa une licence d'arabe et décrocha une bourse d'étude à Oxford.

---

1. Woody : Dingo (N.d.T.).

Après Oxford, il réussit à entrer au ministère des Affaires étrangères. Pendant deux ans, il occupa un poste d'assistant à l'Office of Political and Military Affairs, puis il partit à l'étranger (Damas, Karachi et Khartoum) et, au bout de huit ans, revint à Washington pour travailler à l'Intelligence Research Bureau. Il s'y trouvait depuis quatre ans, et en avait pris la direction.

Comptant moins d'une centaine d'employés à temps plein, l'IRB était la plus modeste et la plus discrète composante des services secrets américains. Par voie de conséquence, il était exempt des péchés qui avaient fait la célébrité de bureaux de renseignements plus importants. Il ne s'amusait pas, par exemple, à monter des opérations paramilitaires, à déchiffrer des codes secrets où à poser des écoutes (en revanche, il ne se privait pas d'étudier attentivement les informations glanées par les collègues). Il ne s'amusait pas non plus à droguer ses employés au LSD ni à envoyer des assassins tous azimuts. Il se contentait d'analyser les renseignements fournis par les diplomates et les agents disséminés à travers le monde dans cent cinquante-sept ambassades américaines. Et, dans ce domaine, il excellait.

Voilà pourquoi Joe Lassiter, qui cherchait une aiguille dans une botte de foin — c'est-à-dire des informations concernant l'Italie, et ce en plein week-end de vacances —, avait décidé d'appeler son ami.

Le taxi s'arrêta au pied de l'immeuble. Lassiter paya le chauffeur et gagna le neuvième étage. Les bureaux étaient déserts. Il posa les sacs et décrocha le téléphone.

— Woody ?

— Joe ! s'exclama Nick Woodburn, ravi. Salut, mon pote ! Oh, bon sang..., enchaîna-t-il d'un ton contrit. Je suis désolé pour Kathy. J'étais à Lisbonne quand c'est arrivé. Tu as reçu les fleurs ?

— Oui, je te remercie.

— J'ai lu dans la presse qu'on avait pincé le gars qui a fait ça ?

— Oui, c'est d'ailleurs à ce sujet que je t'appelle. J'ai besoin d'un service.

— Je t'écoute.

— Ce type est italien. J'ai pensé que tu pourrais peut-être te renseigner. J'essaierai de me débrouiller avec mes collaborateurs

128

de l'agence, et la police continue à enquêter. Mais je me suis dit que...

— Pas de problème. Faxe-moi ce que tu as, je te recontacterai lundi.

Ils bavardèrent un moment, puis se quittèrent sur la promesse de déjeuner ensemble un de ces jours. Lassiter enfila ses gants et entreprit de copier toutes les pages du passeport de Grimaldi, ce qui ne fut pas une mince affaire, et de les faxer. Puis il remit le passeport dans le sac de Grimaldi et appela un taxi qui l'emmena à Dulles où il récupéra sa voiture.

Au retour, il s'arrêta pour acheter une boîte assez volumineuse dans laquelle, toujours ganté, il rangea le sac, et qu'il adressa à l'inspecteur Riordan, au commissariat de police du comté de Fairfax. Il inscrivit le nom de l'expéditeur — Juan Gutierrez — et une adresse imaginaire. Un instant, il avait envisagé d'envoyer le paquet au fameux Pisarcik, mais la presse n'ayant pas encore parlé de lui, tout le monde ignorait qu'il avait repris le dossier.

Sans doute Riordan devinerait-il qui était le responsable de cet envoi, mais — à moins d'avoir une preuve formelle — il ne vendrait pas la mèche. Selon toute vraisemblance, il remettrait le sac à Pisarcik sans commentaire.

Quand il réintégra les bureaux, il alla frapper à la porte de Judy. Il était à peu près sûr de la trouver là, même un samedi. Elle était accro au travail, encore plus intoxiquée que lui si on pouvait.

— Entrez ! cria-t-elle.

Quand elle vit que c'était lui, elle fit une grimace de surprise affligée qui lui donna l'air d'un personnage de dessin animé. Le téléphone coincé sur l'épaule, elle tapait frénétiquement sur le clavier de son ordinateur.

Lassiter aimait beaucoup Judy, son visage étroit, aux traits finement ciselés et auréolé de boucles noires toujours en désordre, car elle avait la manie de fourrager dans ses cheveux et de les entortiller autour de son index.

— Salut, Joe ! s'exclama-t-elle en reposant le combiné. Comment va ? Enfin, je veux dire..., rectifia-t-elle, gênée. Ça ne va pas trop mal ?

— Non, je tiens le coup. Je suis passé pour t'annoncer que j'ai décidé de prendre un congé...

129

Elle ouvrit la bouche pour répondre, mais il l'interrompit d'un geste.

— On en discutera lundi, avec Bill Bohacker. Il se chargera des questions administratives pendant mon absence. Leo s'occupera des fusions et acquisitions, toi du reste. De toutes les enquêtes.

— Eh bien, je... merci !

— Encore une chose...

— Je t'écoute.

— Amex envisage une transaction et je tiens à ce que tu suives l'affaire.

— American Express ? s'étonna-t-elle. Je ne suis pas au courant.

— Normal, c'est top secret.

— D'accord, dit-elle en saisissant son bloc-notes. Que veulent-ils ?

— Lassiter Associates.

Judy le dévisagea et émit un petit rire nerveux.

— C'est une blague ?

— Non, ils souhaitent nous intégrer dans le groupe.

Judy réfléchit un instant.

— Ça te tente ?

— Pas particulièrement. Mais je ne suis pas concerné au premier chef ; ils achètent l'agence — pas moi.

— Alors tu as décidé de vendre...

— Je ne serais pas aussi catégorique. Toutefois leur offre mérite attention.

— Et tu désires que je l'accepte ?

— Je te demande de négocier pied à pied et d'obtenir les meilleures conditions possible. Si tu t'y prends comme en septembre, quand tu m'as extorqué cette augmentation, on s'en sortira les poches pleines.

— Je ne me suis pas mal débrouillée, hein ? dit-elle avec un sourire espiègle.

— Tu m'as plumé.

— Sérieusement, reprit-elle après un silence, tu ne crois pas qu'un avocat se défendrait mieux que moi ?

— Non.

— Bon, d'accord.

— Avant mon départ, je te laisserai un mémo sur les questions essentielles. Je ne veux pas que les avocats s'en mêlent tant que le marché ne sera pas conclu — ils foutraient tout en l'air. On en discutera, toi et moi, et ensuite on les mettra sur le coup.

Judy hocha la tête, les sourcils froncés.

— Pourquoi fais-tu ça, Joe ? A cause de Kathy ? Tu devrais peut-être prendre le large un moment, et puis...

— Non, j'ai envie d'arrêter. Je suppose que Kathy y est pour quelque chose, mais... à vrai dire, ça ne m'amuse plus tellement. Je passe ma vie à tenir la main aux clients, à parlementer avec des avocats... Et quand on y réfléchit objectivement, on se rend compte que, la plupart du temps, on est du côté des méchants.

Judy éclata de rire.

— Tu as remarqué, toi aussi ? Comment ça se fait ?

— Oh, ça n'a rien de mystérieux. On réclame des honoraires exorbitants — les seuls qui ont les moyens de les payer sont, par définition, des voyous.

— Alors tu es vraiment décidé ?

— Oui, je suis motivé, comme on dit.

— Très bien. J'attends ton mémo... et je m'y colle.

— Je pourrais peut-être te débaucher un peu, t'emmener déjeuner ?

— J'ai le droit de choisir le restaurant ?

— Oui, pourvu qu'il soit chinois. Une heure, ça te va ?

— Génial, répondit-elle en griffonnant sur son bloc. Tu n'avais pas autre chose à me demander ?

Judy se plaisait à paraître perpétuellement débordée et désorganisée, mais en réalité il n'y avait pas plus méthodique qu'elle. Lassiter lui tendit la copie du passeport de Grimaldi.

— Ça, c'est personnel. J'aimerais que tu contactes notre correspondant à Rome et qu'il se renseigne sur ce monsieur.

— Oh, mon Dieu ! dit-elle d'un ton mélodramatique. C'est lui ?

— Oui.

— Je m'en occupe tout de suite, seulement...

— Oui, je sais : nous sommes en plein week-end.

— Et en Italie, ce qui est pire. Notre homme travaille, lui, mais les bureaucrates... ne rêvons pas.

Lassiter haussa les épaules.

— Qu'il se renseigne dès que possible. Et dis-lui, ajouta-t-il après une pause, d'y aller sur la pointe des pieds.

131

Le dimanche passa, puis le lundi. Les directeurs de l'agence, réunis autour de Lassiter, acceptèrent leurs nouvelles responsabilités avec l'attitude appropriée à ce genre de circonstance : un enthousiasme mesuré.

A la fin de la réunion, Lassiter retourna dans son bureau, soi-disant pour « faire un peu de ménage ». En fait, il attendait le coup de fil de Nick Woodburn.

Mais la matinée s'écoula sans que Woody appelle. A deux heures et demie, un coursier vieux comme Mathusalem, avec chaussures et pinces de cycliste, lui apporta une enveloppe de la part de Riordan. Elle renfermait plusieurs clichés de l'étrange flacon trouvé dans la poche de Grimaldi. Maintenant que Lassiter connaissait l'identité du tueur, il semblait presque dérisoire de s'intéresser à cet objet. Cependant il appuya sur le bouton de l'interphone.

— Voyez si Freddy Dexter est dans les parages, dit-il à sa secrétaire, et envoyez-le-moi.

Parmi les enquêteurs qui travaillaient pour l'agence, certains excellaient dans l'art de l'interview, tandis que les autres adoraient brasser des tonnes d'archives, de plaidoiries et de dépositions, à la recherche d'une hypothétique pépite. Freddy — un très jeune homme frais émoulu de l'université — avait ces deux cordes à son arc.

Quand il fut dans le bureau, Lassiter lui donna les photographies et quelques conseils.

— Faites-en des copies et prenez tout le temps qu'il faudra. Je veux savoir qui a fabriqué cet objet, à quoi il sert, etc. Il doit bien y avoir un musée du verre, quelque part.

— J'irai à la Bibliothèque du Congrès et à la Smithsonian. S'ils ne sont pas en mesure de me renseigner, ils me diront où m'adresser.

— N'oubliez pas non plus les salles de vente — Sotheby's par exemple —, elles ont forcément des spécialistes, des experts.

— Quel sera mon budget ?

— Vous pouvez aller à New York, si nécessaire. Mais pas question de traverser l'Atlantique.

A cinq heures, Judy fit irruption dans la pièce. Elle brandissait un fax.

— Ça vient d'arriver de Rome.

Elle s'assit et lui tendit le papier.

— Tu ne vas pas être content.

— Pourquoi ?

— Parce que notre correspondant nous réclame une petite fortune pour des...

— Des nèfles, dit Lassiter en parcourant le fax.

— Exactement. D'après lui, Franco Grimaldi n'a jamais été arrêté. Il est inscrit sur les listes électorales. Il vote Motore...

— C'est-à-dire ?

— Ils réclament l'abrogation des limitations de vitesse.

— Ah bon ? C'est un programme électoral, ça ?

— Bepi dit qu'ils ont des centaines de formations politiques, en Italie. A part ça, Grimaldi n'est pas marié — non, je rectifie : il n'a jamais été marié. Pas de dettes, aucun contentieux, rien du tout.

— Des crédits ?

— Oui, un crédit de trois cents dollars chez Rinascente.

— C'est quoi ?

— Un grand magasin.

— Fantastique, marmonna Lassiter, les yeux rivés sur le fax. Et le service militaire ?

— Il ne l'a pas fait.

Riordan allait être déçu...

— Il travaille ?

— Non.

— Il est chômeur ?

Judy grimaça.

— Je vois où tu veux en venir...

— A en croire ce document, il n'a aucune source de revenus. Il ne touche pas d'allocations — rien ! Alors de quoi vit-il ?

— Je l'ignore.

— Eh bien, je veux le savoir. Autre chose : on dit ici qu'il ne possède pas de voiture.

— Exact.

— Et il vote pour... comment, déjà ?

— Motore.

— C'est ça. Il serait donc le premier piéton de l'histoire de l'humanité à réclamer l'abrogation des limitations de vitesse.

133

Judy se mit à rire ; elle récupéra le fax et se dirigea vers la porte.

— Je te revois tout à l'heure.

— Encore une question, Judy.

Elle se retourna.

— Je te réponds tout de suite : neuf cents dollars. Il dit qu'il a eu seize heures de boulot.

— Et tu le crois ?

— Oui. Bepi est un bon enquêteur. Il savait que ce rapport t'était destiné, il ne s'amuserait pas à gonfler la note. Il n'a obtenu aucun renseignement utile et il doit bien se douter que tu es déçu. Je parierais qu'il t'a fait un prix d'ami.

— Quelles conclusions en tires-tu, Judy ?

Elle eut une moue pensive.

— De toi à moi, j'ai l'impression que ce type est une barbouze.

Lassiter hocha la tête.

— Oui, c'est aussi mon avis.

Mardi après-midi. Assis à son bureau, Lassiter se roulait les pouces. Il avait tout délégué à Leo, Judy et Bill, si bien que l'agence tournait sans lui (en tout cas, il l'espérait). De plus, il avait confié à Freddy Dexter la seule piste dont il disposait, et maintenant il se retrouvait désœuvré, obligé d'attendre comme un imbécile.

Il se redressa pour s'approcher de la fenêtre et contempler la rue en contrebas. Il alluma un feu dans la cheminée et le regarda s'éteindre. Il lut le *Wall Street Journal*, décida d'aller courir, y renonça. L'idée lui vint d'appeler Claire pour l'inviter à dîner.

Et puis, enfin, le téléphone sonna.

— Joe...

— Woody !

— J'ai les tuyaux que tu m'as demandés.

C'étaient exactement les mots que Lassiter souhaitait entendre, mais quelque chose clochait : Woody parlait d'une voix étouffée, bizarre.

— Je te remercie...

— Garde tes remerciements. Tu sais, Joe... Ton type me fait peur.

Lassiter tressaillit, surpris par la gravité de son vieil ami.

— Que veux-tu dire ?

— Il me flanque une telle frousse que je regrette d'avoir mis mon nom sur le câble.

Lassiter demeura silencieux, ne sachant que répondre.

— J'ai une question à te poser, poursuivit Woody.

— Vas-y.

— Tu as d'autres enquêteurs sur le coup ?

— Oui, l'un de nos collaborateurs à Rome. Ça t'ennuie ?

— Personnellement, non. Mais tu serais peut-être bien inspiré d'offrir un petit voyage à ton tâcheron.

— Tu plaisantes.

— Pas le moins du monde.

Lassiter n'en croyait pas ses oreilles.

— Il n'a trouvé que des broutilles. Rien du tout, en fait.

— Evidemment. C'est ce que j'essaie de t'expliquer : nous avons affaire à du très gros gibier. Ton Italien a dû se procurer sa carte d'électeur et autres bêtises de ce genre. Je me trompe ?

Le silence de Lassiter fut éloquent. Chacun s'immergea dans ses pensées, comme seuls deux vieux amis peuvent le faire.

— Encore une question, reprit Woody au bout d'un moment.

— Je t'écoute.

— Qu'est-ce qu'elle trafiquait, ta sœur ?

— Enfin, Woody, tu la connaissais ! Elle élevait son petit garçon, elle travaillait, elle regardait la télévision, elle se bourrait de glaces...

Woody soupira.

— Hmm... Il s'est peut-être trompé de femme.

— Peut-être, mais il ne s'est pas contenté de tuer une femme. Il a tranché la gorge de mon neveu.

Ils se turent à nouveau, puis Lassiter demanda :

— Qu'est-ce que tu as découvert sur lui ?

— Franco Grimaldi est ce que nous appelons un poids lourd. Un tueur — mais, là, je ne t'apprends rien. En fait, c'est un nettoyeur. Tu as déjà entendu parler du SISMI ?

— Non. De quoi s'agit-il ?

— Je vais t'envoyer un paquet.

— Tu veux un coursier ?

— Non... Demain après-midi, un officier te rendra visite. Il aura une mallette attachée à son poignet par une chaîne de

135

sûreté. Il te remettra un rapport dans une enveloppe, et il s'en
ira. Ouvre l'enveloppe, lis le rapport, ensuite déchire-le et brûle-
le. Et quand tu l'auras brûlé, jette les cendres.

Campé devant la baie vitrée, Lassiter réfléchissait aux propos
de son ami, à l'anxiété qui faisait vibrer sa voix, lorsque sa secrétaire entrouvrit la porte.

— Un certain M. Pisarcik demande à vous parler.

— Je le prends.

Il décrocha le téléphone.

— Monsieur Lassiter ?

— Oui.

— Ici l'inspecteur Pisarcik du commissariat de police de Fairfax. Comment allez-vous ?

— Très bien.

— Je vous appelle parce que nous avons de bonnes nouvelles.

— Ah oui ?

— Oui, monsieur ! Nous avons identifié le suspect — John
Doe — dans l'affaire de votre sœur. C'est un ressortissant italien,
un certain Franco Grimaldi. L'inspecteur Riordan a dit qu'il fallait vous en informer tout de suite.

— Parfait.

— D'autre part, je tenais à vous prévenir que l'inspecteur
Riordan ne s'occupe plus du dossier. Mais je crois que vous êtes
déjà au courant ?

— En effet.

— A partir de maintenant, je suis chargé de l'enquête, alors...
j'ai pensé qu'il serait peut-être utile de nous rencontrer.

— Volontiers. Vous voulez passer me voir aujourd'hui ? Vous
savez où se trouve mon bureau ?

— Oui, bien sûr, mais je crains que ce ne soit impossible. Je
peux compter sur votre discrétion ?

— Naturellement.

— Nous transférons le prisonnier à quatre heures et demie...

— Ah oui ?

— Oui, monsieur. Nous l'emmenons au Fairfax General, où
il passera quelque temps en chambre de sûreté. Ensuite nous
avons une conférence : sur la discrimination et la loi.

— Un autre jour, dans ce cas.

136

— Oui, monsieur. Au revoir, monsieur.

Lassiter reposa le combiné et jeta un coup d'œil à sa montre. Il était déjà quatre heures, et la neige recommençait à tomber. Mais, avec un peu de chance, il arriverait à temps.

S'il était en principe un conducteur prudent, ce jour-là il appuya sur le champignon. L'Acura se faufilait dans les rues encombrées, en direction de l'ouest, les essuie-glaces balayant frénétiquement le grésil qui cinglait le pare-brise.

Il se comportait de manière absurde, il en était conscient. Mais il s'en fichait. Il voulait voir de près l'assassin de sa sœur. Il voulait se confronter à lui. Mieux que ça, il voulait extirper ce fumier de son fauteuil roulant et lui casser la figure.

Oui, voilà ce qu'il désirait. Mais il se contenterait de moins. D'une réaction, d'une réponse. Il ne savait pas encore très bien ce qu'il allait dire. Peut-être simplement : salut, Franco. L'expression de ce salaud quand il entendrait un inconnu l'appeler par son nom — Franco Grimaldi — serait intéressante à observer.

Alors que Joe Lassiter fonçait vers l'hôpital, l'agent Dwayne Tompkins se préparait à escorter le suspect, John Doe. A la Criminelle, l'agent Tompkins était connu sous le sobriquet de « W », car quand on lui demandait de se présenter, il répondait toujours : « Moi, c'est Dwayne, avec un W. »

Il attendait qu'on amène le fauteuil roulant, quoique le prisonnier fût capable de tenir sur ses jambes. Depuis dix jours, les kinésithérapeutes le faisaient marcher dans les couloirs, Dwayne sur leurs talons. Mais le règlement de l'hôpital stipulait que les patients devaient partir en fauteuil roulant.

Quand le fauteuil fut là, il fallut encore attendre l'appel de Pisarcik signalant que le fourgon était prêt.

Dwayne aurait pour tâche d'accompagner John Doe jusqu'au rez-de-chaussée, où ils retrouveraient Pisarcik. On accomplirait les formalités de sortie, et le détenu serait officiellement remis aux mains de la police du comté de Fairfax.

Dwayne monterait dans le fourgon avec lui ; Pisarcik les suivrait dans une voiture de patrouille. Telle était la procédure en vigueur. Dès leur arrivée au Fairfax General, on installerait John Doe dans un autre fauteuil roulant, après quoi Dwayne et Pisarcik le conduiraient dans la chambre de sûreté. A ce moment-là, et à ce moment-là seulement, le prisonnier serait autorisé à quitter son siège. On l'enfermerait dans la chambre-cellule, et on n'en parlerait plus. L'agent Tompkins ne reverrait plus jamais ce satané John Doe.

Il était rudement content d'en avoir terminé. De toute sa courte carrière, jamais on ne lui avait assigné de mission plus assommante. Pendant plus de trois semaines, il était resté assis — sans bouger ! — devant la porte du type. Huit heures par jour ! Sa plus grande distraction était de vérifier les laissez-passer de chaque infirmière et de chaque médecin qui rendaient visite au détenu. Il les contrôlait à l'entrée et il remettait ça à la sortie. S'il avait besoin de se soulager, il devait appeler l'infirmière de l'étage — ce qui l'embarrassait à tel point qu'il avait fini par ne plus absorber de liquide. Comme si ça ne suffisait pas, il n'avait même pas droit à sa pause de midi ! On lui apportait son déjeuner. De la tambouille d'hôpital, qu'il ingurgitait sans quitter sa chaise, le plateau sur les genoux.

D'accord, il y avait la petite infirmière... Juliette. Celle-là, il la regretterait.

Le médecin lui fit signer un formulaire, puis la petite Juliette apparut pour aider John Doe à s'installer dans le fauteuil.

— Comment procédez-vous au juste ? demanda le médecin. Vous l'emmenez dans le panier à salade ?

— En fait, répondit Dwayne, ça ne s'appelle plus comme ça.

— Ah ! fit le médecin en riant. Et quel est le terme politiquement correct ?

Dwayne haussa les épaules.

— Ben, on dit... le fourgon, tout simplement.

— Alors vous l'emmenez dans le fourgon ? rétorqua le médecin qui semblait s'amuser énormément.

— Lui, oui. Mais, quelquefois, on les transfère en ambulance.

— Eh bien, je crois qu'il est prêt.

— C'est parti ! dit Dwayne.

Par talkie-walkie, il annonça à Pisarcik qu'ils descendaient. Puis il emboîta le pas à Juliette qui poussait le fauteuil. De dos elle était vraiment sexy, pensa-t-il, malheureusement l'une des infirmières lui avait raconté que c'était une illuminée, une grenouille de bénitier — il n'avait donc plus qu'à la rayer de ses tablettes.

Néanmoins, lorsqu'ils eurent atteint l'ascenseur, il lui fit un clin d'œil. A tout hasard, des fois que la chance lui sourirait...

Lassiter avait eu plus de mal que prévu à se sortir des encombrements. Quand l'Acura pénétra dans le parking de l'hôpital, il était déjà cinq heures moins le quart. Il se gara sur un emplacement réservé à "monsieur l'administrateur", et se hâta vers le bâtiment. Un policier de haute taille fumait une cigarette devant l'entrée des urgences, où stationnait un grand fourgon aux vitres protégées par des barreaux.

— Excusez-moi, dit Lassiter, vous connaissez l'inspecteur Pisarcik ?

— A l'intérieur, répondit le flic.

Lassiter franchit les portes automatiques au pas de course. Comme toujours en fin d'après-midi, le hall des urgences était bondé et la réceptionniste débordée.

— Je cherche un policier, lui dit-il quand il eut réussi à attirer son attention. Pisarcik... Vous savez où il est ?

D'un signe de tête, elle montra le couloir de droite.

— Là-bas, au bout.

Il suivit la direction indiquée et finit par repérer Pisarcik — qui ne devait pas avoir plus de vingt-cinq ans — immobile devant l'ascenseur, un talkie-walkie à la main.

— Vous ne devez pas rester là, déclara Pisarcik, nous transférons un détenu.

— Je sais.

— Il y a un autre ascenseur dans l'aile sud.

— Je suis Joe Lassiter.

— Ah, marmonna Pisarcik. Comment allez-vous ?

Il marqua une pause, avant d'ajouter d'un ton hésitant :

— Vous n'avez pas l'intention de...

— Faire une bêtise ? Non. Je veux juste le voir.

— C'est que, vous comprenez, monsieur Lassiter... Nous sommes censés évacuer le secteur.

— Eh bien, je peux me...

Le talkie-walkie se mit à crachoter et le jeune policier l'approcha de sa bouche.

— Pisarcik, dit-il.

— On est prêts à descendre. La voie est libre ?

Pisarcik lança un regard méfiant à Lassiter.

— Oui, la voie est libre.

— D'accord, on arrive.

Pisarcik se tourna vers Lassiter.

— Ça ne vous ennuie pas de vous écarter ?

— Non, ça ne m'ennuie pas, répondit Lassiter en s'éloignant de l'ascenseur.

Le voyant resta bloqué un long moment sur le chiffre 9. Lassiter s'adossa au mur, tandis que Pisarcik faisait les cent pas.

— C'est que j'ai une réunion, moi, bougonna-t-il.

— Oui, vous m'en avez parlé.

— Je sens que je vais être en retard.

— Ce n'est pas votre faute. Quand on travaille...

— Hé, Dwayne ! dit Pisarcik dans l'émetteur. Qu'est-ce qui se passe ?

— Une urgence, il a fallu emmener un crétin en radiologie.

— On a une réunion !

— Ça y est, on descend.

— Ils descendent, répéta Pisarcik à Lassiter qui opina, les yeux rivés sur les chiffres qui, au-dessus des portes, s'allumaient un à un.

Huitième étage. Septième étage.

— Dwayne dit qu'il n'a jamais eu de mission plus barbante que celle-là.

Sixième.

— Ah bon ?

Cinquième.

— Oui, il est resté vissé sur une chaise pendant près d'un mois. Quand il voulait pisser, il devait appeler l'infirmière.

Quatrième.

— Hmm...

Troisième.

— J'espère qu'on m'épargnera ce genre de corvée. Je serais horriblement gêné — même avec une infirmière.

Troisième.

Lassiter sentit sa nuque se hérisser.

— L'ascenseur s'est arrêté. Pourquoi ?

Pisarcik leva le nez vers les voyants lumineux.

— Je ne sais pas, ce n'était pas prévu...

140

Le voyant s'éteignit ; ils entendirent la cabine s'ébranler et attendirent que le chiffre 2 s'allume.

Mais ce fut le 4 qui s'alluma, puis le 5.

— Qu'est-ce que c'est que ce bordel ? marmonna Lassiter en s'approchant.

— Hé ! hurla Pisarcik dans le talkie-walkie. Dwayne ! Où êtes-vous ?

Pas de réponse. Brusquement, la cabine redescendit.

4 — 3 — 2 — 1.

Les deux hommes poussèrent un soupir de soulagement. La cabine s'immobilisa au rez-de-chaussée, les portes s'ouvrirent.

Un policier était avachi sur le sol, le dos appuyé à la paroi. Du sang coulait sur le côté droit de son visage, le mur était éclaboussé de rouge. Il avait un stylo Bic planté dans son œil droit, enfoncé jusqu'à la garde. Son arme de service avait disparu.

Pisarcik avança d'un pas, vacilla et, comme au ralenti, s'effondra. Lassiter le vit tomber et se cogner le front contre le dallage, pourtant il ne réagit pas, incapable de s'arracher à la contemplation de l'homme mort et du stylo.

Les portes commençaient à se refermer. D'un mouvement réflexe, Lassiter tendit le bras pour les bloquer. Dans le couloir, à une distance incommensurable semblait-il, plusieurs personnes se mirent à crier. Les portes vibrèrent, s'écartèrent, puis se refermèrent pour la seconde fois. Lassiter les repoussa. Encore et encore.

Il entendit une femme hurler. Pisarcik poussa un gémissement. Les gens accouraient vers l'ascenseur.

Chapitre 15

Le téléphone collé à l'oreille, Lassiter faisait les cent pas devant la baie vitrée de son bureau en essayant d'ignorer la musique d'une écœurante sentimentalité qui lui agaçait les tympans. Que fabriquait Riordan ?

Ce dernier reprit enfin la communication.

— Nous l'avons retrouvée, dit-il.

— Qui ?

— L'infirmière. Juliette Machinchose.

— Elle est morte ?

— Non, elle est vivante. Mais complètement sens dessus dessous. Elle tremble comme une feuille.

— Alors que s'est-il passé ?

— Elle dit que Grimaldi a murmuré quelque chose — il avait l'air de ne pas pouvoir parler. Le flic qui l'escortait s'est penché, parce qu'il n'entendait pas. L'autre l'a attrapé par la cravate et... brusquement il y a eu du sang partout. Dwayne s'est écroulé...

— Qui est Dwayne ?

— Le flic. Dwayne s'est écroulé, un stylo planté dans l'œil, et Grimaldi lui a pris son arme. Dixit Juliette.

— Où s'est-il procuré ce stylo ?

— Qui sait ? Dans un hôpital, ce ne sont pas les stylos qui manquent.

— Et ensuite ?

— Elle l'a aidé à se tirer.

— Mais pourquoi n'a-t-elle pas...

— Il était armé ! Il avait une couverture sur les genoux, et un semi-automatique planqué dessous ! Vous vouliez qu'elle discu-

142

taille ? Non, évidemment que non. Elle a obéi. Quand ils sont arrivés au troisième, elle l'a fait sortir de la cabine pour le pousser dans l'autre ascenseur. Personne n'a fait attention à eux : une infirmière qui promène un malade en fauteuil roulant, dans un hôpital, ça n'a rien d'extraordinaire. Ils sont tranquillement descendus au sous-sol. Le premier ascenseur s'est arrêté au rez-de-chaussée, Pisarcik a tourné de l'œil. Et pendant ce temps, Grimaldi rejoignait le parking.

— Comme ça, tranquillement.

— Ouais. On a même récupéré le fauteuil roulant.

Lassiter s'assit sur le canapé devant la cheminée.

— Et ensuite ?

— Ensuite ? Elle l'a conduit où il voulait. Prise d'otage, ça tombe sous le coup de la loi fédérale. Donc, maintenant, le FBI suit l'affaire.

— Plus on est de fous, plus on rit. Où sont-ils allés ?

— Il lui a ordonné de prendre la direction de Baltimore, mais il l'a abandonnée sur une route de campagne, à huit kilomètres d'Olney. C'est là que le shérif l'a trouvée. On cherche encore la voiture.

— Il sait donc conduire ?

— Apparemment. Et, d'après ce que dit la fille, il marche sans difficulté.

— Pourquoi le fauteuil roulant, dans ce cas ?

— Règlement de l'hôpital. Vous arrivez sur un brancard, vous repartez en fauteuil.

Lassiter demeura silencieux.

— Vous remarquerez que je ne vous demande même pas ce que vous faisiez là-bas, reprit Riordan.

— Hmm... Et votre collègue ? Pizarro ?

— Pisarcik. Il est rouge de honte, le pauvre ! Il a un œuf de pigeon sur le front, et tout le monde le traite de chochotte. Mais, vous savez, c'est un brave garçon. Il s'en remettra.

Riordan s'interrompit, et Lassiter crut entendre cliqueter les rouages de son cerveau.

— Permettez-moi de vous poser une question, Joe.

— Je vous écoute.

— Vous êtes sûr de n'avoir rien à me dire ? Vous n'auriez pas, par inadvertance, parlé à quelqu'un du transfert de Grimaldi ?

Silence.

— Allô ? fit Riordan.

— Je ne vous répondrai même pas.

— Franchement, ce transfert n'était pas un secret d'Etat. On avait informé des collègues de la Criminelle, des employés de l'hôpital et du Fairfax General. Beaucoup de gens étaient au courant. Peut-être que quelqu'un en a parlé. Vous, par exemple.

— Certainement, ironisa Lassiter.

— Bon... en tout cas, d'après les toubibs, notre bonhomme aura besoin d'aide.

— C'est-à-dire ?

— Il lui faudra des antibiotiques, des médicaments, et surtout cette pommade qu'on passe sur les brûlures. On va publier un communiqué. Avec un peu de chance...

— Allez savoir où il est, maintenant ! Peut-être à New York.

— Peu importe. Quand un flic se fait buter, je vous garantis que tout le monde coopère, d'autant que les fédéraux sont impliqués. Et ce salopard ne réussira pas à se fondre dans la foule.

— Pourquoi ça ?

— Parce qu'il est italien — il vient d'Italie — et qu'il promène une figure de cauchemar. Or elle ne s'arrangera pas, sa figure. Les gens qui le croiseront détourneront les yeux, mais ils ne pourront pas s'empêcher de le reluquer. Vous voyez ce que je veux dire ?

— Oui, comme les curieux qui s'arrêtent sur le lieu d'un accident...

Les deux hommes se turent. Quelque chose, un infime détail, tracassait Lassiter, cependant il n'arrivait pas à mettre le doigt dessus. Puis, soudain, le déclic se produisit.

— Pourquoi avait-elle ses clés ?

— Qui ? De quoi parlez-vous ?

— L'infirmière. Pourquoi avait-elle ses clés de voiture ? Les femmes ne les gardent pas dans la poche, elles les rangent dans un sac, un tiroir, un placard... à l'hôpital, elles doivent avoir des vestiaires. Surtout qu'elle était de garde, n'est-ce pas ?

— Peut-être qu'elle avait terminé son service, ou qu'elle allait chercher quelque chose dans sa voiture. Le hasard a voulu que cette fille ait les clés sur elle, voilà tout.

— Vous lui poserez quand même la question ?

— Oui, évidemment.

— Je ne crois pas qu'une infirmière trimbalerait un trousseau de clés durant son service.

— Je vous dis que je l'interrogerai, rétorqua Riordan d'un ton irrité. Mais vous savez, Joe, vous cherchez la petite bête. Et pourquoi avait-elle ses clés, et où s'est-il procuré le stylo ? Moi qui n'ai aucune imagination, j'entrevois une vingtaine de réponses plausibles. Alors ça m'étonnerait que ça nous mène bien loin.

— Vous avez sans doute raison...

— En tout cas, je vous tiendrai au courant.

Ce soir-là, Lassiter se fit livrer un dîner thaïlandais qu'il mangea à même le carton, assis à son bureau. Un bouton, à hauteur de son genou, commandait l'ouverture d'un panneau dans le mur, dissimulant trois écrans de télévision — une installation due aux précédents locataires, des publicitaires spécialisés dans les campagnes politiques. Lassiter appuya sur le bouton, et le panneau coulissa.

Les infos de la 11 commençaient. Générique tonitruant, gros plan sur le portrait de Grimaldi, puis le présentateur annonça : « Une audacieuse évasion endeuille la famille d'un agent de police — le tueur est toujours en cavale. » Suivirent une pub pour le *Washington Post* (« Sans nous, vous n'êtes pas dans le coup ! ») et, enfin, « le récit des faits ».

Une pétulante blonde (« Ici Ripsy ! ») ouvrit le feu depuis le parking de l'hôpital, montrant un fauteuil roulant renversé. « A vous, Bill ! » conclut-elle, après quoi un quinquagénaire aux yeux injectés de sang et à la chevelure excessivement fournie prit la parole ; il marchait sur une route mal éclairée « tout près d'Olney », et raconta « la terrible épreuve » de l'infirmière. Puis il céda la parole à Michelle, une Noire à la voix suave, qui se trouvait dans une maison de retraite avec la mère de Dwayne Tompkins — une pauvre femme qui fixait sur l'objectif de la caméra un regard atrocement vide et semblait incapable d'articuler un mot.

Ses baguettes dans une main, une bière dans l'autre, Lassiter suivait le reportage d'un œil distrait. La télévision avait le don de déréaliser les drames de la vie, au point qu'on pouvait en prendre connaissance à l'heure du dîner sans en avoir l'appétit coupé. La mort de Kathy, la crémation de Brandon, l'évasion de

145

Grimaldi — tous ces événements tragiques, passés par le tamis de la télévision, devenaient une sorte de spectacle. Des images, un bruit de fond, qui perdaient leur sens et leur dimension personnelle.

Il en était là de ses vagues réflexions, quand il remarqua que tous les journalistes portaient le même genre d'écharpe — un cache-col noir et marron qui, étrangement, gommait leurs différences physiques. Ces individus, qui ne se ressemblaient pourtant pas du tout, avaient l'air d'appartenir à la même tribu : les Burberry. Les BCBG.

Cette idée amena sur ses lèvres un sourire qui s'effaça aussitôt : c'était exactement le type d'observation sarcastique que Kathy avait l'habitude de lui servir.

Agacé, il éteignit la télé et rentra chez lui. Pour se réconforter, il se dit que Riordan allait reprendre le dossier, et que c'était une bonne chose. Mais cette pensée ne fit que le déprimer davantage : faute de grive...

Il eut du mal à s'endormir. Sans relâche, il se remémorait la chute de Pisarcik, le choc de son crâne sur le carrelage, le stylo planté dans l'œil du policier mort. Et il se répétait que, puisqu'il était à l'hôpital à ce moment-là, il aurait dû trouver le moyen d'empêcher Grimaldi de s'enfuir.

Il aurait dû prévoir ce qui se passait dans l'ascenseur, se précipiter dans l'escalier, intervenir, agir.

Mais ce qui l'obsédait surtout, ce qui le rendait fou, c'était de penser que Grimaldi était libre, quelque part dans le vaste monde.

Lorsque Tommy Truong lui avait, le premier, annoncé qu'on tenait l'auteur présumé des deux meurtres, il s'était senti submergé par une terrible soif de vengeance. Il voulait étrangler ce type, lui mettre une balle dans la tête, lui écraser la figure à coups de talon. Une haine primitive et brutale le soulevait. Honnêtement, si on l'avait laissé seul avec Grimaldi, si le médecin ne l'avait pas viré du service, ce jour-là, il ne savait pas jusqu'où il aurait pu aller...

Et si on lui avait dit que le coupable possédait un QI voisin de zéro ou qu'il était en pleine crise de schizophrénie et n'avait aucune conscience de ses actes, cela n'aurait nullement modifié

146

ses sentiments. Il s'était toujours opposé à la peine de mort, cependant le drame avait ébranlé ses convictions. Certains crimes — assassiner de sang-froid une femme endormie et son petit garçon — étaient tellement abominables que leur auteur ne méritait pas de pitié.

Au fil des semaines pourtant, sa rage s'était apaisée et il avait commencé à élaborer un autre scénario, une version socialement acceptable de la vengeance — confier à la justice le soin de châtier, au lieu d'appliquer la loi du talion. Il voyait Grimaldi assis au banc des accusés, les jurés énonçant leur verdict, condamnant le monstre à croupir sur la paille d'un cachot jusqu'à la fin de ses jours.

Et si jamais on évoquait la possibilité de le libérer, Joe Lassiter témoignerait. Il montrerait les photographies de Kathy et Brandon, vivants et morts. Il lirait les rapports d'autopsie. Il rappellerait à ceux qui envisageaient de relâcher Franco Grimaldi les atrocités qu'il avait commises, les vies dont il avait tranché le cours et tout ce que le monde avait perdu par sa faute. C'était son devoir : Kathy et Brandon n'avaient que lui pour les défendre, pour veiller à ce que leur assassinat ne reste pas impuni.

Or voilà que tout cet échafaudage s'écroulait. On lui avait enlevé Kathy et Brandon, et maintenant on le privait de l'espoir que quelqu'un paierait pour leur mort. Pis — et cette idée le révoltait —, Grimaldi ne serait peut-être jamais repris. L'assassin échapperait au châtiment, et Lassiter ne saurait jamais pourquoi sa sœur et son neveu avaient été sauvagement tués.

Ciao...

Epuisé, il finit par sombrer dans un sommeil agité. Il rêva de Kathy, d'un incident survenu durant leur enfance.

Kathy avait alors douze ans, lui sept. Ils étaient dans le Kentucky et canotaient sur le lac, plus pour éviter Josie que par véritable goût pour ce type d'exercice. Kathy, couchée à plat ventre dans la barque, feuilletait un magazine. Elle avait emporté ses nouvelles lunettes de soleil, à monture blanche et à verres correcteurs, reçues le jour de son anniversaire. Elle adorait ces lunettes, elle les portait à longueur de temps, même dans la maison et même quand il faisait nuit.

Pour lire, elle les avait perchées sur le sommet de son crâne. Quand elle se redressa, elle fit un faux mouvement et les lunettes tombèrent par-dessus bord. Elle poussa un hurlement. Il l'entendait encore, il revoyait les lunettes qui s'enfonçaient dans l'eau. Les récupérer semblait facile, pourtant ils ne les retrouvèrent pas. Kathy plongea, mais revint bredouille ; plus tard, ils se munirent de masques et poursuivirent leurs recherches pendant des heures, en vain : les lunettes avaient disparu.

Dans son rêve, Lassiter les repérait, échouées au fond du lac, les branches croisées, comme si Kathy les avait posées sur une table. Il se précipitait, pour se rendre compte chaque fois qu'il s'était trompé, que ce reflet blanc qu'il avait cru apercevoir n'était qu'un galet, une canette de bière, une illusion d'optique. Et chaque fois il remontait à la surface les mains vides.

Il se réveilla le cœur lourd, tenaillé par le sentiment d'avoir trahi Kathy — hier comme aujourd'hui.

Lorsqu'il arriva au bureau, il trouva Freddy Dexter dans le hall, en train de décorer un sapin de Noël. Le jeune homme, en le voyant, fourra la boîte de boules et de guirlandes dans les bras de la réceptionniste, et emboîta le pas à Lassiter.

— Quoi de neuf ? lui demanda celui-ci.

— Le verre, répondit Freddy qui semblait très content de lui.

Lassiter lui lança un coup d'œil surpris.

— Le flacon, précisa Freddy.

— Ah oui, venez dans mon bureau.

L'un suivant l'autre, ils pénétrèrent dans la pièce. Lassiter s'assit à sa table et fit signe à Freddy de prendre un siège.

— Vous voulez du café ?

Freddy secoua la tête. Lassiter se carra dans son fauteuil et attendit que son jeune collaborateur se décide à parler. Celui-ci s'éclaircit la voix.

— J'ai découvert, commença-t-il, que le verre était un matériau beaucoup plus intéressant qu'on pourrait le croire de prime abord.

— Pas possible.

— Si... Il y a beaucoup à dire sur ce sujet.

— C'est un peu ce que j'espérais, voyez-vous.

— Je pourrais vous parler d'un tas de choses : la ductilité du verre, le soufflage à la canne...

— Pardon ?

— Le soufflage à la canne, une technique originaire de Méso-

148

potamie. Franchement, vous n'imaginez pas combien il était difficile de fabriquer du verre transparent.

— Vous avez raison, je ne l'imagine pas.

— En fait, poursuivit Freddy avec un sourire malicieux, jusqu'en 1400 ou 1450, personne n'y parvenait, du moins pas de façon systématique. Et c'est tant mieux pour nous, puisque ça nous permet d'admirer aujourd'hui quelques superbes vitraux. Quant à votre flacon...

— Ah, nous y voilà enfin.

— Votre flacon serait un objet d'art, dit Freddy sans se troubler. En son temps, rectifia-t-il après une pause, c'était un objet d'art.

Lassiter demeura un instant silencieux.

— Il est donc ancien ?

— Peut-être, répondit Freddy en se trémoussant dans son fauteuil. Nous travaillons d'après des photographies. Dans ces conditions, il est impossible de déterminer avec certitude si c'est un faux — remarquablement bien fait — ou une pièce authentique. Au cours des années cinquante, les Italiens copiaient tout ce qui leur tombait sous la main — statues, reliques, vêtements, bibelots... tout et n'importe quoi. Les touristes affluaient dans leur pays, venus des quatre coins du monde. Le marché des antiquités était en plein boom.

— Alors ce flacon...

— Est une antiquité, ou peut-être une copie des flacons que les moines du Moyen Age...

— Quoi ?

— ... utilisaient pour conserver l'eau bénite. J'ai discuté avec une demi-douzaine d'experts — une femme de Christie's, des gens de la Smithsonian. Ils sont tous d'accord. Les flacons de ce genre — semblables à celui qu'on a trouvé sur le meurtrier — étaient fabriqués par les verreries de Murano. A Venise. Les estampilles et la petite couronne métallique sur le bouchon permettent de l'associer à l'ordre des Chevaliers de la milice du Temple. Quand ils partaient pour les croisades, ils emportaient ces flacons.

Freddy se tut, visiblement ravi. Lassiter le dévisagea.

— Les croisades, marmonna-t-il.

— Oui, la guerre sainte contre l'islam.

— Et ils emportaient de l'eau bénite dans des flacons de ce genre.

— Eh oui... C'est que, vous comprenez, l'eau bénite était très précieuse. Pour des substances plus ordinaires, ils utilisaient des poteries. Je pourrais vous parler jusqu'à demain de ces flacons d'eau bénite. Par exemple, Marco Polo en avait un lors de son voyage en Chine (en admettant qu'il soit bien allé jusqu'en Chine, ce qui est une autre histoire). On m'a raconté que...

— Vous avez noté tout ça quelque part ?

Freddy tapota le carnet qui dépassait de sa poche de chemise.

— Bien sûr, je vous remettrai un mémo. Mais je me suis dit que vous souhaiteriez connaître tout de suite le résultat des courses. En résumé, il s'agit d'un flacon d'eau bénite ancien.

— Merci, murmura Lassiter, de plus en plus perplexe. Je crois que vous avez fait du bon boulot.

— Eh bien, mais... à votre service.

L'après-midi, un courrier arriva du ministère des Affaires étrangères, une mallette attachée au poignet par une paire de menottes, ainsi que Woody l'avait annoncé. Il réclama une pièce d'identité à Lassiter et, après avoir longuement comparé la photo du permis de conduire avec le visage de son interlocuteur, il prit une clé dans sa poche et ouvrit la mallette.

Il en extirpa une enveloppe en papier bulle, demanda à Lassiter de signer un petit registre noir, après quoi il lui tendit l'enveloppe, referma l'attaché-case et s'en alla sans un mot.

Demeuré seul, Lassiter déchira l'enveloppe. Il en sortit un mince dossier sur lequel était collé un Post-it :

Viens courir avec moi demain aux Great Falls. Rendez-vous à six heures. Je remplirai les blancs.

Woody.

Le dossier s'intitulait : GRIMALDI, FRANCO. Il était daté du 29/01/89 et comportait, outre plusieurs tampons et références, la mention : *Strictement confidentiel, ne pas divulguer.*

Sur la première page, Lassiter découvrit une série de noms et de dates.

Alias : Franco Grigio, Frank Guttman
(PI) Gutierrez

Il prit mentalement note de dire à Woody que ce prénom inconnu (PI) était Juan. Juan Gutierrez.

Date de naissance : 17/03/55
Lieu de naissance : Rosarno, Calabre
Mère : Vittorina Patuzzi
Père : Giovanni Grimaldi (décédé)
Frères et sœurs :
    Giovanni 12/02/53 (décédé)
    Ernesto 27/01/54 (décédé)
    Giampolo 31/03/57
    Luca 10/02/61
    Angela (épouse Buccio) 7/02/62
    Dante 17/05/64
Adresses :
    114 via Genova, Rome
    237 via Barberini, Rome
    Heilestrasse 49, Zuoz (Suisse)
Service militaire :
    Carabiniers 20/01/73
    SISMI 15/11/73 (démob. 12/04/86)
X-réf :
    L'Onda
    89MAPUTO 008041 — CÂBLE

Le topo qui accompagnait cette liste était moins abscons. On y expliquait que le ministère des Affaires étrangères s'était intéressé à Grimaldi le 5 janvier 1989, après réception d'un câble émanant de la CIA de Maputo, la capitale du Mozambique, et annonçant l'assassinat d'un « sujet sous contrôle, membre du bureau politique du Congrès national africain ». La police locale recherchait un ressortissant italien, un mercenaire débarqué à Maputo la veille au soir, en provenance de Johannesburg. Vu l'importance de l'agent mort pour les « intérêts américains » dans cette région du monde, la CIA suivait le dossier.

Après ce préambule, l'auteur du rapport reprenait l'histoire depuis le début. Rosarno, écrivait-il, était un petit port situé à l'extrémité de la botte italienne. Fils d'un pêcheur qui avait eu sept enfants, Grimaldi avait coupé les ponts avec sa famille. Seule sa sœur Angela, qui habitait Rome, gardait des liens avec lui.

En 1973, Grimaldi avait été appelé sous les drapeaux. Neuf mois plus tard, après avoir accompli ses obligations militaires, il intégrait immédiatement le service de renseignements de l'armée, le SISMI. Outre le contre-espionnage et la lutte contre le terrorisme, les attributions du SISMI, jusqu'à la réorganisation du service en 1993, comprenaient les activités de renseignements à l'extérieur du territoire, les opérations anti-Mafia et de surveillance.

Grimaldi fut affecté à l'Onda (« la Vague »), une unité paramilitaire d'élite, calquée sur le SAS britannique, dont le quartier général se trouvait à Milan. Les fonctions principales de cet organisme avaient trait au terrorisme national, mais, ainsi que le soulignait le rapport, ses actions dans ce domaine étaient « sujettes à caution ». En 1986, la réputation de l'Onda en tant qu'unité antiterroriste était gravement ternie par de retentissantes révélations sur le rôle qu'elle avait joué dans une série d'assassinats et d'attentats à la bombe, notamment dans des gares et des supermarchés. Ces attentats avaient fait cent deux victimes en huit ans. Attribués dans un premier temps à l'extrême gauche, ils étaient en réalité l'œuvre d'agents provocateurs infiltrés au sein de l'Onda. Ils s'incrivaient, disait-on, dans la « stratégie de la tension » élaborée par le SISMI et qui, si elle avait abouti, aurait amené les militaires au pouvoir. On murmurait que les motivations de l'Onda étaient plus simples et plus lamentables encore : après chaque acte de « terrorisme », les fonds du groupe (qui relevaient du secret-défense) s'étoffaient de façon considérable. L'Onda semblait donc s'octroyer périodiquement « une augmentation de budget ».

Quoi qu'il en soit, en 1986, on fit la lumière sur sa responsabilité dans les attentats terroristes qu'elle était censée combattre. Peu après, l'unité fut dissoute (ou rebaptisée selon le point de vue qu'on adoptait). Il s'ensuivit un scandale — on parla de corruption et d'alliances secrètes avec des organisations comme la Mafia sicilienne — qui se solda par la réorganisation du SISMI.

Trois photographies étaient fixées au rapport par un trombone. La première, celle de son livret militaire, montrait un séduisant jeune homme au regard noir et vif. Les deux autres, prises au téléobjectif, étaient floues. On y distinguait Grimaldi sortant d'une Land Rover devant un aéroport indéterminé, dans ce qui paraissait être un pays tropical, à en juger par les palmiers en arrière-plan. Grimaldi avait pris de l'âge et arborait cette expression dure que Lassiter lui avait vue à l'hôpital et sur les portraits de la police.

Ciao...

Il se remémora les commentaires de Jimmy Riordan sur l'extraordinaire condition physique de Grimaldi, malgré les cicatrices, les traces de coups et d'anciennes fractures. « Je le verrais bien militaire », avait dit l'inspecteur. En un sens, il avait raison.

Une note complétait le rapport ; en haut de la page, on avait écrit à la main : *Patrimoine.* Suivait la liste des propriétés immobilières de Grimaldi :

— un penthouse, via Barberini, dans le quartier chic de Parioli.

— un second appartement, à la même adresse, que Grimaldi prêtait à sa sœur Angela.

— un chalet à Zuoz (un village suisse proche de Saint-Moritz).

D'autre part, il était titulaire d'un compte à la banque Lavoro, crédité de vingt-six mille dollars en moyenne. On signalait qu'il avait vraisemblablement d'autres comptes en Suisse, notamment au Crédit suisse, mais on ne disposait sur ce point d'aucune information précise.

Il possédait deux voitures : une Jeep Cherokee, à Rome ; une Range Rover, à Zuoz. Il n'avait pas de carte de crédit, hormis celle qu'un grand magasin romain proposait à ses clients. A l'évidence, il payait ses sorties au restaurant, ses vêtements et autres achats courants en liquide.

Ce détail attira l'attention de Lassiter. A son arrivée aux Etats-Unis, Grimaldi — *alias* Juan Gutierrez — avait pris la peine de se procurer une carte Visa. C'était habile. Si, dans la vieille Europe, les espèces sonnantes et trébuchantes étaient encore prisées, outre-Atlantique on les considérait depuis longtemps d'un œil suspicieux : sortir une liasse de billets pour régler un billet d'avion ou une note d'hôtel ne passait pas inaperçu.

Lassiter s'adossa à son siège, pensif. Ce rapport conférait à Grimaldi une personnalité, une identité, mais il dessinait le profil d'un homme mystérieux. Plus ennuyeux, il était obsolète. Hormis

153

la référence au Mozambique, tous les renseignements qu'il contenait dataient d'avant 1986. Qu'avait fait Grimaldi durant ces dix dernières années, où était-il allé après Maputo ? Les adresses mentionnées dans le dossier étaient-elles toujours valables, avait-il déménagé ?

Lassiter froissa le Post-it. Il n'avait pas prévu de courir le lendemain, en tout cas pas à six heures du matin. Mais il serait au rendez-vous.

Great Falls.

Bien qu'il fît encore nuit, le ciel commençait à grisailler, lorsque Lassiter passa devant le guichet, à l'entrée du parc. Il avait l'habitude de venir ici deux ou trois fois par semaine, jamais cependant à une heure aussi matinale. Woody, en revanche, aimait arriver au bureau à huit heures, et comme s'il s'entraînait pour le marathon, il se levait bien avant l'aube. En général, il courait le long du Chesapeake and Ohio Canal, proche de sa maison de Georgetown. A l'occasion, toutefois, il montait en voiture jusqu'aux Great Falls pour profiter du paysage et du parcours de jogging, accidenté à souhait.

Joe se gara sur le parking. Au loin, on entendait le rugissement des chutes. Il gelait, mais Lassiter s'était habillé chaudement d'un vieux survêtement au col et aux manches râpés. Il se dirigea vers le panorama, observant le ciel qui, à l'est, se teintait de rose. Chemin faisant, il passa devant un poteau où des encoches superposées signalaient le niveau des eaux, lors des inondations survenues depuis le début du siècle — la hauteur de ces marques l'étonnait d'autant plus que le poteau était planté au sommet d'une butte, à vingt mètres au-dessus de la berge. Une plaque et une photographie commémoraient l'inondation de 1932, qui avait battu tous les records. Il réalisa soudain que, plus ou moins consciemment, il s'était promis de montrer ça à Brandon un jour. Quand il serait plus grand.

Parvenu à la plate-forme panoramique, il s'accouda à la balustrade pour contempler les chutes bouillonnantes. Le fracas était assourdissant, la vue extraordinaire. Les rochers, que l'eau battait et polissait depuis des millénaires, étaient si lisses qu'ils semblaient sur le point de se dissoudre.

Lassiter aperçut une lumière qui dansait entre les arbres.

154

Woody arrivait au pas de course, la tête ceinte d'un bandeau sur lequel était fixée une lampe qui lui donnait l'air d'un mineur en goguette.

— Salut, mon vieux, dit Woody.

Ils se serrèrent la main, et le chef du RNI se pencha en avant, pour étirer les muscles de ses mollets.

— Merci pour le rapport.

— Tu l'as brûlé ?

— Oui, j'ai suivi tes instructions.

— Parfait, rétorqua Woody en se redressant. Allons-y.

Côte à côte, ils traversèrent l'aire de pique-nique et mirent le cap sur une allée cavalière qui serpentait à travers bois.

— Le seul problème, dit Lassiter, c'est que...

— Je sais, il est obsolète.

Ils couraient sans effort, évitant les cailloux qui affleuraient çà et là, le long du sentier.

— Ton type est un tueur, reprit Woody.

— Ça, j'avais compris.

— Après son départ du SISMI, il s'est mis à son compte.

— Et il faisait quoi, au juste ?

— Un peu de tout, mais surtout la chasse aux Basques. Madrid le commanditait.

— Les Basques ?

— Les séparatistes. Il les pistait ; en Espagne, en France, n'importe où. On le payait au scalp.

— Mais comment s'y prenait-il ?

— Comme un chasseur de primes. Sauf que, parfois, il visait des cibles pépères... des gens qui jouissaient du droit d'asile, à Stockholm par exemple. Des avocats, des universitaires... Ensuite, en 1989, le voilà au Mozambique, pour le même genre de boulot. Il bute un certain Mtetwa, membre éminent de l'ANC. Un quasi-centenaire. Une vraie provocation. Ce que Grimaldi ignorait, c'est que Mtetwa travaillait pour nous. La CIA l'a très mal pris.

— Ne va pas si vite.

— Je me traîne.

— Tu galopes !

— D'où le petit rapport que je t'ai transmis, poursuivit Woody, imperturbable.

Lassiter, lui, soufflait comme un bœuf. Ils franchirent une passerelle, au pied d'une côte escarpée et, semblait-il, interminable. Il leur fallut deux bonnes minutes pour atteindre le sommet de la colline ; malgré le froid, Lassiter sentait la sueur dégouliner dans son dos. Il fit une halte, plié en deux, les poings sur les hanches.

— Pourquoi a-t-il quitté le SISMI ? demanda-t-il.

— Qui sait ? Des tas de gens ont quitté le SISMI.

— Comment ça se fait ?

— Les rats abandonnaient le navire. L'organisation était trop compromise, corrompue jusqu'à la moelle... tout le monde touchait. Allez, amène-toi, je me refroidis.

Ils se remirent à courir, et Woody continua son exposé.

— Ils avaient infiltré la Mafia, les francs-maçons, les communistes, les Brigades rouges... Ou peut-être que c'étaient ces gens-là qui avaient infiltré le SISMI. La question se posait, mais nous n'avions pas la réponse, et je crois qu'eux non plus ne le savaient pas. Chacun avait son carnet noir — des contacts dans les milieux de la politique, de la finance, de l'Eglise, etc.

Ils se turent à nouveau. Arrivés en haut d'un escarpement qui dominait le fleuve, ils aperçurent un kayakiste qui descendait vers les rapides, son petit canot jaune sous le bras. Le jour se levait.

Woody se tourna vers Lassiter.

— Le problème, c'est que tout ça n'a rien à voir avec ta sœur.

Joe hocha la tête.

— Donc il se peut que tu sois en cause.

— Que veux-tu dire ?

Courant sur place, Woody écarta les bras.

— Tu as passé des années à Bruxelles. Et ici, tu as ton agence. Tu ne te serais pas fait des ennemis ?

— Des ennemis ? répéta Lassiter avec un reniflement de mépris. Peut-être, mais pas à ce point.

— Tu en es sûr ?

— Oui. D'ailleurs, si quelqu'un voulait s'en prendre à moi, il se débrouillerait pour que je comprenne d'où vient le coup. Sinon... à quoi bon ?

Ils regardèrent le kayakiste mettre son embarcation à l'eau, puis s'éloignèrent.

— C'est tout ce que tu as me raconter sur Grimaldi ? demanda Lassiter.

— Plus ou moins... Après l'épisode du Mozambique, notre

homme s'évanouit dans la nature. Comme un vieux soldat à la retraite. Il se tient tranquille pendant quelques années... et puis il assassine ta sœur et ton neveu.

Ils longeaient un sentier en corniche au-dessus du Potomac. Le sol était raviné et truffé de racines qui menaçaient de les faire trébucher à tout instant.

— Et maintenant ? dit Woody.

Un arbre était tombé en travers du chemin. Les deux amis sautèrent l'obstacle sans ralentir l'allure.

— Je ne sais pas, répondit Lassiter. Je devrais peut-être voir un voyagiste, partir quelque part, me changer les idées.

— Excellent programme. Laisse les flics s'occuper de cette affaire.

— Hmm...

Ils continuèrent à courir et, bientôt, sortirent des bois.

— Alors, où as-tu envie d'aller ? demanda Woody.

Lassiter haussa les épaules.

— Je ne suis pas fixé. Je pensais à... l'Italie.

Woody ne se donna pas la peine d'argumenter ; ils se connaissaient trop bien.

— Fais gaffe où tu mets les pieds, dit-il.

Chapitre 16

Rome. Aéroport Leonardo da Vinci.

Joe Lassiter, confortablement installé dans son fauteuil, en classe affaires, feuilletait un *Time* aux pages cornées, en attendant que le Boeing 747 se vide. Les passagers aux yeux rougis par le décalage horaire s'agglutinaient dans le couloir de l'avion, pressés de rejoindre le terminal — où, bien sûr, ils recommenceraient à faire la queue. Quand le dernier d'entre eux, ployant sous un énorme sac à dos, eut disparu, Lassiter reposa son magazine et sortit à son tour.

Dans l'aéroport, il se dirigea vers un bar proche du point de livraison des bagages et commanda un café au lait qu'il régla en dollars. Ses compagnons de voyage s'étaient amassés autour du tapis roulant, telle une troupe de vautours exténués, scrutant les valises qui défilaient devant eux et se préparant à fondre sur leur proie. Dès qu'ils avaient récupéré leur bien, ils fonçaient vers la douane pour se glisser dans une nouvelle file d'attente.

Lassiter avait trop voyagé pour se précipiter ainsi. Il continua à siroter son café, même lorsque son sac apparut sur le tapis. Il le saisit au passage et, d'un pas tranquille, gagna le guichet de la douane.

La laideur de l'aéroport romain le surprendrait toujours. L'inventeur génial qu'était Leonardo se serait enthousiasmé pour les avions, mais l'artiste aurait sans nul doute frémi d'horreur devant ce décor sinistre et perpétuellement crasseux, peuplé de carabiniers à la mine morose, et où le chaos régnait en maître.

Aujourd'hui, l'aéroport grouillait de touristes venus des quatre coins du monde. L'entraîneur d'une équipe finlandaise de bowling, ses joueurs attroupés autour de lui, s'enguirlandait avec une Italienne impassible, qui trônait derrière un comptoir en plastique, sous un gigantesque point d'interrogation rouge. Un couple d'Indiens minuscules se faufilait dans la foule, traînant une valise — la plus énorme que Lassiter eût jamais vue — en plastique bleu ciel, maintenue par des tendeurs. Des femmes arabes étaient assises par terre au milieu d'une nuée d'enfants, leurs djellabas balayant le sol. Des hommes d'affaires italiens se hâtaient, des vacanciers impatients tourniquaient, tirant et poussant leur barda. Des contrôleurs passaient d'une file à l'autre et collaient de petites étiquettes sur les bagages à main. Des vigiles déambulaient par paires dans le hall, le fusil automatique en bandoulière. Le vacarme était étourdissant.

Lassiter réussit enfin à quitter le terminal. Le ciel était gris et brumeux, une fine bruine tombait. Il réussit à trouver un taxi et, après avoir négocié le prix de la course, s'installa sur la banquette arrière. Des lotissements déprimants et des zones industrielles s'étiraient le long de l'autoroute menant de l'aéroport à la capitale. L'Italie avait mieux à offrir, pensa-t-il.

De fait, l'Italie ne tarda pas à se montrer sous un meilleur jour. Son hôtel, le Hassler Medici, perché en haut de l'escalier de la Trinité-des-Monts, sur la piazza di Spagna, avait vue sur la via dei Condotti, le salon de thé Babington et le McDonald's local. Une fille et un garçon aux cheveux longs faisaient le pied de grue devant l'hôtel et tendaient des tracts aux passants. Lassiter en prit un, geste que les jeunes gens saluèrent d'un *grazie* !

Tandis qu'il s'inscrivait sur le registre, le réceptionniste en smoking le pria d'excuser la présence des pétitionnaires. Puis il expliqua pourquoi ils étaient là. Après des siècles de dégradations diverses, l'escalier était dans un tel état de délabrement qu'il avait fallu le restaurer à grands frais, faute de quoi il serait tombé en ruine. Malgré bien des vicissitudes, on avait mené la rénovation à bien et organisé une cérémonie d'inauguration. Mais, sitôt le ruban coupé et les photos publicitaires prises, on avait décidé de fermer l'escalier. Pour qu'il ne s'abîme pas davantage.

Cette idée mettait le réceptionniste au bord de l'apoplexie.

— Ils le réparent, et ensuite ils s'arrangent pour ne plus jamais avoir à recommencer ! Sous prétexte que c'est un monument historique ! clama-t-il avec un rire sarcastique. Ils oublient que c'est aussi un escalier et qu'il sert à quelque chose ! Aujourd'hui, il est accessible. Mais demain ? lança-t-il en battant l'air de ses mains. Je ne peux rien vous promettre !

Avec un large sourire, il tendit sa clé à Lassiter.

— Bienvenue dans la Ville éternelle, monsieur Lassiter.

La chambre était spacieuse, tranquille et luxueusement meublée. Joe s'étendit sur le lit. Après la fatigue du voyage, cette lumière grise qui filtrait à travers les rideaux achevait de l'engourdir.

Quand il se réveilla, il faisait sombre. Un moment, il se demanda s'il était six heures du matin ou du soir, puis se souvint : il avait atterri à midi, on était donc le soir.

Pour s'éclaircir les idées, il vida son sac, disposa son rasoir et sa brosse à dents sur la tablette du lavabo, dans la salle de bains dallée de marbre, puis passa sous la douche.

Revigoré, il enfila le peignoir moelleux fourni par l'hôtel, prit une bouteille d'eau dans le minibar et brancha son Compaq portable pour consulter le fichier sur Rome. Après quoi il composa le numéro du collaborateur de Judy, le garçon qui avait enquêté sur Grimaldi.

— *Pronto ?*

L'homme avait une voix chantante. En arrière-fond, on entendait le rire aigu d'un enfant.

— Je voudrais parler à M. Bepistr..., bafouilla Joe.

— Bepistraversi ! C'est moi. Vous êtes Joe Lassiter ?

— Oui.

— Judy m'a dit que vous téléphoneriez.

— Auriez-vous quelques instants à m'accorder ?

— Naturellement. Et, vous savez, tout le monde m'appelle Bepi.

— Je pourrais passer à votre bureau...

— *Un momento.*

Bepi posa la main sur le micro du combiné et hurla à la cantonade : *Per favore, ragazzo !* L'enfant se tut. Deux secondes après, il pouffait à nouveau de rire.

— Je crois, reprit Bepi d'une voix onctueuse, qu'il vaudrait mieux nous retrouver... par exemple à la Rosetta. Nous dînerons ensemble.

Il lui donna l'adresse du restaurant et l'itinéraire à suivre pour y parvenir, avant de conclure :

— Je nous réserve une table.

Quelques minutes plus tard, Lassiter sortait de l'hôtel. Il acheta le *Herald Tribune*, et s'arrêta dans une *pasticceria* voisine du kiosque à journaux pour boire un café. Les nouvelles du monde étaient mauvaises, mais le café si délicieux qu'il en commanda un deuxième. Sur la place, une fontaine gazouillait ; un vendeur ambulant africain, sa radio aux basses suramplifiées posée près de lui, alpaguait les passants et proposait de graver leur nom sur des grains de riz.

La trattoria la Rosetta se trouvait dans le Trastevere, un quartier jadis populaire, où les touristes comme les Romains aimaient à se promener. Lassiter y était venu l'été précédent avec Monica, alors que la cité suffoquait de chaleur. Ils avaient dîné à la terrasse d'une *osteria,* dans une ruelle où pétaradaient des hordes de Vespa. L'épisode lui avait laissé un souvenir mitigé, teinté de romantisme et assaisonné de vapeurs d'essence.

Mais à présent on était en hiver. Tables et chaises avaient disparu des trottoirs, les touristes et les amoureux se tenaient au chaud.

La Rosetta était une sympathique taverne, avec une cheminée où crépitait un feu de bois et des tresses d'ail pendues au plafond. Dès l'entrée de Lassiter, un jeune homme élégamment vêtu se précipita. Il avait de longs cheveux noirs, des yeux verts, un sourire plein d'espoir. N'eût été ce sourire, il aurait pu sortir tout droit d'une publicité pour Armani.

— Vous êtes Joe Lassiter, n'est-ce pas ?

— Oui.

— Tony Bepi.

Ils se serrèrent la main et s'installèrent à une table au fond de la salle, près de la porte des cuisines. La conversation, un rien empruntée, roula d'abord sur des sujets neutres, comme la pollution à Rome ou les cours respectifs du dollar et de la lire. Finalement, le serveur daigna leur apporter une carafe de vin, de la réserve du patron, et une bouteille de san gimignano. Quand il eut pris leur commande et se fut éloigné, Bepi se pencha vers Lassiter.

— Vous êtes fâché ? murmura-t-il.

— Pourquoi ?

— Une facture aussi salée... pour si peu d'informations !

— Quelle facture ?

— Grimaldi, répondit Bepi en opinant du bonnet d'un air entendu.

— Ah... Non, je ne suis pas fâché.

— Je comprendrais que vous le soyez.

— Franchement, je vous assure que je ne le suis pas, dit Lassiter en riant.

— Mais alors... ?

Bepi plissa le front ; il se demandait visiblement ce que Lassiter faisait là.

— J'ai discuté avec quelqu'un qui travaille pour le gouvernement. Selon lui, notre ami est un client plus que sérieux.

— Sérieux ? marmonna Bepi, de plus en plus perplexe.

— Dangereux. L'homme à qui j'ai parlé pense que le fait de vous être renseigné sur Grimaldi pourrait vous attirer des ennuis. Si vous n'avez pas été prudent...

Bepi balaya cette hypothèse d'un revers de main. Il offrit une Marlboro à Lassiter et, comme celui-ci refusait, demanda si la fumée le dérangeait. Lassiter secoua la tête et, avec un soupir de soulagement, l'Italien alluma une cigarette. Il aspira une bouffée et expédia un nuage de fumée vers la table voisine.

— J'ai été... comment dites-vous ? *Vigile*... Vigilant, voilà. Judy m'avait recommandé la prudence. Je suis passé par un certain service... ils ont cherché partout, et comme ils n'ont rien trouvé, j'ai compris que ce type était... sérieux, pour reprendre votre expression.

— Pourquoi ça ?

Nouveau moulinet du poignet, nouveau panache de fumée.

— Nous sommes italiens ! Nous possédons la plus formidable bureaucratie du monde ! Il y a dans ce pays cinq cent mille personnes qui n'ont qu'une ambition dans la vie : tamponner des formulaires et des documents. Ensuite, ils inscrivent votre nom sur une petite liste. Ça fait des millions de petites listes. Alors quand vous menez des recherches et que vous n'obtenez aucun renseignement... (Il haussa les épaules.) Vous connaissez Sherlock Holmes ?

— Oui, pourquoi ?

— Elémentaire, mon cher Watson ! dit Bepi avec un sourire ravi.

Le serveur arriva avec une demi-douzaine de plats en équilibre sur son bras. Il les posa un à un, comme s'il abattait ses cartes sur la table. Quand il eut tourné les talons, Bepi regarda Lassiter droit dans les yeux.

— Dites-moi une chose... C'est le SISMI ? La Mafia ? Les deux ?

Joe le dévisagea longuement, songeant qu'il avait sous-estimé ce jeune homme.

— Le SISMI.

Bepi hocha la tête.

— Vous avez donc été bien inspiré de vous montrer prudent, ajouta Lassiter.

— Et vous êtes ici à cause de lui ? De Grimaldi ? Ce n'est peut-être pas une très bonne idée, sauf si vous avez une raison majeure. Vous risquez de ne pas rentrer dans vos frais.

— Ne vous inquiétez pas de ça.

— Je peux vous poser une question ? dit Bepi après réflexion. Qui est le client ?

— Moi-même. Judy ne vous en a pas informé ?

— Vous connaissez Judy. Elle m'a prévenu que vous me contacteriez. Je devais rester près du téléphone. Mais elle ne m'a pas donné d'autres précisions.

— Eh bien... il se trouve que Grimaldi a... poignardé ma sœur en plein cœur. Ensuite il a égorgé son fils. Ils sont morts tous les deux.

Bepi eut un haut-le-corps.

— Oooh... Je suis vraiment désolé.

Il demeura un instant silencieux, détournant les yeux, puis regarda à nouveau Lassiter.

— Alors... ?

Il agita l'index, désignant tour à tour son interlocuteur et sa propre personne.

— J'ai besoin d'aide, dit Joe.

— *Si-iii ?*

La voix de l'Italien avait grimpé d'une octave, exprimant un subtil mélange de circonspection et d'espoir. Lassiter remplit leurs verres et but une gorgée de vin.

— J'ai deux adresses, et j'ai l'intention de m'y rendre pour voir si je peux glaner quelques informations sur Grimaldi. J'essaierai peut-être de rencontrer sa sœur. Il me faudra un interprète et un guide.

Bepi sirota pensivement son vin, puis se pencha vers Lassiter.

163

— Je vous aiderai.

— Vous êtes sûr de le vouloir ?

Bepi eut un geste fataliste.

— S'il s'agit d'une affaire personnelle entre vous et Grimaldi, je n'ai pas à m'inquiéter. L'Italie est un pays civilisé. Même dans la Mafia, les gens ne sont pas tous des désaxés. Et si je vous sers d'interprète... personne ne fera attention à moi.

Lassiter acquiesça, un peu mal à l'aise tout de même, puis les deux hommes se mirent en devoir de déguster leurs beignets de calmars accompagnés de légumes grillés.

Le lendemain matin de bonne heure, il prenait place dans la voiture de Bepi, une Golf qui, malgré son âge avancé, rutilait comme un sou neuf et démarrait au quart de tour. Un Lénine en plastique trônait sur le tableau de bord, là où d'autres Italiens auraient installé un Jésus, et un petit ballon de football, accroché au rétroviseur, se balançait gaiement. D'une pichenette, Bepi enfonça une cassette dans le lecteur de l'autoradio. La musique de Verdi déferla.

Ils se mirent en route et, dans les minutes qui suivirent, réussirent à éviter plusieurs collisions fatales. Bepi aboyait des insultes à l'adresse des autres conducteurs et s'excitait sur son klaxon qui cornait pitoyablement, sans réussir à se faire entendre dans le tintamarre de la circulation.

Lassiter montra à son cicérone les trois adresses dont il disposait : celle du passeport de Grimaldi, ainsi que celles fournies par Woody. Bepi fronça les sourcils.

— Ce sont deux univers différents. Par lequel voulez-vous commencer ?

— Celui du passeport, le plus récent.

Ils prirent la direction du Testaccio, un quartier populaire au bas de la colline de l'Aventin, et arrivèrent en vue d'un immeuble de six étages à la façade décrépie ; du linge pendait aux fenêtres, unique touche de gaieté dans cette grisaille. Une vieille femme squelettique promenait un balai de bruyère dans l'allée et parlait toute seule.

— Non, ça ne peut pas être ici, dit Lassiter.

— Pourquoi ? rétorqua Bepi qui vérifia à nouveau l'adresse.

— Parce qu'il conduit une Range Rover. Il a un chalet en Suisse.

— C'est pourtant bien là. Numéro 114.

— Non, il y a erreur.

— Je vais demander à la vieille dame.

Bepi descendit de la voiture et s'approcha de la femme, les mains jointes et la tête inclinée dans une expression de supplication.

— *Scusi, bella...*

Une minute plus tard, Bepi se rasseyait au volant.

— On ne l'a pas vu depuis près de deux mois, mais le loyer est payé. Nous n'avons qu'à monter et jeter un coup d'œil.

L'immeuble n'avait pas d'ascenseur et, naturellement, l'appartement de Grimaldi était au dernier étage, près d'une cage d'escalier obscure où flottaient des relents de pourriture. Ils s'immobilisèrent devant la porte.

— Je n'aime pas ça, murmura Lassiter.

— Quoi donc ?

— Ça... Je l'ai fait une fois à Bruxelles, et les choses n'ont pas bien tourné.

— Ah bon ?

— Oui. Je regrette de n'avoir pas de revolver.

— Qu'à cela ne tienne, dit Bepi en ouvrant sa veste pour montrer un Beretta, dans un holster fixé à sa ceinture. Vous n'avez qu'à prendre le mien.

— Non, je ne suis pas un adepte des armes à feu.

Bepi haussa les épaules et escamota le Beretta. Lassiter frappa à la porte — timidement, ne sachant trop ce qui les attendait. Comme il n'obtenait pas de réponse, il toqua à nouveau — plus fort, cette fois. Toujours pas de réponse.

Il s'écarta pour laisser Bepi ouvrir la porte à l'aide de sa carte Visa.

— Je persiste à penser que nous ne sommes pas au bon endroit, chuchota-t-il quand le pêne glissa avec un léger déclic.

Ils pénétrèrent dans une pièce d'une propreté méticuleuse, aussi dépouillée qu'une cellule monacale. Le vieux plancher de pin luisait, comme si on l'avait frotté à la paille de fer. Sur les murs nus, un simple crucifix en bois, de facture ancienne, dont les bras soutenaient un rameau d'olivier desséché. Pas de gravures ni d'objets décoratifs. Quant au mobilier, il était des plus

165

rudimentaires : un lit étroit à sommier métallique, une armoire bancale, un bureau grisâtre et une chaise à dossier droit ; dans un coin, un lavabo sous un miroir fendillé. L'unique fenêtre donnait sur une cour jonchée de détritus, et la pièce n'était éclairée que par une suspension équipée d'une ampoule de quarante watts.

— Regardez, dit Bepi, montrant le bureau. Notre homme lit. Ou peut-être qu'il se contente de prier, rectifia-t-il.

Il y avait trois ouvrages empilés les uns sur les autres. Une bible qui, à force d'être manipulée, s'ouvrait toute seule à la première page de l'Apocalypse. Elle était posée sur un livre de prières en latin et sur une brochure intitulée : *Crociata Diecima.*

Lassiter examina ce dernier ouvrage de plus près. La couverture s'ornait d'un cartouche ovale dans lequel était représentée une colline stylisée et surmontée d'une grande croix. Cette croix projetait une longue ombre noire qui servait de fond à une inscription en lettres dorées : *Umbra Domini.*

— Que signifie le titre ? demanda Lassiter.

— La Dixième Croisade.

— Mais encore ?

— Je ne sais pas, je ne suis pas superstitieux.

— Vous voulez dire que vous n'êtes pas porté sur la religion, je suppose.

— Héé ! hurla soudain une voix.

Les deux hommes se retournèrent d'un bond, s'attendant à voir surgir des policiers ou des personnages infiniment moins recommandables. Mais ils ne virent qu'un vieillard qui se rua dans la pièce, les menaçant du doigt comme s'ils étaient des gamins.

— *Vietato !* cria-t-il. *Vietato ! Vergogna !*

Il arracha la brochure des mains de Lassiter, la jeta sur le bureau et, d'un index vengeur qu'il agitait comme un métronome, leur désigna la porte.

Les deux coupables s'empressèrent de déguerpir.

— Qu'est-ce qu'il a dit ? demanda Lassiter en dévalant l'escalier.

— Que nous sommes des vauriens et que nous devrions avoir honte.

L'incident les avait perturbés, mais quand ils atteignirent la rue, ils étaient hilares.

166

— Il nous a bel et bien fichus à la porte, gloussa Lassiter en s'engouffrant dans la voiture.

Bepi démarra.

— Regardez, il nous a suivis ! Je crois qu'il relève mon numéro d'immatriculation.

Lassiter se retourna et aperçut le vieil homme qui les surveillait, planté dans l'allée. Bepi passa le bras à la portière pour le saluer et appuya sur l'accélérateur.

— Et maintenant, où va-t-on ?

Lassiter sortit un bout de papier de sa poche et le tendit à Bepi.

— Via Barberini.

Cette fois, l'immeuble — situé au nord de la villa Borghèse, dans l'un des plus élégants quartiers de Rome — était franchement luxueux, avec sa façade de marbre ivoire, ses baies vitrées et ses ornements de cuivre. Ils trouvèrent le gardien dans le hall, en train de disposer des fougères en pot près d'une petite fontaine pour en humidifier le feuillage. Lassiter n'eut pas besoin de s'approcher pour deviner que la vasque était peuplée de cyprins dorés.

Tout d'abord, le concierge déclara ne pas se souvenir de Grimaldi, mais une poignée de lires lui rafraîchit bientôt la mémoire. Le vieux bonhomme empocha l'argent avec un grand sourire et expliqua à Bepi que, malgré les années, il n'avait pas oublié le signor Grimaldi — ni sa sœur. Il cligna de l'œil, ajoutant que Grimaldi ne s'embêtait pas, dans la vie.

— C'est-à-dire ? demanda Lassiter.

Bepi répéta la question au gardien, puis traduisit :

— L'argent et les femmes. Il sortait beaucoup.

— *Si, si !* s'esclaffa le bonhomme. *Giacomo Bondi !*

— Il dit qu'il ressemblait à...

— James Bond, j'ai compris.

Le concierge leur décrivit l'existence fabuleuse du personnage, jusqu'à ce que... Bang ! Il leva les bras au ciel, mimant une explosion. Du jour au lendemain, le signor Grimaldi avait complètement changé. Plus de femmes, plus de fêtes, plus de pourboires ! Il avait vendu sa voiture et ses deux appartements ! Il s'était débarrassé des meubles, des tableaux... *tutto, tutto.* Il ne voulait rien garder. D'ailleurs, le gardien avait lui aussi profité de ses largesses. Grimaldi lui avait donné une veste en très beau cuir —

167

si fino, suave, précisa-t-il en caressant amoureusement sa manche. Pour finir, il poussa un soupir et leva les yeux au ciel d'un air consterné.

— Quand cela s'est-il passé ? demanda Lassiter à Bepi qui traduisit.

— Il y a cinq ans.

— Et depuis ?

— *Niente*, répondit le bonhomme avec un haussement d'épaules.

— Il connaît la nouvelle adresse de la sœur ? Posez-lui la question.

Le concierge marmonna un chapelet de *si-si-si* et leur fit signe de le suivre dans son bureau. Sur une étagère, il prit un registre dont il tourna les pages une à une. Quand il eut enfin trouvé les noms qu'il cherchait, il tendit le livre à Bepi et Lassiter.

Grimaldi — 114 via Genova, Roma.
Buccio — 1062 Ave. Cristoforo Colombo, Roma.

Il souligna les adresses d'un coup d'ongle et fit une grimace de désapprobation.

— Pas bien, dit-il.

Leur voiture était garée sur le trottoir, à l'italienne, en haut de la rue. Une jolie fille la surveillait pour eux, campée sur le seuil d'un magasin de fruits et légumes, prête à intervenir si un agent s'approchait.

— *Grazie !* lui lança Bepi avec son sourire le plus enjôleur.

Une femme à la mine sévère, propriétaire de la boutique de fleurs voisine, se précipita dehors et se mit à les invectiver. Bepi poussa un couinement aigu et fit mine de s'enfuir, rentrant les fesses comme si elle le pourchassait avec un martinet. La fille éclata de rire, la fleuriste elle-même ne put réprimer un sourire. Bepi ferma la main, comme pour dire « Pouce ! », et entra dans la boutique. Il en ressortit avec un petit poinsettia au pot enveloppé de papier crépon rouge.

— Pour la sœur, dit-il. Une fleur, ça ouvre presque toutes les portes.

Bepi prit tout son temps pour disposer la plante à l'arrière de la Golf, sur le plancher qu'il recouvrit de journaux et de sacs en plastique, afin de ne pas salir son carrosse.

Il leur fallut près de quarante-cinq minutes pour atteindre les faubourgs de Rome. Enfin, Bepi gara sa voiture devant un building aux murs couverts de graffitis, qui se dressait tel un monstre gris dans un paysage désolé. Aucun arbre ne poussait alentour, pas le moindre brin d'herbe ; partout on ne voyait que béton et poussière.

Bepi appuya sur un bouton de l'interphone et débita son laïus avec conviction. Un instant plus tard, ils entendirent un bourdonnement discordant, et la porte s'ouvrit.

— Que lui avez-vous raconté ? s'étonna Lassiter.

— La vérité : que nous voulions lui parler de son frère Franco. Elle m'a paru très excitée. Elle m'a demandé si nous avions des nouvelles de lui. J'ai répondu que oui, dans un sens nous en avions.

Bepi, tenant le poinsettia devant lui comme un bouclier, se dirigea vers l'ascenseur. La cabine empestait l'urine.

Angela, la sœur de Grimaldi, était âgée d'une trentaine d'années. Vêtue d'une tenue de jogging rose, une grosse chaîne en or autour du cou, elle avait l'air hagard. Bepi lui offrit le poinsettia, ce dont elle le remercia avec effusion. Suivit un dialogue animé, Angela insistant pour servir de la *limonata* à ses visiteurs, lesquels finirent par s'incliner.

L'opération prit un certain temps et les deux hommes en profitèrent pour étudier discrètement le décor. Un désordre indescriptible régnait dans le salon ; à l'évidence, la maîtresse des lieux laissait les choses aller à vau-l'eau. Un petit sapin de Noël en plastique était installé dans un coin, des photos d'enfants dans des cadres dorés s'alignaient sur les murs. Des jouets, des vêtements, des revues et des assiettes sales s'empilaient un peu partout. D'une pièce voisine leur parvenait la musiquette débilitante d'une console Nintendo.

Angela leur apporta enfin les boissons sur un plateau en bois doré et les pria de s'installer dans l'alcôve encombrée qui faisait office de salle à manger. Elle se posa sur un siège, prit une pose avantageuse et se mit à tripoter sa chaîne en or.

En guise de préambule, Bepi lui dit quelques mots qui amenèrent sur les lèvres de la jeune femme un pâle sourire. Nerveuse, elle entortilla une mèche de ses cheveux noirs autour de son

169

index. Bepi enchaîna ; il parlait à toute vitesse. Lassiter capta le mot *fratello*.

Alors Angela tressaillit et répondit avec passion, soulignant ses propos de grands gestes. L'amertume vibrait dans sa voix, mais Bepi, quand il traduisit, se contenta de dire :

— Elle veut savoir ce que son grand frère lui réserve encore. Il lui a enlevé son bel appartement. Est-ce qu'il veut aussi celui-là ?

— Je ne comprends pas. Qu'est-ce qu'elle raconte ?

La femme soupira, le visage crispé dans une expression de rancœur. Elle se frappa la poitrine.

— Son frère a détruit son existence, dit Bepi.

Nouveau dialogue en italien.

— Franco était très généreux, reprit Bepi. Il lui avait acheté un appartement dans le quartier de Parioli — là où nous étions tout à l'heure. Et puis, il y a cinq ans, il a eu... euh, une expérience religieuse.

— Une quoi ?

— Il est devenu mystique. Il a récupéré le logement et la voiture d'Angela, il les a vendus et il a offert l'argent aux bonnes œuvres. Il a aussi vendu son propre appartement et sa propre voiture. Il a tout donné à une confrérie religieuse, en disant qu'il voulait vivre comme un moine et que tout le monde devrait suivre son exemple. Ensuite... plus rien. Il a loué une chambre dans un quartier sordide. Elle s'est disputée avec son mari qui l'a quittée, et elle s'est retrouvée à la rue. Et maintenant elle est là. Avec les *bambini*.

La voix d'Angela grimpait dans l'aigu.

— Ce sale bigot lui a gâché sa vie, traduisit Bepi. Il aurait mieux fait de la tuer.

Bepi reprit son souffle et tendit un mouchoir à Angela.

Lassiter demeura silencieux. La sœur de Grimaldi disait manifestement la vérité, du moins ce qu'elle pensait être la vérité. Mais, à l'évidence, son frère lui avait menti. Les moines n'égorgeaient pas les enfants dans leur lit et, quand ils avaient fait vœu de pauvreté, ils ne se baladaient pas avec vingt mille dollars cachés dans le double fond d'un sac de voyage. Lassiter garda cependant son opinion pour lui.

— J'aimerais savoir si son frère était en relation avec ma sœur. Elle s'appelle... elle s'appelait Kathy Lassiter.

170

Bepi posa la question — Lassiter comprit qu'il parlait des *Stati Uniti* —, mais Angela écarquilla les yeux d'un air surpris et secoua résolument la tête.

— Dites-lui que « le bigot » a assassiné ma sœur et son petit garçon, insista Lassiter. Et qu'il est recherché pour meurtre.

La discussion qui suivit fut ponctuée d'exclamations et de dénégations. *Non è possibile*, répétait Angela. *Fantastico.* Pour finir elle joignit les mains et leva les yeux au ciel, comme une madone.

— Elle reconnaît qu'autrefois Franco était un homme très dur — très, très dur — mais ce que vous racontez... non, c'est impossible.

— Pourquoi ?

— Parce qu'il est quasiment prêtre. Il a prononcé des vœux de chasteté, de pauvreté. Il... euh... (Bepi fit le geste d'ouvrir des guillemets) il a purifié son âme. Il vit dans un autre monde. Il n'aime plus sa pauvre sœur. Il ne s'occupe plus de ses neveux et de ses nièces. Il dit que Dieu veillera sur eux. Bien sûr, elle ne veut pas critiquer l'Eglise... Elle pense que vous vous trompez.

Angela continuait de parler avec emphase, au bord des larmes.

— Il ne peut pas avoir tué quelqu'un, traduisit Bepi. Ce n'est pas possible, parce qu'il irait brûler en enfer. Elle dit que son frère — je cite — est un foutu saint et qu'il se... je ne connais pas le mot juste... qu'il se frappe quand il a des pensées impures.

— Il se flagelle.

— Oui, c'est ça. Il se flagelle pour des petits péchés de rien du tout. Alors un péché mortel... non, c'est tout à fait impossible.

Il n'y avait rien à ajouter. Angela jeta un coup d'œil à sa montre et se leva, signifiant ainsi que l'entretien était terminé. Il y eut un nouvel échange de remerciements — pour le poinsettia et la *limonata* — après quoi Bepi et Lassiter quittèrent l'immeuble.

— Qu'en pensez-vous ? demanda Bepi, alors qu'ils rejoignaient la voiture.

En fait, Lassiter songeait au bordereau découvert dans le passeport de Grimaldi.

— Je m'interroge : pourquoi un individu qui a fait vœu de pauvreté posséderait-il un compte en Suisse ?

Chapitre 17

Bepi et Lassiter se quittèrent devant le Hassler.

Dans la voiture, ils étaient convenus que Bepi — tout en restant discret — explorerait quelques pistes et appellerait notamment les membres de la famille de Grimaldi cités dans le rapport du ministère des Affaires étrangères. Peut-être avaient-ils renoué contact avec leur frère.

Quant à Lassiter, il comptait s'envoler pour la Suisse le lendemain matin, s'il parvenait à se procurer un billet.

— Vous ne voulez quand même pas vous renseigner sur le compte bancaire de Grimaldi ? dit Bepi, choqué. Parce que vous savez, en Suisse...

— Non, je n'y vais pas pour ça, répondit Joe qui n'était pas tout à fait sincère. Mais Grimaldi possédait une maison à Zuoz.

— Ah oui, marmonna distraitement Bepi, fasciné par la jolie pétitionnaire qui collectait des signatures pour l'escalier de la Trinité-des-Monts. Près de Saint-Moritz, je me souviens.

La fille s'était approchée et, pendue au bras de Bepi, lui parlait d'une voix cajoleuse. L'Italien se laissa entraîner vers le jeune homme qui faisait signer la pétition. Il se retourna et, haussant une épaule, adressa à Lassiter un sourire d'excuse.

Le vol ne durait qu'une heure, mais il fallut à Joe autant de temps pour trouver une chambre. Tous les grands hôtels de Zurich étaient complets. Il opta finalement pour le Florida, un vieil hôtel agréable, quoique modeste, tout près de la Limmat. Il y était descendu une fois, à l'époque où Lassiter Associates s'oc-

172

cupait d'un litige entre le Syndicat de la métallurgie et une fonderie d'aluminium de Virginie-Occidentale appartenant à un milliardaire suisse.

La chambre qu'on lui attribua ressemblait en tout point à celle dont il avait gardé le souvenir : étonnamment vaste, elle n'avait qu'une seule fenêtre donnant sur le Zurichsee. Les vitres étaient tellement embuées qu'on distinguait à peine le lac.

Il n'aurait su dire au juste pourquoi, mais Zurich était l'une de ses villes préférées. Tout en pierre grise, austère et chargée d'histoire, elle sommeillait au bord d'un lac mélancolique, que venaient grossir les torrents glacés des Alpes.

Il rangea son sac dans la penderie, puis quitta l'hôtel pour flâner sur le quai. Le ciel livide laissait échapper une neige fine et duveteuse. Il prit la direction de la vieille ville, observant tout en marchant un couple de cygnes qui glissait sur le sombre miroir de la rivière. A se promener dans ce quartier, on pouvait croire que les Zurichois tiraient l'essentiel de leur richesse du commerce des gravures, des livres et des instruments de musique anciens, des plantes médicinales.

Il traversa le pont Münster pour s'engager dans les étroites rues pavées de la vieille ville, où se pressaient les boutiques de luxe. Il espérait que cette balade lui remonterait le moral, mais elle ne fit qu'accentuer la sensation de froid qui le tenaillait. Ces magasins somptueux n'avaient plus aucun attrait à ses yeux : il ne désirait rien et n'avait personne à qui offrir des cadeaux.

Il tourna dans la Bahnhofstrasse, passa devant des vitrines de Noël brillamment illuminées et se retrouva devant un immeuble, celui qu'inconsciemment il cherchait depuis le début de sa promenade : la succursale du Crédit suisse qui, quatre mois auparavant, avait envoyé un bordereau à Franco Grimaldi.

Il ne savait pas pourquoi il avait ressenti le besoin de voir ce bâtiment : après tout, ce n'était qu'une banque parmi tant d'autres. Pourtant, alors qu'immobile dans cette rue obscure, il contemplait les portes que Grimaldi avait franchies, il sentit l'espoir renaître en lui. Ce lieu, comme la chambre monacale de la via Genova, faisait partie de l'univers du tueur — et Lassiter avait l'impression de se rapprocher de sa proie.

Le soir, il dîna dans la salle à manger de l'hôtel. Après un repas qui manquait cruellement d'inspiration, il demanda au

173

concierge quel était le moyen le plus rapide de se rendre à Zuoz. Son interlocuteur lui déconseilla la voiture.

— Vous irez plus vite par le train. Je me charge des réservations, monsieur.

Les Suisses étaient réputés pour leur discrétion, cependant le concierge, sans doute grisé par le généreux pourboire de Lassiter, se crut obligé de poursuivre la conversation.

— Zuoz est une très belle ville. Vous y allez pour faire du ski ?

— Eh bien... oui, dit Lassiter.

— Ce n'est pas la meilleure période de l'année, il n'y a pas beaucoup de neige, mais le glacier de Pontresina mérite le détour.

Lassiter le remercia et remonta dans sa chambre. Il se servit un scotch, décrocha le téléphone et composa le numéro de Max Lang.

Max était le président de la Confédération internationale des employés de services bancaires et financiers, une organisation professionnelle basée à Genève, qui comptait plus de deux millions trois cent mille membres disséminés dans le monde entier, jusqu'en Norvège, en Inde et aux Etats-Unis. Max passait le plus clair de son temps, ainsi qu'il le disait lui-même, « à dormir dans des avions, courir d'un aéroport à l'autre, et d'une conférence à l'autre ».

Pour l'affaire du Syndicat de la métallurgie, toutefois, on n'avait pas demandé à Max de faire un speech, mais de mettre un terme à un conflit impliquant quinze cents travailleurs de Revenswood, dont les ateliers étaient lock-outés. L'agence Lassiter Associates avait été engagée par le syndicat pour enquêter sur la direction. Or la piste avait mené les enquêteurs, à leur grande surprise, de Virginie-Occidentale, où était située l'entreprise, jusqu'en Suisse. On avait ensuite découvert que la fonderie appartenait en réalité à un industriel suisse — un play-boy marqué à droite dont le plaisir favori était de faire échec aux syndicats.

L'organisation de Lang (qui représentait des employés de banque, des caissiers, des comptables, des agents d'assurances, etc.) n'avait a priori aucun rapport avec les ouvriers de la métallurgie. Mais, « à titre confraternel », son président était intervenu auprès des banquiers du milliardaire (et là, Max, qui évoluait en terrain connu, disposait d'arguments frappants). Ces banquiers n'avaient pas tardé à se persuader que la guerre contre les syndicats n'allait pas vraiment dans le sens de leurs intérêts à long terme.

Ils s'étaient donc arrangés pour débloquer la situation. Les ouvriers de Virginie-Occidentale avaient retrouvé leur emploi, et Max Lang était devenu un héros syndical.

— Max... c'est Joe Lassiter.

— Joe ! Quelle bonne surprise !

— Comment allez-vous ?

— Fort bien. Vous avez une autre affaire pour moi ? Comme celle de Ravenswood ?

— Non.

— Dommage. On l'a eu jusqu'au trognon, pas vrai ?

— Oui.

— J'aime bien y repenser le soir, quand je m'endors. On l'a bien eu.

— Oui, Max.

— Il ne l'avait pas volé !

— Exactement.

— *Okay... so fuck him !*

Lassiter éclata de rire : il avait oublié que Max adorait imiter Al Pacino dans *Scarface*.

— Ah, c'était le bon temps ! s'esclaffa Max. La grande époque ! Quand les histoires se finissaient bien.

— Certes...

— Et à part ça ?

— J'ai besoin d'un service, Max.

— A votre disposition.

— Ce n'est pas une broutille, vous pouvez refuser.

— Demandez quand même, grommela Max.

— Je préfère ne pas en discuter par téléphone.

— D'accord.

— Vous utilisez toujours le même matériel ?

— Jusqu'à ce qu'on me propose quelque chose de mieux.

— Même clé qu'avant ?

— Absolument.

— Je vais vous envoyer du courrier.

— Entendu.

— Parfait. Ensuite... nous pourrions nous voir à Genève.

175

— *Wunderbar !*

— Peut-être dans deux ou trois jours. Je vous préviendrai à l'avance.

— Très bien.

— Je vous le répète, si ça vous pose un quelconque problème de conscience... C'est important pour moi, mais...

— Vous m'envoyez ce courrier, oui ou non ?

— Je vous l'envoie.

— Alors, allez-y !

Quand il eut raccroché, Lassiter brancha son ordinateur portable, créa un dossier *Grimaldi* et rédigea une courte lettre :

> Max
> Je pousse loin le bouchon... mais il me faudrait l'historique d'un compte bancaire au Crédit suisse de Zurich, succursale de la Bahnhofstrasse. Je me suis dit qu'un de vos adhérents pourrait peut-être m'arranger ça (!). Le titulaire du compte est un certain Franco Grimaldi, un Italien. Numéro du compte : Q6784-319. Je m'intéresse surtout à un virement effectué en juin, d'un montant de cinquante mille dollars. Je voudrais savoir qui lui a envoyé cet argent.
>
> Joe.

Lassiter sauvegarda le dossier, puis passa sur *n-cipher,* un programme de cryptage réputé inviolable. Il valait d'ailleurs mieux qu'il le fût.

Le service qu'il demandait à Max Lang n'était pas seulement un délit grave. C'était un véritable crime, une atteinte contre la raison d'être de la Suisse : en l'occurrence le secret bancaire. Pour Max, le simple fait d'envisager la possibilité de commettre un acte pareil risquait de lui coûter son emploi.

L'opération ne présentait pas de difficultés particulières. Il cliqua sur la fonction « Crypter » et sélectionna le dossier *Grimaldi*. Une zone de dialogue s'afficha sur l'écran. Il fit défiler une longue liste jusqu'à ce qu'apparaisse : maxlang@ibbcfsw. org.ch. L'ordinateur se mit au travail. Il s'agissait de protéger Max et d'éviter que des personnes malintentionnées ne tombent sur cette lettre. En principe, cela ne se produirait pas. Une fois décrypté, le texte pourrait être lu sur un écran, mais il serait impossible de le copier.

Ces précautions prises, il envoya le courrier. La réponse l'attendrait à son arrivée à Genève. Ou peut-être pas. Max avait le droit de refuser.

Le lendemain matin, tout en buvant son café, Lassiter appela Riordan à Washington.

— Vous n'auriez pas dû vous donner la peine de téléphoner, dit l'inspecteur. Vous me demandez où on en est et si on a du nouveau ?

Il émit un reniflement agacé.

— Je n'ai rien du tout. Zéro pointé. Je n'ai qu'une seule chose à vous annoncer : on a retrouvé la voiture de l'infirmière dans un fossé, au nord de Hagerstown.

— Et Grimaldi ?

— Evaporé. C'est le terme qu'emploient les journalistes, alors je l'emploie aussi. Ce type s'est évaporé, d'accord ? Et c'est une foutue catastrophe. Un agent de police s'est fait buter dans l'exercice de ses fonctions — le deuxième en une semaine. Deux enterrements pour Noël. Deux ! Je vous laisse imaginer la situation : une gentille veuve d'un côté, une gentille veuve de l'autre, et des orphelins au milieu. Et nous, on cherche quoi ? Un assassin avec une tronche de porc auquel on aurait raclé la couenne !

Il renifla à nouveau.

— Et personne ne l'a vu, figurez-vous. Personne ne l'a remarqué.

Riordan s'interrompit pour reprendre son souffle.

— Et vous ? Vous n'auriez pas un petit tuyau à me refiler, pour que je passe une bonne journée ? Au fait, où êtes-vous ?

— En Suisse.

— Ah...

— J'arrive de Rome.

— Sans blague... Et qu'est-ce que vous avez découvert, à Rome ?

— J'ai découvert... que Grimaldi a eu une sorte de révélation et qu'il a embrassé la religion. Il a liquidé tous ses biens et donné l'argent à des œuvres charitables.

— Vous vous fichez de moi.

— Pas du tout.

Il y eut un silence à l'autre bout du fil.

— Il a embrassé la religion ? Mon cul, oui.

Zuoz était une ravissante petite ville du XVIe siècle, construite à flanc de montagne. Des maisons cossues — aux façades crème, ocre ou gris pâle, et aux magnifiques portes de bois massif — se pressaient le long de ses ruelles. Sur les trottoirs que mouillait une pluie fine, des passants extrêmement élégants se hâtaient.

Même avec une carte détaillée, il fallut à Lassiter un certain temps pour trouver l'adresse qu'il cherchait et qui, pourtant, ne paraissait pas très éloignée du centre. Malgré son plan et la taille modeste de la cité, il s'égara et dut demander son chemin à deux reprises, avec les quelques mots d'allemand qu'il connaissait. *Ist das der richtig Weg zu Ramistrasse ?*

— Oui, vous êtes dans la bonne direction.

Il traversa une petite place agrémentée d'une austère fontaine parfaitement carrée — très différente des fontaines romaines. Elle avait pour seul ornement une statue d'ours fièrement dressé et amputé d'une patte, l'emblème d'une grande famille suisse.

Enfin il arriva devant un chalet de deux étages ; près d'une porte plusieurs fois centenaire était fixée une plaque de cuivre sur laquelle on pouvait lire :

Gunther Egloff, Direktor
Salve Caelo
Services des Catholiques Nord
Gemeinde Pius VI

Lassiter frappa et attendit patiemment. Au bout d'un moment, une voix se fit entendre.

— *Was ist ?*

Lassiter déclina son identité et, presque aussitôt, un homme d'âge mûr ouvrit la porte. Vêtu d'un gilet en cachemire sous lequel se devinait un ventre discrètement rebondi, des chaussons en agneau aux pieds, il était l'incarnation même de la prospérité. Dans une main il tenait des lunettes de lecture, dans l'autre un verre à pied plein d'un vin couleur rubis. Du fond de la maison s'échappaient une odeur de feu de bois et les échos d'une musique d'opéra.

178

— *Bitte ?*

Lassiter hésita. Son histoire semblait aberrante, totalement déplacée dans cette atmosphère de confort bourgeois. La mort, le feu, l'horreur...

— Puis-je vous aider, monsieur ? insista l'homme.

— Je cherche le propriétaire de cette maison. M. Grimaldi.

Une fugitive expression de surprise passa sur le visage du Suisse, puis il esquissa un sourire et ouvrit plus grand la porte.

— Je vous en prie, entrez donc. Vous devez avoir froid.

Lassiter le remercia ; quand il fut dans le vestibule, il se présenta à nouveau.

— Et moi, je suis Gunther Egloff, dit l'homme en le précédant dans un immense salon. Prendrez-vous un verre de vin ?

— Très volontiers, merci.

Egloff baissa le son de la chaîne stéréo et s'approcha de l'imposante cheminée de pierre pour tisonner les braises.

— Je crains que vous ne commettiez une erreur. M. Grimaldi n'est plus propriétaire de cette maison depuis des années.

— Vraiment ?

— Oui. Puis-je vous demander si vous êtes américain ? Canadien peut-être ?

— Américain.

— Permettez-moi une question... Est-ce la maison qui vous intéresse ou M. Grimaldi ?

— Grimaldi.

— Je vois...

Egloff remplit un verre de vin et le tendit à Lassiter.

— Je suis un enquêteur, dit celui-ci.

— Un enquêteur ! répéta Egloff, haussant les sourcils d'un air amusé.

L'attention de Lassiter fut soudain attirée par la carte topographique d'un territoire montagneux, sans frontières apparentes. Egloff, qui avait capté son regard, se tourna vers le mur du fond.

— Reconnaissez-vous cette région ?

— Je dirais... la Géorgie peut-être ?

— Non, la Bosnie. Nous avons beaucoup travaillé là-bas, avec les réfugiés.

— Nous ?

— Salve Caelo.

— Excusez-moi, je ne...

— Il s'agit d'une association caritative. Nous sommes très actifs dans les Balkans.

— Ah, fit Lassiter qui songeait au passeport de Grimaldi, à ses nombreux séjours à Zagreb et à Belgrade.

— Que savez-vous de la Bosnie, monsieur Lassiter ?

— Je crois que la situation y est très complexe.

— Mais pas du tout, elle est très simple au contraire. Et je peux vous l'expliquer en deux mots.

— Vraiment ? rétorqua Lassiter avec un sourire.

Egloff hocha la tête.

— *Impérialisme islamique*, voilà. Ce que nous observons en Bosnie n'est rien d'autre qu'un mélanome politique, le début d'une terrible catastrophe. Les Infidèles ont pris pied en Europe. Hmm ? Qu'en pensez-vous ?

Ce qu'il en pensait ? Il était assourdi par le signal d'alarme qui résonnait dans son cerveau. Mélanome politique ? Impérialisme islamique ? Les Infidèles ? Et cet homme dirigeait une œuvre charitable ?

— J'en pense que deux mots ne vous suffisent pas pour m'expliquer la situation.

— Touché ! fit Egloff en riant. Vous avez raison. Mais à présent dites-moi : sur quoi enquêtez-vous — ici, dans notre bonne ville de Zuoz ?

— J'enquête sur un meurtre. Des meurtres.

— Oh ! Décidément, monsieur Lassiter, vous êtes très surprenant.

— Une femme et son fils ont été assassinés.

— Je vois. Et Herr Grimaldi ?

— C'est lui qui les a tués.

— Ah...

Egloff s'assit, croisa les jambes et but une gorgée de vin.

— Vous devez faire erreur, monsieur Lassiter.

— Non.

— Eh bien... si vous en êtes sûr. Mais qu'espérez-vous donc apprendre ?

— Je voudrais comprendre pourquoi il a fait ça.

Egloff clappa de la langue, soupira.

— Et vous avez entrepris ce long voyage depuis l'Amérique pour visiter son ancienne maison ?

— J'arrive de Rome.

— Ah... eh bien, je vous le répète, il n'est plus propriétaire de ce chalet depuis plusieurs années.

— L'avez-vous rencontré, à l'époque ?

— Oui.

Egloff but une autre gorgée de vin.

— Et quelle impression vous a-t-il fait ?

A cet instant, une sorte de grincement s'éleva d'un petit appareil posé sur la table basse, que Lassiter n'avait pas encore remarqué. Il se souvint que Kathy en possédait un du même genre, qu'elle gardait à portée de main lorsque Brandon dormait — afin de l'entendre s'il pleurait.

— Mon épouse, dit Egloff. Elle est malade.

— J'en suis désolé...

— Accordez-moi une minute. Pourquoi ne pas vous servir un autre verre ? dit Egloff, montrant la desserte.

Sitôt que son hôte eut quitté la pièce, Lassiter se leva pour étudier de plus près les aquarelles accrochées aux murs. Le peintre avait repris des thèmes religieux en les situant dans le monde moderne, et le résultat était saisissant. Ainsi, une Annonciation montrait une fille en chemise de nuit imprimée, agenouillée près de son lit, tandis qu'un ange musclé surgissait d'un poste de télévision. La Cène se déroulait dans un décor de cafétéria. Un homme marchait, sac au dos, sur une route embouteillée ; tombant du ciel comme une cascade, une lumière ruisselait sur sa tête : Saül sur le chemin de Damas.

Egloff ne tarda pas à reparaître, ses chaussons en agneau glissant sans bruit sur le parquet.

— Ces aquarelles sont extraordinaires, dit Lassiter.

— Merci. C'est ma femme qui les a peintes. Pour en revenir à votre M. Grimaldi..., poursuivit Egloff en se rasseyant dans son fauteuil, lorsque j'ai visité cette maison, j'ai été horrifié. Il y avait du cuir et du chrome partout. Du cuir noir ! Vous imaginez... dans un chalet comme celui-ci ? Mais ensuite j'ai rencontré le propriétaire et... j'ai été surpris. C'était un homme paisible, modestement vêtu. Un gentleman.

— Avez-vous obtenu un bon prix ?

— Oui, répondit Egloff après une hésitation. Un bon prix — le juste prix.

— Vous a-t-il expliqué pourquoi il souhaitait vendre ?

— Il m'a semblé qu'il avait des difficultés financières.

181

— Vraiment ? J'ai pourtant cru comprendre qu'il avait donné son argent à des œuvres charitables.

— Ah ? Et qui vous a raconté cela ?

— Sa sœur.

— Je vois, dit Egloff qui, pour la première fois depuis le début de leur entretien, parut quelque peu désarçonné.

— Peut-être que votre organisation... il s'agit bien d'une association caritative, n'est-ce pas ?

Brusquement, Egloff frappa dans ses mains et se leva.

— Je regrette d'interrompre cette passionnante discussion, dit-il avec un sourire, mais le travail m'attend.

Prenant Lassiter par le bras, il l'escorta jusqu'au vestibule. Les deux hommes se serrèrent la main.

— Vous pourriez me laisser votre carte, dit Egloff. S'il me venait une idée susceptible de vous aider...

— Volontiers, rétorqua Lassiter en lui tendant une carte.

Egloff y jeta un bref coup d'œil.

— Et où peut-on vous joindre durant votre séjour en Suisse, monsieur Lassiter ?

— Au Beau Rivage, à Genève.

— Parfait. Et ensuite ?

— Je rentrerai à Washington, dit Lassiter.

Il avait répondu spontanément, pourtant il réalisa aussitôt que c'était un mensonge : il n'avait aucune intention de retourner aux Etats-Unis.

Egloff lui sourit, lui serra à nouveau la main, puis Lassiter sortit dans le froid. Il serra frileusement le col de son manteau autour de son cou.

Egloff agita la main.

— *Ciao !*

La porte se referma, et Lassiter demeura immobile sur les marches du perron, mémorisant l'inscription gravée sur la plaque de cuivre. *Salve Caelo. Services des Catholiques Nord. Gemeinde Pius VI.*

Comme il se détournait, il lui sembla capter l'éclat d'un regard filtrant par le judas de la porte. On aurait dit l'œil d'un faucon ou d'un hibou.

Sans doute son imagination lui jouait-elle des tours. Ce n'était qu'une porte et, s'il y avait bien un oiseau de proie qui le guettait, ce ne pouvait être qu'Egloff.

Il avait prévu de se rendre à Genève le soir même. Il avait d'ailleurs son billet en poche — le concierge de Zurich avait bien fait les choses. Il alla donc jusqu'à Chur, où il devait changer de train.

Il descendit sur le quai glacial, vérifia l'horaire de sa correspondance pour Genève, et examina quelques-unes des cartes, d'une remarquable clarté, que les Chemins de fer suisses mettaient à la disposition des voyageurs. Brusquement, il modifia ses plans. Après tout, il n'était pas pressé d'arriver à Genève, et il avait des choses à faire ici même, à Chur. Il sortit de la gare et loua une chambre pour la nuit dans un petit hôtel, de l'autre côté de la rue.

Son entretien avec Egloff l'avait troublé. L'homme ne lui avait pas posé la moindre question sur l'assassinat de sa sœur. C'était étrange : Lassiter savait d'expérience qu'une histoire de meurtre éveillait invariablement chez les gens une curiosité malsaine. En revanche, Egloff l'avait interrogé sur ses projets et lui avait demandé dans quel hôtel il était descendu.

Son malaise avait cependant d'autres causes. Sa rencontre avec Egloff avait été placée sous le signe des coïncidences, or les coïncidences le rendaient nerveux.

Certes, peut-être faisait-il une montagne d'une taupinière. Egloff s'occupait d'associations caritatives — comme Grimaldi, du moins en tant que donateur. L'une des organisations d'Egloff était intervenue dans les Balkans — comme Grimaldi, à en croire son passeport. Que pouvait-on en conclure ? De nombreuses personnes donnaient de l'argent aux bonnes œuvres, et de nombreuses associations caritatives s'intéressaient à la Bosnie. Ça ne prouvait rien.

En réalité, c'était surtout la maison — ce superbe chalet suisse — qui l'intriguait.

D'après Angela, son frère s'en était débarrassé comme de tous ses autres biens terrestres. Egloff, quant à lui, prétendait que Grimaldi la lui avait vendue. « Un bon prix — le juste prix », avait-il précisé. L'un des deux mentait : Angela ou Egloff. Et demain, Lassiter en aurait le cœur net.

Voilà pourquoi il avait décidé de passer la nuit à Chur, cheflieu du canton.

Le lendemain matin, il se rendit au Handelsregister, pour

consulter le cadastre. Il expliqua qu'il s'intéressait à une propriété située dans la petite ville de Zuoz. L'employé s'inclina et s'empressa de lui apporter un vieux registre relié en maroquin, de la taille d'un atlas, où étaient consignées dans l'ordre chronologique les transactions immobilières effectuées à Zuoz depuis 1917.

Les gratte-papier qui avaient successivement tenu ce registre possédaient tous la même écriture soignée, parfaitement lisible, et utilisaient tous la même encre bleue.

Lassiter tourna les pages une à une. Il trouva enfin ce qu'il cherchait : *49, Heilestrasse.*

La maison avait été cédée à Salve Caelo en 1991, pour un franc suisse. La signature des contractants figurait sur le registre : *Franco Grimaldi (Ital.) et Gunther Egloff.* Songeur, Lassiter suivit du bout du doigt le paraphe de Grimaldi. Un franc suisse. « Le juste prix. »

Pourquoi Egloff avait-il menti ?

L'Express du Glacier fonçait à travers un paysage de carte postale. Il finit par s'immobiliser dans un grand soupir en gare de Genève. Lassiter, qui avait une demi-heure devant lui, en profita pour chercher un hôtel autre que le Beau Rivage. Puis il alla à pied jusqu'au restaurant la Perle. Max l'y attendait, assis à une table d'où l'on avait une vue superbe sur le lac.

La nature avait voulu que Max ressemblât à ces trolls dont Kathy faisait collection quand elle était enfant. Il en avait le visage rond et creusé de fossettes, la silhouette courtaude, les cheveux roux et duveteux. Il n'aurait pas détonné dans l'atelier du père Noël, au milieu des lutins qui fabriquaient les jouets.

Un large sourire aux lèvres, Max serra la main de Lassiter dans les siennes. Quand il se rassit, Joe ne put s'empêcher de se demander si les pieds de son ami touchaient le sol. Probablement pas.

Pour un homme de si petite taille, il avait un appétit de gargantua et engloutit en un clin d'œil deux parts de carpaccio.

— Il paraît que j'ai le métabolisme d'un oiseau-mouche, dit-il.

— Vous volez sur place en bourdonnant ?

La bouche pleine, Max pouffa de rire.

— Oui, c'est exactement ça. Je fais du surplace. Vous savez, nous vivons les années fastes du capitalisme. Les affaires sont en pleine expansion. On devrait engager de plus en plus d'employés, de plus en plus de caissiers — mais non ! On a installé des billetteries là où, voici deux ans, on ne connaissait même pas le téléphone. On trouve ces maudites machines dans l'archipel des Célèbes, à Phnom Penh — là où, voici deux ans, il n'y avait même pas l'ombre d'une banque ! Bientôt tous les caissiers seront au chômage. Je serai au chômage ! Et alors, je vous le demande, qui aura de l'argent à déposer sur un compte bancaire ? Les banquiers aussi mettront la clé sous la porte. Et ce sera la fin des haricots. Je vous le dis, Joe, les distributeurs automatiques sont les maîtres du monde ! Quelle tragédie...

Le serveur changea les assiettes, puis avec une gestuelle compliquée, flamba le tournedos de Max. Celui-ci se mit à farfouiller dans son attaché-case et en tira une mince enveloppe qu'il posa devant Lassiter.

Sur l'enveloppe rouge vif, on avait appliqué des lettres-transferts blanches de manière à former une croix rappelant celle du drapeau suisse.

Sûreté
DISCRÉTION
Vous ne risquez rien avec
Un compte
En Suisse

Max éclata de rire, enchanté de sa plaisanterie.

Lassiter attendit d'avoir regagné sa chambre d'hôtel pour ouvrir l'enveloppe. L'historique du compte était imprimé sur du papier listing et annoté de la main de Max.

Durant une douzaine d'années, les retraits avaient été peu fréquents et correspondaient vraisemblablement à l'achat des appartements romains, du chalet de Zuoz, et des voitures. Au printemps 1991, toutefois, le schéma se modifiait. Au mois d'avril, en l'espace de quelques jours, la Banco di Lazio de Rome avait effectué plusieurs virements sur le compte de Grimaldi. Max indiquait qu'il s'agissait de transactions immobilières — probablement la vente des appartements. Grimaldi disposait alors de deux millions de francs suisses.

Deux jours plus tard, cependant, il tirait une série de chèques qui ne lui laissaient en tout et pour tout que mille francs suisses. Les trois premiers chèques étaient modiques : dix mille francs suisses à l'ordre de l'Association pour la restauration du toit de la chapelle Sainte-Cécile ; cinq mille francs suisses à l'ANC et cinq mille francs suisses au Fonds Euzkadi pour l'éducation.

Mais le quatrième, à l'ordre d'*Umbra Domini S.A. (Napoli)*, s'élevait à un million huit cent quararante-deux mille trois cents francs suisses.

Lassiter lut et relut le document, pour essayer de comprendre. Grimaldi avait versé de l'argent à l'ANC et au mouvement séparatiste basque, dont il avait traqué et éliminé des membres éminents ; il avait en quelque sorte payé le prix du sang. Quant à l'Association pour la restauration du toit de la chapelle Sainte-Cécile, il ne fallait sans doute pas y voir autre chose qu'une œuvre charitable, ainsi que le laissait supposer la raison sociale.

Restait le gros morceau, le chèque de près de deux millions de dollars.

Lassiter fronça les sourcils. Il gardait un très vague souvenir des cours de latin mortellement ennuyeux qu'on leur dispensait en classe de quatrième, à St. Alban. Mais il comprenait cependant le sens de l'expression *Umbra Domini* : l'Ombre du Seigneur. Et il se rappelait où il avait vu ces mots : sur la brochure découverte dans la chambre de Grimaldi, via Genova.

Chapitre 18

Lassiter s'étira et, s'approchant de la fenêtre qui donnait sur le lac Léman, contempla le halo des réverbères dans le brouillard. Au loin, un bateau qui semblait se mouvoir dans une gangue de lumière fendait lentement les eaux. Sur la rive française, une corne de brume poussa son cri rauque et plaintif. C'est beau, songea machinalement Joe. Mais, à la vérité, cette beauté le laissait de marbre.

Ce qui le touchait, ce qui l'excitait, c'était le rapport sur le compte bancaire de Grimaldi. Là, il se trouvait en terrain connu. Les rentrées et les sorties d'argent, si on les décortiquait minutieusement, avaient toujours des secrets à révéler.

Reprenant le document, il constata qu'à partir de 1992, Salve Caelo — l'association « caritative » d'Egloff — avait effectué des virements mensuels de mille dollars sur le compte de Grimaldi, et ce durant une année. Fin 1993, Grimaldi ne disposait plus que de mille francs suisses. Max avait noté en marge : *dépôt minimum.*

Ensuite le compte était resté en sommeil jusqu'au 4 août 1995 — la date figurant sur le bordereau de virement découvert dans le passeport, à Chicago. Ce jour-là, Grimaldi avait reçu cinquante mille dollars, versés par la succursale napolitaine de la Banco di Parma. Max précisait de son écriture bien nette : *Compte d'Umbra Domini.* Une semaine plus tard, le 11 août, Grimaldi retirait cette somme en liquide.

Les quelque vingt mille dollars cachés dans le double fond du sac de voyage de Grimaldi provenaient donc vraisemblablement

187

d'Umbra Domini. On pouvait en conclure que Grimaldi avait été payé pour accomplir un travail précis. Mais lequel ?

Et que penser des paiements réguliers dont il avait bénéficié de 1992 à 1993 ? Lassiter reprit la liste des visas figurant sur le passeport et constata que ces versements mensuels coïncidaient avec les voyages de Grimaldi en Serbie, Croatie et Bosnie. Peut-être travaillait-il à l'époque pour Salve Caelo — mais que faisait-il au juste ? Grimaldi n'avait jamais donné dans l'humanitaire, loin de là ; et Egloff, en ce qui concernait les problèmes de cette région du monde, ne se distinguait pas par son esprit de tolérance. *Un mélanome politique*, disait-il.

Les yeux fixés sur les lumières feutrées qui bordaient le lac, Lassiter composa le numéro de Bepi à Rome. Il laissa sonner un long moment et était sur le point de raccrocher, quand des bruits confus et un rire de femme résonnèrent à son oreille. Bepi bataillait avec le téléphone.

— *Pronto ?* bredouilla-t-il.

— Bepi ? Ici Joe Lassiter.

L'Italien s'éclaircit la voix.

— Joe ! Comment allez-vous ?

Lassiter s'excusa d'appeler à cette heure indue, mais il avait besoin d'un service. Bepi pouvait-il se renseigner sur une organisation religieuse connue sous le nom d'Umbra Domini — ainsi que sur l'association caritative Salve Caelo ?

— Pas de problème.

— Surtout, soyez discret. Je ne veux pas faire de vagues.

— *Si, si* — *discreto.*

— Parfait. Vous vous en occupez tout de suite ?

— Eh bien... il vous faut un rapport écrit ?

— Non.

— D'accord. Je vais vous organiser une rencontre avec Gianni, il est incollable sur la religion. Il vous dira tout ce que vous voulez savoir. Pas de problème.

— Je serai à Rome demain, nous n'avons qu'à déjeuner ensemble.

— Ça marche.

Ils étaient convenus de se retrouver sur la terrasse d'un café de la via Veneto, non loin de l'ambassade américaine. Malgré le vent frisquet, on pouvait manger dehors sans sentir le froid, grâce aux lampadaires chauffants disposés entre les tables. Lorsque Lassiter arriva, Bepi l'attendait déjà en compagnie de Gianni Massina, un journaliste du magazine *Attenzione*, chargé des questions religieuses.

Massina ressemblait de façon frappante à Johnny Carson, le célèbre présentateur de talk-show, à ceci près qu'il semblait plus expansif et gesticulait volontiers. Lorsque Lassiter, surpris, lui en fit la remarque, il éclata d'un rire tonitruant.

— Oui, l'autre Gianni ! On m'a souvent dit que je lui ressemblais. J'aimerais bien posséder le dixième de sa fortune.

— Vous n'êtes pas le seul.

— Même si son obsession du mariage finira par le ruiner...

Massina secoua la tête d'un air accablé, soupira.

— Les Américains n'ont jamais maîtrisé l'art subtil de l'amour. Voilà tout leur drame. Je ne parle pas pour vous, évidemment, je ne vous connais pas. Mais l'Amérique reste puritaine. Vous avez la loi et le divorce. Nous avons le péché et l'aventure.

Massina étouffa un rire, satisfait de son petit discours, puis reprit son sérieux.

— Excusez-moi... je plaisante, or si j'ai bien compris ce que m'a raconté Bepi... il s'agit d'une affaire grave.

L'arrivée du serveur l'interrompit. Tous trois commandèrent un espresso.

— Bien..., dit Massina. Je crois que vous vous intéressez à Umbra Domini.

— En effet, répondit Lassiter.

Massina se pencha vers lui.

— Dans ce cas, je vous conseille la prudence.

Il fronça les sourcils, cherchant ses mots.

— Nous avons affaire à l'un de ces mouvements religieux traditionalistes qui fleurissent un peu partout. Vous avez les mêmes aux Etats-Unis, me semble-t-il. Ils affirment que la foi de nos ancêtres est la seule qui vaille. Ils considèrent que si l'on renoue avec les anciens rites, les valeurs d'autrefois renaîtront.

— Ils se gourent, marmonna Bepi.

— Aux Etats-Unis, bien sûr, ces groupes sont essentiellement protestants. Et, pour la plupart, ils fondent de nouvelles Eglises.

189

Ici, au contraire, ils demeurent au sein de l'Eglise et créent des... comment dites-vous ? *Associazioni...* des sortes de confréries.

— Comme les dominicains, par exemple ?

— Non, pas du tout. Dans les groupes comme Umbra Domini, les religieux sont en minorité. Ils s'apparentent plutôt à... je ne sais pas...

Massina échangea quelques mots en italien avec Bepi, puis haussa les épaules.

— Peut-être le Hamas... Oui, c'est ça ! Je dirais plutôt qu'ils s'apparentent aux groupes fondamentalistes islamiques. Ce sont des intégristes catholiques. Purs et durs. Une sorte de front du refus.

— Mais en quoi croient-ils ?

— Ils prônent l'ancienne liturgie. Le rite établi par le concile de Trente...

— La messe en latin, précisa Bepi.

— Autrefois, le prêtre célébrait l'office en tournant le dos aux fidèles. Depuis Vatican II, il leur fait face et dit la messe en langue vernaculaire.

— C'est très important ? demanda Lassiter.

— Crucial. C'est quasiment une question de vie ou de mort.

— Ou plus exactement, intervint Bepi d'un ton ironique, de vie après la mort...

Massina salua ce trait d'esprit d'un petit rire appréciateur.

— Vous parliez de « front du refus », reprit Lassiter. Mais que refusent-ils ?

— Vatican II, répondirent en chœur les deux Italiens.

Lassiter repoussa sa tasse de café.

— Excusez-moi, je vais poser une question stupide : qu'est-ce que Vatican II, au juste ? Ça me rappelle la théorie de la relativité : tout le monde prétend la connaître, mais...

— Ce fut un événement capital, dit Bepi.

— Un coup de tonnerre, renchérit Massina, qui faillit bien faire éclater l'Eglise. Pour expliquer les choses sans trop entrer dans les détails, les évêques du monde entier se réunirent en concile pour moderniser — d'aucuns diraient pour libéraliser — l'Eglise. Les traditionalistes étant opposés à la plupart des réformes, ils constituèrent leurs propres associations, comme Umbra Domini, la Légion du Christ, ou la Fraternité fondée en France par Mgr Lefebvre.

Bepi lança un regard à Lassiter.

— Vous paraissez un peu perdu.

— Peut-être faut-il être catholique pour comprendre.

— Je ne crois pas, dit Massina. Le refus du changement s'observe partout. Or Vatican II a opéré des changements radicaux dans la plus grande Eglise du monde. Peut-être trop de changements d'un seul coup — même si la plupart d'entre eux s'imposaient et ce depuis longtemps. Il n'a pas simplement réformé la liturgie. Il témoignait d'un nouvel état d'esprit, surtout en ce qui concernait la notion d'œcuménisme — à savoir que les autres religions sont aussi dans la lumière de Dieu. C'était un véritable bouleversement pour des croyants qui, quelques siècles auparavant, faisaient la guerre aux Infidèles et condamnaient les protestants au bûcher.

— Certains de ces traditionalistes sont fous, marmonna Bepi.

— Ils sont en colère, dit Massina. Et ils manquent de... mesure. Ils prétendent que le pape est l'Antéchrist, que le démon occupe le trône de saint Pierre, que la messe actuelle est... une messe noire.

Lassiter esquissa un sourire sarcastique.

— Ne riez pas ! s'exclama Massina. C'est très sérieux, je vous assure !

— Et Umbra Domini, dans tout ça ?

Massina soupira.

— Ceux-là... ils ont la palme. Au début, je pensais que l'excommunication leur pendait au nez. Mais non. Ils se sont calmés, ils ont appris la discrétion. Et, depuis l'élection de Jean-Paul II, ils ont beaucoup moins d'ennuis. On a trouvé des compromis, des arrangements. Maintenant ils sont autorisés à dire la messe en latin, les hommes et les femmes font leurs dévotions séparément, ils ont leurs propres écoles...

— Le Vatican ne veut pas d'un schisme, dit Bepi.

— Et il est préférable pour eux de rester au sein de l'Eglise. Malgré tout, la presse les surnomme « le Hezbollah catholique ».

— La presse ? s'esclaffa Bepi.

Massina fit la moue.

— D'accord, admit-il en riant. C'est moi qui les appelle ainsi ! N'empêche que ma formule a du succès. Que signifie ce mot « Hezbollah » ? Le parti de Dieu. Or, justement, Umbra Domini est un groupe religieux radical qui a des ambitions politiques. Regardez...

Massina fouilla dans son cartable d'écolier et en extirpa une brochure.

— J'ai apporté ça pour vous. *Crociata Diecima.*

Lassiter reconnut évidemment le livret découvert dans la chambre de Grimaldi, via Genova.

— Umbra en a distribué des milliers d'exemplaires, voici quatre ou cinq ans, expliqua Massina. Afin de recruter des combattants pour la Dixième Croisade.

— C'est-à-dire ?

— La prochaine croisade, la première depuis sept cents ans. Contre l'islam, bien sûr. Pour eux, la Bosnie est une tête de pont, par conséquent ils lancent un appel aux armes. Et c'est là qu'intervient Salve Caelo, piloté par Umbra.

— L'association caritative, dit Lassiter.

Massina ricana, balaya l'air de la main.

— Leur action n'a pas grand-chose de charitable, croyez-moi. Ils prétendaient diriger un « camp de réfugiés » près de Bihac. Quelle sinistre farce ! C'était bel et bien un camp de concentration et un centre d'entraînement pour les commandos — qui, bien entendu, traquaient les Musulmans. Vous voyez l'astuce ? Ils chassaient les gens de chez eux, ensuite ils les enfermaient dans des camps de réfugiés. Ils ont d'abord œuvré pour le compte des Serbes, puis des Croates. En s'en prenant toujours aux Musulmans.

— Voilà donc ce que Grimaldi faisait en Bosnie, dit Lassiter. Il s'occupait de bonnes œuvres.

Maintenant il savait quel lien unissait Egloff et Grimaldi.

— C'est ce qu'on appelle « le catholicisme musclé », railla Bepi.

— Ce texte est très significatif, poursuivit Massina, montrant la brochure. Les membres d'Umbra ne sont manifestement pas convaincus que, comme l'affirme Vatican II, les musulmans soient aussi des enfants de Dieu.

— Ont-ils d'autres activités ?

— Ils publient des livres, des opuscules, des vidéos, des cassettes. Sur le contrôle des naissances, les francs-maçons, l'avortement, l'homosexualité — selon eux, les homosexuels devraient être marqués.

192

— Tatoués, corrigea Bepi.

— Eh bien..., marmonna Lassiter. Ils ont beaucoup d'adeptes ?

— Oh, environ cinquante mille, peut-être plus. Ils sont nombreux en Italie, en Espagne, en Argentine — beaucoup moins aux Etats-Unis. Je crois même qu'ils sont implantés au Japon. Les Bleus et les Blancs.

Lassiter haussa les sourcils.

— Umbra Domini comporte deux groupes. Les Blancs, qui sont très rigoristes. Chaque matin à l'aube ils se rendent à l'église, chaque jour ils donnent de l'argent. Les femmes se couvrent la tête et portent des vêtements qui dissimulent leurs formes. Quant aux Bleus... ceux-là quittent le monde.

— Que voulez-vous dire ?

— Ils vivent comme des moines. Seuls les hommes peuvent faire partie des Bleus. Ils prononcent des vœux de pauvreté, de chasteté...

— Personnellement, persifla Bepi, je ne suis pas tenté par la religion.

— ... et ils se flagellent.

— Ils se frappent avec un fouet ?

Massina haussa les épaules.

— C'est une vieille tradition. Autrefois la flagellation était une forme de pénitence.

— Parle-lui du chemin de croix, dit Bepi.

— Qu'est-ce que c'est que ça ?

— Un autre genre de pénitence. Le dimanche, les Bleus vont communier à genoux. Ils parcourent ainsi une certaine distance, comme le Christ quand il monta au Calvaire en portant sa croix. Ce doit être pénible. Il leur faut avancer sur des cailloux, gravir des marches de pierre...

Lassiter se remémora soudain les paroles de Riordan.

— Un carreleur.

— Pardon ? fit Bepi.

— Le policier qui s'occupe de l'affaire à Washington pensait que Grimaldi était carreleur de son métier — parce qu'on ne comprenait pas pourquoi il avait les genoux aussi calleux.

— Eh bien, si c'est un Bleu, ça s'explique...

— Qui dirige le mouvement, à propos ? Un évêque ?

Massina esquissa un sourire.

193

— Un simple prêtre, entre guillemets. L'homme s'appelle della Torre.

— Un simple prêtre, tu parles ! ricana Bepi. C'est comme si on traitait...

— J'ajoute que le personnage est assez charismatique.

— ... les Beatles d'orchestre d'amateurs, acheva Bepi.

— Il est donc charismatique, poursuivit Massina, et encore jeune. Moins de quarante ans. Dominicain, évidemment, comme le fondateur d'Umbra.

— Pourquoi est-ce si évident ?

— Les dominicains sont les grands champions de l'orthodoxie. Les frères prêcheurs, les inquisiteurs. Il faut admettre que della Torre est un remarquable orateur. Son église est toujours bondée, les gens s'agglutinent même dans les rues environnantes. Quand il passe, les fidèles lui baisent les pieds et l'ourlet de sa soutane. C'est quelque chose.

— Et où prêche-t-il ?

— A Naples, à San Eufemio, une église minuscule et très ancienne qui date, si je ne m'abuse, du VIIe siècle. On se croirait dans un théâtre. Ils ont dépensé une fortune pour l'éclairage. On m'a raconté qu'ils avaient engagé un professionnel de Londres qui règle les éclairages des concerts de rock. En tout cas, le résultat est... gothique. Quand della Torre monte en chaire, il surgit de l'ombre, grâce à un jeu de lumières extrêmement habile ; on a l'impression de voir apparaître un flambeau. Puis il se met à parler de sa voix douce, vibrante, et vous êtes conquis. Vous voulez être sauvé, vous aussi.

— Vous êtes donc allé l'entendre ? demanda Lassiter.

— Une fois, répondit Massina. Ça m'a affolé. J'ai été à deux doigts de lui baiser la main.

— Pensez-vous qu'il accepterait de me recevoir ?

Massina hésita.

— Si vous vous faisiez passer pour un journaliste... sans doute. Il est là pour répandre la bonne parole.

— Il faudrait que je prépare un article sur...

— Les nouvelles voies du catholicisme, dit Bepi d'un ton pontifiant.

Massina haussa les épaules.

— Pourquoi pas ? Ça pourrait marcher.

— J'espère qu'il ne parle pas seulement l'italien.

— Della Torre est polyglotte. Il a étudié à Heidelberg, Tokyo et Boston. Pour un simple prêtre, il a reçu une éducation des plus poussées.

Bepi se pencha vers son ami.

— Joe ne va pas se mettre en danger ?

— N'exagérons pas, répondit Massina en riant. Della Torre est quand même un homme d'Eglise. Mais prenez garde, ajouta-t-il en se tournant vers Lassiter, il pourrait bien essayer de vous convertir.

Naples. Il avait réservé une chambre dans un hôtel du bord de mer, appelé un taxi et demandé au chauffeur de l'arrêter à quelques centaines de mètres du siège d'Umbra Domini. Il fit le reste du trajet à pied. Sans se presser.

Depuis son arrivée dans cette ville, il nourrissait des doutes sur la plausibilité du prétexte imaginé pour rencontrer della Torre. Certes, il avait fait imprimer des cartes de visite au nom de John C. Delaney, producteur de CNN basé à Washington, toutefois il n'était pas impossible que della Torre attendît sa visite. Lassiter s'était présenté aux diverses adresses romaines de Grimaldi, il s'était entretenu avec sa sœur et avait réussi à se procurer ses relevés de compte bancaire.

Pis, il avait craché le morceau à Gunther Egloff. Se pouvait-il que le Suisse eût effacé Lassiter de sa mémoire sitôt la porte du chalet refermée ? Cela paraissait peu vraisemblable. Bien qu'Egloff l'eût interrogé de manière anodine, il ne lui avait pas moins demandé sa carte de visite, sa prochaine destination et le nom de l'hôtel où il comptait descendre (à cette dernière question, Lassiter avait d'ailleurs répondu par un mensonge). Après quoi, il l'avait regardé partir, l'œil collé au judas.

Il n'agissait pas ainsi par hasard. Car il faisait partie d'une chaîne aux maillons solidaires les uns des autres. Ainsi Grimaldi était lié à Umbra Domini. Umbra Domini à Salve Caelo. Salve Caelo à Egloff. Et Egloff à Grimaldi.

Ce pourrait être ennuyeux, se dit Lassiter. Sinon pire, s'avoua-t-il.

Il avait atteint une villa de style néo-classique, dont la porte de bois, abritée sous un porche, ouvrait sur une petite cour au centre de laquelle les gargouilles d'une fontaine crachaient de minces filets d'eau.

Si l'extérieur de la villa paraissait quelque peu vétuste, l'intérieur était ultra-moderne. La lumière crue des néons, le bourdonnement des fax, des téléphones cellulaires et des ordinateurs saturaient l'atmosphère.

Une femme vêtue d'une robe à manches longues jeta un coup d'œil à la carte de Lassiter et lui indiqua le bureau du responsable des relations publiques, où l'on accueillait les journalistes.

Il s'y rendit et attendit une dizaine de minutes. Sur les rayonnages s'étalaient des profusions de livres et de brochures portant le logo d'Umbra : un cartouche ovale sur fond pourpre, une colline stylisée, une croix projetant une ombre sur laquelle les mots *Umbra Domini* étaient inscrits en lettres d'or. Les ouvrages étaient publiés en plusieurs langues, dont l'anglais.

Lassiter n'eut pas le loisir de les examiner de plus près. Un jeune homme au sourire courtois et aux cheveux coupés à la dernière mode surgit d'une pièce voisine.

— Dante Villa, dit-il en tendant la main.

— Jack Delaney. Je travaille pour CNN.

— Avez-vous une carte ?

— Bien sûr, répondit Lassiter qui fouilla dans la poche intérieure de sa veste.

— En quoi puis-je vous aider, monsieur Delaney ?

— Eh bien... nous envisageons de tourner un sujet sur les nouveaux courants du catholicisme.

Le jeune homme haussa les sourcils, rejeta sa belle chevelure luisante en arrière.

— Vraiment ?

— Absolument. Or je crois savoir qu'Umbra Domini est l'un des mouvements actuels les plus dynamiques. On pourrait donc lui accorder une place de choix dans l'émission... tout dépendra.

— Ah oui ? Et de quoi cela dépendra-t-il ?

— Eh bien, à la télévision, il faut d'abord de bonnes images. C'est la caméra qui décide. Voilà d'ailleurs ce qui m'amène. On m'a dit que Silvio della Torre était l'homme de la situation... qu'il était formidable. Alors... j'espérais avoir la possibilité de m'entretenir avec lui — juste pour me faire une idée de son propos. Ça ne prendra pas longtemps. Et ça me donnera l'occasion de lui expliquer notre projet.

Dante Villa plissa le front.

— On dit qu'il est remarquable, insista Lassiter.

— Combien de temps serez-vous à Naples ?

Lassiter grimaça.

— Je sais, j'aurais dû vous contacter au préalable, malheureusement ça n'a pas été possible. Je travaille actuellement sur un tout autre sujet, mais comme j'étais à Rome... j'ai résolu de venir jusqu'ici pour tenter ma chance.

— Je vois, marmonna Villa en suçotant sa lèvre inférieure. Le père della Torre est très occupé, vous vous en doutez. Toutefois je suis sûr que votre proposition l'intéresserait. Il pense que l'ordre a un bel avenir de l'autre côté — il esquissa un sourire — de l'océan.

— Ah bon ?

— Oui... Nous avons plusieurs centres aux Etats-Unis.

— Vraiment ? dit Lassiter en sortant son bloc-notes.

— Nous sommes en plein essor. Je peux vous montrer le fichier.

— Où se trouvent ces centres ?

— New York, Los Angeles, Dallas...

— C'est donc un phénomène plutôt urbain.

— Effectivement. Nos écoles nous servent de pierre angulaire. Mais nous avons aussi plusieurs lieux de retraite dans la campagne.

— Et si nous voulions filmer...

— Vous n'auriez même pas à quitter les Etats-Unis.

Le jeune homme s'approcha de la table, tripota un Rolodex et déclara avec un sourire :

— Vous auriez largement de quoi faire à Washington. A commencer par le lycée St. Bartholomew.

— St. Bart ?

— Vous connaissez ?

— Quand j'étais lycéen, nos équipes se rencontraient régulièrement. St. Bart faisait partie de l'IAC.

— Pardon ?

— Une ligue sportive.

— Ah...

— J'ignorais que St. Bart...

— Nous appartenait ? acheva Villa avec un petit rire. Les gens

197

pensent que les établissements scolaires catholiques se ressemblent tous. Ils se trompent.

Il se pencha à nouveau sur le Rolodex.

— Le Maryland est proche de Washington ?

— Oui, nous sommes voisins.

— Nous y avons un lieu de retraite. Et je vois que nous avons aussi une antenne à... Anacostia ?

— C'est un quartier de Washington.

— Ah, très bien. Je vous donnerai une liste.

— Parfait.

— J'ai un dossier de presse, si vous voulez.

— Magnifique. Et... pour Silvio della Torre ?

Un sourire magnanime éclaira le visage du jeune homme.

— Je propose d'aller vous chercher tous les imprimés dont nous disposons et d'appeler le secrétaire du père della Torre. Prenez donc un siège en attendant.

Lassiter en profita pour étudier un dépliant représentant une mappemonde. Naples, signalée par le logo d'Umbra Domini, en figurait le centre d'où divergeaient de multiples rayons. L'ordre possédait des antennes dans vingt pays au moins — Slovénie, Canada, Chili... Son réseau couvrait pratiquement toutes les régions du monde.

Au verso était imprimé un diagramme en bâtons symbolisant l'effectif de l'ordre par pays. Lassiter n'eut pas le temps de l'examiner. Dante Villa le rejoignit et lui tendit un dossier dont la couverture s'ornait du logo pourpre et or d'Umbra Domini et d'un petit sticker portant la mention : *anglais*.

— Vous y trouverez une foule d'informations, notamment deux articles du *New York Times* et de *Changing Times*, une publication catholique. Au cas où vous ne les auriez pas lus.

— Magnifique.

— Quant au père della Torre..., poursuivit Villa avec un sourire éblouissant.

Il baissa les yeux sur la fausse carte que Lassiter lui avait donnée et qu'il tenait dans sa main.

— Vous avez beaucoup de chance, monsieur Delaney.

— J'ai l'impression que vous vous adressez à mon père, plaisanta Lassiter. En principe, on m'appelle Jack.

Dante Villa sourit à nouveau.

— Il y a une réception pour les nouveaux membres à neuf

198

heures, et une ordination à dix heures. Le père della Torre aura donc un créneau vers... mettons onze heures et demie.

— Je vous suis vraiment très reconnaissant.

— Il demande si vous serez accompagné d'un photographe.

— Non, je ne...

— Aucune importance, vous avez plusieurs photographies dans le dossier de presse.

Dante Villa rejeta ses cheveux en arrière et tendit la main.

Devant tant de bonne volonté, Lassiter commençait à se sentir gêné. De plus, la facilité avec laquelle il avait eu gain de cause le perturbait.

Il reprit son bloc-notes.

— Vous pouvez me redire l'heure ? demanda-t-il, comme s'il avait des dizaines de rendez-vous.

— Onze heures et demie. Il sera à l'église, vous le trouverez dans la sacristie. Attendez... je vais vous faire un plan.

Chapitre 19

Lassiter aurait volontiers fait un petit somme, mais le taxi n'avait plus d'amortisseurs, et il dut se cramponner à une ceinture de sécurité dépenaillée, tandis que la voiture fonçait vers le port. La comédie qu'il venait de jouer l'avait épuisé — mentir le vidait de son énergie, il en était ainsi depuis toujours.

Les efforts qu'il déployait pour refouler une vérité à laquelle il refusait de penser ajoutaient encore à sa fatigue. L'idée s'était installée pourtant dans un coin de sa conscience, et elle le taraudait.

Il tourna vers la vitre un regard aveugle. Ce qu'il avait compris se résumait en quelques mots : ce n'était pas Kathy que visait Grimaldi, mais Brandon. Kathy s'était fait tuer en essayant de défendre son fils, alors que Brandon, lui, avait été massacré. La gorge tranchée d'une oreille à l'autre — quasiment un meurtre rituel. Ensuite, comme Grimaldi n'avait pu mener sa tâche à bien, on avait exhumé son petit corps et on l'avait brûlé une seconde fois. C'était Brandon la cible. Brandon et non Kathy.

En outre, cette seconde crémation n'était pas l'œuvre de Grimaldi qui se trouvait à l'hôpital. Une tierce personne avait pris le risque de déterrer l'enfant et de mettre le feu à sa dépouille. On pouvait en conclure sans risque de se tromper que Grimaldi trempait dans une conspiration. Et cela ruinait la théorie de Riordan selon laquelle Grimaldi était peut-être un illuminé aux mobiles inexplicables, irrationnels. Les fous n'élaboraient pas d'opérations aussi complexes. Ils passaient brutalement à l'acte, et ils agissaient seuls.

Envisager les choses sous cet angle lui donnait la migraine.

Admettre la possibilité d'une machination rendait le meurtre de Brandon et de Kathy encore plus mystérieux. L'énigme serait-elle un jour résolue ? Quel rôle jouait Umbra Domini dans cette histoire ? Car, indiscutablement, Grimaldi était payé par l'organisation.

Oui, tout ça lui donnait la migraine.

Il avait loué une chambre dans un petit hôtel surplombant le port de Santa Lucia. Il sortit sur le balcon, le téléphone à la main, et appela Bepi à Rome pour lui proposer de dîner ensemble le lendemain soir. Il laissa sonner, les yeux rivés sur le soleil couchant. Le globe rougeoyant toucha l'horizon, puis lentement, avec une sorte de volupté, se laissa glisser dans la mer.

Pas de réponse. Dépité, il appela le pager de Bepi et composa le numéro de son hôtel, afin que l'Italien puisse le contacter dès qu'il aurait le message.

Voilà, il n'avait plus rien à faire. Ah si, il devait lire le dossier de presse...

On y présentait Umbra Domini comme une organisation des plus respectables et des plus limpides, une sorte de 4-H Club[1] spirituel, ainsi que les divers mouvements qui lui étaient affiliés, notamment les associations caritatives. Lassiter nota que Salve Caelo figurait dans la liste. Mais nulle part on ne mentionnait les positions extrémistes de la congrégation ni les controverses qu'elles suscitaient. On se contentait d'exposer les réalisations d'Umbra et d'insister sur l'augmentation constante de ses effectifs. Le dossier était illustré de nombreuses photos d'enfants aux grands yeux innocents, en train de jouer ou d'étudier, sagement assis à leurs pupitres, dans les écoles confessionnelles financées par Umbra. On voyait également des jeunes nettoyer un jardin public, aider des personnes âgées et servir la messe. D'autres clichés montraient des églises, avant et après restauration, des missions dans la brousse. On avait même photographié les Musulmans qui entretenaient le potager du « camp de réfugiés » dirigé par Salve Caelo en Bosnie. Tous arboraient un large sourire.

Il y avait aussi plusieurs portraits de l'initiateur de ces louables

_____

1. 4-H Clubs : clubs ruraux dont le but est d'éduquer les jeunes paysans. Ils ont pour emblème un trèfle à quatre feuilles dont chacune porte la lettre H : *health, head, hand, heart* (la santé, la tête, la main et le cœur) (*N.d.T.*).

entreprises. Silvio della Torre aurait aisément pu devenir une star du cinéma. Il aurait fait fantasmer toutes les femmes, avec ses boucles noires, ses pommettes saillantes, ses yeux d'une étonnante couleur d'aigue-marine et son sourire ironique.

Une série de coupures de presse sur les diverses activités de la congrégation complétait le dossier, ainsi que deux articles à la gloire de della Torre ; on y vantait son extraordinaire don des langues — il en parlait six ou neuf selon les auteurs — et, pour ajouter un peu de piment, on le présentait comme un champion de full-contact. « Le père della Torre pourrait rivaliser avec les meilleurs. Van Dame n'a plus qu'à numéroter ses abattis ! »

En guise de conclusion, on exposait à coups de phrases creuses la « mission » de l'organisation. Pas un mot des flagellations rituelles, de l'« impérialisme islamique » ni du marquage des homosexuels. On mettait l'accent sur les « valeurs familiales », la « culture chrétienne » et les « principes fondamentaux du catholicisme ».

Le tout était tellement soporifique que Lassiter s'endormit dans son fauteuil.

La petite église San Eufemio était coincée entre deux bâtiments plus grands et plus récents. De guingois, elle semblait s'arc-bouter pour tenir tête à ses voisins, comme s'ils cherchaient à l'éjecter de la rue.

Une courte allée menait à un imposant portail cintré et clouté, si ancien que le bois avait perdu toute sa substance. Lassiter se souvint d'une photo du dossier de presse qui le montrait ouvert, livrant passage à un couple de jeunes mariés. La légende indiquait qu'il était en cyprès et datait du VIIIe siècle. Il l'effleura du bout des doigts et eut l'impression de toucher de la pierre.

Pour l'heure, le portail était fermé, et il n'y avait pas de heurtoir ni même de poignée — simplement un gros trou de serrure tarabiscoté.

Lassiter contourna l'édifice, à la recherche d'une autre entrée qu'il trouva sur le côté de l'église. Il s'immobilisa, répéta rapidement son baratin : « Jack Delaney... CNN... Les nouvelles voies du catholicisme... »

A sa grande surprise, Silvio della Torre vint en personne lui ouvrir la porte. Vêtu d'un pull à col roulé anthracite, d'un pantalon beige et de chaussures de sport. Il paraissait encore plus séduisant que sur ses photos de presse. Mais contrairement aux acteurs, qui semblent toujours plus petits au naturel que sur l'écran, della Torre était plus grand que Lassiter ne l'imaginait. Avec ses larges épaules et son allure athlétique, il ne correspondait pas du tout à l'image que Joe se faisait d'un prêtre ; pour lui, un homme d'Eglise se devait d'avoir au moins soixante ans, des cheveux gris, et de porter la soutane.

— Vous êtes sans doute Jack Delaney, dit-il avec un fin sourire. Dante m'a annoncé votre visite. Entrez, je vous prie.

— Merci.

Ils franchirent une autre porte et pénétrèrent dans une pièce sobrement mais élégamment meublée. Lassiter s'assit dans un fauteuil de cuir bordeaux, face à della Torre qui avait pris place derrière une antique table de bois.

Massina avait raconté que della Torre savait comme personne utiliser l'éclairage pour se mettre en valeur durant les offices. Lassiter ne put s'empêcher de remarquer les spots encastrés dans les moulures du plafond et disposés de manière qu'une lumière flatteuse nimbe les traits ciselés du prêtre.

— J'ai cru comprendre que vous prépariez une émission pour CNN...

— Nous y pensons, en effet.

— Eh bien... bravo ! J'ai parfois l'impression que les médias mettent un point d'honneur à nous ignorer.

Lassiter salua cette boutade comme il se devait.

— Je suis sûr que vous vous trompez, rétorqua-t-il en riant.

— Et moi, je suis persuadé du contraire. Mais peu importe, puisque vous êtes là.

Della Torre s'accouda sur le bureau et posa le menton sur ses mains jointes.

— Par où commençons-nous ?

— Eh bien... j'aimerais avoir une idée de votre propos, voir avec vous comment le présenter aux téléspectateurs. Vous pourriez par exemple m'expliquer dans les grandes lignes les origines d'Umbra Domini.

— Mais bien sûr... Vous le savez sans doute, nous sommes un produit — d'aucuns diraient un produit dérivé — de Vatican II...

Le *capo* d'Umbra Domini discourut ainsi pendant une dizaine de minutes, sans se départir de son sourire, tandis que Lassiter notait consciencieusement ses paroles sur son carnet.

— L'organisation a-t-elle changé au cours des dernières années ?

— Nous avons énormément prospéré. Ce n'est un secret pour personne, mon cher Jack.

— De quoi êtes-vous le plus fier ?

— Je répondrai sans hésiter : l'expansion de notre communauté. Oui, cela me remplit de fierté.

— Selon vous, quel est le plus grand défi que doit aujourd'hui relever l'Eglise ?

— Nous vivons une époque si difficile ! Les défis ne manquent pas, mais il me semble que le plus important est, pour reprendre une formule que j'aime bien : « la tentation de la modernité »...

Lassiter notait, hochant la tête d'un air pénétré. Il commençait à prendre la mesure de son adversaire et avait l'impression d'affronter un bloc d'acier n'offrant aucune prise. Il décida de modifier sa stratégie.

— On dit qu'Umbra a des ambitions politiques.

— Ah ? fit della Torre auquel ce changement de tactique n'avait pas échappé. Et qui le dit ?

— A l'hôtel, j'ai un dossier bourré de coupures de presse. Quelques-uns de ces papiers sont très critiques. On y affirme qu'Umbra Domini est lié à des groupes d'extrême droite comme le Front national...

— C'est ridicule. Certains de nos membres se préoccupent en effet des problèmes d'immigration. Nous sommes une organisation pluraliste ; chez nous toutes les opinions peuvent s'exprimer. Mais nous nous soucions d'abord et avant tout de théologie.

— On dit aussi qu'Umbra est homophobe.

— Ah...

— Et que vous souhaiteriez que les homosexuels soient marqués.

— Bien ! Je suis heureux que vous abordiez ce sujet et que vous me donniez l'occasion de dissiper un malentendu. Il est exact que nous considérons l'homosexualité comme un péché — et nous l'avons déclaré sans détour. Voilà sans doute pourquoi d'aucuns nous qualifient d'homophobes. Mais il est également vrai qu'Umbra Domini a un rôle pédagogique à jouer. Nous sommes des enseignants et, en tant que tels, nous manions parfois l'hyperbole pour nous faire comprendre. Ça ne va pas plus loin. Quoi que certains puissent prétendre, personne chez nous ne pense sérieusement qu'il faudrait marquer les homosexuels. En revanche, qu'ils soient fichés par les services de police me paraîtrait raisonnable.

— C'est intéressant, marmonna Lassiter qui notait toujours. Autre chose : dans l'un des articles on mentionne une association caritative — Salve...

Il fronça les sourcils, feignant de chercher le nom.

— Caelo, dit della Torre.

— Oui, Salve Caelo. On parle du travail qu'ils ont accompli en Bosnie et on les accuse...

— Je sais. On nous accuse d'avoir organisé un camp de concentration sous prétexte de soulager les souffrances de la population.

— Hmm...

— Une enquête approfondie a été menée, nos détracteurs n'ont rien pu prouver.

— N'y avait-il pas une part de vérité dans cette accusation ?

Della Torre contempla le plafond, comme s'il en appelait à une autorité plus élevée. Puis il ramena son regard vers Lassiter.

— Me permettez-vous de vous poser une question, Jack ?

— Allez-y.

— N'est-il pas stupéfiant que la foi et la dévotion suscitent tant de malveillance ? Les histoires que vous me racontez ne sont que des ragots inspirés par l'envie.

— L'envie ? C'est-à-dire ?

Della Torre poussa un profond soupir. Quand il reprit la parole, sa voix douce et passionnée emplit l'espace. Il maîtrisait à la perfection l'art du phrasé et savait jouer de son organe bien timbré comme d'un instrument.

— Imaginez qu'Umbra Domini soit une femme pure et belle..., commença-t-il, dardant sur Lassiter son regard d'un bleu étonnant.

Suivit alors un discours comme Lassiter n'en avait jamais entendu, une incantation, un flot de mots dont le sens semblait en quelque sorte étranger au propos. En l'écoutant, Joe éprouva un étourdissement, il eut l'impression d'être hypnotisé, presque envoûté.

Et soudain, le plus naturellement du monde, se produisit une chose extraordinaire : le soleil se cacha derrière un nuage, la pièce s'obscurcit, et Lassiter ne vit plus devant lui qu'un homme vaniteux. L'illusion résidait dans le regard du prêtre, ce regard fascinant, ni bleu ni vert, qui évoquait les profondeurs d'un lagon. Il avait des yeux magnifiques, mais ce n'était qu'un trucage. Car, dans la lumière oblique, Lassiter distinguait ses lentilles de contact. Des lentilles teintées.

Il les reconnaissait, Monica portait les mêmes.

Della Torre avait-il eu, comme Monica, un mal fou à choisir — balançant entre les nuances « aigue-marine » et « saphir » ? Tous deux avaient opté pour la même couleur, et ce pour la même raison : ils voulaient séduire.

Della Torre sourit, secoua doucement la tête. A l'évidence, il n'avait pas perçu le changement d'attitude de son interlocuteur.

— Voilà pourquoi ces attaques contre Umbra Domini, ces rumeurs et ces suspicions à l'égard de notre congrégation ne m'inspirent aucune colère. J'éprouve simplement de la tristesse. Et de la pitié. Les gens qui parlent ainsi, qui inventent ces histoires ont l'âme bien noire.

Della Torre acheva son laïus comme il l'avait commencé — accoudé sur la table, le menton posé sur ses mains jointes.

Lassiter demeura un instant silencieux. Puis le nuage passa et le soleil se répandit à nouveau dans la pièce. Il s'éclaircit la gorge et, sans réfléchir, lança :

— Et Franco Grimaldi ?

Della Torre s'adossa à son siège, l'air stupéfait.

— Grimaldi ?

— L'un de vos membres.

— Oui... ?

— Il est recherché pour meurtre.

— Ah...

— Aux Etats-Unis.

— Hmm...

Della Torre s'agita dans son fauteuil, puis il dit :

— Voilà ce dont vous vouliez me parler, n'est-ce pas ?

— En effet.

— Eh bien...

Le prêtre haussa les épaules.

— Je veux savoir pourquoi il a commis cet acte, insista Lassiter.

— Et vous pensez que je peux vous apporter une réponse ?

— J'ai pensé que vous le pourriez peut-être.

— Je vois. Et pourquoi, je vous prie ?

Bouscule-le un peu, décida Lassiter.

— Parce que vous l'avez payé grassement.

— Vraiment ? Et quand ai-je fait cela ?

— Au mois d'août.

— Je vois.

Della Torre fit pivoter son fauteuil pour regarder par la fenêtre.

— Quand vous dites que je l'ai payé...

— C'est Umbra Domini qui l'a rémunéré. Votre banque a effectué un virement sur son compte du Crédit suisse.

Della Torre émit un grognement, les yeux rivés sur la fenêtre. Au bout d'un moment, avec une lenteur étudiée, il se retourna vers Lassiter.

— Je vérifierai, dit-il.

Puis, d'un ton presque affectueux, il ajouta :

— Vous n'êtes pas journaliste, n'est-ce pas... Jack ?

— Effectivement.

— Les personnes que cet homme a tuées... vous étaient proches ?

— Oui.

Lassiter s'étonna : d'où le prêtre tenait-il que Grimaldi avait fait plusieurs victimes ?

— Voyez-vous, Joe..., dit della Torre après un silence.

Il s'interrompit, laissant son interlocuteur assimiler ses paroles et comprendre qu'il pouvait donner congé à « Jack Delaney ».

— Voyez-vous, reprit-il, rien de ce que vous ferez ne les ramènera.

— J'en suis conscient, mais...

— Cessons de nous mentir. Je suis au courant de votre visite à Zuoz — Gunther m'a téléphoné. Et, avant cela, j'avais été informé de vos diverses démarches à Rome. Je sais ce que vous avez dans le cœur, et je ne vous blâme pas, soyez-en certain.

Tout à coup, Lassiter sentit l'adrénaline crépiter dans ses veines.

— Et alors ?

207

— Alors, permettez-moi de vous poser une question.

Lassiter opina.

— Croyez-vous en Dieu ?

— Je suppose, marmonna Joe après réflexion. Oui, probablement.

— Croyez-vous qu'en ce monde le bien émane de Dieu ?

— Sans doute...

— Et le diable ?

— Eh bien quoi ?

— Croyez-vous en lui ?

— Non.

— Parlons du mal, dans ce cas. Croyez-vous en l'existence du mal ?

— Absolument. Je l'ai vu de mes yeux.

— Bon... d'où vient le mal, sinon du diable ?

— Je l'ignore, répondit Lassiter, perdant brusquement patience. Je n'y ai jamais réfléchi. Mais je sais le reconnaître quand je le vois. *Or je l'ai vu.*

— Cela ne suffit pas. Je vous conseille de méditer sur ce sujet.

— Pourquoi ?

— Parce que c'est la raison du meurtre de votre sœur et de votre neveu.

Le silence s'abattit sur la pièce. Lassiter essayait vainement de comprendre.

— Qu'est-ce que cela signifie ?

— Je vous le répète : vous devriez réfléchir aux origines du mal.

De plus en plus dérouté, Lassiter secoua la tête.

— Si vous voulez dire que... Grimaldi est l'incarnation du mal... je le sais déjà. J'ai vu ce qu'il a fait.

— Ce n'est pas ce que je veux dire.

— Alors quoi ? Vous parlez de Kathy ? De Brandon ?

Della Torre le considéra longuement, sans souffler mot, puis il se redressa.

— Laissez-moi vous montrer notre église.

Lassiter le suivit le long d'un étroit corridor qui débouchait dans la nef. Della Torre actionna plusieurs interrupteurs, et la lumière élargit aussitôt l'espace, dont les dimensions demeuraient toutefois difficiles à estimer. Par les vitraux, percés très haut dans les murs, filtrait une étrange lueur bleuâtre qui enveloppait della

Torre d'une sorte d'aura. Un instant, son corps parut fait de fumée plutôt que de chair.

— Priez avec moi, Joe.

Le prêtre s'approcha de la chaire richement sculptée et qui, éclairée par en dessous, semblait flotter dans l'air. Mal à l'aise, Lassiter prit place sur un banc. Il n'avait pas prié depuis très longtemps, et n'avait aucune envie de le faire — surtout pas en présence de della Torre. S'agenouiller devant cet homme, il en avait la certitude, serait dangereux.

Pourtant... il se sentait si seul. Se retrouver là, dans cette église, lui rappelait les jours heureux de son enfance, lorsque Kathy et lui se rendaient à la National Cathedral — « l'une des grandes cathédrales du monde et l'une des plus belles ». Combien de fois leur avait-on seriné cette antienne ! Ils aimaient ce lieu, ses vitraux, la musique qui s'élevait vers la voûte gothique, les cryptes mystérieuses, les gargouilles étranges et terrifiantes. Tout cela était désormais perdu pour lui.

Il n'y reviendrait plus jamais.

Della Torre le dominait du haut de la chaire — presque immatériel, semblait-il, et pourtant doté d'une extrême densité, figé comme un orant, la tête inclinée et les mains jointes. La lumière touchait ses pommettes, nimbait sa chevelure bouclée. Il était parfait.

— Que la douleur s'efface, murmura-t-il d'une voix plaintive. Qu'elle s'efface...

Ce lamento était si ensorcelant que Lassiter eut le sentiment qu'il montait du tréfonds de son esprit. Della Torre pressa les paumes sur sa poitrine et leva les yeux. Hypnotisé, Joe le contemplait.

— Nous voici devant Vous, Seigneur. Regardez Votre enfant, il est dans la peine. Chassez de son cœur le désir de vengeance, Seigneur, puisque la vengeance Vous appartient. Accueillez-le dans Votre sein, délivrez-le de la haine. Délivrez-le du mal.

Les mots enveloppaient Lassiter, émanant de tous les points de l'espace.

— O Seigneur...

— *Scusi !*

Della Torre se figea, bouche ouverte, tel un poisson brutalement arraché à sa rivière.

— *Scusi, papa...*

Un vieil ivrogne se tenait dans l'allée, vacillant sur ses jambes. Il faillit bien perdre l'équilibre, mais se rattrapa de justesse. Avec un sourire béat, il se mit à genoux, leva le nez vers la chaire — et bascula en avant, à moitié évanoui. Son front cogna rudement les dalles de pierre.

Della Torre semblait tétanisé, puis soudain... il perdit le contrôle. Il agita les bras, cria à l'homme affalé sur le sol : — *Vaffanculo ! Vaffanculo !*

Lassiter ne parlait pas l'italien, mais il saisit parfaitement, à la virulence du ton, le sens de cette invective : fous-moi le camp d'ici ! Le visage si séduisant de della Torre était métamorphosé, comme si le vernis de compassion qui le camouflait s'effritait, révélant la violence du personnage. Cela ne dura qu'une fraction de seconde. Della Torre se ressaisit, remit en place son masque de prêtre, et se précipita pour aider l'ivrogne.

Lassiter s'approcha.

— Essayons de l'emmener à la sacristie, dit della Torre. Je le connais, je vais appeler son épouse.

Le prenant chacun par un bras, ils le traînèrent tant bien que mal le long du couloir. Mais, sitôt dans la sacristie, l'ivrogne se débattit.

— *Papa !* s'écria-t-il en assenant un coup de coude à della Torre.

Celui-ci chancela ; un objet glissa de sa poche et tomba sur le sol.

Un petit flacon qui rebondit sur les dalles et finit par s'immobiliser, miraculeusement intact. Lassiter se pencha pour le ramasser. Ses yeux s'écarquillèrent.

C'était la réplique exacte du flacon trouvé par la police sur Grimaldi. Il reconnut le verre épais, les croix gravées en relief, le bouchon métallique en forme de couronne. La première fois qu'il avait vu cet objet, il était en compagnie de Riordan, dans un bureau du Fairfax Hospital. La petite bouteille était posée sur un plateau, à côté du poignard. Du sang séché maculait la lame du poignard, et un fin cheveu blond y était collé. Un cheveu de Brandon.

— Merci, dit della Torre en tendant la main. Je n'en reviens pas qu'il ne se soit pas brisé.

Lassiter baissa la tête.

— Je dois m'en aller. J'ai un avion à prendre.

Avant que le prêtre ait pu répliquer, il se dirigea vers la porte. Della Torre lui emboîta le pas, le suivit dans l'allée.

— Joe ! Qu'y a-t-il ? Ne partez pas si vite... Il me semble que nous n'en avons pas terminé.

Lassiter ne se retourna pas. Il continua à s'éloigner, marmonnant dans sa barbe :

— Oui, tu as foutrement raison : nous n'en avons pas terminé !

Chapitre 20

Lassiter ne garda aucun souvenir de son retour à l'hôtel. Toute son attention se focalisait sur della Torre. Pourquoi le prêtre était-il si complaisamment entré dans son jeu ? Pourquoi avait-il fait semblant de croire qu'il s'adressait à un journaliste ? Ils auraient pu tourner autour du pot pendant des heures, si Joe ne lui avait pas lancé le nom de Grimaldi à la figure. Ce qui soulevait une autre question et épaississait encore le mystère : si della Torre savait à qui il avait affaire et ce que mijotait Lassiter, pourquoi avait-il accepté de le rencontrer ? Tout cela ne rimait à rien.

Peut-être avait-il voulu le voir afin de le jauger. Et il avait manœuvré en sorte que Lassiter comprenne qu'il n'était pas dupe. C'était une manière de montrer son pouvoir, de délivrer un message. De fait, il s'était comporté comme un gangster, déboutonnant son veston pour laisser entrevoir à l'adversaire l'équivalent psychologique d'un .45 glissé dans sa ceinture.

Joe ruminait ces moroses pensées, lorsque le taxi l'arrêta devant l'hôtel. Il fourra une poignée de lires dans la main du chauffeur, et pénétra dans le hall. Le réceptionniste, derrière son comptoir, leva le nez.

— *Signore !* lança-t-il.

Lassiter se dirigea vers l'ascenseur.

— Quoi ?

L'employé ouvrit et ferma la bouche à plusieurs reprises, sans se décider à parler. Puis il agita les mains.

— B... *benvenuti !* bafouilla-t-il.

— *Grazie.* Auriez-vous l'obligeance de préparer ma note ? Je redescends tout de suite.

212

— Mais, *signore*...

— Oui ?

L'homme sortit de derrière son comptoir.

— Si vous vouliez me faire l'honneur...

D'un geste il montra le bar et grimaça un sourire tentateur.

— Non, c'est trop tôt pour moi..., dit Lassiter.

— Ah, mais...

— Merci quand même, mais je suis pressé.

La chambre de Lassiter se trouvait au deuxième étage, au bout du couloir. En sortant de l'ascenseur, il entendit un téléphone sonner et réalisa que le bruit provenait de sa chambre. Bepi, songea-t-il. Il hâta le pas, fouillant ses poches à la recherche de la carte de plastique blanche qui servait de clé. Il glissa la carte dans la fente de la serrure, attendit que le voyant vert clignote.

Tout s'enchaîna alors très vite. La lumière s'alluma, la sonnerie du téléphone se tut, la porte s'ouvrit et quelqu'un, dans la pièce, dit :

— *Pronto ?*

Lassiter sursauta.

Un colosse était assis à la table, devant l'ordinateur de Lassiter, le téléphone à la main. Il semblait beaucoup trop lourd pour la chaise qui le supportait. Quand il vit Joe, il reposa le combiné, prit une inspiration, souffla et se leva. Nonchalamment, il marcha vers la porte.

Lassiter ne sut que dire — que disait-on dans des situations pareilles ? La seule question qui lui vint aux lèvres fut :

— Mais qui êtes-vous ?

L'homme était si corpulent, si large d'épaules qu'il paraissait carré. Il était bâti comme une armoire à glace. Une armoire mal rasée.

— *Scusi*, murmura-t-il avec un petit sourire sinistre en se mettant de biais pour franchir le seuil.

Il était plus grand que Lassiter et dut baisser la tête pour ne pas se cogner. Il se mouvait avec lenteur, sans bruit. Pour ne pas déranger, semblait-il.

Lassiter lui toucha la manche.

— Une min...

Alors le film s'accéléra brusquement. Une énorme boule de bowling — ou quelque chose d'approchant — lui percuta le visage, tout le visage, d'un seul coup. Il en vit trente-six chandelles, sentit un goût de sang dans sa bouche, et bascula en arrière pour aller heurter le mur. Ses poumons se vidèrent, il leva les mains pour se protéger — un geste dérisoire, impuissant à écarter le bélier qui lui enfonça la poitrine. Une fois, deux fois — et une troisième !

Il lui sembla que son corps s'embrasait, que ses synapses se recroquevillaient et que la pièce clignotait comme une ampoule usée — ou peut-être étaient-ce ses yeux qui clignotaient, il ne savait plus. Une massue, compacte et véloce, s'abattit sur sa nuque et le fit tomber à quatre pattes — à la hauteur d'un superbe mocassin de cuir qui prenait son élan avec l'intention, apparemment, de tirer un penalty. Avec une clarté stupéfiante, il en distingua les détails : les glands qui ornaient le dessus de la chaussure, les craquelures du cuir, les coutures...

Puis il entendit un hurlement. Un instant, il pensa que ce cri émanait de lui, mais il aperçut sur le seuil une femme de chambre, bouche bée et les yeux exorbités. Il voulut parler quand, soudain, le mocassin se rua sur lui pour se planter entre ses côtes. Les os craquèrent comme du petit bois.

Nouveau hurlement — cette fois, c'était peut-être lui. Non, ce devait être la femme qui criait, parce qu'il n'avait plus assez d'air dans ses poumons pour émettre le moindre son. En fait, il ne pouvait plus respirer. Il ne restait plus un atome d'oxygène alentour.

Et puis, subitement, ce fut terminé. Le Mastodonte était parti, et la femme de chambre tournait comme une toupie dans le couloir en poussant des glapissements stridents. Elle lui avait probablement sauvé la vie, il devait la remercier, mais il souffrait trop pour être poli. Il se remit avec peine sur ses pieds, ferma la porte et tituba jusqu'à la salle de bains.

A chaque inspiration, un couteau le fouaillait, aussi se força-t-il à respirer à petits coups, les mains pressées sur ses côtes en miettes. Il réussit à s'approcher du lavabo et, Dieu sait pourquoi, n'eut rien de plus pressé que d'ouvrir le robinet. Il lui sembla que ça lui faisait du bien. Le bruit de l'eau le soulageait.

S'appuyant au rebord du lavabo, il se regarda dans le miroir. Ce qu'il vit ne lui parut pas si catastrophique. Il était amoché, certes. Le nez en sang et la lèvre fendue, car l'une de ses canines s'était plantée dans la chair. Du bout de la langue, il tâta la dent et tressaillit quand il la sentit quitter son alvéole. Il cracha, eut le réflexe de la rattraper — mais ses mouvements étaient ralentis et, avant qu'il ait pu bouger la main, l'eau entraîna la dent dans le siphon.

Bandant sa volonté, il souleva sa chemise. Une ecchymose violacée s'épanouissait sur le côté droit de sa cage thoracique. Il l'effleura du bout des doigts, prudemment, et manqua tourner de l'œil. La douleur déferla comme une lame de fond pour se diffuser dans tout son corps. Le sang quitta son visage, un cri étranglé lui échappa, toutes les voyelles y passèrent, avant qu'il réussisse à l'étouffer. Tu as besoin d'une radio, se dit-il. D'un dentiste. Et de Démerol. Mais pas forcément dans cet ordre.

Et surtout pas ici, à Naples.

Il comprenait à présent, hélas un peu tard, pourquoi della Torre lui avait joué cette comédie : il avait simplement cherché à le retenir le plus longtemps possible.

Soudain, on toqua à la porte et une voix masculine demanda :

— Monsieur Lassiter... *per favore*... ça va ?

— Ça va ! cria Joe en grimaçant. Ne vous inquiétez pas.

— Vous êtes sûr, *signore* ? La police...

— Laissez tomber !

L'homme s'éloigna en marmonnant. Une minute après, le téléphone sonna. Par chance, il y avait un appareil dans la salle de bains. Lassiter décrocha et expliqua au directeur de l'hôtel, choqué, qu'il ne désirait pas alerter la police ni porter plainte.

— Mais... monsieur Lassiter, vous êtes dans votre droit. On vous a agressé !

— Sortez ma voiture du garage et payez-vous sur ma carte Visa.

— Vous êtes sûr, *signore* ?

— Je descends.

En réalité, il lui fallut près d'une demi-heure pour changer de chemise et faire son sac, après quoi il dut rassembler tout ce qu'il avait de courage pour se tenir droit et gagner le rez-de-chaussée. Le directeur l'attendait dans la cour, devant l'hôtel, le visage empreint d'une expression tout à la fois affolée, digne et navrée. Quand il vit apparaître son client, il se précipita vers la voiture de location, ouvrit la portière et, avec une courbette, aida son client à s'installer au volant. Puis il referma la portière d'une main ferme et sourit à Lassiter.

Celui-ci fouilla la cour du regard.

— Où est le réceptionniste ?

— Roberto ?

— Oui. Il n'est pas à son comptoir.

— Il est rentré chez lui. Une crise d'asthme.

— Eh bien, dites-lui que je lui souhaite un prompt rétablissement.

— *Grazie, il signore è molto gentile !* Vous avez du mérite, après ce qui vous est arrivé !

— Dites aussi à ce salopard que, si je le retrouve sur mon chemin, je l'étripe.

Il y eut un long silence, puis le directeur bredouilla :

— *Scusi ?*

— Il peut compter sur moi, dites-le-lui.

Lassiter rentra à Rome le soir même. Il filait sur l'autoroute en direction du nord, tenant d'une main une poche de glace pressée sur ses côtes cassées et parlant tout seul.

A quoi tu pensais, pauvre andouille ? pestait-il. A rien, voilà. Parce que si tu avais réfléchi, tu ne te serais pas fait assommer comme un gogo dans ta propre chambre d'hôtel. Et maintenant tu as peut-être le poumon perforé, va savoir. En tout cas tu ne pourras pas dormir sur le côté pendant un bout de temps et... aïe ! Oh, bon sang, ça fait mal.

Il ne souffrait pas seulement dans son corps. Son orgueil était aussi meurtri que ses côtes. Della Torre l'avait retenu dans cette église le plus longtemps possible... d'abord avec ses beaux discours, ensuite avec ses prières — des prières ! — tandis que son acolyte, le Mastodonte, fouillait la chambre. Si l'ivrogne n'avait pas rompu le charme, Lassiter serait resté vissé sur son banc — « Accueillez-le dans Votre sein, ô Seigneur... ». Le réceptionniste, lui aussi, avait essayé de l'arrêter en lui offrant un verre. Pourtant, aucun de ces signes ne l'avait alerté ; il n'avait pas eu le moindre petit pressentiment.

Il s'entendait encore demander stupidement : mais qui êtes-vous ? Et l'autre, poli : *scusi*. Et vlan, prends ça dans la figure.

Ça, c'était le plus dur à avaler. A l'université, Joe pratiquait la boxe, et il se défendait bien. Il perdait rarement un combat, quelle que soit la taille de l'adversaire. Il savait cogner et éviter les coups. Du moins le croyait-il jusqu'à aujourd'hui.

Cependant, se faire démolir de la sorte avait un effet tonique somme toute positif, qui vous réveillait, vous fouettait le sang et vous obligeait à vous creuser la cervelle pour éviter que ça ne se reproduise. Lassiter décida donc de ne pas retourner au Hassler. Il opta pour le Mozart, un obscur établissement situé dans une rue pavée, non loin de la via del Corso.

L'hôtel occupait l'aile ouest d'un palazzo branlant aux pièces hautes de cinq mètres, entouré d'un jardin en friche et pourvu d'un bar lugubre. Malgré l'heure tardive — il était près de minuit — on lui attribua volontiers une suite au premier étage, donnant sur la rue. Un groom perclus de rhumatismes le conduisit à son appartement ; Lassiter le suivit, les dents serrées, en essayant de ne pas se laisser distancer.

Quand le groom se fut retiré, il verrouilla la porte et prit dans le frigo deux échantillons de scotch qu'il versa dans un verre en plastique. Puis il s'assit à la table, devant la fenêtre, et sortit un carnet de sa poche.

Lors de son séjour à Bruxelles, des années auparavant, il avait pris l'habitude de consacrer un répertoire à chaque enquête qu'il menait. C'était fort utile, notamment parce que ça lui permettait de retrouver des noms qui, s'ils avaient été classés par ordre alphabétique, n'auraient sans doute rien évoqué pour lui. Mais jamais il n'oubliait une affaire, et quand il cherchait à contacter telle ou telle personne — un enquêteur, un légiste ou autre dont le nom lui échappait —, il lui suffisait de l'associer à l'enquête à laquelle elle avait collaboré et de se référer au répertoire concerné.

Il utilisait toujours le même support : un banal petit carnet à spirale qu'il pouvait garder sur lui, dans la poche intérieure de son veston. Ces calepins avaient largement contribué au succès de Lassiter Associates.

Il commençait invariablement par la dernière page où il inscrivait les coordonnées de ses divers interlocuteurs. Ainsi groupées, ces données étaient faciles à consulter.

Pour l'affaire de Kathy et Brandon, il avait procédé comme à l'accoutumée, et d'ores et déjà noté plusieurs noms et numéros de téléphone. Celui de Riordan venait en tête de liste. Les médecins du Fairfax Hospital, le légiste, l'hôtel de Chicago. Bepi... Angela, Egloff. Et Umbra Domini.

Il but une gorgée de scotch, contemplant les tilleuls qui bor-

217

daient la rue déserte. Puis il appela Bepi chez lui et à son bureau. Chaque fois il tomba sur le répondeur. Il composa le numéro du portable, sans résultat. En désespoir de cause, il laissa les coordonnées du Mozart sur le pager de Bepi.

Il avait fait la même opération à Naples, vingt-quatre heures auparavant, or l'Italien ne l'avait pas contacté. Cela ne lui ressemblait pas, et Lassiter s'inquiétait. Bepi ne pouvait pas se permettre de négliger un client aussi rentable que lui. D'autre part, c'était un passionné de gadgets, qui se vantait d'être joignable à tout moment — « que je sois devant ma télé ou dans un avion, en route pour Tokyo ou la Californie ».

Cette fanfaronnade avait fait sourire Joe ; sans doute Bepi n'était-il jamais allé plus loin que Genève.

Il téléphona ensuite à Washington. Avec un peu de chance, Judy serait encore au travail. La standardiste qui décrocha était une intérimaire qu'il ne connaissait pas et, manifestement, elle avait du mal à l'entendre. Elle devait crier pour couvrir le brouhaha ambiant. La traditionnelle fête de Noël battait son plein, comprit Joe.

— Allô ? Al-lô !
— C'est Joe Lassiter.
— Qui ?
— Joe Lassiter !
— Désolée, M. Lassiter n'est pas là pour l'instant.
— Je sais, c'est...
— D'ailleurs, les bureaux sont fermés !

Exaspéré, il raccrocha puis interrogea sa messagerie vocale. Il y avait plusieurs messages, dont un de Jimmy Riordan — incompréhensible tant la ligne était mauvaise. Il parlait de... *chèques. Vous adoreriez les chèques.* Qu'est-ce que cela pouvait bien signifier ?

Lassiter consulta sa montre, calcula qu'il devait être sept heures du soir aux Etats-Unis, et composa le numéro personnel de Riordan. Pas de réponse. Il essaya le commissariat.

— L'inspecteur Riordan est absent, je regrette.

De rage, Joe abattit sa main sur la table ; le verre tressauta.

— Quand rentrera-t-il ?
— Je ne sais pas. Sans doute le 24, la veille de Noël.
— Y a-t-il moyen de le contacter ?
— Ça dépend.

218

— Je suis un ami de l'inspecteur.

— Alors il vous a sûrement averti : il participe à un colloque. A Prague.

— A Prague ?

— Ouais, et aux frais de la princesse.

— Vous avez un numéro où je peux le joindre ?

— Bougez pas.

Riordan lui avait effectivement parlé de ce colloque — sur la démocratisation de la police, ou quelque chose de ce genre. Il lui avait même montré un dépliant sur lequel figurait son nom.

— Vous êtes toujours là ?

— Oui.

— Jimmy est logé au fa-bu-leux Intercontinental de Prague. J'ai une tripotée de numéros : les indicatifs, tout ça... Vous avez un stylo sous la main ? Parce que c'est compliqué.

— Je vous écoute.

Sur la dernière page de son carnet, Lassiter nota un nouveau numéro sous le nom de Riordan. Puis il remercia son interlocuteur et appela l'Intercontinental. Il était près de deux heures du matin, mais l'inspecteur n'avait pas encore réintégré sa chambre d'hôtel. Joe lui laissa donc un message.

Après quoi, il s'allongea sur le lit, se débarrassa de ses chaussures et sombra dans un sommeil agité.

Midi allait sonner quand il se réveilla — dans la même position que la veille, à plat dos. S'aidant de ses bras, il se redressa sur son séant, posa les pieds par terre et, d'un pas chancelant, en se tenant les côtes, gagna la salle de bains. Il se campa devant le miroir et, avec d'infinies précautions, souleva son T-shirt. La vue de l'hématome — un barbouillage de jaune, de violet, de noir et de vilain rose — le fit grimacer.

Régler l'eau à la bonne température ne fut pas une mince affaire ; quand il eut pris sa douche, il lui fallut un temps fou pour se sécher. Il ne supportait même pas le contact de la serviette sur certaines parties de son corps. Son torse était comme paralysé : se pencher le mettait au supplice et le moindre mouvement brusque lui arrachait des grognements de souffrance. Il demanda qu'on lui monte du café et des croissants, et s'habilla lentement, avec des gestes mesurés. Quand on lui apporta le plateau, dix minutes plus tard, il s'échinait à lacer ses chaussures et envisageait sérieusement d'acheter des mocassins.

Tout en sirotant son café, il alluma la télévision et se mit à zapper, à la recherche de CNN. Soudain, le visage de Bepi apparut sur l'écran.

C'était une photo déjà ancienne, qui semblait avoir été prise lors d'une remise de diplôme ou d'un événement similaire. Bepi, les cheveux courts et soigneusement coiffés, arborait un sourire timide ; il avait l'air d'un chanteur de charme mâtiné d'enfant de chœur. Lassiter en aurait souri, s'il avait compris pourquoi la télévision s'intéressait à Bepi.

Il écouta ce que racontait la voix off, malheureusement il ne saisissait pas un traître mot.

La photo disparut, cédant la place à un reportage. Planté sur un trottoir devant une église, un journaliste palabrait, la mine sombre ; dans son dos, une bande de gamins tirait la langue à la caméra. Deux voitures et une ambulance approchaient, roulant au pas.

Des sirènes mugissaient, des badauds s'attroupaient. Le reporter continua à parler, tandis que la caméra se tournait vers trois hommes en uniforme qui poussaient une civière. La chaussée était inégale, peut-être pavée, la civière menaçait de chavirer à tout bout de champ, si bien que les hommes devaient la soulever.

Puis on rendit l'antenne au studio et au présentateur du journal. Lassiter parvint à capter quelques mots : *Santa Maria... Polizia.... Bepistraversi... Molto strano.* Après quoi, avec un sourire, le présentateur tripota les papiers posés devant lui et changea de sujet et de ton. Il passa la parole à un quinquagénaire en costume rayé qui se trouvait, semblait-il, dans un marché au poisson. En arrière-plan, des types en combinaison de caoutchouc jaune nettoyaient effectivement des poissons à une vitesse sidérante.

Lassiter se remit à zapper, malmenant la télécommande, sans savoir au juste ce qu'il regardait. Une femme éplorée, enveloppée d'un châle noir répondait à une interview, mais il ne put déterminer s'il s'agissait de l'épouse de Bepi ou d'une réfugiée bosniaque.

Frustré, il éteignit la télévision et téléphona à Judy Rifkin. Chez elle. A Washington, il n'était que sept heures et demie du matin, mais ce détail ne l'arrêta pas. Tant pis s'il la réveillait.

— Joe ! Où es-tu ?

— A Rome.

— Je comptais t'appeler cet après-midi. Ça commence à chauffer avec American Express...

— Je crois que Bepi est mort.

Judy en eut le sifflet coupé. Elle demeura un long moment silencieuse.

— Les choses se sont brusquement gâtées et... je viens juste de voir sa photo à la télé. Je n'ai pas compris ce qu'on racontait, mais il y avait une ambulance, des flics, une civière...

— Tu es sûr ?

— Non, je n'ai aucune certitude. Peut-être... qu'il est recherché pour une affaire quelconque. Seulement je n'arrive pas à le joindre et...

Une douleur brutale fulgura dans son torse et lui arracha un gémissement.

— Qu'est-ce qu'il y a ? demanda Judy.

— Rien. Ecoute, renseigne-toi auprès des agences : Reuter, Associated Press, etc. Et faxe-moi ce que tu obtiendras.

— Où es-tu descendu ?

Il lui donna les coordonnées de l'hôtel et raccrocha pour consulter l'annuaire. Il appela lui-même l'Associated Press qui ne lui fut d'aucun secours. Pas plus que la BBC, la Westinghouse Radio ou le *Rome Daily American*.

Il dut attendre près de deux heures avant qu'on glisse sous sa porte une enveloppe renfermant deux feuillets, dont l'un à l'en-tête de Lassiter Associates sur lequel Judy avait griffonné : *Ci-joint un papier de Reuter. Tu es sûr que ça va ?*

Il saisit le deuxième feuillet.

Copyright 1996 — Reuter
23 décembre 1996

MEURTRE DANS UNE ÉGLISE ROMAINE

Un enquêteur privé a été trouvé mort, tôt ce matin, à l'extérieur de la basilique de Santa Maria Maggiore, non loin du Colisée. D'après la police, Antonio Bepistraversi, âgé de vingt-six ans, a été torturé et assassiné.

C'est une sexagénaire, Lucilla Conti, qui a découvert son cadavre sur les marches, à l'arrière de la basilique. Mme Conti a déclaré aux journalistes qu'elle l'avait d'abord pris pour l'un des SDF qui, depuis

221

plusieurs années, hantent la piazza Vittorio Emanuele II, toute proche. Elle l'a contourné, de crainte qu'il ne lui réclame de l'argent. Mais comme l'homme demeurait absolument immobile, elle s'est étonnée et approchée pour constater qu'il avait la tête enfermée dans un sac en plastique.

Les policiers de la Criminelle font remarquer que le drame s'est produit dans un quartier « difficile ». Ils assurent que ce meurtre ne restera pas impuni.

Lassiter relut l'article trois fois, refusant d'y croire, espérant encore un malentendu. Malheureusement, le doute n'était plus permis : Bepi était bien mort. Pis, il était mort dans des conditions atroces.

Il devait parler à Gianni Massina, l'ami de Bepi. Lui seul pourrait expliquer ce qui s'était passé. Il saisit son répertoire et chercha le numéro du journaliste qu'il appela aussitôt.

— *Pronto ?*

— C'est Joe Lassiter.

— Oui ?

— Nous nous sommes rencontrés l'autre jour et...

— Oui, bien sûr ! Vous êtes au courant pour Bepi ? ajouta Massina d'une voix rauque.

— Je l'ai appris par la télé.

— Je n'arrive pas à m'y faire, soupira le journaliste.

— Ecoutez, je vous appelle parce que... Bepi travaillait pour moi au moment de sa mort, et comme on l'a trouvé sur les marches d'une église... je me suis dit qu'il y avait peut-être un lien avec Umbra...

— Hmm, grogna Massina, sceptique. Umbra suscite toutes sortes de rumeurs et de soupçons. Mais là... cette basilique est intéressante, cependant je ne vois pas le rapport avec Umbra Domini.

— Intéressante ? C'est-à-dire ?

— Elle est très ancienne, puisqu'elle date du Ve siècle, et fut construite après une chute de neige miraculeuse, en plein mois d'août, qui laissa imprimé sur le sol le plan de l'église. De plus elle est réputée pour ses reliques de la grotte de Bethléem — des morceaux de bois qui proviendraient de la crèche.

— Pourquoi Bepi se serait-il rendu dans ce lieu ? Il n'était pas croyant, me semble-t-il.

— Bepi à l'église ? Non... La basilique a été élevée en l'honneur de la Vierge, et elle attire énormément de femmes en mal d'enfant — à cause des reliques de la crèche, je suppose.

— Mais alors, comment expliquez-vous...

— Peut-être Bepi avait-il un rendez-vous, pour ses affaires. Il était prudent, mais allez savoir...

— Dans le communiqué de Reuter, on parle de « quartier difficile ».

— Un doux euphémisme ! railla Massina. Les Romains ont baptisé la piazza Vittorio Emanuele II « place des seringues et des ordures ». C'est bourré de junkies, de zonards, même les prostituées n'y mettent plus les pieds.

— Admettons que ce soit un quartier pourri. Ça change quoi ?

A l'autre bout du fil, Massina parut hésiter.

— Pourquoi cette question ?

— D'après Reuter, Bepi a été torturé. Dans ce genre d'environnement, on peut tuer quelqu'un au cours d'une bagarre, mais on ne torture pas un homme sur les marches d'une église. Le meurtre a forcément eu lieu ailleurs.

— Vous voulez une confidence ? Vous avez raison. J'ai discuté avec les flics. Le corps a été abandonné là vers cinq heures du matin. On ignore où il était auparavant, mais d'après les premiers examens, il n'est pas mort à l'endroit où on l'a trouvé et, en tout cas, pas dans cette position. Le décès datait de plusieurs heures, peut-être même vingt-quatre heures.

Tous deux demeurèrent un instant silencieux.

— Il avait un gosse, vous le saviez ?

— Oui, il m'en avait parlé.

Nouveau silence.

— Vous savez comment il est mort ?

— Non, pas vraiment.

Massina inspira bruyamment.

— La police ne tient pas à révéler cette information... Bepi avait des écorchures à la gorge, aux poignets et aux chevilles. On lui a attaché les bras et les jambes derrière le dos avec une corde qu'on lui a passée autour du cou, pour former un nœud coulant. Plus la victime s'agite, plus le nœud se resserre. D'après les flics, ça dure des heures.

Massina s'interrompit, manifestement bouleversé.

— Quand on l'a découvert, il avait la tête dans un sac en plastique. Une torture d'une cruauté particulièrement raffinée. On vous enfonce la tête dans le sac, vous retenez votre respiration le plus longtemps possible, mais l'instinct reprend le dessus... et vous vous débattez ! La corde vous étrangle, vous perdez à moitié conscience, alors on enlève le sac, on desserre le garrot, vous soufflez un peu. Puis ça recommence. Des dizaines de fois. Seulement, à un moment, on décide de vous laisser le sac sur la tête. Et c'est fini, vous êtes mort.

Lassiter ne répliqua pas. Que pouvait-il dire ? Massina toussota.

— Pourquoi lui a-t-on infligé pareil traitement, selon vous ?

— Pour lui soutirer des informations, je présume.

— Quelles informations ?

— Je n'en ai aucune idée. Ses bourreaux n'attendaient peut-être pas d'aveux précis. Ils l'ont torturé... comme ça, pour voir ce qu'il savait... ou ce que moi, je savais. A moins qu'il ne soit tombé entre les mains d'un psychopathe.

— Je n'y crois pas.

— Moi non plus.

Les deux hommes se turent ; ce fut Lassiter qui, le premier, rompit le silence.

— Bon..., marmonna-t-il.

— *Felice Natale, eh ?*

— Oui, comme vous dites...

— Faites attention à vous.

— Vous aussi. Je vous souhaite un joyeux Noël...

Chapitre 21

Lassiter venait d'interrompre sa communication avec Massina, lorsque la sonnerie aiguë du téléphone retentit. Il saisit le combiné du bout des doigts, comme s'il touchait une saleté.

— Lassiter, annonça-t-il de ce ton neutre derrière lequel il s'abritait toujours lorsque sa secrétaire prenait sa pause-café.

— Devinez qui vous appelle !

— Jimmy ! Je voulais justement vous...

Il s'apprêtait à lui parler de Bepi et de sa mésaventure à Naples, mais Riordan ne lui en laissa pas le temps.

— C'est dingue ! s'exclama-t-il avec entrain. Vous êtes sur une affaire, vous vous embourbez, alors vous fichez le camp à l'autre bout du monde, et là... Je crois que j'ai quelque chose.

Lassiter se redressa.

— Ah, ricana Riordan. Je vous intéresse tout à coup, pas vrai ?

— En effet.

— Quand pouvez-vous venir ?

— Où ?

— A Prague ! D'où pensez-vous que je vous appelle ?

— Jimmy, il s'est passé des choses ici, je ne...

— Une petite heure de vol, et vous êtes là !

Lassiter réalisa que Riordan n'avait pas perçu dans sa voix la gravité et l'inquiétude : il ne l'écoutait pas — il était trop surexcité pour ça.

— Pourquoi ne pas m'en dire plus ?

— C'est trop important. Sautez dans un avion et amenez-vous.

— Vous êtes sûr que...

— Faites-moi confiance. C'est important.

Lassiter reposa le combiné et essaya de réfléchir. Il se sentait tenu de rester à Rome et de faire quelque chose pour Bepi. Mais quoi ? D'ailleurs il serait de retour dès le lendemain. Peut-être même avant.

Cinq heures plus tard, dans la capitale de la République tchèque, Lassiter descendait de taxi devant l'Intercontinental et contemplait ce bloc de béton et de verre, d'un futurisme de pacotille, concrétisation de l'idée que les apparatchiks se faisaient d'un hôtel de luxe. Erigé en pleine guerre froide, l'édifice était censé représenter la vitrine du parti communiste, un slogan architectural qui proclamait au monde : nous marchons vers un avenir radieux ! Mais, comme cela se produit souvent avec les slogans, le message s'était quelque peu faussé et, aujourd'hui, l'hôtel faisait triste mine...

L'intérieur valait toutefois mieux que l'extérieur, on était quand même dans un Intercontinental. Sans doute avait-on revu la décoration après le divorce à l'amiable d'avec le communisme.

Lassiter trouva Riordan au bar, dans un box, assis face à un Tchèque lugubre, en manteau de cuir. Avec son costume et sa cravate réglementaires, Riordan avait l'air du flic qu'il était, tandis que son compagnon évoquait un rocker sur le déclin, un génie tuberculeux aux longs cheveux noirs et graisseux. Un paquet de Trumf gisait sur la table, au milieu de bouteilles de Pilsner Urquell vides.

Lassiter laissa tomber son sac de voyage sur le sol et se glissa dans le box.

— J'espère ne pas m'être déplacé pour rien, dit-il.

Riordan le dévisagea.

— Saaalut, Joe ! s'exclama-t-il. Dites bonjour à Franz...

— Bonjour, Franz.

— Joe Lassiter, Franz Janacek.

Les deux hommes se serrèrent la main. Le Tchèque avait une poigne solide, des yeux que les paupières voilaient à demi, une voix sourde, presque caverneuse, et un sourire qui découvrait une molaire en or.

— Enchanté, dit-il.

— Franz est... qu'est-ce que vous êtes, au fait ? Ministre de l'Intérieur ?

— Pas encore, répondit Janacek, amusé.

Il sortit une carte de visite qu'il posa sur la table mouillée. Lassiter y jeta un coup d'œil et lut avec étonnement que Janacek était commissaire.

— C'est pas un pays formidable ? dit Riordan, hilare. J'adore cet endroit ! Allez, je paie une tournée.

Il agita la main pour appeler le serveur, comme s'il se trouvait sur le pont d'un paquebot et saluait sa famille éplorée restée à terre.

Le bar était bondé d'hommes mûrs en costume sombre. Réunis par groupes de trois ou quatre, ils discutaient avec animation, dans toutes les langues. La plupart ayant la cigarette au bec, l'atmosphère était saturée de tabac bon marché et de vapeurs d'alcool.

Riordan les montra du menton.

— Tout le monde est là ! Le FBI, les services secrets, le KGB — même les gars de la police montée canadienne. Vous vous rendez compte ? La police montée ! Et Scotland Yard, et la gendarmerie française — je n'avais jamais vu un gendarme de ma vie. Ils sont tous là !

— Un vrai poulailler, dit Janacek en allumant une cigarette.

Riordan éclata de rire.

— Franz est un hippy.

On leur apporta leurs consommations. Lassiter goûta sa bière, qu'il jugea délicieuse mais qui irrita sa lèvre écorchée. Il tressaillit, ce qui n'échappa pas à Janacek.

— Que vous est-il arrivé ?

— Je suis tombé.

— Sans blague, grimaça Riordan.

— Un type s'est introduit dans ma chambre.

— Et alors ?

— Je n'ai pas pu lui passer les menottes.

— Il a filé ? demanda Janacek.

— Eh oui.

— Dommage, fit Riordan. Mais assez parlé de vous, ajouta-t-il en riant.

Il avait un rire étonnamment juvénile. Lassiter, qui l'observait avec un brin de perplexité, comprit soudain la raison de son exubérance.

— Vous êtes bourré, Jimmy.

— Je suis peut-être un peu imbibé. Et alors ? Figurez-vous que Franz et moi, nous sommes codébatteurs.

— Sur quel sujet ?

— Les fonds de tiroirs.

— Pardon ?

— Les affaires d'homicide ou de délit majeur que nous n'avons pas pu élucider, expliqua Janacek.

— Parce qu'il n'y a pas de preuve, enchaîna Riordan.

— Ou pire, pas de mobile, renchérit Janacek.

— C'est un sacré problème, dit Riordan. Qu'est-ce qu'on fait, quand une enquête n'aboutit pas ? A part espérer qu'un jour la solution se présentera d'elle-même ? Qu'est-ce qu'on fait, hein ?

— Je ne sais pas, répondit Lassiter. Qu'est-ce que vous faites, vous ?

Riordan haussa les épaules.

— Justement, c'est le thème du débat. En gros, vous reprenez tout depuis le début. Vous interrogez les témoins, en espérant qu'ils finiront par avouer. Ou vous priez pour que la technologie vous procure de nouveaux moyens d'investigation — comme les analyses ADN. Mais en général, quand un dossier est dans un tiroir, il y reste. C'est déprimant.

Dérouté, Lassiter secoua doucement la tête. Un sourire carnassier étira les lèvres de Janacek.

— Si je vous suis bien, vous avez parlé de ma sœur, et...

— Non, pas du tout. Cette affaire est résolue, nous n'avons plus qu'à mettre la main sur le coupable.

Riordan baissa le nez et émit un rot discret.

— A lui remettre la main dessus, rectifia-t-il.

— Pourquoi m'avez-vous fait venir ici ? demanda Lassiter qui commençait à s'énerver.

— J'y arrive, une minute. Voilà ce qui s'est passé pendant le colloque : quelqu'un a posé une question sur les tueurs en série.

— Une question pertinente, dit Janacek. Dans ces affaires, la plupart du temps, il n'y a pas de mobile évident.

— Parce que le coupable tue... pour le plaisir de tuer.

— Il se comporte comme un scientifique qui se livre à des expériences, ajouta Janacek. A mon avis, beaucoup d'affaires impossibles à élucider entrent dans cette catégorie.

— Bref, le type qui a mis le sujet sur le tapis voulait un exemple. Et Janacek... allez-y, racontez-lui.

Le Tchèque se pencha vers Lassiter.

— L'exemple que j'ai cité remonte à trois ou quatre mois. Une famille résidant près du parc Stromovka. Un quartier agréable. Incendie criminel. Deux morts.

— Ecoutez bien la suite, dit Riordan. On a tué un petit garçon âgé d'environ deux ans et sa mère. C'était la nuit, ils dormaient. L'incendie a détruit la maison.

— On a utilisé des agents accélérateurs. Il n'est rien resté, hormis quelques fragments d'os et de dents. Nous suspections le mari, mais... non.

— Il n'y avait pas de maîtresse, pas d'amant, pas d'assurance sur la vie.

Janacek opina.

— Pas de dettes. Rien.

— Une famille heureuse, dit Riordan.

— Où était le mari ? demanda Lassiter.

Janacek agita la main, comme s'il chassait une mouche.

— Il assistait à un match du Sparta — en dehors de la ville.

Riordan s'adossa à la banquette.

— Ça vous rappelle quelque chose ?

— Oui, répondit Lassiter. Ça s'est passé quand, exactement ?

— Le 1er septembre.

Lassiter fronça les sourcils, essayant de se remémorer les visas figurant sur le passeport de Grimaldi.

— J'ai vérifié, dit Riordan. Il a débarqué ici quelques jours plus tôt.

Les trois hommes se turent et burent pensivement leur bière. Puis Lassiter les dévisagea.

— C'est peut-être une coïncidence.

— Absolument, dit Riordan.

— Ça se pourrait.

— Vous y croyez ? s'enquit Janacek d'un ton neutre.

— Non, dit Lassiter.

Janacek hocha la tête. Tous trois sombrèrent à nouveau dans le silence.

— Pourrais-je m'entretenir avec le mari ? lança soudain Lassiter. Ce serait possible ?

— Jiri Reiner ? dit Janacek, le front plissé. Il ne parle pas votre langue.

— Vous seriez présent, bien sûr.

— Que cherchez-vous au juste ? demanda Janacek après réflexion.

— Eh bien, tout d'abord... j'aimerais savoir s'il existait un lien quelconque entre sa femme et ma sœur. Ou entre les enfants.

— Quel genre de lien ?

— Je n'en ai aucune idée.

— Jiri est encore très... perturbé. Les médecins le bourrent de calmants, ils craignent qu'il tente de se suicider. C'est normal, non ?

Janacek fixa ses yeux pâles sur Lassiter.

— N'importe qui réagirait comme lui. Il a tout perdu en une nuit. Sa femme, son fils, sa maison. Tout, conclut-il d'un air accablé.

— Ce n'était qu'une suggestion.

Janacek souffla par le nez, secoua la tête.

— En plus, Jiri n'est pas très... communicatif, voyez-vous. La plupart du temps, il ne desserre pas les dents.

— Hmm...

— Néanmoins..., poursuivit Janacek de sa voix traînante, comme les deux affaires présentent des similitudes troublantes... nous pourrions nous aider mutuellement. Croyez-vous qu'il me soit possible d'obtenir une copie du passeport italien ?

Lassiter et Riordan échangèrent un bref regard.

— Je suis sûr que l'inspecteur vous arrangera ça, dit Joe.

— Et une photo ?

— Oui, sans problème, répondit Riordan.

Janacek termina sa bière et se leva.

— D'accord, je m'en occupe. Je poserai la question à Jiri et à son médecin.

Il serra la main de ses deux compagnons.

— A demain matin.

— Merci, dit Lassiter.

Le Tchèque hocha gravement la tête et sortit du box. Avant de s'éloigner, il se retourna.

— Un criminel qui passe d'un pays à l'autre... ce n'est vraiment pas habituel. Et là... d'un continent à l'autre... Ça me fait penser à une affaire de terrorisme. Or nous savons qu'il ne s'agit pas de terrorisme.

— Ah bon ? fit Riordan.

— Evidemment.

— Et pourquoi ça ?

— Parce qu'il n'y a pas de publicité, intervint Lassiter, pas de propagande politique.

— Il faut que j'y aille, dit Janacek à Riordan. Quand vous rentrerez aux Etats-Unis, pensez à demander à votre FBI s'ils n'auraient pas dans leurs fichiers quelque chose qui nous permettrait de relier ces crimes.

— Absolument, rétorqua Riordan. J'appellerai mon FBI pour voir ce qu'ils ont.

Le lendemain, dernier jour du colloque, Janacek et Riordan n'eurent pas une minute de répit. Après le petit déjeuner, les conférences, débats et ateliers s'enchaînèrent jusqu'à l'assemblée générale. Le soir, un banquet devait réunir tous les participants.

Janacek téléphona à Lassiter pour dire qu'il s'efforçait d'organiser l'entrevue avec Reiner. Il le tiendrait au courant.

Joe avait donc une journée de liberté devant lui. Il ne manquait pas d'occupations, mais il voulait d'abord et surtout faire un jogging sur les bords de la Vltava et dans les ruelles de Prague. Quoique ses côtes fussent toujours sensibles au toucher — le mot était faible —, il pourrait parcourir quelques kilomètres, à condition d'y aller mollo. Il ne s'agissait pas de percuter un passant ou de s'essouffler.

S'il ne courait pas maintenant, quand en trouverait-il le temps ? Dans sa jeunesse, il avait appris que, s'il ne donnait pas la priorité à l'exercice physique, il finissait par ne plus bouger du tout. Le travail avait une fâcheuse tendance à vous grignoter la vie. En vertu de quoi, il avait pris l'habitude de commencer ses journées par un petit jogging, avant de s'absorber dans ses activités professionnelles.

Quand il sortit de l'hôtel, l'air froid, qui laissait sur les lèvres un goût de fumée et de métal, le fit grincer des dents. Prague avait conservé de son passé communiste une prédilection pour l'industrie lourde qui, combinée à sa situation géographique — la ville était encaissée dans une vallée —, créait de sérieux problèmes de pollution atmosphérique, surtout en hiver.

Le cœur de la cité n'en était pas moins superbe ; il n'avait pas connu les bombardements de la dernière guerre ni les rénovations qui défiguraient de nombreuses capitales européennes.

Lassiter traversait le pont Charles lorsque la neige commença à tomber. Il allongea le pas, passa devant les statues noircies par les ans, un bataillon de saints alignés le long des parapets et toisant avec hauteur les piétons qui se hâtaient. Quelques marchands ambulants — vendeurs de cartes postales, de photographies, de décorations de Noël ou d'objets d'artisanat — se chauffaient les mains à des braseros. Un vent glacial ridait la surface de la rivière. Au coin des rues, des femmes emmitouflées dans de gros manteaux surveillaient des bassines en plastique où frétillaient des carpes. Riordan l'avait mis en garde contre cette coutume de Noël ; lui-même s'était approché de trop près, pour regarder un client choisir un poisson. On saisissait la carpe par les ouïes, on la posait sur une planche et on lui tranchait la tête d'un coup de hachoir. Sa curiosité avait coûté à l'inspecteur son plus beau pantalon.

Lassiter parcourut deux kilomètres, puis rebroussa chemin. Quand il s'engagea sur le pont, les vendeurs avaient disparu. Le vent s'était calmé, et la neige s'amassait dans les mains tendues, sur les pieds nus et les visages aveugles des statues. Les trottoirs commençaient à se transformer en patinoires. Redoutant de glisser, il rentra à l'hôtel en marchant. Il respirait à petits coups, mais ses côtes le faisaient toujours souffrir.

Un message de Janacek l'attendait à la réception : l'entrevue avec Reiner aurait lieu le soir même, à six heures.

Après une douche rapide, Lassiter prit un adaptateur dans son sac de voyage, le raccorda à son portable et se connecta au réseau téléphonique. Il avait l'intention de mener une recherche documentaire sur les incendies et homicides similaires aux deux affaires qui l'occupaient : en l'occurrence, la mort de Kathy et Brandon, ainsi que l'assassinat de la femme et du fils de Jiri Reiner.

Il tapa le code international d'accès à ATT[1] et appela le service Nexis/Lexis. Il aurait pu confier cette tâche à l'un de ses collaborateurs, mais il considérait que ce type de recherche relevait de l'intuition — surtout quand, comme lui, on ne savait pas très bien ce qu'on cherchait.

---

1. American Telephone & Telegraph Company (*N.d.T.*).

Nexis était une base de données sophistiquée et très onéreuse qui regroupait des milliers de publications du monde entier : journaux, magazines, bulletins et communiqués de presse. Le système était rapide, et une fois l'objet défini, il était relativement simple de trouver le ou les papiers recherchés — que ce fût un communiqué de l'agence Reuter de Sofia datant de 1980, ou un article sur la mélatonine paru en 1990 dans le *Journal of Endocrinology*.

On utilisait des opérateurs logiques (ET/OU ainsi que NON) en conjonction avec les mots clés qui définissaient le thème. Lassiter tapa : *Incendie criminel* ET *homicide* ET *enfant*.

L'ordinateur se mit à ronronner ; quelques secondes plus tard, un message apparut sur l'écran, indiquant qu'il y avait plus de mille références et que la recherche était interrompue. Lassiter réfléchit puis ajouta : ET *1995*.

Cette fois, on lui annonça deux cent quatorze références ; pour l'essentiel, elles n'avaient aucun rapport avec le sujet qui l'intéressait. Mieux valait redéfinir l'objet de la recherche. *Kathleen Lassiter* ET *incendie criminel* ET *1995*.

Au total, dix-neuf articles étaient parus dans le *Washington Post*, le *Washington Times* et le *Fairfax Journal*, sans oublier les communiqués de l'Associated Press. Ces comptes rendus se divisaient en deux groupes : les premiers papiers avaient été écrits dans les trois jours qui avaient suivi la mort de Kathy et Brandon, ainsi qu'après la profanation de la tombe ; les autres concernaient l'« évasion de John Doe » et l'assassinat du policier. Depuis, plus rien.

Cette prose déprima Lassiter. Il mesurait à quel point l'intérêt de la presse pour une affaire était fugace et superficiel, et cette constatation le décourageait. A lire ces articles, on n'avait qu'une très vague idée de l'atrocité du crime. Aucun journaliste n'avait pris le temps de se demander pourquoi le corps de Brandon avait été exhumé et brûlé, ni d'envisager l'éventualité que ce John Doe ait un complice. On se bornait à rapporter des faits, sans essayer de les analyser.

Sans doute en allait-il ainsi dans toutes les grandes villes, où la fusillade du dimanche chassait le double meurtre du samedi, si abominable fût-il.

Une chose était sûre : il n'arriverait à rien de cette manière. La zone de recherche était trop vaste. Les termes *enfant, incendie criminel* et *homicide* avaient des dizaines de synonymes et, s'il les utilisait tous, il devrait parcourir des milliers de documents.

Il tapa : *Reiner* ET *incendie criminel* ET *Prague*.

Aucune référence. Frustré, il revint à son point de départ et employa un dispositif qui sélectionnait les mots clés dans chacun des articles. Au bout du compte, un seul de ces papiers retint son attention : un entrefilet paru dans un modeste quotidien de Bressingham, en Colombie-Britannique, à cent soixante kilomètres au nord de Vancouver. On y racontait comment Brian et Marion Kerr, ainsi que leur fils Barry, âgé de trois ans, avaient péri dans un incendie que la police jugeait suspect.

Bien que ce drame ait fait trois victimes, contrairement aux autres affaires où seuls les enfants et leur mère étaient visés, Lassiter décida de pousser plus loin son investigation : *Kerr* ET *Bressingham* ET *incendie* OU *incendie criminel*.

L'événement s'étant produit dans une petite ville, la presse locale avait dû en faire ses choux gras. Il trouva effectivement huit articles substantiels qu'il lut de la première à la dernière ligne. Les pompiers avaient repéré trois foyers d'incendie, et les examens de laboratoire prouvaient qu'on avait utilisé des agents accélérateurs. Des témoins disaient avoir vu un homme s'enfuir de la maison quelques minutes avant que l'incendie n'éclate.

La première pensée qui vint à l'esprit de Lassiter fut que les enfants étaient tous des garçons. Brandon, le fils des Reiner, et celui des Kerr.

Mais ça ne collait pas. Le passeport de Grimaldi ne comportait pas de visa canadien, Lassiter en avait la certitude. De plus, les Kerr étaient morts le 14 novembre. Or à cette date, quelques jours après les obsèques de Kathy et Brandon, Grimaldi se trouvait encore à l'hôpital.

Irrité, Lassiter éteignit l'ordinateur et appela Judy à Washington.

— Hello ! s'exclama-t-elle. Où es-tu ?

— A Prague.

— Donne-moi ton numéro. Je te signale que je suis censée pouvoir te joindre à tout instant !

Il s'exécuta et, après un silence, elle demanda :

— Tu as du nouveau pour Bepi ?

— Non, répondit-il, jugeant préférable de lui épargner les détails.

234

— Tu crois que sa mort a quelque chose à voir avec toi ?

— J'essaie de me persuader du contraire ; malheureusement... oui, je pense que ça a un rapport avec... mon affaire.

— Alors, tire-toi. Ne reste pas là-bas !

— Je ne suis pas « là-bas », je suis à Prague. De toute façon, ce n'est pas encore le moment de partir.

— Mais pourquoi ?

— Parce que j'ai des choses à faire. Et j'ai quelques petits services à te demander. D'abord, je veux qu'on s'occupe de la famille de Bepi. Qu'on verse une sorte de rente à son gamin et à la personne qui en a la tutelle. Qu'ils soient au moins à l'abri du besoin.

— Pendant combien de temps ?

— Le temps qu'il faudra.

— Ça risque de coûter beaucoup d'argent.

— J'ai beaucoup d'argent, Judy.

— Bon. Quoi d'autre ?

— Amex... Où en es-tu ?

— Ils souhaitent savoir quel rôle tu joueras après la vente.

— Aucun.

— Ça ne leur plaît pas.

— Tant pis, je me retire quand même.

— Dans ce cas, ils ont mis sur la table une offre de cent vingt-cinq millions, plus des options qui devraient se chiffrer à trois millions. Mais tu ne peux pas lever les options pendant cinq ans, et ils exigent une clause de non-concurrence.

Ils ne tenaient évidemment pas à ce que Lassiter crée une nouvelle société sur le même créneau.

— Pas de problème.

— Ils m'ont dit que, si tu restais dans l'affaire en tant que PDG, ils accepteraient de monter les enchères.

— Ils le feront de toute manière. Toi, dis-leur que les options ne m'intéressent pas. Je veux l'argent.

— Pigé.

— Le principe, c'est de liquider avec le maximum de profit. Et si je dois liquider, autant...

— Aller jusqu'au bout. D'accord... je continue à leur mordre les mollets.

Ensuite Lassiter téléphona à Roy Dunwold, le responsable de sa succursale londonienne qui employait quatre personnes. Issu d'un milieu ouvrier, Roy avait grandi à Derry, ou Londonderry — selon que l'on était du bon ou du mauvais côté de la barrière. En tout cas, il en avait bavé. Condamné pour plusieurs vols de voiture, il avait passé près de deux années à Borstal ; ses folles virées s'étaient brutalement terminées lorsque la Porsche qu'il pilotait avait tamponné un corbillard emportant vers sa dernière demeure un membre de l'IRA.

Après trois mois d'hôpital et un long séjour en maison de redressement, on l'avait relâché et confié à la garde de sa tante, à Londres. Cette femme clairvoyante, qui dirigeait un bed and breakfast à Kilburn, l'avait obligé à regarder la réalité en face : voler des voitures était, au mieux, un hobby. Il lui fallait un métier.

Il s'était donc mis en devoir d'en acquérir un, et avait suivi les cours du soir avant d'entrer dans l'un des meilleurs instituts d'enseignement technique. Etudiant brillant, sitôt son diplôme en poche, il avait été engagé comme spécialiste en gestion de systèmes informatisés par l'équivalent britannique de la National Security Agency. Au bout d'une année, on l'expédia à Chypre, dans une base-satellite des monts Troodhos. Cinq ans en Egée le dégoûtèrent à jamais du vin résiné et des pérégrinations incessantes. Il retourna en Angleterre — « la pluie me manquait », disait-il à ses amis — et opta pour le secteur privé. Lassiter l'avait débauché de chez Kroll Associates en lui offrant le même salaire, avec en prime une voiture de société qu'il l'autorisa à choisir.

Roy Dunwold avait choisi une Jaguar.

Dès qu'il l'eut en ligne, ce qui réclama un certain temps, Lassiter alla droit au but.

— Je ne sais pas si vous êtes au courant, mais je travaille actuellement sur un dossier... personnel.

— Votre sœur.

— Et mon neveu.

— En effet, je suis au courant.

— Je cherche des renseignements sur des affaires similaires — incendies criminels et meurtres d'enfants. Il semblerait qu'une histoire du même genre se soit produite à Prague, ainsi qu'au Canada.

— Vous êtes sûr qu'il y a un lien ?

— Non... mais c'est possible. Et j'ai pensé que vous pourriez peut-être m'aider à trouver d'autres cas.

— Où ?

— Partout. Vous n'avez qu'à commencer par l'Europe.

— L'Angleterre ?

— Pourquoi pas....

Dunwold marqua une pause.

— Il y a un problème, dit-il.

— Lequel ?

— De nombreux incendies criminels passent inaperçus, n'est-ce pas ? On les attribue à un court-circuit, un appareil de chauffage défaillant, etc. Ça signifie qu'il faut prendre en compte tous les incendies qui se sont soldés par la mort d'un enfant.

— Exactement.

— C'est un sacré boulot.

— Oui, j'en suis conscient.

— Je me concentre sur ces derniers mois ?

— A partir du 1er août.

— Très bien.

— Vous comptez mettre Interpol sur le coup ?

— Ils ne valent pas tripette, nous nous débrouillons bien mieux qu'eux. Nous avons quelques bases de données assez complètes et je pense que les compagnies d'assurances nous seront utiles. Par le passé, elles nous ont rendu de fiers services. J'appellerai la Lloyd's.

— Et la police ?

— Ça va sans dire. La police, Europol, le Yard — toute la smala.

— Attendez, je viens d'avoir une idée...

Lassiter prit la copie du passeport de Grimaldi et contrôla les différents visas durant la période concernée.

— Ah voilà... Voyez s'il ne s'est pas passé quelque chose à São Paulo.

— Au Brésil ?

— Oui, du 13 au 18 septembre.

— Compris. Vous voulez un rapport écrit ?

— Non, vous n'aurez qu'à me téléphoner. Judy saura où me joindre.

— Et le budget ?

— Ne vous inquiétez pas de ça. Faites ce qu'il y a à faire.

— D'accord !

Roy Dunwold allait raccrocher, quand il se ravisa.

— Oh, un instant... Vous êtes toujours là, Joe ?

— Oui.

— Il me vient un petit doute...

— C'est-à-dire ?

— Ça risque de prendre un certain temps, et vous comprenez... après-demain, c'est Noël. Je serai là, mais...

— Faites pour le mieux.

— Entendu. Eh bien... joyeux Noël, bonnes fêtes, etc. Je vous donne des nouvelles très vite.

A cinq heures et demie, il retrouvait Janacek et Riordan dans le hall de l'hôtel ; à six heures et quart, après un périlleux gymkhana dans les rues enneigées de Prague et de sa banlieue, ils pénétraient dans l'ascenseur de la clinique Pankow.

Un médecin en blouse blanche les conduisit jusqu'à la chambre de Jiri Reiner. Il y régnait une chaleur d'étuve, pourtant Reiner était blotti sous un amas de couvertures. Ses yeux paraissaient immenses dans son visage émacié.

— Il ne mange rien, chuchota Janacek, passant une main nerveuse dans ses cheveux.

Le médecin murmura quelques mots à l'oreille du policier tchèque puis se tourna vers Lassiter. Il leva une main et écarta les doigts, pour signifier qu'il leur accordait cinq minutes. Après quoi il quitta la pièce.

Reiner, du fond de son lit, observait Lassiter.

— Bon ! fit Janacek. Je vais vous servir d'interprète. Que souhaitez-vous dire à M. Reiner ?

— Le 2 novembre, ma sœur Kathy et son petit garçon, Brandon, ont été assassinés dans leur lit, alors qu'ils dormaient. Ensuite on a mis le feu à leur maison.

Joe s'interrompit pour reprendre son souffle.

— L'assassin a eu un problème, il a dû sauter par la fenêtre pour se sauver. Ses vêtements étaient en flammes.

Janacek traduisit, puis, d'un signe de tête, encouragea Lassiter à poursuivre.

— Il a été grièvement brûlé, mais il a survécu. Quand la police l'a interrogé, il a refusé de répondre — si bien que personne n'a pu découvrir pourquoi il avait commis un tel crime.

Les yeux de Reiner s'emplirent de larmes. Il n'ébaucha pas un

geste pour les essuyer. Puis il se mit à parler d'une voix tremblante d'émotion, fixant sur Joe un regard de chien battu.

— Il demande, traduisit Janacek, si votre sœur et votre neveu
étaient déjà morts... avant l'incendie. Ils n'ont pas essayé de
lutter ?

Lassiter comprit immédiatement à quoi songeait Reiner.

— Ce n'est pas le feu qui a causé leur mort. On les a tués
d'un coup de poignard.

Il préféra ne pas mentionner les multiples blessures de Kathy
ni les égratignures qu'elle portait aux mains.

Reiner s'assit dans le lit, se balançant d'avant en arrière, les
mains crispées, les paupières closes. Quand il rouvrit les yeux, le
soulagement se lisait sur son visage. A l'évidence, il s'était torturé
durant des mois en imaginant son fils et sa femme prisonniers
des flammes, suffoquant, brûlés vifs. Maintenant, du moins, il
était délivré de cette hantise. Il adressa quelques mots à Janacek
qui se tourna vers Lassiter.

— Il demande qui est cet homme.

— C'est un Italien, il s'appelle Franco Grimaldi. Dites-lui
qu'il a un lourd passé de mercenaire, de tueur à gages.

Janacek traduisit, et Lassiter vit Reiner grimacer en entendant
le nom de Grimaldi. Puis, avec une moue perplexe, il secoua
tristement la tête.

Lassiter écarta largement les bras, pour signifier que lui non
plus ne comprenait pas.

— D'après son passeport, Grimaldi était ici, à Prague, au
moment où votre femme et votre fils ont été assassinés, déclara-
t-il.

— Je le lui ai déjà dit, rétorqua Janacek avec un brin d'aga-
cement.

— Eh bien, répétez-le-lui.

Reiner secoua à nouveau la tête et se tapota le front, pour
indiquer qu'il n'avait pas de réponse, pas la moindre théorie.

L'entretien se poursuivit durant quelques minutes, par l'intermédiaire de Janacek. Les deux femmes se connaissaient-elles ?
Hannah Reiner avait-elle fait un voyage aux Etats-Unis, Kathy
Lassiter était-elle venue en République tchèque ? Lassiter suggéra à Riordan de montrer à Reiner une photo de Grimaldi, ainsi
que de Kathy et Brandon, mais le pauvre homme ne put que
marmonner :

— *Ne, ne...*

Puis Reiner extirpa de sous son oreiller une petite photographie dans un cadre d'argent en forme de cœur : Hannah Reiner, souriante, son fils dans les bras. Lassiter regarda le portrait et soupira : il n'avait jamais vu cette femme.

Soudain, le médecin réapparut, fâché de les trouver encore au chevet de son patient. Reiner lui répondit d'une voix forte. Il voulait les coordonnées de Lassiter qui s'empressa de lui donner sa carte. Le médecin les pria de sortir, mais Joe s'approcha du lit, prit dans la sienne la main décharnée de Jiri Reiner et la serra.

— Je découvrirai pourquoi ils sont morts, dit-il, plongeant son regard dans celui du Tchèque.

Reiner se cramponna à sa main qu'il pressa sur son cœur. Il ferma les yeux, murmura :

— *Dekuji moc. Dekuji moc...*

— Il vous remercie, dit Janacek.

— Oui, j'avais compris.

D'un geste impérieux, le médecin leur montra la porte et se prépara à administrer une piqûre à son malade. Lassiter s'écarta, lança un dernier regard à Reiner qui le fixait de ses yeux immenses et fiévreux. Il allait s'éloigner quand il se ravisa soudain.

— Encore une question, dit-il à Janacek d'un ton pressant.

Janacek refusa d'un signe de tête, mais Jiri Reiner se redressa dans son lit et repoussa le médecin avec une vigueur surprenante.

— *Prosim*, dit-il à Lassiter.

— Demandez-lui si sa femme s'était, à un moment quelconque, rendue en Italie.

Kathy avait séjourné en Italie des dizaines de fois. Peut-être y avait-elle rencontré Grimaldi — peut-être Hannah Reiner l'avait-elle connu là-bas, elle aussi. Janacek posa la question. Il se produisit alors une chose surprenante.

Reiner détourna les yeux.

Lassiter eut la nette impression qu'il était embarrassé. Tête basse, il répondit à Janacek.

— Ils y sont allés une seule fois, traduisit le policier, en vacances. Bon, maintenant il faut partir.

Lassiter opina et salua Reiner d'un geste de la main. Mais le Tchèque ne le regardait plus ; blotti sous ses couvertures, il baisait pieusement la petite photo encadrée de sa femme et de son fils.

Chapitre 22

Le lendemain matin, Lassiter conduisit Riordan à l'aéroport, en se faufilant dans les encombrements, les yeux rivés sur les panneaux bleus qui jalonnaient le parcours. L'inspecteur semblait complètement éteint, ce qui ne lui ressemblait pas.

— Je voulais vous parler de..., commença Lassiter.

— Ne hurlez pas comme ça.

— Mais je ne hurle pas, je chuchote.

Ils arrivaient en vue d'un rond-point. Lassiter changea de voie et appuya à fond sur l'accélérateur. Riordan grogna. Ils étaient au milieu du rond-point quand Joe discerna vaguement un panneau bleu. Il dut se rabattre à toute allure pour reprendre la direction de l'aéroport.

— Par pitié, marmonna Riordan, ne me faites pas ça.

— La rançon du péché, rétorqua Lassiter sans la moindre compassion. Combien de verres avez-vous vidés, hier soir ? Hein ?

Riordan demeura silencieux, comme s'il comptait les consommations qu'il avait ingurgitées.

— C'est quoi, un verre ?

A mesure qu'ils s'enfonçaient dans les faubourgs de Prague, l'architecture se dégradait. Peu à peu, la pierre reculait devant le béton, l'élégance classique cédait la place au dépouillement du modernisme. On ne voyait plus que des façades nues, percées de fenêtres qui, curieusement, semblaient aveugles.

Riordan prit une profonde inspiration qui lui arracha un gémissement. Il se racla la gorge et se redressa sur son siège.

— Bon, de quoi vouliez-vous me parler ?

241

— De l'Italie.

— L'Italie, c'est le Campari... et alors ?

Lassiter soupira. Par où commencer ? Bepi...

— Mon collaborateur romain a été assassiné, voici deux ou trois jours. On l'a torturé avant de le tuer.

— Vous pensez que ça a un rapport avec vous ? demanda l'inspecteur après un long silence.

— Je ne peux pas le prouver, mais j'en ai la certitude. La veille, un type s'était introduit dans ma chambre d'hôtel. Un vrai colosse.

— Le soir où vous êtes « tombé » ?

— Oui. Je crois qu'il m'aurait tué, heureusement que la femme de chambre est arrivée.

— Bonté divine... qu'est-ce qu'il voulait ?

— Justement, je l'ignore. Quand je suis entré, il tripotait mon ordinateur.

Ils roulaient à présent sur une route plus large ; après un virage à gauche, ils se retrouvèrent soudain en rase campagne. Pas le plus petit arbre à l'horizon, et le soleil inondait la voiture. Riordan fit une horrible grimace.

— Vous avez une mine épouvantable, dit Lassiter en lui jetant un regard oblique.

L'inspecteur tourna vers lui des yeux rougis.

— C'est pas ma faute, dit-il d'un ton douloureux et résigné, typique d'une gueule de bois carabinée. Il y a eu un banquet. Les participants, à tour de rôle, se levaient pour porter un toast. Il a fallu boire en l'honneur de chaque pays. De la vodka pour la Russie et la Finlande. Du scotch pour l'Ecosse. Des tas de liqueurs. Il me semble me souvenir qu'il y avait de la slivotitz.

— Vous êtes un peu vieux pour ce genre de fredaines, non ?

Riordan éluda la question d'un geste las.

— Ce type devait penser que vous saviez quelque chose. Pourquoi ?

— Nous avons manqué de discrétion.

— Nous ?

— Moi et mon collaborateur, Bepi. Celui qui a été tué. Nous nous sommes rendus aux anciennes adresses de Grimaldi, nous avons discuté avec sa sœur...

— Et qu'est-ce que vous avez appris ?

— Il s'est converti à la religion voici cinq ans.

242

— Sans blague ! Et qu'est-ce qu'il foutait, avant ?

— C'était un genre d'espion. Un commando.

— Ah ouais ?

— Ouais... il assassinait des gens.

— Et comment vous savez ça ?

Lassiter se contenta de le dévisager.

— Comment vous le savez ? insista Riordan.

— J'ai un ami qui travaille... pour un organisme gouvernemental. Il m'a montré un dossier.

— La conversation devient enfin sérieuse ! Où puis-je voir ce document ?

— Vous ne pouvez pas.

— Et pourquoi ça, je vous prie ?

— Parce qu'il n'y a plus de dossier.

Riordan émit un grognement de frustration. Il ouvrit la bouche pour riposter, se ravisa.

— Alors, à quoi s'est-il converti ?

— Il a donné tout ce qu'il possédait à un groupe religieux : Umbra Domini.

— L'Ombre du Seigneur...

— Vous connaissez le latin ? s'étonna Lassiter.

— Non, c'est sœur Marie-Margaret qui le connaissait. Moi, j'ai seulement retenu quelques mots.

— La question qui se pose... vous vous souvenez du bordereau bancaire de Grimaldi ?

— Oui...

— L'argent venait d'Umbra Domini.

— Ça alors, c'est grand ! ricana Riordan. Comment l'avez-vous découvert ? Les Suisses ne nous ont jamais fourni le plus petit renseignement. Rien, que dalle !

Lassiter haussa les épaules.

— C'est un ami qui m'a fait une fleur.

Riordan frappait nerveusement le plancher du pied... puis le rythme se ralentit. L'inspecteur se figea.

— Hé là, attendez une minute ! Ce fameux bordereau... Je ne vous en ai jamais parlé.

— On n'est plus très loin de l'aéroport...

Riordan soupira.

— Je savais que ça venait de vous, de toute façon.

Tout en roulant vers le terminal, Lassiter raconta son voyage

243

à Naples et mentionna le flacon d'eau bénite tombé de la poche de della Torre.

— Il était identique à celui de Grimaldi, conclut-il.

— Où voulez-vous en venir ? Vous essayez de me dire que ce groupe religieux — Umbra Machinchouette — a payé Grimaldi pour assassiner votre sœur ?

— Et mon neveu.

— Oh, allons... voyons !

— Et la famille de Jiri Reiner. Ainsi, peut-être, que d'autres personnes.

— Vous êtes dingo ? Pourquoi feraient-ils une chose pareille ?

Riordan consulta sa montre, soupira bruyamment et se mit à farfouiller dans son attaché-case.

— Il vaudrait mieux que je note ces conneries, bougonna-t-il.

— Ne vous inquiétez pas, j'ai un dossier pour vous. Laissez-moi me garer, je vous retrouve à l'intérieur. Payez-vous un café.

— Je vous attends au bar.

Quinze minutes plus tard, Riordan paraissait avoir repris du poil de la bête.

— Qu'est-ce qui fait le plus de bien, à votre avis ? Le jus de tomate ou la vodka ?

— La vodka, répondit Lassiter en posant une enveloppe sur la table.

Riordan chaussa ses lunettes et entreprit de feuilleter les prospectus d'Umbra et les coupures de presse.

— Bien..., marmotta-t-il. Merci pour le tuyau... je n'ai plus qu'à retourner au bureau et dire au patron que ce sont les catholiques qui ont fait le coup. Vous imaginez la réaction ?

— Il ne s'agit pas des catholiques, mais d'une organisation religieuse — à propos, elle possède un lieu de retraite dans les environs de Washington. Quelque part près de Frederick. Il serait peut-être utile de vérifier.

— D'accord, rétorqua Riordan, le front plissé. Mais il faudra que j'en parle aux fédéraux. Depuis que Grimaldi a enlevé l'infirmière, on m'a collé un chaperon du FBI.

Riordan loucha abominablement, ce qui lui donna l'air d'un fou furieux, puis il agrippa la main de Lassiter et la secoua avec une énergie des plus viriles.

— Je me présente, Joe : Derek Watson ! C'est bien Joe, n'est-ce pas ? Nous faisons tout notre possible, je tiens à ce que vous le sachiez. Tout notre possible !

Riordan lui lâcha la main et ferma les yeux.

— Derek, soupira-t-il. J'ai Derek qui m'attend.

— Eh bien, parlez-en à Derek et emmenez-le.

— Ils ont pourtant d'autres chats à fouetter, au FBI.

Lassiter haussa les épaules.

— Non, mais franchement ! insista Riordan. Vous ne croyez pas qu'ils ont d'autres chats à fouetter ?

— Hmm... J'ai quelque chose à vous demander, enchaîna Lassiter pour changer de sujet.

— Quoi ? grommela l'inspecteur qui promenait un bâtonnet de céleri dans son bloody mary.

— Nous avons déjà évoqué la question. Cette infirmière... Juliette... avait ses clés de voiture dans la poche quand elle est entrée dans l'ascenseur avec Grimaldi. Il me semble que — comment dire ? — c'était une heureuse coïncidence pour lui. Vous l'avez interrogée à ce sujet ?

— Non, répondit Riordan après réflexion. Pas vraiment. J'avais promis de le faire, je sais, mais... elle était dans tous ses états quand on l'a récupérée, et ensuite... Derek a débarqué. J'ai discuté cinq minutes avec elle, pas plus. Mais j'ai soumis le problème des clés à Derek, parce que votre remarque me chiffonnait.

— Et alors ?

— Ben... il m'a renvoyé dans mes buts. Il a dit que, lui, il gardait toujours ses clés dans sa poche et qu'elle avait sans doute la même manie. A-t-il pensé à l'interroger sur ce point ? Je l'ignore.

L'inspecteur leva son verre et fit signe au garçon de lui en servir un autre.

— Vous vérifierez ? demanda Lassiter.

Au dos de l'enveloppe que Joe lui avait remise, Riordan nota : *Juliette — clés*.

— Où habite cette fille ? Près de l'hôpital ?

— Non, quelque part dans le Maryland. Hagerstown ou Gaithersburg...

Riordan marqua une pause.

— Emmitsburg, je crois.

Les deux hommes se regardèrent.

245

— Au nord de Frederick, dit Lassiter.

— Effectivement. Elle a expliqué qu'elle cherchait un logement plus proche de l'hôpital parce que le trajet l'épuisait. Pourtant, elle ne le faisait pas depuis longtemps.

— Comment ça ?

— Elle venait d'entrer dans l'équipe. Depuis une dizaine de jours.

— Une minute... Elle est arrivée après l'admission de Grimaldi ?

Riordan se frotta les yeux.

— Ouais. On l'a mutée de... je ne me rappelle plus. En tout cas, elle n'a pas de bol, cette fille. Sa deuxième semaine de boulot... et voilà qu'un type la kidnappe. Elle est toujours en thérapie.

— Elle n'a pas repris le travail ? s'exclama Joe.

— Elle est trop secouée, répondit Riordan en bâillant.

— Jimmy...

L'inspecteur l'interrompit d'un geste.

— Je sais ce que vous pensez. Elle n'est là que depuis deux semaines, elle a ses clés de voiture dans la poche...

— Et elle habite la région où, comme par hasard, Umbra Domini possède un foyer.

— Vous avez raison, soupira Riordan. Je vérifierai. D'accord ? Mais ne vous faites pas trop d'illusions. Alors, ajouta-t-il en vidant son verre, vous rentrez aux Etats-Unis pour Noël ?

— Non.

— Pourquoi ?

— Je ne voudrais pas vous tirer des larmes, inspecteur, mais... à quoi bon ? Je suis seul au monde. J'ai perdu toute ma famille.

— Où irez-vous, dans ce cas ?

— A Rome, probablement.

— Rome ? Qu'est-ce que vous me chantez là ? On vient de zigouiller votre collaborateur. Vous êtes suicidaire ou quoi ?

— On ne m'attend pas à Rome, j'y serai plus en sécurité que partout ailleurs. Si quelqu'un en a après moi, il me cherchera d'abord aux Etats-Unis. Ça me paraît évident.

Riordan n'eut pas le loisir d'argumenter, on annonçait son vol. Lassiter régla les consommations et accompagna l'inspecteur jusqu'à la porte d'embarquement.

— Cette histoire avec votre ami, dit Riordan. Le Romain...

246

— Bepi.

— Oui, c'est ça... Les cadavres s'accumulent.

Riordan tendit son passeport au préposé qui y jeta un coup d'œil, le tamponna et le rendit à son propriétaire avec un sourire désabusé. A quelques mètres d'eux, un homme chauve vidait ses poches devant une blonde qui s'apprêtait à le fouiller.

— Votre sœur et votre neveu, dit Riordan. Ça fait deux morts. Dwayne et Bepi : quatre... Et je ne compte pas la Tchèque et son fils. Six en tout.

Il s'interrompit, les sourcils froncés, la tête penchée sur le côté, tel un chien de chasse écoutant quelque bruit lointain.

A cet instant, le vigile chargé du contrôle des bagages à main lui intima d'avancer. Le chauve avait franchi le barrage et, derrière Riordan, les voyageurs en file indienne s'impatientaient. L'inspecteur déposa son attaché-case sur le tapis roulant ; au grand dam de ceux qui le suivaient, il s'immobilisa sous le portique de détection des métaux.

— Donnez-moi des nouvelles, d'accord ? lança-t-il à Lassiter. Parce que, voyez, le Grimaldi... il marque un peu trop de points, je trouve !

Chapitre 23

Noël passa, sans qu'aucun événement particulier ne se produise.

Pour les Italiens, Noël était avant tout une fête familiale. Aux Etats-Unis, les gens dévalisaient les magasins, couraient les réceptions et se sentaient obligés d'afficher une bonne humeur à toute épreuve. A Rome, en revanche, régnait une atmosphère paisible. Les journées s'écoulaient tranquillement, bientôt on célébrerait la nouvelle année.

Lassiter avait l'étrange impression d'être hors du temps. Il loua une suite dans un hôtel banal, non loin des jardins de la villa Borghèse. Il se rendit au centre dentaire, viale Regina Elena, où un Britannique expatrié arracha la racine de la dent perdue à Naples. Le surlendemain, il alla à l'hôpital se faire radiographier ; on le rassura sur son état : le Mastodonte ne lui avait pas brisé les côtes.

Il prenait ses repas dans de modestes trattorias et lisait des livres de poche. Le matin, il se levait tard puis faisait son jogging quotidien. Il aurait pu contacter la police à propos de Bepi, mais une brève conversation avec Woody l'en avait dissuadé. Son vieil ami lui déconseillait d'exposer ses soupçons aux autorités italiennes. Certes, le SISMI avait été purgé, mais jusqu'à quel point ? Nul doute que Grimaldi y conservait des relations. Et comment être sûr que le SISMI et Umbra Domini n'avaient pas partie liée ? Pour l'instant, mieux valait adopter un profil bas et laisser retomber la poussière.

Lassiter faisait donc le gros dos en attendant que les fêtes s'achèvent. Tous les deux jours, il téléphonait aux Etats-Unis d'une cabine de la gare. Là-bas non plus, il ne se passait rien. Amex respectait la trêve des confiseurs, et les pourparlers étaient suspendus. « Les gens ne se remettront au boulot qu'après la Saint-Sylvestre », lui disait Judy. Il répondait qu'il comprenait parfaitement. Et, de fait, il comprenait.

Il interrogeait aussi ses divers répondeurs téléphoniques. Plusieurs personnes l'invitaient au réveillon, d'autres lui demandaient de ses nouvelles, d'autres encore — moins proches — lui présentaient leurs vœux. Il y avait un message de Monica, enjoué et affectueux, et un de Claire, passablement agressif. Il faillit les rappeler toutes les deux, mais y renonça. Il n'avait rien à leur raconter.

Certains soirs, il s'installait dans un vieux fauteuil tapissé de brocart et songeait à sa maison de McLean. Il avait appris par le *Herald Tribune* qu'une violente tempête de neige s'était abattue sur Washington. Un Noël blanc. Il imaginait l'allée et le petit pont, le ruisseau et les arbres, le ciel nocturne, pâle et chargé de neige, pesant sur la verrière de l'atrium.

Parfois, il songeait à Kathy et Brandon. Leurs traits commençaient à s'estomper dans sa mémoire, mais penser à son neveu le plongeait dans un abîme de tristesse. Brandon était un petit garçon si heureux de vivre, si rayonnant. La neige l'aurait enchanté. Dans un an ou deux, il aurait commencé à jouer au foot. Lassiter lui aurait appris les règles, il lui aurait montré des prises de catch. Pourquoi pas ? Brandon avait besoin d'un père, fût-il de substitution, or qui mieux que Joe Lassiter, membre fondateur de l'Alliance, pouvait tenir ce rôle ?

Puis il pensait à Grimaldi. A l'incendie. Alors il secouait la tête et s'accrochait à des images rassurantes. Chez lui, le courrier devait s'empiler dans la corbeille que la femme de ménage utilisait en son absence. Des magazines, des catalogues, des cartes envoyées par des cabinets juridiques de Washington, New York, Londres et Los Angeles. *Meilleurs vœux.*

Un soir qu'il était étendu sur le lit, les yeux rivés au plafond, il se dit — pour la première fois — qu'il n'avait pas très envie de rentrer chez lui.

Pas maintenant, pas tout de suite. Jamais, peut-être. Il ne désirait pas non plus faire du tourisme. Il s'y essaya un jour ou deux, visita la chapelle Sixtine et la bibliothèque Vaticane, qui l'impressionnèrent, mais il se désintéressait de tout ce qui n'était pas

Grimaldi. Il faisait les mots croisés du *Herald Tribune* ; il buvait trop de rosé.

Puis arriva la Saint-Sylvestre, moment traditionnellement propice aux bilans et aux bonnes résolutions. A huit heures, il dîna seul dans une trattoria proche de l'hôtel ; on lui servit des calmars, une salade de fenouil, des raviolis farcis avec des épinards et des pignons, de l'agneau grillé et une part de tiramisu. Après le café, le patron lui offrit un verre de vin santo.

Il but le vin, qui était excellent, et laissa un généreux pourboire. Sur le chemin du retour, il découvrit un bar démodé, en sous-sol, et décida de s'y arrêter. Un énorme poste de télévision trônait dans la salle voûtée aux murs de brique. Devant le comptoir s'agglutinaient des ouvriers venus là en célibataires. Il y avait cependant quelques femmes juchées sur les tabourets, affublées de tenues voyantes, les yeux charbonneux et les ongles carminés. Pas des prostituées, non, simplement des filles qui aimaient s'amuser. Tout ce petit monde riait beaucoup, mais cette gaieté semblait forcée et, Dieu sait pourquoi, Lassiter se sentit encore plus seul.

Des footballeurs s'agitaient sur l'écran de télé. La Lazio contre la Fiorentina. Lassiter comprit au bout d'un moment que c'était une cassette, et que la Lazio avait dû gagner, car les spectacteurs du bar semblaient connaître par cœur toutes les péripéties du match. Ils se poussaient du coude, se délectant par avance du triomphe de leur équipe, et insultaient copieusement l'arbitre, sous prétexte qu'il favorisait la perfide Fiorentina.

Il était près de onze heures quand Lassiter appela le jeune serveur pour lui annoncer qu'il souhaitait offrir une tournée de champagne. Le garçon distribua les coupes et, avec l'aide de deux clients, les remplit de Moët et Chandon. L'assemblée trinqua bruyamment à la santé de Lassiter, quelqu'un y alla de sa chansonnette.

Quelques minutes plus tard, Joe paya une autre tournée. Il envisageait de remettre ça, lorsque le serveur le regarda droit dans les yeux en secouant la tête. Il emprunta le stylo de Lassiter et griffonna sur un bout de papier : *Moët et Chandon : 34 000 lires. Asti spumante : 12 000 lires.*

Puis, avec des mimiques expressives, il lui fit comprendre que ses clients étant éméchés, les régaler de champagne frisait le gâchis. Lassiter s'inclina, et l'on déboucha les bouteilles d'asti spumante — qui furent vidées avec la même allégresse. Enfin les douze coups de minuit sonnèrent. Les hommes se précipitèrent sur Lassiter pour lui donner l'accolade, une ou deux dames se pendirent à son cou. Quand il se résolut à prendre congé — à peine moins ivre que ses compagnons —, on l'applaudit à tout rompre, on lui porta des toasts dont il ne saisit pas un traître mot, mais qui s'achevèrent par un *Buona Fortuna !* crié d'une seule voix. Il glissa deux cents dollars dans la main du serveur et s'en alla.

Le téléphone le réveilla à huit heures tapantes. Roulant sur le ventre, il fut — une fraction de seconde — pris de panique. Il se souvenait vaguement d'avoir embrassé une femme en quittant le bar. Pourvu qu'il ne l'ait pas ramenée à l'hôtel, parce que... eh bien, parce qu'il ne parlait pas l'italien.

Dieu merci, il était seul dans le lit.

Bon sang, se dit-il, je n'ai pas encore dessoûlé.

— Allô ! lui claironna Roy Dunwold à l'oreille. Je vous réveille ?

— Non... pas du tout.

— On a fait la bringue, hier soir ? s'esclaffa Dunwold. Vous voulez que je vous rappelle plus tard ? Ça ne me dérange pas.

Lassiter se redressa ; la chambre se mit à tourner.

— Non... je vais très bien.

— On ne le dirait pas, à vous entendre. Enfin, passons... Il m'a fallu du temps, mais j'ai quand même deux ou trois petites choses pour vous.

— Hmm...

— D'abord, le Brésil.

— Hmm...

— Vous êtes toujours là ?

— Mmoui... Je vous écoute.

— L'affaire de Rio. C'est Danny, mon copain, qui nous a trouvé ça. Voyons... Le 17 septembre... deux heures du matin... (Roy parlait d'une voix entrecoupée, il parcourait manifestement un document)... un appartement à Leblon.

— Où ça ?

— Un quartier chic, sur le front de mer. Bon... un enfant est mort dans l'incendie... quatre ans... La mère a été tuée, la gouvernante danoise aussi, etc., etc., le feu s'est propagé aux autres appartements... pas d'autres victimes. Dégâts estimés à tant... Ah, voilà ! Incendie d'origine suspecte.

Lassiter secoua énergiquement la tête.

— Intéressant, marmonna-t-il.

— Ce n'est pas tout.

Lassiter l'entendit tourner des pages.

— Les autorités confirment qu'il s'agit bien d'un incendie criminel. J'ai un topo sur la famille... Ils s'appelaient Pena, des gens riches. Lui était psychiatre, elle... femme d'affaires. Les hôtels Sheraton, entre autres.

— Et l'enfant... garçon ou fille ?

— Un garçon. Fils unique.

— Hmm...

— Je n'ai pas terminé ! J'en ai encore un, figurez-vous !

— Un quoi ?

— Un autre crime correspondant à votre schéma. Un autre gamin...

— Quand ? Où ?

— Au mois d'octobre. Matilda Henderson et son fils Martin. Ça s'est passé ici, à Londres.

En ce premier jour de l'année, l'avion pour Londres était à peu près vide, et l'aéroport de Heathrow pareillement désert. Pourtant, lorsqu'il franchit la douane, Lassiter faillit ne pas voir Roy.

Celui-ci avait le talent — précieux pour un enquêteur — de passer inaperçu. Il appartenait à cette race d'hommes dénués de signes particuliers, et se décrivait lui-même comme « moyen en tout, et ni jeune ni vieux ». Cela n'expliquait cependant pas la faculté qu'il avait de se rendre quasi transparent. Un jour que Lassiter s'en étonnait, Roy avait répondu, en souriant d'un air de dire qu'il n'était pas le premier à lui faire cette remarque : « Ne croyez pas que ce soit inné. Ça m'a permis de survivre à ma jeunesse dissolue. »

Alors que Lassiter fouillait le hall des yeux, Roy se matérialisa soudain à son côté, vêtu d'un gros manteau de tweed et le cou entortillé dans une écharpe avachie, visiblement tricotée par des mains malhabiles.

— Bonne année ! lui chuchota-t-il à l'oreille, en lui prenant son sac et en le poussant vers la sortie.

Roy ne respectait jamais les interdictions de stationnement, mais échappait toujours aux contraventions. Il guida Lassiter jusqu'à l'arrêt de bus où il avait laissé sa voiture. Des relents de gazole flottaient dans l'air froid et humide. Toutes les dix secondes, un avion passait dans le ciel au-dessus de leur tête.

Lassiter s'engouffra dans la vieille Jaguar bleu marine que l'Anglais conduisait déjà lors de leur première rencontre. Dès qu'ils eurent quitté l'aéroport, Roy lui exposa l'affaire Henderson.

La défunte, Matilda, possédait une coquette fortune.

— Grâce à un héritage et un divorce très lucratif. Elle jouissait d'une certaine notoriété dans les milieux intello. Elle écrivait des romans, des bouquins prétentieux qui ne se vendaient pas très bien. Mais elle a remporté plusieurs prix.

— Je n'ai jamais entendu parler d'elle.

— Normal, elle évoluait dans un cercle restreint. J'ai lu les nécros et deux ou trois interviews. Elle a eu son fils à quarante et un ans. D'après le *Guardian,* la naissance de cet enfant avait fait d'elle « une femme épanouie et un auteur fécond ».

— Et le mari ?

— Il n'y en a pas. Elle a eu son môme toute seule, elle a dû se rendre dans l'un de ces établissements...

— Quels établissements ?

— Vous savez bien, ces centres de... comment dire ? D'insémination artificielle...

Lassiter tressaillit, mais Roy ne prêta pas attention à sa réaction. Il était lancé.

— C'est contre nature, voilà ce que je pense. Au lieu de se donner un peu de plaisir, ainsi que Dieu l'a voulu, on va dans une clinique. Vous ne trouvez pas ça réfrigérant, vous ? Je ne prétends pas que c'est mal, je ne condamne pas, mais... tout de même ! Bientôt les femmes se rendront à la banque du sperme pour examiner des échantillons ! Elles regarderont les photos des donneurs, sélectionneront ceux qui leur plaisent et se décideront en fonction de critères du style : taille, poids, QI, couleur des yeux, niveau d'instruction... Elles choisiront les pères comme des gadgets !

Lassiter se remémora la stupéfaction de Riordan en apprenant que Brandon n'avait pas de père. *Vous plaisantez ? Expliquez-moi comment c'est possible !* Une idée commençait à germer dans son esprit. Kathy aussi était passée par un centre de procréation médicalement assistée. Serait-ce là le point commun qu'il cherchait ? Peut-être Grimaldi était-il un donneur de sperme. Il avait disjoncté et traquait à présent les rejetons engendrés grâce à sa semence.

— Vous imaginez ce que dirait notre vieux Darwin, s'il savait ça ? rouspéta Roy. Eh bien, il dirait que c'est une sélection contre nature, voilà ! Et il aurait raison.

Lassiter ne l'écoutait plus, il contemplait l'obscurité que trouaient les phares de la Jaguar. L'hypothèse que Grimaldi fût un donneur de sperme détraqué et animé par la vengeance ne tenait pas. Elle n'expliquait pas la mort de Bepi, les agissements d'Umbra Domini, ni l'exhumation du corps de Brandon.

Ce matin, le coup de fil de Roy l'avait galvanisé. Il bouillait tellement d'impatience qu'il avait sauté dans le premier avion. Maintenant il se sentait exténué ; ses côtes le faisaient souffrir et il n'avait plus qu'une envie : prendre une douche bien chaude et dormir.

La Jaguar tourna dans St. James's Place et stoppa devant le Duke's.

— Nous y sommes, Joe. Je vous ai cassé les oreilles, excusez-moi. Si ça continue, je me retrouverai à Hyde Park en train de haranguer la foule.

— Vous êtes plutôt convaincant, ne vous inquiétez pas.

Un portier en queue-de-pie et chapeau haut-de-forme s'approcha.

— Attendez, marmonna Roy en se contorsionnant pour saisir une grande enveloppe posée sur la banquette arrière. Vous avez là tous les papiers sur l'affaire Henderson et sur celle du Brésil. Et je vous ai organisé quelques rendez-vous. Pour demain.

— Avec qui ?

— Avec la sœur de Matilda Henderson ainsi que sa meilleure amie, la marraine du petit garçon.

Roy enclencha une vitesse.

— A dix heures ?

Lassiter opina et sortit de la voiture. A cet instant, un éclair zébra le ciel, le tonnerre gronda et les nuages crevèrent, déversant des trombes d'eau. Le portier lança un regard irrité à Lassiter, comme s'il était responsable de la pluie.

Chapitre 24

La sœur de Matilda Henderson se montra polie, sans plus. Agée d'une cinquantaine d'années, Honor avait des cheveux gris coupés en brosse, de lourdes boucles d'oreilles et d'affreuses lunettes design. Elle avait revêtu un pantalon bouffant resserré à la cheville, qui rappelait à Lassiter ceux que portaient les personnages d'*Aladin* — il avait vu ce dessin animé avec Brandon. Elle les reçut dans son appartement de Chelsea, tout en noir, gris et blanc ; sans même leur offrir une tasse de thé, elle les invita d'un geste à se poser sur deux fauteuils identiques et inconfortables, qui semblaient fabriqués avec du fil de fer.

— J'ai souhaité vous rencontrer parce que nous avons quelque chose en commun, attaqua Lassiter.

Elle haussa un sourcil.

Malgré la froideur qu'elle lui opposait, il expliqua que leurs sœurs et leurs neveux respectifs étaient morts dans des circonstances étrangement similaires. Il raconta toute l'histoire — depuis le jour où il avait appris la fin tragique de Kathy —, interrompu de temps en temps par Roy qui apportait une précision. Quand il eut terminé son récit, le silence s'abattit sur le salon.

— Je ne comprends toujours pas la raison de votre visite, monsieur Lassiter.

Stupéfaits, Roy et Joe se regardèrent.

— Je pensais que peut-être..., bredouilla Lassiter, mon expérience vous rappellerait un détail concernant votre sœur et votre neveu...

— Ils ont été assassinés dans leur lit par un désaxé. Même s'il s'agit du même homme, qu'est-ce que ça change ?

255

Lassiter la dévisageait. Il ne savait plus quoi dire.

— Vous... vous ne désirez pas que le coupable soit arrêté et puni ?

Elle tira sur sa cigarette, souffla lentement la fumée.

— Il devra vivre avec le souvenir de son crime, répondit-elle d'un ton aigre. Je suis bouddhiste et je crois que toutes les fautes se paient avec le temps. Ma sœur et moi... nous n'étions pas très proches — on ne manquera pas de vous en informer. Je me trouvais aux Bahamas, sinon j'aurais sans aucun doute figuré sur la liste des suspects, conclut-elle en se levant.

— Vous exagérez, intervint Roy. Mais, de fait, on a évoqué une histoire d'héritage.

Elle lui décocha un regard noir.

— Je n'ai nullement besoin de cet argent. J'envisage de l'investir dans une fondation qui décernera un prix littéraire en mémoire de Matilda. Maintenant, ajouta-t-elle en consultant sa montre, si vous voulez bien m'excuser... j'ai un rendez-vous.

Mais Lassiter était résolu à obtenir de Honor Henderson le maximum de renseignements — et il préférait ne pas être obligé de la revoir.

— Pour quelle raison la police vous aurait-elle suspectée ?

— Ma sœur m'a trahie. Durant des années, nous avons vécu en parfaite harmonie. Je peignais, elle écrivait. Nous étions plutôt heureuses, jusqu'à ce que lui vienne cette absurde idée d'avoir un enfant.

— Vous désapprouviez ?

— Bien sûr que je désapprouvais, et finalement j'ai dû la prier de déménager. Bien m'en a pris ! Quand il a été là — Martin, le petit garçon —, Tillie en est devenue gaga. Elle ne parlait plus que de tétées, de dodos, de joujoux. Il n'y avait plus moyen d'avoir avec elle une conversation intelligente.

Elle rougit, s'interrompit brusquement.

— Mais c'est du passé. J'ai fait mon deuil et je vous conseille de suivre mon exemple, monsieur Lassiter.

Sur quoi, elle les poussa vers la porte. Joe n'en avait cependant pas terminé.

— Savez-vous quel centre de procréation médicalement assistée votre sœur a fréquenté ?

— Oh, je ne m'en souviens plus, soupira-t-elle. Ce fut une véritable épopée, figurez-vous. Elle s'est rendue aux Etats-Unis,

256

et même à Dubaï — vous imaginez ? Elle s'est adressée à une bonne demi-douzaine de centres. Elle ne parlait que d'ovulation, dit-elle avec une grimace de dégoût, et avait sans cesse le thermomètre à la main.

— Est-elle allée en Italie ? demanda Lassiter en sortant sur le palier. L'assassin de ma sœur est italien.

— Je ne sais pas, nous ne nous fréquentions guère. Maintenant, je vous en prie, je suis pressée.

Et elle leur claqua la porte au nez.

— Quelle mégère, celle-là ! bougonna Roy. Ça ne m'étonnerait pas qu'elle les ait trucidés.

Kara Baker, la meilleure amie de Matilda Henderson, vivait sur l'autre rive de la Tamise, dans le sud de Londres. A grands coups de klaxon, Roy se fraya un chemin dans les embouteillages du centre de la capitale. La Jaguar traversait Hammersmith Bridge lorsque le téléphone sonna. Roy commença par pester, puis décrocha. Il écouta en silence son correspondant, avant de soupirer d'un ton résigné :

— Quelle barbe... Bon, d'accord, je pars tout de suite.

L'un de ses collaborateurs, qui menait une enquête délicate à Leeds, avait des démêlés avec la police locale. Roy était obligé de voler à sa rescousse.

Il déposa Joe à Barnes. Le quartier avait l'air d'un vrai village enclavé dans la capitale ; rien n'y manquait, pas même la mare aux canards et le terrain de cricket. Kara Baker habitait une solide maison de brique, entourée de haies de buis centenaires. Sur les piliers qui flanquaient l'allée, deux petits lions de pierre, un ruban de velours rouge autour du cou, montaient la garde.

La femme qui lui ouvrit la porte était l'opposé de Honor Henderson. Kara Baker, qui flirtait avec la quarantaine, était tout simplement belle — d'une beauté radieuse et sans apprêt : des yeux bleus étincelants, une crinière de boucles rousses et des formes si voluptueuses qu'un adolescent en aurait perdu le sommeil.

Elle vivait dans un décor baroque et hétéroclite. Les antiquités y côtoyaient les meubles design, des tapis d'Orient anciens jonchaient les parquets cirés, des gravures classiques et modernes couvraient les murs. Des branches de sapin — qui perdaient leurs aiguilles — ornaient le manteau de la cheminée, s'enroulaient autour des piliers du salon et des rampes de l'escalier à double révolution.

Une joyeuse pagaille régnait dans la demeure. Papiers et revues, tasses et soucoupes, chapeaux et gants traînaient un peu partout. Une bouillotte rouge gisait sur une bergère, un paquet de chips entamé était abandonné sur le tabouret de piano.

Kara Baker s'excusa pour le désordre, se débarrassa de ses chaussures à talons et se dirigea vers la cuisine.

— Une tasse de café ?

Il la suivit dans une vaste pièce dont les baies vitrées donnaient sur le jardin, et s'assit à une table de ferme.

— Alors, vous avez rencontré Honor ? demanda-t-elle en préparant le café.

— Oui, elle ne s'est pas montrée très coopérative.

— Pauvre Honny, soupira-t-elle. A l'entendre, on croirait qu'elle a un cœur de pierre, mais en réalité elle est folle de chagrin. Je m'inquiète beaucoup pour elle.

— Elle joue bien la comédie..., rétorqua-t-il d'un ton circonspect.

— Oh, je sais... elle peut être mauvaise comme une teigne. Pourtant je vous assure que Tillie — Matilda — était la personne qu'elle aimait le plus au monde. Et elle adorait Martin.

— Ce n'est pas ce qu'elle m'a raconté, objecta-t-il, de plus en plus surpris.

Kara fourrageait dans la cuisine, à la recherche de tasses.

— Elle dit n'importe quoi, c'est justement pour ça que je m'inquiète. Vous avez vu son appartement, vous avez vu comme elle est méticuleuse, maniaque. Attendez... je vais vous montrer un de ses dessins.

Elle disposa sur un plateau deux tasses ébréchées, un sucrier en albâtre et une brique de lait, puis disparut dans le fond de la pièce, d'où elle revint avec un grand dessin à l'encre représentant Piccadilly Circus. Elle cala le sous-verre sur une chaise afin que tous deux puissent l'étudier.

— Regardez, dit Kara. Vous avez déjà vu quelque chose d'aussi strict, d'aussi rigide ? Eh bien, ça ressemble tout à fait à Honny.

C'était un dessin magnifique, en perspective aérienne, composé de manière très originale et dans une gamme de couleurs attrayante. Cependant la minutie des détails suscitait une vague impression de malaise et rappela à Lassiter ces ouvrages sur lesquels les enfants du tiers monde s'usaient les yeux.

— Je comprends ce que vous voulez dire...

Kara mit un morceau de sucre dans son café et le remua avec un doigt qu'elle lécha ensuite consciencieusement.

— Honor est dans le déni, pour parler comme les psychanalystes. Elle ne nie pas l'assassinat de Tillie et Martin... mais son propre chagrin. Et puisqu'elle s'en fiche, leur mort n'a pas d'importance.

Elle s'interrompit pour boire une gorgée de café, poussa un soupir de plaisir. De fait, le café était excellent... et Kara Baker très séduisante. Pourtant, bizarrement, Lassiter restait de marbre — ce qui le préoccupait car, en temps normal, cette femme lui aurait inspiré du désir. Il éprouvait envers elle une attirance plus intellectuelle que physique. Que lui arrivait-il ?

Tenant sa tasse à deux mains, Kara le dévisagea, les sourcils arqués, attendant manifestement qu'il parle.

— Honor m'a expliqué qu'elle avait mis Matilda à la porte, à cause de l'enfant. Elle a dit que, depuis sa grossesse, sa sœur lui était devenue étrangère.

— Foutaises ! Honor était folle de joie à l'idée d'avoir un bébé dans la maison. Elle amassait de la documentation sur les techniques de pointe, le taux de réussite des différents centres, elle harcelait les obstétriciens de Harley Street pour leur demander leur avis. Elle s'occupait de tout, prenait les rendez-vous pour Tillie, veillait à ce qu'elle suive à la lettre ses traitements, contrôlait son alimentation...

Lassiter secoua la tête.

— Ça ne ressemble pas à la femme que j'ai rencontrée...

— Vous n'êtes pas obligé de me croire sur parole, vous pouvez vérifier. Dans son testament, Tillie indiquait que, s'il lui arrivait malheur, Martin serait confié à Honor. Quant au déménagement, c'est Tillie qui l'avait décidé. Elle pensait que le bébé empêcherait Honor de travailler. Mais elles cherchaient une maison de campagne pour y passer les week-ends ensemble. Malheureusement...

Elle se tut, les yeux pleins de larmes.

— Excusez-moi, balbutia-t-elle. Tillie me manque tellement. Nous étions amies depuis l'enfance... et nous avions la ferme intention de devenir des vieilles dames indignes. De porter des chapeaux invraisemblables et de nous pavaner en Provence ou en Toscane...

Elle pleurait sans retenue, à présent. Elle cacha son visage dans ses mains, se leva et courut vers la porte.

— Je suis désolée, excusez-moi... Je reviens.

Demeuré seul dans la cuisine, Lassiter essaya de faire le point. Kara Baker ne lui avait parlé que des sœurs Henderson, il devait absolument aborder les questions qui l'intéressaient. Qui, selon elle, aurait pu vouloir tuer son amie ? Soupçonnait-elle quelqu'un et pourquoi ? Il devait aussi lui raconter l'histoire de Kathy et Brandon, lui demander si elle ne voyait pas des similitudes entre les deux affaires.

Il débarrassa la table, rinça les tasses et les posa sur la paillasse de l'évier. Puis il s'approcha du réfrigérateur pour y ranger la brique de lait.

Ce réfrigérateur, par rapport aux normes anglaises, paraissait monumental et la porte était littéralement tapissée de plusieurs couches de papiers divers, retenus par de petits aimants : croquis, photos, cartons d'invitation, coupures de presse, recettes de cuisine, cartes postales, Post-it racornis sur lesquels on avait griffonné des numéros de téléphone, contraventions. Il y avait même un dessin d'enfant.

Il eut du mal à ouvrir la porte et, en tirant sur la poignée, heurta un aimant. Des papiers s'éparpillèrent sur le sol. Il les ramassa et les remettait en place — un peu n'importe comment — quand une carte postale attira son attention.

En la regardant de plus près, il eut un coup au cœur. Quelques années plus tôt, Kathy lui avait envoyé la même carte. En arrière-plan se devinait un village médiéval italien, entouré de remparts et perché en haut d'un piton rocheux. Dans le coin droit, une photo en gros plan montrait un charmant petit hôtel. *Pensione Aquila,* lisait-on en légende.

Il se rappelait encore les sentiments mitigés qu'il avait éprouvés en prenant connaissance du message de Kathy, typique des plaisanteries vaseuses qu'elle affectionnait. Elle avait dessiné un tiroir d'où dépassait un polichinelle et, en guise de signature, un A penché, symbole de l'Alliance. Il avait compris, bien sûr : elle était enceinte.

Avant son voyage en Italie, il l'avait suppliée de renoncer.

Depuis trois ans, elle essayait vainement de devenir mère et avait dépensé près de soixante mille dollars. Cette quête l'épuisait, au physique comme au moral. Elle semblait de plus en plus vulnérable. La voir partir pour l'étranger, dans quelque obscure clinique, le préoccupait — bien qu'il se fût renseigné sur cet établissement qui, de fait, jouissait d'une excellente réputation.

Après avoir reçu cette carte, il avait redouté que le bonheur de Kathy ne soit de courte durée et qu'elle ne s'expose à une nouvelle déception. Sa première grossesse — elle avait suivi un traitement en Caroline du Nord — s'était soldée par une fausse couche. Kathy en avait été désespérée, presque inconsolable. Il ne voulait pas que cela se reproduise.

Lorsque Kara Baker le rejoignit dans la cuisine, il était en train de lire les quelques lignes écrites au dos de la carte.

Chère Kara,
La région est splendide et si paisible. Il n'y a que des champs de tournesols à perte de vue. Croise les doigts pour moi.
Affectueusement, Tillie.

— Eh bien...

Kara s'interrompit et secoua doucement la tête, comme si l'impolitesse de Lassiter la stupéfiait.

— Ecoutez, dit-elle avec un petit sourire qui ne réchauffa pas son regard, je crois que vous feriez mieux de vous en aller.

— Je suis désolé. J'ai lu votre courrier, c'est impardonnable. Je... je rangeais le lait, des papiers sont tombés, et cette carte...

Elle s'était changée, avait enfilé un pantalon de survêtement et un vieux sweater pelucheux. Elle avait les yeux rouges, le visage marbré. Elle lui prit la carte postale des mains, la relut et la reposa sur le réfrigérateur.

— C'est le village où se trouve la clinique, murmura-t-elle avec un soupir tremblé, en se mordillant la lèvre inférieure. Tillie y a suivi un traitement, et elle en est revenue enceinte de Martin. Voilà pourquoi j'ai conservé cette carte.

— Montecastello di Peglia...

Elle ne parut pas l'entendre.

— Je suis allée la rejoindre là-bas, pour la soutenir. L'endroit est magnifique — une ravissante petite ville d'Ombrie. Et Tillie était si... heureuse. J'avais apporté un fabuleux champagne, sans

261

penser que, bien sûr, elle n'avait pas le droit de boire d'alcool. Alors nous avons vidé la bouteille dans l'allée, devant la clinique.

— Que vous a dit Roy, au juste ?

Elle lui lança un regard aigu.

— Quel Roy ? Ah oui... votre collègue.

— Vous a-t-il expliqué la raison de ma présence ici ?

— Il m'a parlé de votre sœur, répondit-elle, le front plissé. Et de son bébé. D'un lien possible avec... Tillie.

— Si j'ai lu cette carte...

— Oh, peu importe. Ce n'est pas grave.

— Vous ne comprenez pas. Ma sœur m'a envoyé la même.

Elle le dévisagea, déroutée.

— C'est là que ma sœur a été traitée, qu'elle s'est retrouvée enceinte après des années de tentatives infructueuses.

— Comme Tillie, murmura-t-elle. La clinique Baresi...

Elle pencha la tête sur le côté, fixant sur lui des yeux agrandis.

— Et vous pensez... quoi, exactement ?

— Je ne sais pas trop ce que je pense. Mais tout cela est étrange, non ? Matilda n'a jamais mentionné devant vous un certain Grimaldi ? Franco Grimaldi ?

— Non...

Il lui demanda s'il pouvait téléphoner. Cette requête parut la surprendre, mais elle haussa les épaules.

— Je vous en prie. Moi, je vais prendre un bain.

Il attendit qu'elle soit sortie pour décrocher le combiné. Au bout de dix minutes, il réussit enfin à entrer en communication avec Janacek, à Prague.

— Franz, c'est Joe Lassiter... l'ami de Jim Riordan. Vous vous souvenez de moi ?

— Bien entendu, répondit le Tchèque avec raideur. Permettez-moi de vous souhaiter une bonne année.

Lassiter lui relata ce qu'il venait de découvrir.

— Je voudrais demander à Jiri Reiner si sa femme a suivi un traitement dans un service de procréation médicalement assistée. Et si oui, s'agissait-il de la clinique Baresi, en Italie ?

— Je vais poser la question à Reiner. Vous me rappelez ?

— Plutôt deux fois qu'une.

— Vous avez un instant ? Je peux l'appeler sur une autre ligne.

— Je patiente.

Lassiter attendit plusieurs minutes, la main crispée sur le combiné, réfléchissant à toute allure. Si l'épouse de Jiri Reiner avait elle aussi fréquenté la clinique Baresi, il tiendrait enfin un fil conducteur : quelqu'un traquait les enfants conçus dans cet établissement, et les exterminait l'un après l'autre. Le massacre des Innocents. Mais... pourquoi ?

— Allô ? lança Janacek à l'autre bout du fil.

— Oui...

— Jiri a d'abord refusé de répondre. Il voulait savoir pourquoi je lui demandais ça.

— Et alors... ?

— Je lui ai dit : Jiri, votre femme et votre fils ont été assassinés. Il a tourné autour du pot, sous prétexte que, pour un homme, c'était difficile. Et puis il m'a craché le morceau. Il n'arrivait pas à faire un enfant à sa femme, elle a consulté un médecin. J'ai dû insister. Quel médecin ? Comme je n'avais pas trop confiance, je ne lui ai pas répété le nom que vous m'aviez donné. Il aurait pu confirmer ou pas, juste pour se débarrasser de moi. Finalement, il a dit : la clinique Baresi, en Italie...

Lassiter prit une profonde inspiration.

— Ça alors ! Je... je n'en reviens pas.

— Vous comptez vous rendre là-bas ?

— Ce sera ma prochaine étape.

Ils bavardèrent un petit moment, Lassiter promit de le tenir au courant. Il raccrochait quand Kara Baker reparut, toute rose dans un peignoir blanc. Elle lui effleura le bras et il comprit, à sa manière de le regarder, qu'elle était nue sous le peignoir.

Sa propre indifférence le sidéra. Elle était superbe, cependant au lieu de la prendre dans ses bras, il lui rapporta ce que lui avait appris Janacek et la remercia pour son aide.

— Vous m'avez été d'un grand secours, dit-il. Sans vous, j'aurais perdu des mois...

— C'est probable, rétorqua-t-elle d'une voix atone.

Lassiter la contempla longuement, avec regret.

— Il faut que j'y aille, soupira-t-il.

Et il s'en alla.

Chapitre 25

Immobile devant la fenêtre de sa chambre, un verre de Laphroaig à la main, Lassiter regardait la pluie ruisseler dans la cour intérieure de l'hôtel. L'eau fouettait les carreaux par vagues successives, comme poussées par le souffle puissant de la nuit.

De temps à autre, un éclair fulgurait dans le ciel. La cour s'illuminait brusquement, telle une scène de théâtre ; il voyait alors clapoter les flaques boueuses, luire les pierres détrempées, et distinguait les silhouettes des immeubles voisins. Puis le tonnerre éclatait, si violent que les vitres en tremblaient, et que son grondement s'attardait longtemps au-dessus de la ville.

Il réfléchissait, essayait de faire la part entre ce qu'il savait et tout ce qu'il ignorait encore. Des enfants conçus dans un centre de procréation médicalement assistée étaient assassinés par un fanatique qui semblait travailler pour une étrange organisation catholique nommée Umbra Domini.

Mais quel rôle Umbra Domini jouait-elle dans cette histoire ? Bepi avait été tué alors qu'il enquêtait sur le groupe. Il y avait certes de quoi s'interroger, cependant Lassiter n'était sans doute pas l'unique client de Bepi — peut-être celui-ci était-il impliqué dans d'autres affaires. Quant à sa mésaventure napolitaine, Lassiter soupçonnait della Torre d'en être responsable, malheureusement il ne possédait aucune preuve tangible. Même les burettes d'eau bénite que Grimaldi et della Torre gardaient dans leur poche ne prouvaient rien. On pouvait supposer que ces flacons étaient offerts aux membres les plus fervents — les « Bleus » — d'Umbra Domini. Peut-être l'eau avait-elle été bénite par le Saint-Père. Peut-être venait-elle de Lourdes.

Bref, il n'avait aucun élément concret.

Hormis le bordereau bancaire.

La destination de cet argent (or ce n'était pas une somme insignifiante) demeurait inconnue. Avait-il un rapport avec le travail de Grimaldi pour Salve Caelo, devait-il servir à acheter des armes, à distribuer des bakchichs aux Serbes ? En tout cas, le virement avait été effectué très peu de temps avant la série d'infanticides. Y avait-il un lien de cause à effet ? *Post hoc, ergo propter hoc* — après quoi, et donc à cause de quoi ?

Il but une gorgée de scotch qui laissait dans la bouche un goût fumé, quasi médicinal. Depuis un mois, il avait beaucoup progressé, néanmoins il aboutissait toujours à la question fondamentale : *pourquoi ?*

Comment concevoir qu'un être humain, religieux de surcroît, massacre des enfants à tour de bras ? Il ne parvenait pas à imaginer une théorie capable d'expliquer de tels actes.

Et Umbra Domini ? Pourquoi une organisation catholique — si réactionnaire fût-elle — s'attaquerait-elle à des enfants ? Dans les brochures qu'elle publiait, la congrégation condamnait les nouvelles méthodes de procréation médicalement assistée, mais ces propos n'incitaient tout de même pas au meurtre.

Il y avait forcément une raison à tout cela, quelque ténébreux secret. Mais quoi ?

Un éclair zébra la nuit, à nouveau le tonnerre gronda. Lassiter finit son verre et se mit à faire les cent pas devant les fenêtres. S'il voulait trouver une réponse, il devait la chercher à la clinique Baresi. Demain matin, il rentrerait à Rome, louerait une voiture et se rendrait à Montecastello. Une fois au village, il prendrait une chambre à la pension Aquila, puisque la piste partait de là.

Il brancha son ordinateur et rédigea un mémo sur l'affaire Henderson et Pena. Il le copia sur le disque dur, le crypta, après quoi il connecta le téléphone de l'hôtel au modem et transmit le dossier à son ordinateur personnel, à McLean. Il adressa ensuite un E-mail à Judy, pour lui faire savoir où elle pourrait le joindre durant les jours à venir.

Il était près de trois heures et demie quand, au volant de sa voiture, Lassiter franchit les portes de Todi — une charmante et prospère cité médiévale, perchée sur une colline qui dominait la plaine ombrienne. On lui avait dit qu'il pourrait se procurer un plan à l'office du tourisme, dans le centre, par conséquent il s'efforçait de suivre les panneaux indiquant : *Centro*. Talonné par un chauffeur de taxi que ses hésitations exaspéraient, il s'enfonça dans un entrelacs de ruelles de plus en plus étroites, avant de déboucher enfin sur la piazza del Popolo.

Il traversa la vaste esplanade pavée, entourée de palais du XIIIe siècle, en pierre grise, et grimpa jusqu'au parking d'où l'on apercevait Pérouse, au nord.

Un gardien en uniforme vert lui réclama de l'argent. Résigné, Lassiter lui tendit une poignée de lires, comme n'importe quel touriste de base. L'homme compta six cents lires, puis saisit délicatement un billet de cent lires entre deux doigts noueux, haussant les sourcils d'un air interrogateur. Le message était clair. D'un hochement de tête, Lassiter lui signifia d'empocher son pourboire. Après quoi, le préposé griffonna une foule d'informations sur un minuscule bout de papier qu'il glissa sous l'essuie-glace.

— L'office du tourisme ? demanda Lassiter.

— *Ahhh, si !* dit l'homme. *Si, si !*

Sur quoi, il se lança dans de grandes explications, ponctuées de gesticulations et de moulinets du poignet.

— *Ecco !* conclut-il.

Le plus stupéfiant fut que Lassiter, en suivant des indications auxquelles il n'avait compris goutte, se retrouva devant la porte de l'office du tourisme. Le dialogue avec la responsable du bureau s'avéra difficile, cependant elle finit par saisir ce qu'il voulait. Elle fit prestement le tour de la pièce, raflant dans les divers classeurs des documents qu'elle lui remit : une carte détaillée de l'Ombrie, une autre de Todi et de ses environs (sur laquelle figurait Montecastello), une liste des festivals, un petit poster représentant le blason de la cité, ainsi que quatre cartes postales de la région.

Il la remercia, puis prenant une feuille de papier et un stylo sur sa table, écrivit : *Clinica Baresi – Montecastello ?*

Elle opina, fronça les sourcils et, soudain, se livra à une pantomime compliquée, levant haut les mains, brassant l'air avec énergie, toussant et se frottant les yeux.

— Pouf ! fit-elle, comme si cela résumait tout.

Lassiter n'avait pas la moindre idée de ce qu'elle essayait de lui dire, mais il jugea préférable de la gratifier d'un sourire reconnaissant.

— *Si, si...* Très bien.

La femme lui lança un regard sceptique. Haussant les épaules, elle surligna sur la carte la route de la clinique et celle de la pension Aquila qu'elle marqua d'un astérisque.

— *Buena sera*, dit-elle en lui rendant la carte.

Lassiter alla récupérer sa voiture au parking, étala le plan sur le siège du passager et quitta Todi. Quelques minutes plus tard, il roulait dans la campagne, le long d'une étroite rivière qui, à en croire le panneau fixé sur un petit pont, n'était autre que le légendaire Tibre.

Cinq kilomètres plus loin, il atteignit l'un des repères signalés sur sa carte : une station-service Agip. Il prit à gauche, parcourut encore quelques kilomètres et longea une pépinière forestière aux sillons rectilignes. La route formait ensuite une fourche. Il dut se ranger sur le bas-côté pour consulter le plan. A droite, on apercevait les remparts de Montecastello, posés comme une couronne en haut d'un piton rocheux dominant la vallée.

L'autre embranchement menait donc à la clinique. Joe redémarra et suivit la route qui montait en pente douce, bordée de champs déchaumés, d'oliveraies et de quelques modestes maisons.

Enfin il vit sur sa gauche deux imposants piliers de pierre et, accrochée à une patère en fer forgé, une enseigne sur laquelle était écrit en belle ronde : *Clinica Baresi*. Il s'engagea dans l'allée gravillonnée, flanquée de grands cèdres à l'élégante minceur, qui sinuait jusqu'au sommet de la colline.

Le spectacle qu'il découvrit alors lui donna un coup au cœur.

Il ne restait que des décombres. Voilà donc ce que la femme de l'office du tourisme essayait de lui faire comprendre, tout à l'heure.

L'explosion, la fumée... *Pouf !*

La clinique avait brûlé de fond en comble. Les murs de pierre s'étaient écroulés et, de l'aile est, il ne subistait qu'une cheminée grise entourée de gravats. L'autre partie du bâtiment était encore debout, mais le toit s'était effondré, les portes et les fenêtres avaient volé en éclats sous l'assaut des flammes.

Lassiter descendit de voiture et s'approcha.

La vue de ces vestiges lui rappela ce jour de triste mémoire, lorsqu'il avait contemplé l'amas de poutres calcinées et fumantes, de métal tordu, qui la veille encore était la maison de Kathy. Il sentait encore l'infecte odeur de fumée qui empuantissait le quartier, ce matin-là.

Il se remémora aussi la tombe de Brandon, la stèle renversée, les fleurs saccagées, les résidus fuligineux sur la terre d'un rouge cru, les cendres...

Un frisson glacé le parcourut, qui lui donna la chair de poule. Submergé par un indicible désarroi, il recula et, chancelant, s'appuya à la voiture.

De quelque côté qu'il se tournât, il ne trouvait que des ruines. La destruction de la clinique Baresi risquait fort de mettre un terme à son enquête. Et pourtant... après tant d'efforts, il tenait enfin un fil conducteur, il commençait à entrevoir un lien — fût-il ténu — entre la mort de sa sœur et les autres affaires. Mais, une fois de plus, le feu avait tout anéanti.

Accablé, Lassiter poussa un lourd soupir. Il perdait courage, tout simplement. Pour la première fois depuis le début de cette histoire, il doutait de découvrir un jour pourquoi Kathy et Brandon avaient été assassinés.

Il se remit au volant et, perdu dans ses pensées, rejoignit la route. Au carrefour, il prit la direction de Montecastello. Le soleil déclinait, au loin le village fortifié se découpait contre le ciel incendié par le crépuscule.

La route grimpait en gracieux lacets ; la côte était si raide que Lassiter dut passer en première et garder un œil sur la jauge de température. A cette vitesse, il lui fallut dix bonnes minutes pour atteindre les remparts, au pied desquels s'étendait une esplanade qui formait une sorte d'antichambre devant les portes de Montecastello.

Quelques maisons accrochées au flanc de la colline bordaient une placette ; des femmes assises près d'une fontaine, à l'ombre des pins, surveillaient leurs enfants. On avait aménagé le reste de l'espace en parking, dont cinq places étaient réservées à la pension Aquila. Lassiter se gara et sortit de la voiture. Une boîte rouge, fixée à un poteau métallique rouillé, annonçait en grosses lettres blanches : MAPA. Il souleva le couvercle et prit une carte.

Au recto, un plan indiquait l'itinéraire à suivre pour arriver à la pension. Au verso était imprimée une bande dessinée succincte. On y voyait un groom — en pantalon rayé et casquette, la mine réjouie — quitter le parking avec deux valises à chaque main, et une cinquième coincée sous un bras. La case suivante montrait les bagages soigneusement alignés dans le hall de l'hôtel, et le groom faisant la courbette à une vieille dame fort digne. A la pension Aquila, on avait le sens de la communication, pensa Lassiter.

Empoignant son sac de voyage, il alla jusqu'à la lisière du parking pour contempler le paysage, la rivière qui serpentait au fond de la vallée et, dans le lointain, les lumières de Todi. Il entendit des enfants rire et crier, juste au-dessous de l'endroit où il se trouvait. Se penchant, il fut stupéfait d'apercevoir une douzaine de gamins qui jouaient au football.

Le terrain semblait, pour moitié, suspendu dans le vide, et était entouré d'un haut grillage fixé sur des piquets métalliques, pour empêcher les ballons d'atterrir dans le ravin.

Lassiter préféra ne pas s'attarder et gagner la pension avant que la nuit tombe.

Sitôt qu'il eut franchi les portes voûtées, il comprit pourquoi les automobiles n'avaient pas le droit de pénétrer dans le village. Elles n'auraient pu y circuler. Lui-même avançait dans une sorte de tunnel humide, taillé dans les remparts. Il déboucha au pied de la via Mayore, une volée de marches escarpée menant à une ruelle médiévale si étroite qu'en écartant les bras, il aurait pu toucher les maisons qui la flanquaient. La venelle s'enfonçait ensuite sous un édifice de pierre grise pour aboutir à une place, point culminant de la petite cité.

Lorsque Lassiter y arriva, il soufflait comme un bœuf. Il fut soulagé de voir devant lui l'enseigne ovale et colorée : *Pensione Aquila.*

Il fut surpris, cependant. Les pensions italiennes étaient généralement des établissements modestes, or l'Aquila ressemblait plutôt à un petit palazzo.

Il poussa la lourde porte de bois sculpté et entra dans un hall sobrement décoré : des tapisseries aux murs, un piano à queue d'un noir de jais, quelques tapis d'Orient anciens sur les dalles de marbre. Un homme d'une cinquantaine d'années trônait derrière un imposant bureau sur lequel étaient posés un présentoir de cartes postales et un registre relié de cuir. Vêtu d'un blazer bleu marine orné d'un écusson doré, la tête auréolée d'une épaisse chevelure argentée, il était d'une séduction peu commune.

— *Prego ?* dit-il.

Lassiter s'approcha, encore essoufflé par son ascension, la poitrine secouée de violents élancements.

— Joe Lassiter. Je...

Il s'interrompit, cherchant le mot italien pour « réservation », mais l'homme lui répondit avec un délicieux accent britannique :

— Soyez le bienvenu à l'Aquila. Avez-vous d'autres bagages ? Tonio ira les chercher.

— Vous parlez anglais, bredouilla Lassiter, ahuri.

— Mais... oui, en effet. Sans doute parce que je suis d'origine anglaise.

— Pardonnez-moi cette remarque stupide, je ne m'attendais pas à...

— C'est compréhensible. A Montecastello, on n'a guère l'occasion d'entendre notre bonne vieille langue. Sauf l'été, quand nous recevons le trop-plein que déverse le Chiantishire.

— La Toscane, je suppose ? rétorqua Joe, amusé.

— Hmm... Là-bas, on ne parle plus que l'anglais. Tandis que, par ici, les touristes sont rares. Surtout en janvier.

Il marqua une pause, afin de permettre à son interlocuteur d'expliquer pour quelle raison il venait à Montecastello à pareille époque de l'année, mais Joe se contenta d'esquisser un sourire.

— Bien ! reprit l'homme en lui tendant un stylo. Si vous voulez signer le registre et me laisser votre passeport, je vais vous conduire à votre chambre.

Joe s'exécuta, après quoi il suivit son cicérone — qui insista pour porter son sac de voyage — le long d'un large couloir éclairé par des appliques figurant des aigles qui tenaient entre leurs serres de grosses bougies blanches.

La chambre était spacieuse, haute de plafond et meublée d'antiquités. Elle disposait cependant de radiateurs électriques et d'une salle de bains ultra-moderne avec porte-serviette chauffant. L'homme désigna une petite armoire aux pieds vermoulus.

— Là-dedans, vous avez un poste de télévision. Vous semblez étonné, monsieur.

— Dites plutôt que je suis enchanté.

L'homme inclina dignement la tête, puis il ouvrit la porte-fenêtre masquée par des tentures. Tous deux sortirent sur le petit

270

balcon. Il faisait nuit à présent, seule une lueur mauve soulignait l'horizon.

— Par temps clair, comme ce soir, on peut apercevoir Pérouse. Là-bas..., ajouta l'homme, montrant une tache floue dans le lointain.

Ils rentrèrent dans la pièce, et l'hôtelier s'apprêta à prendre congé. Avant de sortir, il déclara d'un ton hésitant :

— Si vous avez besoin d'un fax ou d'un photocopieur, vous n'avez qu'à demander. Et si ce sac noir contient bien un ordinateur, cette prise-là, près de la table, est équipée d'une protection secteur. Je... dînerez-vous ici ? Pour être franc, à moins que vous n'ayez envie d'aller jusqu'à Todi ou Pérouse, vous ne trouverez pas mieux au village. Nous servons à huit heures.

— Parfait...

Ils ne tardèrent pas à briser la glace ; quand ils eurent achevé leurs *gnocchi*, Lassiter en savait un peu plus sur Nigel Burlingame — l'homme qui l'avait accueilli — et son compagnon Hugh Cockayne. Ce dernier, âgé lui aussi d'une cinquantaine d'années, était aussi laid que Nigel était séduisant. Dégingandé, le cheveu rare, il paraissait tout en oreilles et en nez.

Originaires d'Oxford, tous deux s'étaient installés en Italie dans les années soixante, pour se consacrer à la peinture.

— Mais bien sûr, dit Hugh d'un ton léger, nous étions lamentables. Hein, Nigel ?

— Nullissimes, en vérité.

— Ça nous a quand même permis de nous rencontrer.

Ils avaient vécu un certain temps à Rome, puis, à la mort du père de Nigel, avaient acheté un vignoble en Toscane.

— Quelle merveilleuse idée ! dit Lassiter.

— C'était encore pire que la peinture, rétorqua Nigel.

— Sale...

— Ereintant...

— Tu te souviens des moustiques ?

— Ces affreuses bestioles avec des dents coupantes comme des rasoirs ! s'esclaffa Nigel.

— Et les vipères !

— Des vipères ? s'étonna Lassiter.

— Absolument, dit Hugh. Et mortelles, figurez-vous. On était

271

obligés d'avoir en permanence du sérum au frigo. Et ces horribles créatures ne se contentaient pas de ramper sur le sol. Elles escaladaient les ceps ! Les vendangeurs en avaient une frousse bleue. Hein, Nigel ?

— Hmm...

— Je me rappelle, un jour je faisais visiter le vignoble à des gens. J'étais là, en train de disserter : et voilà nos plants de sangiovese, et patati et patata... je soulève un pampre et je me retrouve nez à nez avec, tenez-vous bien...

Hugh se tourna vers son compagnon :

— Au fait, peut-on dire « nez à nez » dans ce cas ? Un serpent a-t-il un nez ?

S'ensuivit une discussion sur les appendices nasaux, qui se conclut par un soupir de Hugh.

— Enfin, bref, voilà quelle fut notre expérience de vignerons.

— Nous manquions de main-d'œuvre. La Toscane est infestée d'Anglais. Nos affaires ont périclité...

— Surtout parce que c'est un travail trop dur. Nous ne sommes pas des acharnés du travail, ajouta Hugh avec une grimace. Hein, Nigel ?

La conversation se poursuivit sur le même ton. Nigel faisait le service, Hugh changeait les assiettes. Aux *gnocchi* succédèrent des côtelettes d'agneau, une salade verte, des fruits et un digestif.

Lassiter écoutait ses hôtes avec plaisir ; il ne voulait pas gâcher l'atmosphère de la soirée en leur racontant sa triste histoire. Mais, le repas terminé, Nigel et Hugh le dévisagèrent d'un air interrogateur.

— Vous vous demandez, je suppose, ce que je fais ici, leur dit-il.

Nigel lança un coup d'œil à son compagnon.

— Eh bien, dans notre profession, on se doit d'être discret, mais... oui, nous nous sommes posé la question.

— Simple curiosité, dit Hugh avec un sourire.

Lassiter but une gorgée de Fernet-Branca.

— Si vous cherchez une propriété à acheter, reprit Nigel, vous réaliserez un bon placement.

— En réalité... j'espérais pouvoir visiter la clinique Baresi.

Nigel sourcilla.

— Malheureusement, je crains que...

272

— Je sais, j'y suis allé cet après-midi. Quand est-ce arrivé ? s'enquit-il après une pause.

— Quand était-ce, Hugh ? Août ? Fin juillet ? En pleine saison touristique, en tout cas.

— Ça s'est passé comment ? demanda Lassiter, bien qu'il connût déjà la réponse.

— Incendie criminel. N'est-ce pas, Hugh ?

— Il ne s'agissait pas d'un simple acte de malveillance. Des gamins qui auraient mis le feu en s'amusant avec des pétards, ou je ne sais quoi... La partie la plus ancienne du bâtiment datait du XVIᵉ siècle. Jadis, c'était un monastère.

— Il avait survécu à toutes les avanies du temps, et aujourd'hui... (Nigel claqua des doigts)... ce n'est plus qu'un tas de ruines.

— Du travail de professionnel, dit Hugh. Vous l'avez vu, il ne reste que des gravats. C'était une telle fournaise que le mortier a fondu et que les pierres ont éclaté. Les pompiers n'ont même pas pu s'approcher.

— Il y avait quelqu'un à l'intérieur ?

Hugh se pencha pour allumer sa cigarette à la flamme d'une bougie.

— Par chance, non. La clinique était déjà fermée.

— Pour quelle raison ?

— Baresi était malade. Il n'avait plus l'énergie de continuer, alors il a tout liquidé bien avant l'incendie.

— Pensez-vous qu'il me serait possible de le rencontrer ?

Les deux hommes secouèrent la tête.

— Vous arrivez trop tard, répondit Nigel.

— Il est mort voici quelques mois, expliqua Hugh.

— D'un cancer des poumons, dit Nigel, sarcastique, balayant d'une main soignée la fumée de cigarette. Nous regrettons la clinique, croyez-moi. Quoique, comme Todi devient un lieu à la mode, j'espère que nous finirons par nous refaire une clientèle.

Lassiter haussa les sourcils.

— Je ne vous suis pas très bien...

— La clinique n'assurait pas l'hébergement des patientes, par conséquent elles s'installaient chez nous.

Comme Lassiter les considérait d'un air stupéfait, Hugh se mit à rire.

— Ce n'est pas si surprenant. A Montecastello, il n'y a pas vraiment le choix.

— Nous avions conclu un accord.

— Les clientes du Dr Baresi bénéficiaient d'un tarif préférentiel, et nous nous efforcions de leur simplifier la vie. On allait les chercher à l'aéroport, on les conduisait chaque matin à la clinique, etc.

— Après tout, elles n'étaient pas malades, fit remarquer Nigel. Elles n'avaient pas besoin de soins médicaux.

— Donc, vous connaissiez le Dr Baresi ? demanda Lassiter.

Nigel et Hugh échangèrent un regard.

— Nous le connaissions, en effet, répondit Nigel. Mais je ne prétendrai pas que nous étions amis. Loin de là.

— Nigel veut dire que le cher docteur était un peu homophobe sur les bords.

— Il vous envoyait pourtant ses patientes.

— Oui, certes, mais je vous le répète : à Montecastello, nous sommes incontournables. Il aurait pu les loger à Todi, seulement c'était beaucoup moins pratique. Toujours est-il qu'on voyait rarement Baresi.

Hugh se leva et entreprit de débarrasser la table, saisissant les assiettes et les couverts avec des gestes amples, qui semblaient obéir à une chorégraphie complexe. Puis il s'immobilisa, le plateau chargé de vaisselle sale dans les mains.

— Moi, je pense que le fameux *dottore* aurait pu faire partie de notre confrérie, dit-il avec un petit sourire entendu. Célibataire, pas de femme dans sa vie, vêtu comme un milord, amateur d'antiquités... En plus, il se promenait avec un chien minuscule, poursuivit Hugh, ponctuant sa démonstration de vigoureux coups de menton. Et il nous fuyait comme la peste. Tout cela ne trompe pas, voyez-vous. Ce sont toujours les types de ce genre qui vouent une haine farouche aux homos.

— Quel genre de types ?

— Les pédés refoulés, répondit Hugh en tournant les talons pour se diriger vers la cuisine.

Nigel le regarda s'éloigner, puis reporta son attention sur Lassiter.

— Je suis désolé pour vous. Si vous veniez pour la clinique, vous devez être déçu. Est-ce que...

Il hésita, secoua la tête.

274

— Je n'ai pas le droit de vous poser cette question, ça ne se fait pas.

— Allez-y quand même.

— Vous souhaitiez visiter la clinique avant... d'y envoyer... votre femme ? Elle ne peut pas avoir d'enfant ?

Il se mit la main sur les yeux.

— Oh, excusez-moi... je me conduis comme le pire des rustres. Mes pauvres parents doivent se retourner dans leur tombe.

— Ce n'est pas cette raison qui m'amène à Montecastello. Je ne suis pas marié.

— Tant mieux, rétorqua Nigel avec un soupir de soulagement. Je veux dire... au moins, vous n'êtes pas trop dépité.

— La clinique Baresi représentait-elle une sorte de... dernier recours pour ces femmes ? s'enquit Lassiter avec curiosité.

— J'avoue que ma connaissance des mystères de la reproduction est plutôt limitée, sans doute parce qu'ils ne me concernent guère. Mais je ne parlerais pas de dernier recours. Il paraît que le vieux bonhomme était brillant, un as dans son domaine. On venait le consulter des quatre coins du monde, du Japon, d'Amérique du Sud... Et la plupart de ses patientes repartaient satisfaites.

— Ah... Et qu'avait-il donc de tellement spécial, ce Dr Baresi ?

— Oh, je n'en sais trop rien. Le sujet ne me passionne pas, je vous le répète. Mais, d'après ce que racontaient les clientes, il était formidable. Il avait mis au point une nouvelle technique. Ça concernait les œufs, me semble-t-il. Vous voyez, soupira-t-il, je suis irrécupérable.

— Je déteste le mot « œuf », dit Hugh en les rejoignant. Penser que nous avons d'abord été des œufs, ajouta-t-il avec une grimace, comme de vulgaires poulets sans cervelle, élevés en batterie... Quelle horreur ! D'ailleurs, je te signale qu'on n'appelle pas ça un œuf, mais un ovocyte.

— Ah bon ? fit Nigel, ahuri.

— Entre autres découvertes, *il dottore* a expérimenté une méthode qui rend l'ovocyte capable de produire l'espèce de... d'armure qu'il n'a en principe qu'après avoir été fécondé par le spermatozoïde. C'est un genre de guillotine qui empêche les autres spermatozoïdes de passer. Parce que le gagnant est déjà sélectionné ! conclut-il en faisant le signe de la victoire.

275

Effaré, Nigel écarquillait les yeux.

— Et ça ne sert pas seulement de guillotine, ça met la chose dans un état d'hyperfertilité.

— Je ne te savais pas si versé en la matière, dit Nigel. Même si les clientes appréciaient beaucoup sa gentillesse et le prenaient parfois pour confident, les pauvrettes...

Hugh opina et alluma une autre cigarette.

— Surtout Hannah...

— Une Tchèque.

— Elle était si mignonne et tellement terrifiée. Elle me racontait tout, dans les moindres détails.

— Hannah Reiner, dit Lassiter d'une voix sourde. De Prague.

— Vous la connaissez ? s'étonna Hugh.

— Non, je ne l'ai jamais rencontrée. Elle est morte.

Chapitre 26

— C'est incroyable, murmura Hugh, lorsque Lassiter leur eut expliqué pourquoi il se trouvait à Montecastello.

Il tirait sur sa Rothmans en secouant la tête. Nigel, abasourdi, les dévisagea tour à tour, puis leva les yeux au plafond.

— Mais qu'est-ce que c'est que cette histoire ?

— J'espérais découvrir à la clinique... je ne sais pas, une piste qui me permettrait de comprendre. Peut-être Baresi avait-il un bureau à son domicile ?

Hugh soupira. Baresi, expliqua-t-il, vivait dans une annexe de la clinique. L'incendie avait détruit son logement.

— Il ne reste rien, j'en ai peur.

— Pas le moindre papier, pas de photos ni de souvenirs, renchérit Nigel.

— Et les infirmières ? Elle doivent avoir des renseignements à me...

— Il n'y a pas d'infirmières, coupa Hugh en écrasant sa cigarette. Seulement deux laborantines, et je ne crois pas qu'elles vous soient d'un grand secours.

— Des laborantines ? Baresi n'employait pas de personnel médical ?

— Il avait le goût du secret. De plus, ce n'était pas un vrai gynécologue, il ne recevait pas des dizaines de clientes chaque jour. Sa clinique était plutôt... un centre de recherche. Hein, Nigel ?

— Hmm...

— Il n'acceptait que cinquante ou soixante patientes par an

— pourtant, s'il l'avait souhaité, il aurait pu en avoir cinq fois plus.

— Et ces laborantines... il y a quelque chose à en tirer ?

— La première n'était ni plus ni moins qu'une bonne à tout faire. L'autre semblait un peu plus dégourdie, mais je ne crois pas l'avoir revue depuis l'incendie. Hein, Nigel ?

— Non, le feu l'a traumatisée. On m'a dit qu'elle était partie à Milan. Ou Rome.

Lassiter réfléchit un instant, les sourcils froncés.

— Baresi n'avait pas d'amis ? Des parents ? Des relations ?

— Je ne pense pas, répondit Hugh. Quoique... vous pourriez vous adresser au curé.

— Mais bien sûr ! s'exclama Nigel.

— Ce n'étaient pas des amis intimes, toutefois...

— Ils jouaient quand même aux échecs ensemble. Sur la place, rappelle-toi. Ils buvaient un verre, ils papotaient...

Hugh hocha la tête.

— Oui, Azetti est l'homme qu'il vous faut.

— Quel genre ?

— Un étranger, donc forcément suspect, répondit Hugh en haussant les épaules. Les autochtones ne l'aiment guère.

Nigel étouffa un bâillement.

— Ils disent que c'est un bolchevik. Ce qui explique sans doute qu'on l'ait relégué à Montecastello.

— En tout cas, ça vaut le coup de discuter avec lui. J'ajoute qu'il parle très bien votre langue.

— J'irai le voir demain matin. Où puis-je le trouver ?

— A l'église ou dans les parages. Je vous indiquerai le chemin, sinon vous risquez de vous égarer. Encore que vous finiriez fatalement par atterrir sur la place.

Tous trois se levèrent, et Hugh s'affaira à ranger la salle à manger. Lassiter sur ses talons, Nigel se dirigea vers le hall, soufflant les bougies au passage.

— Désirez-vous qu'on vous réveille, demain matin ?

— Non merci, ce ne sera pas nécessaire.

— Attendez, je veux vous montrer quelque chose.

Il prit sur le bureau un registre relié en cuir et le feuilleta.

— C'est notre livre d'or, Hughie l'a fait spécialement fabriquer à Gubbio pour l'inauguration de la pension. A l'époque, nous n'avions restauré que trois chambres.

Il le referma pour permettre à Lassiter d'admirer la finesse de la peau, les nervures du dos, la couverture superbement estampée. Nigel caressa amoureusement l'aigle gravé, qui tenait entre ses serres l'enseigne de la pension : AQUILA. Puis il rouvrit le registre à la première page.

— 29 juin 1987... Notre premier client, M. Vassari. Il n'est resté que deux jours.

— C'est un livre magnifique.

— Oui, n'est-ce pas ? J'ai voulu vous le montrer, parce que tous les gens qui ont séjourné chez nous sont inscrits là-dedans. Nom, adresse, numéro de téléphone, date d'arrivée et de départ. Tout à l'heure, je l'ai feuilleté et, en voyant écrit le nom de votre sœur, son visage m'est revenu en mémoire. C'était une femme réservée, qui lisait beaucoup. Elle m'avait demandé ma recette des scones.

Secouant la tête d'un air peiné, il chercha la page.

— Tenez, regardez.

Lassiter se pencha pour déchiffrer l'élégante écriture.

Kathleen Lassiter — CB
207 Keswick Lane
Burke, Virginie — USA
703-347-2122
Arr. : 21/04/91
Dep. : 23/05/91

Elle était restée trente-deux jours à Montecastello. Il ne se souvenait pas que son séjour eût duré aussi longtemps. Mais, naturellement, il était englouti dans son travail et perdait la notion du temps. Il était si peu disponible.

— Que signifient ces lettes : CB ?

— *Clinica Baresi.* Ces notations permettent de savoir d'un coup d'œil par qui nous sont adressés les clients. OT — c'est l'office du tourisme de Todi. AVM — l'agence de voyages Mundial. Vous comprenez ?

Lassiter opina avec indifférence.

— Toutes les femmes envoyées par la clinique sont inscrites là-dedans, insista Nigel. Si vous voulez regarder, ne vous gênez pas.

Brusquement, la lumière se fit dans l'esprit de Joe.

— Donc, Hannah Reiner...

— Hannah, votre sœur — elles sont toutes là.

Peut-être parviendrait-il à découvrir un lien entre Kathy et les autres victimes. Peut-être leurs séjours s'étaient-ils déroulés à la même époque.

— C'est un travail de fourmi, dit Nigel, mais vous pourriez établir une liste des patientes de la clinique...

Il faudrait éplucher tout le registre, relever les noms suivis de la mention CB. Cette perspective le décourageait d'avance, néanmoins il n'avait pas le choix.

— Bon..., marmonna Nigel.

Il se détourna et bâilla à s'en décrocher la mâchoire, ce qui acheva de déprimer Lassiter. Lui aussi se sentait exténué.

— Encore une chose... Vous savez en quelle année la clinique a ouvert ses portes ?

— Oh, je ne me rappelle pas très bien. 90 ou 91, dans ces eaux-là.

Nigel agita les doigts en guise de salut et s'éloigna.

Lassiter commença sa recherche à partir de janvier 1990, et tourna les pages du registre jusqu'à ce qu'il trouve la première patiente de la clinique : Anna Vaccaro, résidant à Vérone. Arrivée le 3 mai, elle avait passé une semaine à l'Aquila.

Un moment après, il alla prendre son portable dans la chambre. De retour dans le hall, il s'installa au bureau, le registre à côté de lui, créa le dossier *cb.lst* et nota soigneusement les noms, les adresses et les dates. Il remarqua bientôt que deux schémas se dessinaient. La plupart des femmes séjournaient à l'Aquila durant cinq ou sept jours. Mais quelques-unes, comme Kathy, y restaient trente-deux jours.

La première d'entre elles s'appelait Lanielle Gilot, d'Anvers. Arrivée à Montecastello fin septembre, elle en était repartie un mois plus tard.

Lassiter était en train de taper son nom, lorsque Hugh apparut dans le hall, un verre de cognac à la main. Il s'immobilisa, surpris. Lassiter lui expliqua ce qu'il faisait et demanda pourquoi les séjours des patientes étaient de durée variable.

— Parce qu'elles suivaient des traitements différents, répondit Hugh, qui semblait un peu éméché, en s'adossant à un pilier.

— C'est-à-dire ?

Comme si l'explication s'y trouvait inscrite, Hugh leva les yeux au plafond, le visage plissé dans une expression d'intense concentration, tel un petit garçon planchant sur un problème d'arithmétique.

— Il y avait des traitements différents, répéta-t-il. D'abord, la fécondation *in vitro*. C'est la méthode la plus rapide et la plus efficace. On recueille les ovules de la femme et... que voulez-vous que je vous dise, au juste ?

Lassiter haussa les épaules.

— Je n'en sais rien.

— En tout cas, les clientes qui venaient pour la fécondation *in vitro* ne restaient que quelques jours. Ensuite il y avait les... transferts. Quel étrange vocabulaire pour la conception d'un bébé ! Transfert intratubaire d'œufs fécondés... Essayez donc de cracher ça quand vous avez trop bu.

Il remua son verre de cognac.

— Et Hannah Reiner ? demanda Lassiter, tapotant du doigt le registre. Dans quelle catégorie entrait-elle ?

Hugh se frotta les paupières.

— Ça, c'est encore une autre méthode : le don d'ovocyte, qui prenait un bon mois. Votre sœur en a bénéficié, n'est-ce pas ?

— Je suppose, puisqu'elle est restée ici plusieurs semaines. Savez-vous pourquoi c'était si long ?

Hugh ne répondit pas immédiatement.

— Eh bien oui, je le sais, dit-il, comme s'il en était le premier surpris. Hannah me l'a expliqué. D'abord, le vieux Baresi l'exigeait. Certains de ses confrères, auxquels Hannah avait eu affaire, procédaient de manière différente. Ils recevaient la patiente, l'auscultaient, et la renvoyaient dans ses foyers avec un stock de médicaments et de piqûres.

— Des médicaments et des piqûres ?

— Pour synchroniser son cycle avec celui de la donneuse.

— Quelle donneuse ?

— La donneuse d'ovocyte.

Lassiter le dévisageait, complètement dérouté. Hugh soupira.

— Il arrive qu'une femme comme Hannah ne puisse pas être enceinte. Parce que sa réserve d'ovocytes est... épuisée, en quelque sorte.

— Comment ça ?

— Eh bien... *grosso modo,* à la naissance, la femme porte en elle tout son capital d'ovocytes. Mais je ne vous apprends rien, naturellement.

— Naturellement, mentit Lassiter.

— Ce capital diminue au fil des ans et, parfois, les choses se gâtent. Les chromosomes se détraquent, il y a des désordres génétiques, ou bien l'ovocyte ne parvient plus à maturation. Voilà pourquoi on a développé cette technique, pour permettre aux femmes comme Hannah de porter un enfant. Baresi prélevait un œuf sur une femme plus jeune — la donneuse —, le fécondait avec... le sperme du mari, et l'implantait dans... l'utérus de la femme stérile.

Assoiffé par ce discours, Hugh but une rasade de cognac, la garda un instant en bouche pour mieux la savourer, avant de déglutir.

— Biologiquement parlant, la receveuse n'est donc pas la vraie mère de l'enfant.

— Ah, je ne suis pas d'accord. Sur le plan biologique, c'est bien son enfant. Elle le porte dans son ventre, elle le met au monde, elle l'élève. Mais, sur le plan génétique, non... effectivement, le bébé et la mère n'ont rien de commun. Le petit a les gènes de son père et de la donneuse. Je crois que cela préoccupait Hannah.

— Pourquoi ?

— Ce gosse ne ressemblait pas beaucoup à Jiri. Vous ne trouvez pas ?

— Je ne l'ai vu qu'en photo, et c'était encore un nourrisson. Mais... vous êtes resté en contact avec elle ?

— Oh, bien sûr. Pendant deux ans, nous nous sommes écrit chaque semaine. Ensuite, nos liens se sont distendus. Elle m'a quand même envoyé un portrait du petit. Je suppose qu'il ressemblait à la donneuse, parce qu'il n'avait aucun trait de Jiri. Entre nous, c'était plutôt mieux pour lui.

— Je ne comprends toujours pas pourquoi il fallait un mois...

— A cause des injections d'hormones. Je vous l'ai expliqué : la receveuse devait synchroniser son cycle avec celui de la donneuse. Et le vieux Baresi tenait à les garder à portée de main. Même les patientes de la région étaient obligées de rester ici. Il supervisait lui-même les dosages. En plus, il leur déconseillait de prendre l'avion, il disait que c'était risqué.

Lassiter se taisait, plongé dans ses pensées. Pour Kathy, cela n'avait pas dû être une partie de plaisir. Elle ne lui avait pourtant jamais parlé de don d'ovocyte. Certes, elle était extrêmement pudique et n'abordait pas des sujets aussi intimes. Même avec son frère. Ou peut-être surtout pas avec son frère.

— Je peux vous demander quelque chose ? dit Hugh.

— Evidemment.

— Vous me tiendrez au courant ? Si vous avancez dans votre enquête sur ces... meurtres. Nigel me taquine, mais j'aimais beaucoup Hannah.

Il haussa les épaules d'un air navré, bâilla.

— Je suis lessivé, il vaut mieux que j'aille me coucher, dit-il, et il s'éloigna d'un pas quelque peu vacillant.

Lassiter se replongea dans le registre, tournant les pages l'une après l'autre, à la recherche de la notation CB. Tout en accomplissant cette tâche fastidieuse, une idée lui vint. Se pourrait-il que les meurtres aient un rapport avec les donneurs de sperme ou d'ovocytes ? On connaissait des affaires de ce genre — des individus qui cherchaient à retrouver leur progéniture, des hommes qui, ignorant leur paternité, apprenaient un beau jour qu'un enfant conçu grâce à leur sperme existait quelque part. Il se rappelait avoir vu une émission sur ce thème.

Il est tard, se dit-il. Tu es fatigué.

Grimaldi se serait donné pour mission d'anéantir ses propres rejetons ? Il n'y avait aucune raison de penser que Grimadi fût un donneur de sperme et, même s'il l'était, pourquoi traquerait-il ses « enfants » ? A moins qu'il ne soit fou, or Lassiter avait depuis longtemps éliminé cette hypothèse.

Et si c'était une histoire d'argent, d'héritage ? L'héritier d'une fortune quelconque, sachant que le défunt avait fait don de son sperme, craignait que la progéniture du donneur ne vienne un jour réclamer sa part du gâteau.

Invraisemblable, décréta Lassiter. Il était infiniment plus simple de détruire les dossiers de la clinique — qui, de fait, avaient bien été brûlés. Pourquoi assassiner les enfants ?

Son doigt s'arrêta sur le nom d'une femme qui était restée trente-deux jours à la pension. Jusqu'ici, elle était la quatrième. Il n'avait pas encore trouvé trace de Hannah Reiner mais, d'après Hugh, la Tchèque, comme Kathy, était demeurée un mois à Montecastello, car elle avait bénéficié d'un don d'ovocyte. A tout

283

hasard, Lassiter marquait donc d'un double astérisque toutes celles qui avaient fait un long séjour à l'Aquila.

Il en repéra bientôt une cinquième : Marie Williams, de Minneapolis, dans le Minnesota. Elle était arrivée à la pension le 26 mars 1991, pour en repartir le 28 avril.

Kathy et cette Marie Williams s'étaient côtoyées pendant plus d'une semaine. Elles avaient dû faire connaissance.

Il continua à tourner les pages, recopiant les noms des patientes de la clinique Baresi.

Ah, encore une qui, apparemment, avait bénéficié d'un don d'ovocyte.

Marion Kerr — CB
17 Elder Lane
Bressingham, B.C.
Arr. : 17/11/92
Dep. : 19/12/92

Il pianotait sur son clavier lorsque, tout à coup, il sursauta. Bressingham. Colombie-Britannique. Le Canada... Il avait oublié cette affaire et le nom des victimes, jugeant que ce n'était pas important. Mais à présent...

Il n'en croyait pas ses yeux.

A Prague, juste avant sa visite à Jiri Reiner, quand il s'était documenté sur les affaires d'incendies criminels et d'infanticides... un seul article de presse correspondait à peu près à ce qu'il cherchait. Il relatait la fin tragique de la famille Kerr.

Lassiter ne se rappelait plus très bien l'histoire, hormis un détail qui, à présent, lui coupait le souffle. Le petit garçon des Kerr avait été assassiné alors que Grimaldi se trouvait à l'hôpital. Voilà pourquoi, sur le moment, il avait considéré que cette affaire ne pouvait pas avoir de rapport avec la mort de Kathy et Brandon. Car, dans le cas contraire, cela aurait signifié qu'il n'y avait pas un seul tueur — et qu'une véritable machination se tramait. Pour anéantir des enfants.

Cela paraissait inconcevable, pourtant il en avait la preuve sous les yeux :

Marion Kerr — CB
Bressingham, B.C.

Une preuve irréfutable.

Il avait besoin d'un café. Se levant, il se rendit dans sa chambre, prit un sachet de Nescafé dans le minibar et fit bouillir de l'eau, à l'aide d'une résistance chauffante que la pension mettait aimablement à la disposition de ses clients.

Il ne savait plus quoi penser.

L'inscription de Marion Kerr dans le registre suggérait — non, prouvait — qu'il y avait bel et bien plusieurs tueurs. Impossible, dans ces conditions, de ne pas songer à l'assassinat de Bepi, à la rossée que lui-même avait reçue à Naples, et donc à Umbra Domini... Tous ces fils faisaient partie d'une même trame. Mais s'il essayait d'imaginer une explication... son esprit se vidait.

Sa tasse de Nescafé à la main, il retourna dans le hall où son ordinateur l'attendait, luisant dans la semi-pénombre.

Pendant les trois heures suivantes, il poursuivit sa tâche. La fatigue commençait à lui jouer des tours, et il devait s'astreindre à vérifier deux fois chaque page. Sa concentration faiblissait, les lignes dansaient devant ses yeux. Il s'acharnait, cependant.

Il était trois heures et demie du matin, quand, du fond de son brouillard, il réalisa qu'il tenait un schéma possible, ou du moins une ébauche de schéma. Il s'interdit toutefois d'y réfléchir tant qu'il n'aurait pas copié le nom de toutes les patientes de la clinique Baresi. Faute de quoi, il risquait de fausser son raisonnement et de ne considérer que les éléments coïncidant avec son scénario.

Lorsqu'il eut enfin terminé, le ciel, qui se découpait dans les fenêtres du hall, pâlissait déjà. Il était exténué. Il referma le registre, se redressa et s'étira avec tant de force que ses côtes craquèrent. Puis il éteignit la lumière et regagna sa chambre.

Là, il fit ce qu'il voulait faire depuis des heures — isoler, parmi les deux cent soixante-douze noms de la liste, les femmes qui avaient séjourné plus d'un mois à la pension et bénéficié d'un don d'ovocyte. Elles étaient signalées par un double astérisque et il ne fallut que quelques minutes à l'ordinateur pour établir une seconde liste de dix-huit noms :

Kathleen Lassiter
Hannah Reiner
Matilda Henderson
Adriana Pena
Marion Kerr...

Ces femmes étaient mortes. Leurs enfants étaient morts. Tous avaient péri dans les flammes.

Il ferma les yeux. L'image de Brandon l'assaillit. *Oncle Zoe ! Oncle Zoe ! Regarde, ze sais faire le saut pétilleux. Regarde !* Il s'était jeté en avant, avait roulé maladroitement sur le tapis, avant de sauter sur ses pieds comme un ressort, tel un champion olympique, les bras levés en signe de victoire, le visage rayonnant de fierté.

Il étudia à nouveau la liste. Pour la plupart, ces femmes étaient originaires des Etats-Unis ou d'Europe occidentale, mais quelques-unes venaient de plus loin : Hong Kong, Tokyo, Tel-Aviv, Rabat, Rio de Janeiro.

Il posa l'ordinateur sur la table, près de la fenêtre, et connecta le modem au téléphone. Après quoi il crypta le dossier qu'il transmit à son bureau de Washington. Il rédigea ensuite un mémo pour Judy Rifkin, afin de lui communiquer le nom et l'adresse des dix-huit femmes. Il la priait d'informer Riordan que cinq d'entre elles, au minimum, étaient mortes et que les autres étaient vraisemblablement en danger. Riordan alerterait les autorités compétentes dans les juridictions concernées, pour que ces femmes et les enfants soient placés sous la protection de la police. Il prévoyait de rentrer dans un jour ou deux, ajoutait-il, et fournirait toutes les explications nécessaires.

D'ici là, il voulait que Judy lui prépare un dossier sur feu le Dr Ignazio Baresi. Tout ce qu'elle trouverait sur la clinique de Montecastello, ainsi que sur une méthode de procréation médicalement assistée — le don d'ovocyte — lui serait utile. Il lui demandait également de doublonner Riordan et de contacter les treize femmes encore vivantes de la liste. Si les flics faisaient correctement leur boulot, elles ne seraient pas joignables. En tout cas, il l'espérait.

Le mémo transmis, il faillit s'écrouler sur le lit. Mais on était en plein week-end, il craignait que Judy ne contrôle pas son E-mail avant le lundi matin. Il consulta sa montre. Cinq heures et demie — près de minuit à Washington.

Décrochant le téléphone, il composa le numéro personnel de Judy. Au bout de quatre sonneries, le répondeur se mit en marche.

— Judy, c'est Joe, dit-il après le bip sonore. Vérifie ton E-mail tout de suite. C'est très urgent. On se voit dans deux jours.

Il se déshabilla et s'étendit à plat dos sur le lit. Les yeux clos pour se protéger de la pâle lumière de l'aube, il s'écouta respirer et attendit que le sommeil l'emporte.

Mais soudain, dans son esprit enfiévré, surgit le visage carbonisé de Brandon. Il entendit la voix de Tom Truong : *Il n'y a plus une goutte de sang dans le petit corps.* Il se remémora le regard désespéré de Jiri Reiner. Les larmes de Kara Baker.

Mon Dieu, songea-t-il en rabattant la couverture sur sa tête, c'est un véritable massacre.

Chapitre 27

Onze heures sonnaient lorsqu'il s'extirpa de son lit. La première pensée qui lui vint fut qu'il avait besoin d'une bonne nuit de sommeil. La douche le remit à peu près d'aplomb ; il resta un long moment sous le jet d'eau brûlante qui lui cinglait le visage et massait ses épaules endolories. Il faillit négliger de se raser, mais se ravisa. Les curés devaient avoir des principes, du moins il le supposait. Il n'en avait pas souvent rencontré.

Tout en enfilant sa veste en cuir, il descendit dans le hall. Nigel, qui avait la migraine, lui indiqua la direction de la place, où il trouverait l'église et un café.

Il faisait froid dehors, la pluie menaçait. En sortant de la pension, Lassiter prit à gauche et suivit une étroite ruelle pavée, dépourvue de trottoirs, qui s'enfonçait entre deux haies de maisons grises. Les volets et les portes étaient fermés au vent d'hiver.

Il frissonna. A cette saison, Montecastello avait quelque chose de sinistre. Ses demeures, au fil des siècles, s'étaient affaissées, et elles semblaient se pencher sur les passants comme pour les écraser. Ces rues enchevêtrées formaient un véritable labyrinthe, songea Lassiter. Il était facile de s'y égarer et impossible de s'y cacher.

Il passa devant un magasin, puis un autre. On ne voyait d'enseigne nulle part, sans doute parce qu'elles n'auraient servi à rien : les gens d'ici se connaissaient tous, chacun savait ce que vendait le voisin. Un vieil homme sortit d'une boutique éclairée au néon, écartant les lanières en plastique du rideau qui masquait la porte. Dans son sac à provisions, il portait des légumes, des paquets enveloppés dans du papier de boucherie et une miche de pain.

— *Ciao*, marmotta-t-il, les yeux baissés, en croisant Lassiter.

Au détour d'une venelle, Joe déboucha sur la grand-place de Montecastello, la piazza di San Fortunato. L'église San Giovanni Decollato — un sobre, pour ne pas dire austère édifice en pierre grise — en occupait toute la partie nord. Lassiter s'apprêtait à gravir les marches, quand une bonne odeur de café lui chatouilla les narines.

Il se retourna et vit, en face de l'église, des tables et des chaises métalliques alignées devant l'entrée d'une petite taverne. C'était manifestement le lieu de perdition du village, à la fois snack-bar, kiosque à journaux, salle de jeux vidéo, débit de boissons et bureau de tabac — le tout rassemblé dans un espace exigu.

Malgré le froid, Lassiter s'installa à la terrasse et commanda un espresso. Seuls les bip-bip insistants d'un billard électrique, dans les profondeurs de la taverne, troublaient le silence. Des bâtiments bordaient la place sur trois côtés, le quatrième étant fermé par un parapet, partie intégrante des remparts, d'où l'on pouvait contempler la plaine ombrienne.

A la table voisine, deux hommes d'âge mûr jouaient aux cartes. Engoncés dans des gilets de laine boutonnés jusqu'au cou, sous lesquels on devinait plusieurs couches superposées de vêtements, ils avaient l'air de deux Bibendums. Ils marmonnaient, juraient, buvant tour à tour une gorgée de café et une rasade de cognac, maudissaient en riant le jeu lamentable qui leur était échu.

En attendant qu'on le serve, Lassiter jeta un coup d'œil au présentoir de journaux, près de l'entrée. Il n'y trouva aucun quotidien anglais, seulement un exemplaire du *Monde* vieux de trois jours, qu'il n'eut pas le courage de lire.

Il se sentait indécis. Devait-il inventer un prétexte quelconque pour interroger le curé ? Comment allait-il l'aborder ? « Monsieur le curé, dites-moi tout ce que vous savez du Dr Baresi » ? Non, ça ne paraissait pas très indiqué.

On lui apporta son café qu'il sirota en observant ses voisins. Le tapis vert qui recouvrait la table était usé jusqu'à la trame et les cartes avaient perdu leur rigidité, si bien que les joueurs les dissimulaient dans le creux de leurs mains.

Les deux compères avaient le visage tanné et raviné de ceux qui ont passé leur vie au grand air. Avec leurs yeux et leur sourire lumineux, ils dégageaient une impression de vigueur et d'ironique sagesse.

Existait-il en Amérique des lieux comme celui-ci, où l'on pouvait venir ainsi le matin, pour boire du cognac et jouer aux cartes sur une terrasse ? En plein mois de janvier ? Il n'en voyait aucun, hormis peut-être les bars à bière de certains quartiers populaires. Mais cela n'avait rien de comparable.

Au centre de la place se dressait une fontaine, un simple bassin de pierre surélevé et surmonté d'une tête de lion qui avait connu des jours meilleurs. La gueule du fauve, fendue, ne crachait plus qu'un mince filet d'eau. Pourtant la fontaine n'était pas seulement un ornement, elle rendait toujours des services aux villageois. Une vieille dame y remplissait deux brocs en plastique. Elle les souleva et, le dos bien droit, s'en fut d'un pas tranquille.

Lassiter commanda un second café ; pour tromper son attente, il s'approcha du parapet et se pencha pour regarder l'à-pic qui plongeait dans le vide. Des pins rabougris s'enracinaient dans la maigre terre qui tapissait çà et là la paroi rocheuse.

Au loin, juste au-dessus des arbres, on apercevait Todi qui semblait flotter dans le ciel. Ses remparts s'enroulaient à la colline en une succession de terrasses ; en dessous on distinguait le fouillis des faubourgs, puis la mosaïque complexe des champs qui descendait jusqu'à la rivière.

A la vue de ce suave paysage, il fut pris d'une étrange nostalgie, le regret d'un temps qu'en vérité il n'avait jamais connu. Aux Etats-Unis, la campagne avait disparu depuis des lustres — si tant est qu'elle eût jamais existé. Mais ce décor lui rappelait les tableaux de Cézanne.

Il promena son regard sur la pépinière forestière qu'il avait longée la veille, sur les rangées d'arbres rectilignes, chercha le point où la route se divisait en deux branches, l'une menant aux ruines de la clinique Baresi, l'autre à Montecastello. Cette dernière se perdait un moment dans les replis du terrain pour réapparaître au pied du piton rocheux et aboutir au petit parking où il avait garé sa voiture.

Se détournant, il regagna sa table, but son café debout, posa un billet sur la soucoupe, et se dirigea vers l'église.

En haut de l'escalier, un portail massif donnait accès au narthex fermé par une cloison de bois, sorte de sas entre le monde extérieur et un univers voué au recueillement. Sur une vieille table, des piles de brochures voisinaient avec une boîte métallique destinée à recevoir les dons des paroissiens. Lassiter y glissa quelques billets, puis poussa la porte.

Dans la nef régnait une obscurité telle qu'il ne distingua d'abord que la voûte, tout là-haut. Une odeur de moisi et de cire fondue l'assaillit, il entendit des murmures provenant sans doute du chœur.

Les vitraux percés dans l'un des murs laissaient filtrer le soleil hivernal, dont les maigres rayons obliques ne touchaient même pas le sol. Le candélabre ne parvenait pas davantage à dissiper les ténèbres ; ses petites ampoules électriques clignotaient pitoyablement et n'évoquaient que de très loin les cierges de jadis.

Vers le milieu de la nef, des bougies brûlaient aux pieds d'une sombre statue. Lassiter s'assit sur un banc, le temps de s'accoutumer à cette pénombre.

Peu à peu, il se rendit compte que l'église était beaucoup plus vaste qu'il n'y paraissait. Il distingua aussi, devant l'autel, de vagues silhouettes et une petite forme blanche qui gigotait. Un bébé poussa un cri strident. Joe en conclut qu'il assistait à un baptême.

La cérémonie s'acheva quelques instants plus tard, et l'assistance descendit l'allée en cortège, derrière la jeune mère et le nourrisson en pleurs. Le curé fermait la marche. Il était grand, sa tête dodelinait au-dessus des autres, telle une lune pâle. Agé d'une cinquantaine d'années, il avait de courts cheveux bruns et bouclés, un menton énergique, un nez aquilin. Quand il passa près de Lassiter, leurs regards se croisèrent. S'il n'avait pas été aussi maigre, presque décharné, le prêtre aurait pu avoir du charme. Mais il arborait une expression si douloureuse que ses traits paraissaient disgracieux.

Pendant dix bonnes minutes, le narthex résonna d'exclamations et de rires, tandis que le bébé continuait à s'époumoner, furieux et inconsolable. Enfin on donna le signal de la dispersion, on échangea des baisers et des saluts.

Lassiter entendit le portail grincer, l'air glacé lui mordit les chevilles et une coulée de lumière se répandit dans la nef. Puis les talons des femmes claquèrent sur les dalles, les voix s'estompèrent. Sans doute le curé, immobile en haut des marches, faisait-il au revoir de la main à ses paroissiens.

Le portail grinça à nouveau ; brusquement, l'abbé surgit dans l'allée et passa devant Lassiter qui bondit sur ses pieds.

— *Scusi, padre !*

L'homme se retourna.

— *Si ?*

Lassiter avait épuisé son vocabulaire italien.

— Puis-je vous parler un instant ?

— Mais bien sûr, répondit l'abbé Azetti en souriant. Je suis à votre disposition.

Lassiter prit une inspiration ; il ne savait par où commencer.

— Eh bien, je suis actuellement à l'Aquila et... on m'a dit que vous étiez un ami du Dr Baresi.

Le sourire du curé s'effaça. Figé, il dévisagea Lassiter avec circonspection.

— Il nous arrivait de jouer aux échecs ensemble.

— C'est ce qu'on m'a raconté. Et je... en fait, je m'intéresse à sa clinique.

— Elle n'existe plus.

— En effet, mais... j'espérais que nous pourrions en discuter.

La porte du narthex s'ouvrit, livrant passage à une bouffée d'air froid et à une femme en noir, qui se signa et remonta l'allée. Elle se glissa dans une travée, s'agenouilla et se mit à prier.

L'abbé Azetti jeta un coup d'œil à sa montre.

— Je suis désolé, mais je confesse jusqu'à deux heures.

— Ah..., fit Lassiter, dépité.

— Toutefois, si vous voulez patienter... ou revenir plus tard... nous pourrions nous retrouver au presbytère. C'est juste derrière l'église.

— Je vais en profiter pour visiter le village, dit Lassiter avec gratitude.

— Entendu...

Sur quoi, Azetti pivota et se dirigea vers le confessionnal, au bout de l'allée.

Deux heures plus tard, installés dans la bibliothèque du presbytère, les deux hommes dégustaient un plat de pâtes offert par une paroissienne. Azetti semblait s'être départi de sa méfiance — à moins que Lassiter n'ait mal interprété son attitude, dans l'église — et se révélait un hôte courtois. Il remplit les verres de vin, coupa quelques tranches de pain qu'il assaisonna avec un filet d'huile d'olive, du sel et du poivre.

— Ainsi, vous vous intéressez à la clinique...

Lassiter opina.

— Si vous êtes allé là-bas, je n'ai pas besoin de vous dire que tout a brûlé.

— Un incendie criminel, à ce qu'il paraît.

Azetti haussa les épaules.

— L'établissement était fermé, de toute manière. Quel dommage ! Nous ne sommes pas près de revoir un être tel que lui.

— C'est-à-dire ?

— Le Dr Baresi était un homme de grand talent. Je ne suis pas expert en la matière, mais il avait un taux de réussite exceptionnel.

— Vraiment ? rétorqua Lassiter, pour l'encourager à poursuivre.

— Eh oui... Cela provenait sans doute du fait qu'il n'était pas seulement médecin. C'était aussi un savant. Vous l'ignoriez ?

— En effet.

— Alors, vous n'avez pas idée de l'homme qu'était Baresi. Un authentique génie ! Entre nous, cela ne m'empêchait pas de le battre aux échecs — assez souvent, je dois dire.

Lassiter se mit à rire.

— Je faisais tellement de bourdes, avoua Azetti, qu'il ne pouvait pas anticiper mes coups. Il me reprochait toujours de lui gâcher sa stratégie. Un autre verre de vin ?

— Non merci, répondit Lassiter qui, décidément, trouvait le curé très sympathique.

— Son père et son grand-père possédaient une immense fortune. Ils étaient dans le bâtiment et la politique. Des gens très corrompus — même pour l'Italie. Baresi n'a jamais eu besoin d'argent, il n'était pas obligé de gagner sa vie. Il s'est consacré aux études. La génétique à Pérouse, la biochimie à Cambridge. Ah... Cambridge !

Azetti remplit son verre, trempa dans le vin un croûton de pain dont il grignota les bords.

— Il travaillait pour un institut de Zurich. Il a remporté un prix, ou une médaille...

— Pour quelle raison l'a-t-on récompensé ?

— Pour ses recherches, sans doute. Mais ensuite il a abandonné tout ça...

Lassiter lui lança un regard interrogateur.

— Il a abandonné la science, précisa Azetti.

— Pour se lancer dans la médecine, je présume.

— Non, pas à cette époque. Il a étudié la théologie en Allemagne. Il a même publié un livre. D'ailleurs, je l'ai là.

Sans tourner la tête, le prêtre tendit la main vers une étagère et saisit un épais volume qu'il posa sur la table. Lassiter l'ouvrit et déchiffra le titre.

— C'est en italien, dit-il stupidement.

Il se mordit les lèvres. Azetti esquissa un sourire.

— L'ouvrage s'intitule : *Relique, totem et divinité.*

Hochant la tête, Joe repoussa le livre.

— Baresi faisait autorité dans ce domaine, ajouta Azetti.

— Vraiment ? dit Lassiter avec indifférence.

— Mais oui...

— Ces pâtes sont succulentes, dit Joe.

La conversation s'éloignait du sujet qui l'intéressait — en l'occurrence la clinique Baresi — et il ne savait trop comment la remettre sur les rails.

— Dans son essai, Baresi relie le pouvoir des reliques à certains sentiments religieux primitifs, comme l'animisme, le culte des ancêtres, etc. Selon lui, l'instinct qui commandait au guerrier d'une tribu de dévorer le cœur de son ennemi — pour s'approprier sa force — se retrouvait chez les chrétiens, convaincus que, s'ils portaient sur eux, dans une petite bourse, un fragment d'os ayant appartenu à un saint, ils seraient protégés de la maladie.

— Passionnant, marmonna Lassiter.

— Oh oui, ce livre est passionnant. Je vous en recommande la lecture. Il traite de l'envoûtement — or d'aucuns prétendent que la communion est une sorte d'envoûtement.

— Comment ça ?

Azetti haussa les épaules.

— Nous mangeons le pain et buvons le vin, qui sont le corps et le sang du Christ. Pour les croyants, c'est un sacrement. Pour les autres... de la magie, peut-être.

294

— Il y a là matière à polémique, me semble-t-il.

— Certes, rétorqua le prêtre avec un sourire. Mais Baresi ne craignait pas la polémique. Il avait toutes les habilitations nécessaires et était très bien vu du Vatican.

— Vraiment ?

— Absolument. Le Vatican faisait sans cesse appel à lui.

— Pour quelle raison ?

— Pour examiner des reliques. Si un objet paraissait douteux, on chargeait Baresi de l'analyser. La plupart du temps, l'affaire était vite réglée. Le prétendu morceau de la sainte croix s'avérait n'être que du vulgaire teck... ou bien l'on découvrait grâce aux analyses ADN que le fragment du cuir chevelu de saint François d'Assise avait été prélevé sur le crâne d'un bœuf.

Azetti marqua une pause.

— Vous avez entendu parler du saint suaire de Turin ? demanda-t-il, faisant référence au linceul dans lequel le Christ aurait été enseveli.

— Naturellement. Qui ne le connaît pas ?

— Eh bien, Baresi faisait partie des scientifiques qui l'ont examiné.

— J'ai lu quelque part qu'il s'agirait d'une mystification.

— Oui, rétorqua Azetti d'un air pensif. Le tissu daterait du XIIIe siècle. Certains prétendent que Leonardo serait derrière cette supercherie. On dit aussi que c'est la première photographie du monde.

— Qu'en pensait Baresi ?

— Il écrit dans son livre que l'histoire des reliques est plutôt sinistre et que le saint suaire s'inscrit peut-être dans cette tradition. Jadis, on attachait un tel prix aux reliques que, quand un saint homme tombait malade, les gens s'attroupaient devant son logis pour attendre sa mort. Dès qu'il avait rendu l'âme, ils se ruaient sur lui pour le dépecer, et emportaient ce qu'ils pouvaient — un doigt, des dents, une oreille qu'ils vendaient ensuite petit bout par petit bout.

Lassiter fit la grimace.

— Eh oui... On raconte que, deux jours avant sa mort, saint Thomas d'Aquin fut ébouillanté. C'est affreux, n'est-ce pas ? Et parfois, pour les expédier plus vite au ciel, on empoisonnait ces malheureux.

295

— Mais le saint suaire, authentique ou pas, n'est somme toute qu'une pièce de tissu.

— Imprégné toutefois de liquides organiques et de bilirubine.

— Qu'est-ce que c'est que ça ?

— Un dérivé du sang ; cette substance n'est généralement pas excrétée par la peau. Mais parfois, sous l'effet d'un stress intense — la torture par exemple — un homme sue le sang.

— Et il y a de la bilirubine sur le saint suaire ?

— Baresi en a trouvé des traces. Même s'il pensait qu'il s'agissait d'un faux, il craignait qu'on n'ait pas hésité à assassiner un être humain pour le fabriquer.

— Bonté divine..., murmura Lassiter.

Azetti hocha la tête.

— Les reliques étaient toutes-puissantes. L'église qui en possédait une, pour peu qu'elle fût réputée, attirait des milliers de pèlerins, or ces gens avaient de l'argent à dépenser. Ensuite bien sûr, au moment de la Réforme, beaucoup furent brûlées.

— Brûlées..., répéta Lassiter, revenant brusquement au présent et à la raison de sa visite. J'avoue que je ne comprends pas bien comment Baresi est passé de l'étude des reliques à la médecine...

— Sans doute s'est-il senti appelé. Je crois savoir qu'il frôlait la cinquantaine quand il est entré à la faculté de Bologne pour étudier la gynécologie et l'obstétrique. Il faisait son internat, me semble-t-il, lorsqu'il s'est intéressé aux problèmes de stérilité. Ensuite il a créé la clinique. Beaucoup en ont été surpris.

— Pourquoi ?

— Eh bien, cette branche de la médecine est assez... particulière. Et Baresi semblait si renfermé, si peu à l'aise avec ses semblables... On l'imaginait mal demandant à une femme de se déshabiller. De plus, c'était un catholique pratiquant, très pieux même. Son choix le mettait en conflit avec l'Eglise.

— Pourquoi ?

Azetti leva les yeux au ciel.

— Parce que l'Eglise s'oppose à toute tentative d'intervention dans le processus naturel de la conception.

— Comme le contrôle des naissances ?

— Pas seulement ! Elle condamne avec la même vigueur l'avortement et les traitements contre la stérilité.

— Mais pourtant...

— Pourtant, c'est comme ça. Sur ce point, les textes sont nombreux et parfaitement explicites. Les enfants doivent être le fruit de l'union d'un homme et d'une femme, d'un acte sexuel normal. La procréation — comment dit-on ? — médicalement assistée, de même que la contraception, va à l'encontre de la volonté de Dieu. En théorie, les manipulations pratiquées dans les cliniques comme celle du Dr Baresi sont rigoureusement interdites.

— Mais Baresi n'a pas tenu compte de cet interdit...

Azetti détourna le regard.

— Il estimait avoir le droit de le transgresser. D'ailleurs, ajouta-t-il avec un soupir, il n'était pas le seul à ignorer les prescriptions du Vatican. L'Eglise interdit la contraception, cependant les Italiens — qui sont presque tous catholiques — ont peu d'enfants, et la population nationale reste stable. Or je vous garantis que mes compatriotes ne pratiquent guère l'abstinence.

Haussant les épaules, Azetti remplit à nouveau son verre.

— Eh bien... qu'allons-nous faire à présent pour votre femme ? A-t-elle besoin de conseils ?

Lassiter écarquilla les yeux.

— Est-elle avec vous à la pension ? Je m'étonne que vous ayez entrepris un si long voyage sans vous renseigner d'abord. Votre épouse doit être terriblement déçue. Si vous voulez que je lui parle...

— Mon père, je...

— Elle peut se confier à moi, je sais écouter.

— Je crois qu'il y a un malentendu.

— Ah ?

— Je ne suis pas marié.

— Mais alors..., bredouilla Azetti, déconcerté.

— Je suis ici parce que ma sœur a consulté le Dr Baresi voici quelques années.

— Ah, votre sœur ! Très bien... Le traitement lui a-t-il réussi ?

— Oui, elle a eu un merveilleux petit garçon.

Azetti hocha la tête en souriant, puis une expression de perplexité se peignit sur ses traits.

— Mais alors, pourquoi êtes-vous à Montecastello ?

— Elle est morte au mois de novembre.

— Oh... je suis tout à fait navré. Et l'enfant ? Je suppose qu'il est maintenant sous la responsabilité de son père — et la vôtre.

— Il n'avait pas de père, ma sœur l'élevait seule. Et, de toute façon, il est mort lui aussi. Ils ont été assassinés.

Azetti baissa les yeux.

— Comment est-ce arrivé ? demanda-t-il après un silence.

— On les a tués dans leur sommeil, ensuite on a incendié leur maison.

Azetti se tut. Il coupa un autre morceau de pain qu'il trempa dans son vin.

— Voilà donc ce qui vous amène ici ?

— En effet. Le meurtrier est italien. Je ne crois pas que ma sœur l'ait jamais rencontré. Et j'ai appris que...

L'abbé se leva brusquement et se mit à arpenter la pièce. Il semblait en proie à une nervosité confinant à la peur.

— Un petit garçon, dites-vous ? lança-t-il. (Lassiter opina.) Je me demande...

— Oui ?

— Sauriez-vous, par hasard, quel traitement a suivi votre sœur ? Parce que, voyez-vous, il y avait plusieurs...

— Je sais qu'elle a bénéficié d'un don...

— D'ovocyte, acheva Azetti d'un ton accablé, comme s'il évoquait quelque maladie mortelle.

Il continua à marcher, se gratta le crâne, puis se tourna vers Lassiter.

— Ce sont hélas des choses qui arrivent. La violence sévit partout, spécialement aux Etats-Unis. Votre sœur habitait-elle une grande ville ? Nous vivons des temps difficiles.

— Certes... Mais ma sœur et mon neveu ne sont pas les seules victimes.

— Que voulez-vous dire ?

— Un petit garçon a été assassiné à Prague, à peu près à la même époque et dans les mêmes circonstances. Un autre à Londres. Au Canada... à Rio... et Dieu sait où encore. Or ces enfants avaient tous été conçus à la clinique Baresi.

Le curé se laissa tomber sur sa chaise ; fermant les yeux, il s'accouda sur la table et fourragea dans ses cheveux. Il demeura longtemps silencieux. Dehors, une pluie fine tombait.

Au bout d'un moment, Azetti redressa les épaules. Il joignit les mains, paume contre paume, et y appuya son front. Le menton rentré, il marmonna quelques mots que Lassiter ne comprit pas.

— Pardon ?

— C'est la volonté de Dieu, dit Azetti d'un ton plaintif.

Il baissa les mains, fixa sur Lassiter un regard vitreux, halluciné.

— Ou peut-être pas !

— Mon père...

— Je ne peux pas vous aider !

— Je suis persuadé du contraire.

— Non, je ne peux pas !

— Dans ce cas, d'autres enfants mourront.

Les yeux du prêtre s'emplirent de larmes.

— Vous ne comprenez pas...

Il se raidit, inspira profondément.

— Les paroles prononcées dans le secret du confessionnal sont tues à jamais. Nul n'a en principe le droit de les divulguer.

— Comment dois-je interpréter ce « en principe » ?

Le curé ne répondit pas.

— Vous savez qui est derrière tout ça, n'est-ce pas ?

— Non, dit Azetti, et Lassiter le sentit sincère. Je l'ignore, je vous assure. Mais je puis vous dire une chose : la vérité que vous cherchez est intimement liée à la personnalité de Baresi — à son œuvre scientifique, à ses travaux pour le Vatican et à ses activités de médecin.

Azetti reprit sa respiration.

— C'est tout ?

— C'est tout ce que je puis vous dire.

— Eh bien, merci pour votre aide, rétorqua Lassiter avec une ironie mordante. Je m'en souviendrai. Si l'une de ces mères me demande un jour pourquoi il a fallu que son enfant meure, je lui parlerai de vos « principes ». Je lui expliquerai que vous avez fait le serment de ne jamais violer le secret de la confession. Je suis sûr qu'elle vous comprendra.

Il se leva et saisit sa veste.

— Attendez...

Sans laisser à Lassiter le temps de réagir, Azetti se précipita dans le bureau attenant. Joe l'entendit remuer des papiers, puis refermer bruyamment un tiroir. Il revint au pas de course.

— Tenez, dit-il en tendant une lettre à Lassiter.

— Qu'est-ce que c'est ?

— Baresi me l'a envoyée de l'hôpital, quelques jours avant sa mort. Je crois que vous y trouverez la réponse à certaines de vos questions.

Lassiter jeta un coup d'œil aux feuillets de papier pelure, couverts recto verso d'une écriture serrée.

La cloche de l'église sonnait. Azetti retroussa sa manche pour consulter sa montre.

— Je confesse jusqu'à huit heures. Si vous repassez en fin de soirée, je vous traduirai cette lettre.

— Ne pourriez-vous pas simplement...

Azetti secoua la tête.

— Non, Montecastello est un village, et mes paroissiens ont leurs habitudes. Ils doivent déjà faire la queue devant le confessionnal.

— Monsieur le curé, je...

— Le monde attend depuis des milliers d'années. Il peut patienter encore un moment.

Chapitre 28

Il avait besoin de réfléchir. Ou de ne plus penser du tout.

Le curé avait tenté, sans rompre le secret de la confession, de le mettre sur la voie, de lui faire comprendre qu'il existait un lien entre les différentes activités de Baresi. Mais, pour Lassiter, cela n'avait aucun sens.

Il avait besoin de courir.

C'était chez lui un réflexe, quand il ne parvenait pas à résoudre un problème. Il se vidait l'esprit et se jetait tout entier dans l'effort. Parfois, il arrivait que la solution lui apparaisse spontanément, comme un cadeau du ciel.

Pas question, cependant, de courir dans les rues de Montecastello. Il lui faudrait faire le tour du village une dizaine de fois pour couvrir une distance suffisante. De plus, même par temps sec, les pavés étaient meurtriers pour les chevilles, et les venelles si tortueuses qu'il ne réussirait pas à maintenir une bonne allure. Quant à la route qui dévalait à pic jusqu'au pied de la colline, il ne se sentait pas le courage de la descendre ni, surtout, de la remonter ensuite. Autant escalader un mur.

Il alla donc récupérer sa voiture au parking et prit la direction de Spolète. Il roulait tranquillement, en essayant de se détendre. Conduire l'aidait quelquefois à mettre de l'ordre dans ses idées, même si cela n'avait pas sur lui l'effet du jogging.

D'après la carte, Spolète se trouvait à une quarantaine de kilomètres. Une heure pour l'aller, une heure pour le retour, et une promenade dans la ville. Parfait, se dit-il.

Malheureusement, il découvrit bientôt qu'une chaîne montagneuse — qui ne figurait pas sur la carte — séparait les deux cités. La route, taillée dans la roche et bordée par un précipice vertigineux, n'était qu'une succession de virages en épingle à cheveux. La balade ne manquait pas de charme, cependant il lui fallut une heure et demie pour atteindre un panneau annonçant : Spoleto — 10 km. Il continua néanmoins et, comble de malchance, vit surgir devant lui un camion poussif, impossible à doubler, qui le condamna à gravir la côte dans un nuage de fumée noire. Deux ou trois kilomètres plus loin, avisant une station-service Agip, il rebroussa chemin.

Le soleil avait disparu derrière les montagnes. D'après la pendule du tableau de bord, il était dix-huit heures quinze.

— Vous ne l'avez pas croisé ? demanda Hugh, quand Lassiter pénétra dans le hall de la pension.

— Qui ?

— Eh bien... il ne m'a pas donné son nom. Il a dit qu'il était l'un de vos amis.

— Je n'ai pas d'amis par ici. Il a laissé un message ?

— Non, il voulait vous faire la surprise. Il m'a demandé où il pouvait vous trouver et... j'ai répondu que vous étiez allé voir le curé.

Lassiter se raidit ; sa réaction n'échappa pas à Hugh qui le dévisagea avec inquiétude.

— J'ai gaffé, n'est-ce pas ?

— Je ne sais pas. A quoi ressemblait-il ?

— Un grand costaud. Enorme.

— Italien ?

Hugh hocha la tête.

— Vous avez une autre sortie ?

— Oui..., bredouilla Hugh, livide.

Il l'entraîna dans le couloir menant à la cuisine, à l'arrière du bâtiment. L'office ouvrait sur une ruelle.

— Je suis abominablement navré, Joe.

— Ne vous faites pas de souci.

Lassiter franchit le seuil et, au pas de course, s'éloigna en direction de l'église.

Il se retrouva bientôt dans un cul-de-sac, chichement éclairé par la lumière filtrant d'une fenêtre, au dernier étage d'une maison. La lune se camouflait derrière les gros nuages qui galopaient à travers le ciel.

Selon toute vraisemblance, le Mastodonte l'attendait à l'église ou sur la place. Joe décida cependant d'aller voir le curé. Il était encore tôt, il y aurait forcément des gens dans les parages. Que risquait-il, dans une église ? Il demanderait peut-être à Azetti de le raccompagner.

Mais il avait dû se tromper, prendre la mauvaise rue. Normalement, la place n'était pas loin. Il revint sur ses pas et, ce faisant, s'enfonça davantage dans le labyrinthe. Il ne parvenait plus à s'orienter et commençait à se dire qu'il ne retrouverait jamais son chemin quand, au détour d'une ruelle, il déboucha brusquement sur la piazza di San Fortunato.

A chaque expiration, un panache de buée s'échappait de sa bouche. Ce n'était pas la course qui l'essoufflait, mais l'adrénaline qui crépitait dans tout son corps et lui faisait cogner le cœur. Par précaution, il s'immobilisa à la lisière de la place, inspira et expira à plusieurs reprises.

De l'autre côté de l'esplanade, près du parapet, il crut distinguer trois hommes, le visage tourné vers les lumières de Todi. Non loin d'eux, le propriétaire du café fermait boutique et baissait un rideau de fer rouillé. L'un des hommes l'interpella, lui dit quelque chose à propos de cigarettes. Marmonnant dans sa barbe, le cafetier disparut à l'intérieur.

Toujours immobile, Lassiter observa plus attentivement les hommes. Ils n'étaient que deux, en réalité. Mais l'un était bâti comme une armoire à glace. Le Mastodonte.

Sitôt qu'ils lui tournèrent le dos pour se replonger dans la contemplation de Todi, Lassiter traversa la place sur la pointe des pieds et grimpa quatre à quatre les marches de l'église.

Dans la nef, l'obscurité était plus dense que jamais. Les bougies se consumaient dans leurs coupes rouges, le candélabre électrique diffusait une lumière avare.

— Monsieur le curé ? dit-il d'une voix si sourde qu'elle avait de la peine, semblait-il, à franchir ses lèvres. Monsieur le curé ?

Silence. Il se faisait tard, peut-être Azetti avait-il regagné le presbytère. Pourtant il ne devait pas être loin, puisqu'il n'avait pas verrouillé le portail de son église. Lassiter ressortit ; les deux hommes se tenaient toujours près du parapet, ils fumaient une cigarette.

Il se hâta vers le presbytère, frappa, et comme il n'obtenait pas de réponse, poussa la lourde porte qui céda. Sans allumer la lumière — ses yeux étaient à présent accoutumés à l'obscurité — il fit le tour de l'appartement, appelant Azetti à mi-voix. En vain.

C'était bizarre et inquiétant. Où pouvait-il bien être ? Mieux valait retourner à l'église, s'assurer qu'Azetti n'était pas en train de prier dans l'une des chapelles. Quand il se recueillait, peut-être s'immergeait-il si profondément en lui-même qu'il se coupait du monde extérieur, ne voyait et n'entendait plus rien.

Joe ne savait pas prier, du moins pas vraiment. Naguère, alors que leur mère Josie traversait une phase mystique (qui ne s'était pas prolongée au-delà de trois semaines), elle leur avait imposé de dire les grâces à tour de rôle, après chaque repas. Et avant de se coucher, ils devaient réciter le Notre Père — à genoux et en présence de Josie. Il débitait les mots sans y penser, pour lui ils n'avaient pas de sens. *Que Ton nom soit sanctifié. Que Ta volonté soit faite.*

Il appela à nouveau, cette fois d'une voix plus forte.

— Monsieur le curé ! C'est moi, Joe Lassiter !

Toujours rien. La flamme d'une bougie grésilla soudain, s'étira, et une odeur de cire, évocatrice d'un gâteau d'anniversaire, chatouilla les narines de Lassiter.

Peut-être Azetti avait-il escorté un paroissien jusqu'à son domicile, à moins qu'il ne fût au chevet d'un malade.

Il décida d'attendre. Puis il eut envie de brûler un cierge à ses morts. Une flèche, sur un panonceau, désignait le tronc réservé aux offrandes. Sans réfléchir, Lassiter prit un billet dans son portefeuille, le plia dans le sens de la longueur et le glissa dans la fente. Il ne vérifia même pas s'il s'agissait d'un dollar, de cent dollars ou de mille lires. Il s'en fichait. Il éprouvait un étrange sentiment de détachement. Les hommes dehors. Les paroles d'Azetti. Et, serré autour de l'église, le réseau dédaléen des ruelles.

Pour Kathy, pensa-t-il en allumant une bougie à l'aide d'une fine bûchette. Il en alluma une autre. Pour Brandon, se dit-il, avec l'impression — d'ailleurs juste — d'accomplir un rituel qui lui était étranger.

Il patienterait encore un moment, ensuite il essaierait de trouver une sortie qui ne donne pas sur la place. Il allait s'asseoir et surveiller la porte du narthex.

Tout à coup, son pied droit glissa sur le sol, il manqua perdre l'équilibre et se rattrapa de justesse au dossier d'un banc.

Il scruta les dalles, pour tenter de voir ce qui l'avait fait déraper. L'obscurité gommait les détails du dallage, cependant il repéra une tache sombre. Il se pencha pour la tâter d'un doigt qu'il porta à son nez. Aucun doute, l'odeur était caractéristique.

Il y regarda de plus près, vit un ruisselet de sang qui s'écoulait sur la pierre, entre les travées. Il le remonta jusqu'à sa source : le confessionnal. Il dut pour cela marcher dans ce sang poisseux, il n'avait pas le choix. C'était le seul chemin pour atteindre l'isoloir.

Jamais il n'avait pénétré dans un confessionnal et, lorsqu'il tira le rideau et constata qu'il n'y avait personne, son cœur faillit s'arrêter de battre. Mais son soulagement fut de courte durée. Il s'aperçut qu'une cloison coupait l'isoloir en deux et comprit aussitôt ce qu'il allait trouver de l'autre côté.

Il entendait ses semelles chuinter sur les dalles gluantes, son cœur cognait dans sa poitrine. Il tira le rideau qui masquait l'autre compartiment et découvrit Azetti affalé sur son siège, la tête appuyée contre la grille. Il avait un petit trou rond à la tempe droite ; le projectile, en ressortant, avait emporté une partie du crâne. Lassiter n'eut pas besoin d'examiner la paroi de bois pour savoir que de la matière cervicale y était collée.

On avait utilisé une de ces balles qui, au point d'impact, volent en éclats et provoquent le maximum de dégâts. Une balle dumdum. Autrefois, on devait entailler soi-même l'enveloppe, en croix, maintenant on pouvait se procurer ce type de matériel dans le commerce.

Le prêtre était assis sur son siège, l'oreille pressée contre la grille pour mieux entendre le pénitent. Le tueur s'était agenouillé de l'autre côte de la cloison, l'arme au poing. *Pardonnez-moi, mon père, car j'ai péché.* Et il avait tiré, il lui avait mis dans la tête une balle capable d'abattre un éléphant.

Avec précaution, Lassiter extirpa Azetti du confessionnal et l'étendit sur le sol. Il n'aurait su dire pourquoi il agissait ainsi. L'abbé semblait tellement à l'étroit dans cette boîte... Si seulement il avait un coussin à glisser sous sa tête...

Mais il n'en avait pas et ne pouvait rien faire de plus. Il abandonna Azetti et, se dirigeant vers le chœur, contourna l'autel. Durant près d'une demi-heure, il explora les profondeurs de l'édifice, sans réussir à trouver une sortie. L'église s'adossait probablement aux maisons voisines. Au Moyen Age, dans les cités fortifiées, on exploitait le moindre mètre carré.

Passer par le presbytère attenant, qui donnait aussi sur la place, ne l'avancerait guère... mais avait-il le choix ? S'il restait là, tôt ou tard les deux nervis lui tomberaient dessus.

Il regagna le narthex, tira le portail et s'immobilisa. La place était déserte et, pour l'instant du moins, le clair de lune la baignait. Il descendit rapidement les marches, se dirigea vers la fontaine dont les gargouillis troublaient à peine le silence. L'eau qui s'écoulait de la gueule du lion brillait comme du mercure.

Ce fut alors qu'il vit l'homme.

Il se tenait en pleine lumière au coin de la via della Felice. Une seconde après, la lune se cacha derrière un nuage, et l'homme disparut si totalement que Lassiter se demanda s'il n'avait pas rêvé.

Se tournant vers l'autre rue, dont il ignorait le nom, Joe accéléra le pas. Soudain, il perçut un mouvement dans l'obscurité. Une masse semblable à un mur surgit devant lui.

Le Mastodonte.

Lassiter pivota sur ses talons, se mit à courir.

— *Ecco ! Cenzo !* appela doucement le Mastodonte, d'une voix curieusement haut perchée.

Lassiter embrassa la place du regard : la fontaine, l'église, le café, le rempart. Aucune issue possible. Le Mastodonte et son acolyte venaient à sa rencontre. Ils avançaient, à six mètres l'un de l'autre. Ils n'étaient plus qu'à une vingtaine de mètres de Lassiter. Leurs dents luisaient dans le noir. Ces deux salauds souriaient.

Il commença à reculer, sans se demander où il allait atterrir, mû par un incontrôlable instinct de fuite. Le plus petit des deux hommes plongea sous sa veste une main qui, quand elle reparut, tenait une arme — un Walther, semblait-il —, équipée d'un silencieux. Il vérifia que le dispositif était bien ajusté et marmonna quelque chose à son comparse.

Le dos de Lassiter heurta le parapet. Voilà, il avait atteint le bout de la route.

Les autres s'approchaient, sans se presser. Il distinguait leurs traits, à présent. Le petit était jeune et très laid, une vraie gueule de raie avec de gros yeux protubérants et des cheveux coupés si ras qu'ils ombraient à peine son crâne bossué.

Le Mastodonte, lui, avait l'air d'un bloc d'acier trempé. Carré de corps et de visage, il possédait un système pileux si fourni qu'il devait sans doute se raser vingt fois par jour. Sous la tignasse brune, ses yeux étincelants avaient une expression féroce.

Je pourrais me ruer sur eux, pensa Lassiter. Ou alors sauter par-dessus le parapet et m'en remettre à ma bonne étoile. Cette dernière option était sans doute la plus sûre. Il voulut se retourner pour voir ce qui l'attendait : tomberait-il à pic jusqu'en bas du précipice, y avait-il une corniche susceptible d'arrêter sa chute ? Il ne se souvenait plus de la configuration du terrain et, au péril de sa vie — littéralement —, il ne parvenait pas à détacher son regard des deux hommes qui venaient vers lui.

Mais, quand le plus petit pointa son arme, Lassiter prit sa décision. De façon presque désinvolte, il plaça sa main gauche sur le parapet, pivota et se jeta dans le vide. Il entendit, au-dessus de sa tête, un bruit de bouchon qui saute, trois détonations assourdies et rapprochées.

Il tombait en piqué dans les ténèbres qui tourbillonnaient devant ses yeux grands ouverts, sans qu'aucune image ne s'imprime sur sa rétine.

Je vais mourir, se dit-il. Je suis mort.

Mais soudain, l'action de la pesanteur le précipita contre la paroi rocheuse. Sous le choc, ses poumons se vidèrent. Voilà qu'il dégringolait la pente à présent, comme entraîné par une avalanche. D'instinct, il ramena les genoux sur sa poitrine, se protégea la tête de ses bras. Un obus humain.

Sa dernière pensée cohérente fut que, s'il rencontrait un obstacle, ce serait la fin. Si jamais il heurtait une pierre... son crâne se briserait comme un œuf... sa cervelle giclerait partout... Le moindre arbuste risquait de le couper en deux... Il roulait de plus en plus vite. La loi de la chute des corps...

Puis il étendit les jambes, se servit de ses pieds et de ses mains pour freiner sa course. L'un de ses ongles, en raclant le sol, s'arracha, les ronces lui giflaient le visage.

Enfin, brutalement, son pied droit percuta un bloc de pierre. Il s'arrêta.

Sauvé.

A moins qu'il n'ait rendu l'âme. Non, il souffrait trop pour être mort. Des flammes mauvaises dévoraient ses côtes mises à mal par le Mastodonte, un fer rouge lui fouaillait la cheville, une douleur aiguë irradiait de son pied droit à sa cuisse. Il avait la joue écorchée, un goût de sang dans la bouche... et il avait peur de bouger.

Etourdi, contusionné, craignant de s'être cassé en mille morceaux, d'être paralysé, il resta immobile, les yeux levés vers la lune qui jouait à cache-cache avec les nuages. Les pins embaumaient, la nuit semblait étrangement claire. Au loin, on entendait siffler des oiseaux.

Des oiseaux ?

Mais où suis-je ?

Ah oui...

Il devait se relever. Et s'il ne pouvait plus bouger, eh bien il n'aurait qu'à appeler le Mastodonte et son acolyte qui lui donneraient le coup de grâce.

Avec force gémissements et grognements, il roula sur le ventre, agrippa une branche et se redressa. Chancelant, il jeta un coup d'œil autour de lui, s'aperçut qu'il était sur une sorte de terrasse, au-dessus du mur d'enceinte. Le parking se trouvait à une centaine de mètres, près du terrain de football illuminé. A nouveau retentit un chorus de sifflets. Ce n'étaient pas les oiseaux qui faisaient ce tapage, comprit-il, mais les spectateurs d'un match de foot qui, avec une fougue tout italienne, huaient les joueurs. Sans doute assistaient-ils à une rencontre importante, il y avait trop de bruit et trop de lumière pour un simple match d'entraînement.

Il s'épousseta, scrutant le sol à la recherche d'un bâton susceptible de servir de canne. Il se saisit d'une branche morte d'apparence solide, s'y appuya de tout son poids. Elle plia mais ne se brisa pas.

Les dents serrées, il claudiqua jusqu'au parking. Sa cheville lui faisait un mal de chien. Il ne parvenait pas à déterminer si elle était fracturée ou foulée, en tout cas il la sentait enfler à chaque pas. Or il n'était pas au bout de ses peines.

Il lui fallut dix minutes pour atteindre le parking. Soudain, une clameur s'éleva. On venait de marquer un but.

La petite esplanade était remplie de véhicules et de bicyclettes. Lassiter, sous le couvert d'un cyprès, chercha sa voiture des yeux, redoutant qu'elle ne soit coincée. Mais non, elle était là où il l'avait laissée, à proximité de la sortie. Il allait s'approcher, quand la flamme d'un briquet attira soudain son attention sur une Rover noire. Le conducteur allumait une cigarette. Lassiter ne distingua pas son visage, mais vit qu'il n'était pas seul. Or ces deux-là ne se comportaient pas comme des amoureux.

Il déglutit avec peine.

Evidemment... Montecastello était une souricière, pourvue d'une seule et unique issue. Le Mastodonte en avait logiquement conclu, sans trop se creuser les méninges, que si Lassiter ne s'était pas rompu le cou dans le ravin, il essaierait de récupérer sa voiture.

Que faire, maintenant ? Dégringoler jusqu'en bas de la colline et ensuite crapahuter des heures pour rejoindre Todi ?

Il pouvait remonter au village, mais tôt ou tard les deux autres lui mettraient la main au collet. Il n'avait qu'à rallier le terrain de foot et se perdre dans la foule. Non, impossible. Ses vêtements étaient déchirés et maculés de sang (le sien et celui d'Azetti), il avait des égratignures sur tout le visage et traînait la patte. Les gens ne manqueraient pas de le remarquer et de pousser des cris de frayeur.

Lui aussi pouvait hurler, dans l'espoir d'alerter les policiers. Mais, en admettant que ceux-ci l'entendent, comment réagiraient-ils ? Ils le boucleraient, le temps de dénicher un traducteur. Au mieux, il gagnerait quelques heures de répit. A moins qu'Umbra Domini ou le SISMI n'aient des accointances dans la police — ce qui, en Italie, ne paraissait pas invraisemblable. Auquel cas, on le retrouverait au matin pendu dans sa cellule avec son propre ceinturon.

Inutile d'y songer. D'ailleurs, la Rover s'interposait entre lui et le terrain de foot. Il ne lui restait plus que...

Les bicyclettes. Courbé en deux, il s'en approcha et les examina une à une. Il trouva bientôt son bonheur : un vieux vélo de course, dont le propriétaire avait négligé de mettre l'antivol.

Cependant, sortir discrètement du parking ne serait pas du gâteau. Si le Mastodonte et son copain surveillaient la voiture, ils ne prêteraient peut-être pas attention à un cycliste. Sinon, l'affaire serait vite réglée. Ils lui colleraient une balle dans la tête, et s'en iraient tranquillement.

Il fallait prendre le risque. Lassiter respira à fond, enfourcha la bécane et commença à pédaler. L'engin s'ébranla, prit de la vitesse.

Cling, cling, cling, cling...

Quel était ce bruit ? Il tourna la tête et comprit tout de suite d'où venait le problème : le propriétaire avait fixé au cadre du vélo, à l'aide d'une pince à linge, une carte à jouer — l'as de pique — qui à chaque tour de roue frottait contre les rayons et faisait un raffut épouvantable.

Merde, il n'était plus qu'à quelques mètres de la Rover...

Voilà, il l'avait dépassée, il sortait du parking. Il avait réussi !

Mais non. Il entendit le vrombissement d'un moteur, jeta un coup d'œil par-dessus son épaule, et vit des phares s'allumer. La Rover démarrait.

Il appuya sur les pédales comme un forcené. La route s'entortillait à flanc de coteau, en une plongée vertigineuse vers la vallée. Lassiter filait comme le vent. La Rover restait à bonne distance et — fait réconfortant — elle ne gagnait pas de terrain.

Il se penchait au maximum dans les virages, parfois donnait un petit coup de frein, en espérant ne pas dégringoler dans le précipice. Son cœur battait à tout rompre, l'air vif de la nuit lui piquait les yeux, la carte à jouer cliquetait contre les rayons avec une telle frénésie qu'on eût dit que la bicyclette s'apprêtait à décoller.

Peu à peu, la pente s'atténua, il sentit qu'il n'était plus loin du bas de la côte. Il allait perdre son avance, la Rover le rattraperait, et alors...

Tel un boulet de canon, il arriva sur le plat et fonça vers la pépinière. Elle se trouvait à huit cents mètres environ, mais quand il longea la petite prairie qui la bordait, les phares de la Rover lui balayaient déjà le dos.

Il accéléra encore pour atteindre les arbres, s'engloutit dans l'obscurité et continua en roue libre jusqu'à ce que le vélo s'arrête de lui-même. Il le laissa tomber à terre et s'éloigna en boitillant.

La plantation, excessivement bien entretenue, dans laquelle il s'enfonçait n'évoquait que de très loin un bois naturel. Les arbres, alignés au cordeau, avaient tous la même taille et étaient élagués jusqu'à mi-hauteur. Aucune broussaille ne venait gâter la parfaite ordonnance des lieux.

D'un coup d'œil, Lassiter constata que la Rover avait pénétré dans la prairie. Il entendait le moteur tourner au ralenti. Puis les phares s'éteignirent, les portières s'ouvrirent, le Mastodonte et son acolyte s'extirpèrent de la voiture.

Joe demeura un instant cloué au sol, incrédule. Sa place n'était pas ici. Il avait trop de relations, trop de pouvoir, pour finir sa vie ici, planqué derrière un arbre, dans une forêt artificielle qui ne lui appartenait même pas. Il dirigeait un empire que de grandes firmes ambitionnaient de racheter. Sur trois continents, des types à qui on ne la faisait pas auraient vendu père et mère afin de travailler pour lui — et voilà qu'il détalait à travers bois, après s'être enfui d'une église sur un vieux vélo.

Merde, j'ai froid, se dit-il, et cette fichue cheville... Elle était très enflée, mais il avait échappé à la fracture et, à moins que son cerveau ne sécrète des endorphines à outrance, l'entorse ne semblait pas gravissime. Il pouvait marcher, à condition de serrer les dents.

Non loin, la rivière gargouillait. Lassiter repartit dans cette direction, avec l'espoir que le bruit de l'eau couvrirait celui de ses pas. Au pire, il pourrait toujours plonger, se laisser porter par le courant et...

Se noyer. L'eau devait être glacée.

Soudain, il perçut un craquement de brindilles et pivota. Gueule-de-raie approchait, le regard rivé au sol ; il avait la démarche silencieuse et assurée d'un prédateur. Lassiter se tapit derrière un arbre et attendit. L'homme s'arrêta brusquement, jeta un coup d'œil à droite et à gauche, puis se débraguetta. Avec un long soupir, il urina contre un tronc, à dix mètres de sa proie.

Jamais il ne serait aussi vulnérable. Pour Joe, c'était le moment de passer à l'action. Il prit sa respiration et s'élança, avec l'intention de l'attaquer par-derrière.

S'il avait pu marcher normalement, il aurait franchi ces quelques mètres en quatre ou cinq enjambées et, d'une manchette sur la nuque, aurait estourbi l'Italien qui se serait écroulé, son pénis à la main, sans comprendre ce qui lui arrivait.

Malheureusement, les choses ne se déroulèrent pas ainsi. Sa cheville était trop faible, trop douloureuse, pour lui permettre de se déplacer rapidement et sans bruit. Quand il fut près de l'Italien, celui-ci se retourna d'un bond. En une fraction de seconde, Lassiter se retrouva à plat ventre, face contre terre. Gueule-de-raie lui avait passé le bras droit sous l'aisselle et appuyait sa paume sur son cou. De la main gauche, il étreignait le poignet gauche de Lassiter.

Joe rua et se contorsionna, sans parvenir à se dégager. Il sentait le souffle de l'homme sur sa joue, l'odeur de sa sueur. Visiblement, il avait affaire à un excellent lutteur.

Ils restèrent ainsi un long moment, serrés l'un contre l'autre, tendus, presque immobiles. Soudain, l'Italien lâcha le poignet de Lassiter et se souleva légèrement, pour prendre quelque chose dans sa poche. Lassiter lui balança un coup de coude, en vain. L'autre l'agrippa par les cheveux et lui tira la tête en arrière. La lune surgit devant les yeux écarquillés de Joe.

Il va me trancher la gorge.

D'un ton onctueux, presque aguicheur, l'Italien lui murmura des mots incompréhensibles, que Lassiter n'eut pourtant aucun mal à interpréter : sa dernière heure était venue. Il banda ses muscles, baissa la tête millimètre par millimètre, rentrant le menton, tirant sur son cou. Puis, sans crier gare, il lâcha tout et, utilisant la force de son adversaire, laissa sa tête partir en arrière et percuter violemment la figure de l'Italien.

Celui-ci, avec un petit cri étranglé, roula sur le flanc, tandis que Lassiter se redressait. Une voix plaintive appela depuis la prairie : *Cenzo ?* Puis, plus fort : *Cenzo !*

Gueule-de-raie se mit à genoux, s'ébroua. Lassiter, en gardien de but chevronné, se positionna pour viser la bouche et, comme il eût frappé un ballon de foot, avec toute sa hargne, shoota. Il crut que le crâne de l'Italien allait s'envoler dans les airs, mais l'autre exécuta un roulé-boulé et se releva en crachant ses dents, les doigts toujours crispés sur son poignard.

Lentement, il s'avança, le regard planté dans celui de Lassiter qui ne savait plus comment se défendre ni où se terrer. Quand le poignard lacéra la manche de sa veste en cuir, il fit un bond de côté. De nouveau la lame siffla et manqua lui ouvrir le ventre.

— *Cenzo ?* appela le Mastodonte de sa voix flûtée. *Smarrito o qui ?*

L'autre fixait toujours Lassiter droit dans les yeux, prêt pour l'hallali.

— *Dove sta, eh ?*

Cette fois, c'en était trop pour Gueule-de-raie qui, exaspéré, tourna brièvement la tête vers la clairière. Lassiter en profita aussitôt pour faire le coup de poing — gauche, droite, gauche, droite. Puis il se laissa tomber en arrière — ce qui se révéla une erreur tactique, car l'Italien se rua sur lui.

Cet assaut prit Lassiter par surprise, cependant il réussit à cogner encore. Gueule-de-raie lâcha le poignard. Lassiter plongea et s'en saisit ; l'instant d'après, il était cloué au sol par l'une des ces prises redoutables dont le nervi semblait avoir le secret. Il ne pouvait plus bouger que les avant-bras, et encore au risque de se déboîter les coudes.

Mais il n'en demandait pas davantage. Les doigts serrés sur le manche du couteau, il frappa. La lame rencontra une résistance, Gueule-de-raie étouffa une exclamation. Forçant sur son bras, Joe frappa à plusieurs reprises ; les coups faisaient mouche, mais de façon superficielle. Pourtant l'Italien, avec un cri rauque, s'écarta. Lassiter se fendit, la pointe de la lame décrivit un arc de cercle, sectionnant au passage quelque chose qui avait la consistance d'une corde de chair.

Il s'accroupit sur ses talons et regarda.

L'Italien était assis par terre, les mains dans son giron, une expression de stupéfaction sur le visage. Il avait un œil crevé, un flot de sang jaillissait de sa gorge.

Il s'effondra et mourut sans émettre un gémissement.

Lassiter se remit debout, haletant, pour se diriger clopin-clopant vers la rivière. Sauve-qui-peut. Son taux d'adrénaline devait pulvériser tous les records et, bizarrement, il mourait de soif. Mais, avant qu'il ait pu atteindre l'eau, un puissant pinceau lumineux balaya le bois.

Joe se retourna.

La Rover était équipée d'un projecteur, placé près de la vitre du conducteur, et le Mastodonte l'utilisait pour tenter de localiser son comparse. Nul doute qu'il y serait parvenu si le fameux Cenzo avait été en état de se tenir sur ses pieds. Mais Cenzo gisait dans une mare de sang. Quant à Lassiter, il passait d'arbre en arbre, en ayant soin de rester dans l'obscurité.

Le Mastodonte patienta un moment, puis il braqua le projecteur vers la pépinière, extirpa une arme de sa ceinture et s'éloigna de la Rover. Sa vélocité étonna Lassiter. Il n'imaginait pas qu'un homme de cette corpulence pût se mouvoir avec tant d'agilité et de grâce.

Il ne tarderait pas à découvrir son compagnon.

Joe ne réfléchit pas davantage. Le plus silencieusement possible, il s'avança vers la clairière, luttant de toutes ses forces pour ne pas se mettre à courir. Mais, quand le Mastodonte s'écria *Cenzo !* d'une voix désespérée, Joe n'hésita plus. Il s'élança et s'engouffra dans la Rover. Pourvu que les clés soient sur le contact...

Décidément, la chance n'était pas avec lui.

Dans le bois, le Mastodonte hurlait à la mort. Frénétiquement, Lassiter cherchait les clés, rabattait les pare-soleil, ouvrait la boîte à gants...

Un nouveau mugissement retentit. Levant les yeux, Joe vit le Mastodonte accourir dans la lumière du projecteur. Soudain, il distingua un trousseau sur le plancher, s'en empara, essaya une clé, puis une autre. Quand le moteur démarra enfin, le Mastodonte émergeait de la pépinière et braquait son arme sur la Rover.

Lassiter enclencha la marche arrière et fonça en direction de la route. Bien campé sur ses jambes, le Mastodonte commença à tirer, avec une précision et un calme effarants. La première balle fit exploser un phare, la seconde étoila le pare-brise, la troisième ricocha sur le capot. Les autres se fichèrent dans le châssis, tandis que Joe virait et passait en première.

La tête baissée, il accéléra à fond pour rejoindre la route, ou du moins ce qu'il pensait être la route. Il roula ainsi, à l'aveuglette, durant quelques secondes. Brusquement, un grondement ébranla la nuit. Lassiter se redressa et crut que son cœur se décrochait dans sa poitrine. Un camion arrivait droit sur lui. Le chauffeur fit des appels de phares, klaxonna.

Il tourna brutalement le volant pour se rabattre sur le côté droit de la chaussée. Quand le camion fut passé, il laissa échapper un long soupir tremblé.

Essaie donc de me descendre, maintenant.

Chapitre 29

Todi ou Marsciano ?

Lassiter s'arrêta au stop, perdu au milieu de nulle part. Gauche ou droite ? Nord ou sud ? Sur une impulsion, il prit à gauche, en direction de Marsciano — sans trop savoir où il allait. Il importait avant tout de ne pas se retrouver sur la route de Spolète ou, pis, de Montecastello.

L'essentiel, c'était de fuir. Le Mastodonte, évidemment, mais aussi la police. Le curé avait été assassiné et, dès le lever du jour, Lassiter figurerait sur la liste des suspects. Nigel et Hugh, quand ils apprendraient la mort d'Azetti, se rappelleraient que Joe devait le rencontrer et qu'il avait ensuite disparu, sans même récupérer ses affaires à la pension.

Bien sûr, il pouvait décider d'expliquer toute l'histoire aux policiers : depuis Bepi jusqu'à Gueule-de-raie, en passant par Azetti. Mais débarquer au commissariat dans une voiture volée, avec des vêtements tachés de sang, alors qu'il connaissait à peine dix mots d'italien, ne paraissait pas très indiqué. Au mieux, on le mettrait sous les verrous et on l'interrogerait pendant des jours — ce qui laisserait largement le temps à ses poursuivants de lui faire un sort.

Parvenu à un autre carrefour, il prit la direction de Pérouse, et fonça vers le nord. Loin de l'Ombrie, loin de Rome. Le plus loin possible.

Il lui fallait un téléphone et de quoi se nettoyer un peu — ce qui ne serait pas facile à trouver. Les toilettes publiques ne manquaient pas en Italie, mais si des gens le voyaient dans cet état, ils pousseraient des cris d'effroi. Une station-service conviendrait mieux, malheureusement toutes celles qu'il apercevait sur le bord de la route étaient fermées.

Quand il atteignit les faubourgs de Pérouse, il suivit les panneaux indiquant l'autoroute A1. Il comptait faire halte dans l'un des restoroutes qui, vingt-quatre heures sur vingt-quatre, proposaient aux automobilistes de l'essence, des denrées alimentaires, des téléphones et des chambres. Le seul ennui avec ces endroits-là, c'était qu'il y avait des néons partout.

Tant pis, il devrait s'en accommoder.

Il roulait à cent quarante à l'heure quand une brusque rafale de vent secoua la Rover. L'instant d'après, il se mit à pleuvoir des hallebardes. Lassiter n'y voyait plus rien, pourtant il se sentait étrangement calme, comme s'il n'avait plus un atome d'adrénaline dans le corps — c'était d'ailleurs probablement le cas.

Il jeta un coup d'œil au rétroviseur et, comme aucune voiture ne le suivait, stoppa sur la bande d'arrêt d'urgence. Méthodique, il essaya tous les boutons et manettes du tableau de bord, et finit par trouver celui qui actionnait les essuie-glaces. Après quoi, il redémarra.

En Italie, les aires de repos n'étaient pas aussi nombreuses qu'aux Etats-Unis. Minuit allait sonner quand, quelques kilomètres au sud de Florence, il put enfin s'arrêter. De nombreux véhicules étant garés à proximité des bâtiments, il traversa le parking pour se ranger dans un coin sombre. Puis il alluma le plafonnier et examina son visage.

C'était encore pis qu'il ne l'imaginait. Le col de sa chemise était imbibé de sang (le sien ou celui de Gueule-de-raie), ses joues couvertes d'écorchures récoltées durant sa dégringolade ; il avait même une plaie sur le côté de la tête, un coup de couteau qu'il ne se rappelait pas avoir reçu. Il tâta l'estafilade du bout des doigts et retira vivement sa main. La blessure saignait encore.

Eteignant la lumière, il ouvrit la portière et sortit sous la pluie glacée. Une rapide inspection de ses vêtements acheva de le démoraliser. Il avait du sang partout, sur sa veste, sa chemise et son pantalon.

Que faire ? S'il restait là dehors, la pluie nettoierait-elle ses habits ? Non, il ne réussirait qu'à attraper une pneumonie. Mieux valait improviser.

Il ôta sa chemise — son T-shirt était propre — et la trempa dans une flaque d'eau qui empestait l'essence. Cette odeur lui chavira l'estomac, mais, serrant les dents, il se frotta la figure avant de nettoyer sommairement sa veste. Puis il enfila la veste et ouvrit le capot de la Rover. Quoique le moteur fût remarquablement entretenu, il réussit à prélever assez de cambouis pour l'étaler sur son pantalon et couvrir ainsi les taches de sang.

Boitillant, il se dirigea vers le restaurant qui surplombait l'autoroute et grimpa l'escalier. Il croisa un homme élégant qui lui lança un regard intrigué mais passa son chemin sans faire de commentaire. C'était encourageant.

Dans le hall du bâtiment, il chercha des yeux les deux silhouettes stylisées symbolisant les toilettes et suivit la flèche.

Les toilettes pour hommes étaient vastes et — ô miracle — comportaient des douches. En le voyant entrer, le préposé le jaugea de la tête aux pieds. D'un signe, il lui indiqua le fond de la salle, leva les mains au-dessus de son crâne et remua les doigts, sans doute pour mimer le ruissellement de l'eau.

Il était turc, ou peut-être bulgare ; en tout cas il n'était pas prodigue de serviettes. Il en offrait deux, quand Lassiter en voulait six. Sourcillant, l'employé inscrivit des chiffres sur un bout de papier — tant pour la douche, tant pour chaque serviette. Après quoi il fit mine de se raser et désigna un plateau sur lequel s'alignaient des savonnettes, des rasoirs jetables, des flacons d'after-shave et de shampooing. Lassiter prit ce dont il avait besoin, attendit que l'autre lui présente l'addition, lui donna le double de la somme exigée et le gratifia en outre d'un aimable *grazie*.

La douche lui fit un bien extraordinaire, jusqu'à ce qu'il s'avise de passer du savon sur ses écorchures. Grimaçant de douleur, il se lava les cheveux, lessiva le pantalon et l'essora de son mieux avec les serviettes. Il ne parvint pas à enlever toutes les taches, mais au moins on ne voyait plus que c'était du sang.

En quittant les toilettes, il se regarda dans une glace. J'ai l'air d'un homme qui a perdu la guerre, se dit-il.

Il était minuit passé, et si Roy se trouvait chez lui, il devait dormir, car, à la cinquième sonnerie, le répondeur se déclencha. Lassiter raccrocha et composa à nouveau le numéro. Il recommença l'opération trois fois de suite.

Enfin, il entendit un déclic à l'autre bout du fil ; une voix ensommeillée bredouilla :

— Dunwold...

— Roy, c'est Joe Lassiter. Vous êtes réveillé ?

— Hmm...

— J'ai un problème.

— Hmm...

— Réveillez-vous, Roy ! J'ai des ennuis.

— Oui, d'accord, je suis tout ouïe. Qu'est-ce qui vous arrive ?

— Il y a... plusieurs personnes sont mortes. Je ne peux pas récupérer mon passeport. Je suis crevé et...

— Parce que ce n'est pas tout ?

— ... je conduis une voiture volée.

— Et à part ça ?

— Tout va bien.

— Formidable. Où êtes-vous ?

— Près de Florence, dans un restoroute. Je suis en assez piteux état et... il faut que je sorte de ce pays. Que je passe en France ou en Suisse — pour pouvoir aller à l'ambassade et me procurer un nouveau passeport. Quel jour sommes-nous, au fait ?

Roy marqua une pause.

— Nous sommes dimanche, et le jour n'est pas encore levé.

— Très bien. Lundi, mardi au plus tard, je mets les voiles.

— Vous dites qu'il y a des blessés ?

— Je dis qu'il y a des morts.

— Oui, oui... ils sont donc grièvement blessés. Et vous pilotez... une voiture d'emprunt.

— Exactement.

— Je ne voudrais pas me montrer pessimiste, mais croyez-vous qu'il soit opportun de vous adresser à l'ambassade ? Je pourrais vous fournir de faux papiers — quoique peut-être pas d'ici mardi.

— Je préfère tenter ma chance auprès de l'ambassade. L'essentiel pour moi est de quitter le territoire italien. Le plus tôt possible.

— Bon... accordez-moi une heure — ou plutôt deux — et rappelez-moi. Si je ne réponds pas, contactez-moi toutes les heures. Je vais m'arranger pour vous envoyer quelqu'un avec une voiture.

— Encore une chose...

— A vos ordres.

— J'aurais besoin de vêtements.

— Dieu du ciel ! Seriez-vous tout nu ?

— Non, mais mon pantalon est trempé.

— Eh bien ! Et après, on s'étonne d'être vanné !

— Roy, s'il vous plaît, contentez-vous de me procurer des fringues.

— D'accord, je vais voir ce qu'on peut faire.

Lassiter décida de filer vers le nord, pour se rapprocher de la frontière. S'il attendait au restoroute, il risquait d'attirer l'attention sur lui. Il regagna la Rover, alluma la radio et mit le chauffage à fond, dans l'espoir que son pantalon finirait par sécher.

Il était à huit kilomètres au sud de Bologne et roulait à cent trente, quand une Alpha blanche surgit sur la voie de gauche et ralentit légèrement pour rester à sa hauteur. Les deux véhicules roulèrent un moment côte à côte, jusqu'à ce que Lassiter, irrité et l'insulte aux lèvres, tourne le regard vers l'autre conducteur — qui s'avéra être un policier. Par réflexe, il donna un coup de frein, aussitôt imité par le flic qui, d'un air impassible, lui désigna de l'index la bande d'arrêt d'urgence.

Joe n'eut même pas l'idée d'essayer de le semer. Il était trop éreinté, il ne connaissait pas la route et n'avait aucune envie de se tuer. Il se rangea donc sur le bas-côté, résigné à capituler.

Le policier se gara derrière lui et sortit de l'Alpha, la main sur son holster. Lassiter ne bougea pas, les doigts crispés sur le volant, regardant droit devant lui. Il attendit que l'autre vienne frapper à la vitre pour la baisser.

Sans se départir de son flegme, le flic détailla le visage égratigné de Lassiter, la plaie qu'il portait au crâne, le pare-brise fêlé.

— *Patente*, dit-il en tendant la main.

Comme un automate, Lassiter chercha son permis de conduire dans son portefeuille, et le lui remit.

— *Grazie, signore*, dit le policier. *Inglese ?* ajouta-t-il, après avoir jeté un coup d'œil au document.

— Américain.

L'homme hocha la tête, comme si cette réponse expliquait tout.

— *Momento.*

Il fit lentement le tour de la Rover, s'accroupit pour examiner le phare brisé, puis se redressa, passa les doigts sur le capot et palpa les impacts de balle. Durant ce qui parut à Lassiter une éternité, il considéra pensivement le pare-brise, puis revint se camper près de la portière. C'est terminé, pensa Joe. Il agrippa la poignée, prêt à sortir les mains en l'air, en signe de reddition.

Mais, à sa grande stupéfaction, le policier extirpa un carnet de sa poche et se mit à écrire. Il arracha la page.

— *Parle italiano ?*

— Non, désolé..., bredouilla Lassiter, abasourdi.

L'autre opina à nouveau. Il désigna le phare cassé, le pare-brise fêlé, et le chiffre inscrit sur la page. L'amende se montait à quatre-vingt-dix mille lires, soit environ soixante dollars.

Lassiter prit cent mille lires dans son portefeuille et les fourra dans les mains du flic.

— *Grazie,* dit-il. *Grazie !*

— *Per favore...*

L'Italien rangea l'argent dans une énorme bourse pourvue d'une fermeture Eclair, y pêcha un billet de dix mille lires qu'il rendit à Joe.

— *Ecco la sua cambia, signore.*

Joe grimaça un sourire, en se demandant s'il ne rêvait pas.

Le policier porta deux doigts à la visière de sa casquette.

— *Buon viaggio,* dit-il, et il rejoignit tranquillement son véhicule.

Dix minutes plus tard, il s'arrêtait dans un restoroute pour téléphoner à Roy. Celui-ci décrocha à la troisième sonnerie.

— Une petite seconde, Joe. Je suis en ligne...

Lassiter s'arma de patience.

— Bon ! s'exclama Roy. Voilà ce que je vous propose, vous me direz si ça vous convient. J'ai dégoté un type qui travaille dans l'import-export. Il fait entrer de l'huile d'olive en Slovénie, et il en fait sortir des cigarettes. Tout cela est parfaitement légal, sauf en ce qui concerne les taxes. Apparemment, il ne les paie pas. Il a des combines pour franchir la frontière, vous comprenez. Bref, ce ne sera pas bon marché, mais vous pouvez profiter du voyage. Ça vous va ?

— Oui, mais... c'est où, la Slovénie ?

— Aux dernières nouvelles, c'était en ex-Yougoslavie. En haut à gauche.

— Combien réclame-t-il ?

— Deux mille... en dollars et en liquide.

— D'accord, seulement... je n'ai pas cette somme sur moi.

— Ne vous inquiétez pas, je réglerai ça d'ici.

Lassiter poussa un soupir de soulagement.

— Ecoutez, Roy, si je peux faire quelque chose pour...

— Ah oui ?

— Mais oui.

— Eh bien, j'ai une petite idée...

— Laquelle ?

— J'aimerais ouvrir une succursale à Paris.

— Vous plaisantez ? rétorqua Lassiter en riant.

— Pas du tout. Il y a de l'argent à gagner, là-bas.

— Nous en discuterons à mon retour.

Les instructions de Roy étaient relativement simples. Lassiter devait prendre l'A13 jusqu'à Padoue, puis l'A4 en direction du nord. Le rendez-vous aurait lieu au kilomètre 56 entre Venise et Trieste, unique aire de repos sur cette portion d'autoroute. Son contact porterait une combinaison bleue, avec le nom *Mario* brodé sur la poche de poitrine.

Ils se retrouveraient au bar ; Joe aurait à la main un exemplaire du journal *Oggi*. « Vous n'aurez aucun mal à vous procurer ce canard », lui avait assuré Roy.

Il se trompait. Le stand de journaux n'ouvrait qu'à sept heures, or le rendez-vous était fixé à six heures.

Le plus discrètement possible, Lassiter inspecta les poubelles, mais l'équipe de nettoyage les avait vidées. Il n'avait pas d'autre solution que de se planter devant le bar et d'attendre en espérant que le fameux Mario ne soit pas trop à cheval sur l'étiquette.

Il buvait son quatrième cappuccino, quand un petit homme râblé, en bleu de travail, pénétra d'un pas chaloupé dans la salle. Il avait un paquet à la main, une cigarette vissée au coin des lèvres, et un *Mario* brodé sur sa poitrine. Il s'approcha du zinc, lança un coup d'œil à Lassiter, lui tourna le dos et commanda un café.

Lassiter laissa s'écouler une minute.

321

— *Scusi...*

Mario agita vaguement une main, signifiant par ce geste qu'il n'était pas d'humeur à bavarder.

Lassiter hésita, puis lui tapa sur l'épaule.

— Savez-vous où je pourrais acheter un exemplaire du journal *Oggi* ?

Mario secoua la tête.

— Le quotidien italien, insista Joe. *Oggi...* Vous connaissez ? *Oggi* !

Mario pivota lentement pour lui faire face, dardant sur Joe un regard à la fois stupéfait et furieux, l'air de dire : « Vous êtes cinglé ou quoi ? »

— Il est trop tôt, *signore*, intervint le barman d'un ton sévère. Un peu de patience.

Lassiter haussa les épaules. Mario jeta quelques pièces de monnaie sur le bar, ramassa son paquet et, sans un regard en arrière, se dirigea vers les toilettes. Joe attendit un instant avant de le rejoindre. L'autre lui mit le paquet dans les bras et, d'un signe, lui indiqua une cabine.

— Vous comprenez l'anglais ? demanda Lassiter.

— Non.

Génial...

Le colis, emballé dans du papier kraft et soigneusement ficelé, contenait une combinaison identique à celle de Mario, à ceci près qu'on lisait *Cesare* brodé sur la poche. Lassiter ôta son pantalon, enfila le bleu et examina le résultat. Les jambes étaient trop courtes de dix centimètres, et les mocassins ornés de glands parachevaient l'ensemble à la manière d'un casque colonial porté avec un smoking. Mais un uniforme, si baroque fût-il, constituait un excellent déguisement. Les gens se concentraient sur l'habit et oubliaient de regarder le visage de son propriétaire. Et, de toute façon, cette combinaison était plus confortable que son pantalon mouillé — qu'il s'empressa de fourrer dans la poubelle. A présent, du moins, il était au sec.

Mario pilotait un semi-remorque — beaucoup plus modeste que les engins circulant sur les routes américaines — équipé d'une stéréo tonitruante dont les haut-parleurs étaient fixés sur les portières.

Il avait hélas une prédilection pour les vieux standards du rock and roll. Comme si ce malheur ne suffisait pas, il se prenait pour un chanteur.

Quelqu'un lui secouait le bras. Avachi sur le siège du camion, sa veste en cuir serrée contre lui, il souleva péniblement les paupières. La figure lui cuisait, des élancements lui trouaient la cheville, le crâne et les côtes. Mais il était vivant, quoique complètement dans le brouillard.

— *Attenzione !*

La voix le fit sursauter. Ah oui, Mario...

Le petit homme, d'un air solennel, posa un doigt sur ses lèvres.

— *Niente*, précisa-t-il, au cas où Lassiter n'aurait pas compris le message.

La radio braillait toujours.

Un panneau sur le bord de la route indiquait qu'ils approchaient de Gorizia — dont Lassiter n'avait jamais entendu parler. Peu après, ils atteignirent un poste frontière où un autre panneau annonçait : *Sant' Andrea Este.* Un homme en uniforme émergea d'une petite bâtisse en bois et, souriant, leur fit signe de passer.

Ils roulaient au pas. Mario secoua à nouveau le bras de Lassiter. Coinçant le volant avec ses genoux, il pencha la tête, joignit les mains et ferma brièvement les yeux, avec un ronflement sonore. Puis il se redressa et pointa un index impérieux vers son passager.

Message reçu.

Lassiter s'appuya contre la portière, se relaxa et feignit de dormir. Un instant plus tard, ils stoppaient devant un bâtiment en béton, couleur de cendre.

Un homme en uniforme gris apparut sur le seuil, et fit signe à Mario de le suivre à l'intérieur. A l'évidence, il tenait à ce que Lassiter descende aussi du camion, mais Mario secoua la tête avec affliction, d'un air de dire qu'il n'y avait rien à tirer de son compagnon. Tous deux se lancèrent dans un dialogue animé, puis le douanier haussa les épaules. Ravi, Mario sauta à terre et s'engouffra dans le bâtiment. Lassiter, qui l'observait entre ses cils, le vit saluer des types qui jouaient aux cartes, assis à une table.

C'était bizarre de les écouter parler sans comprendre un traître

323

mot — cela le rendait sensible aux plus infimes variations des voix, à la gestuelle des personnages, si bien que la scène acquérait une étonnante intensité.

Elle dura plus de vingt minutes. Mario commença par boire un café, après quoi il accepta un apéritif.

On lui en servit derechef un deuxième.

Les hommes plaisantaient en fumant des cigarettes. Parfois ils hurlaient de rire, et Lassiter grinçait des dents. Enfin, tous se redressèrent et, l'un après l'autre, donnèrent l'accolade à Mario. Celui-ci sortit du bâtiment, remonta dans le camion et démarra.

Un panneau annonçait qu'ils se trouvaient en Slovénie. Lassiter regarda Mario et leva le pouce. L'Italien sourit d'un air modeste.

La route longeait une étroite rivière, au fond d'une vallée plantée d'arbres fruitiers et de vignes. Un bon centimètre de neige fraîche tapissait le sol où, çà et là, la pierre affleurait. La région semblait paisible et prospère. Aux carrefours, on pouvait lire sur les panneaux des noms imprononçables : Ajdovscina, Postojna, Vrhnika, Kranj. Lassiter connaissait seulement celui de leur destination : Ljubljana, la capitale slovène.

Il leur fallut une demi-heure pour y arriver, et soudain, sans avoir traversé des faubourgs, ils furent au cœur d'une belle ville, blottie dans un superbe paysage. Mario s'arrêta devant la gare et se tourna vers son passager.

— Ljubljana, dit-il.

Lassiter lui serra la main et s'apprêtait à ouvrir la portière, quand l'autre le saisit par la manche. Pinçant le tissu entre le pouce et l'index, il lui dit quelque chose qui, *grosso modo,* signifiait « rendez-le-moi ». Lassiter prit une mine effarée et, pour lui faire comprendre qu'il n'avait pas de pantalon, plaqua les mains sur son bas-ventre, comme si on en voulait à sa vertu.

Hilare, Mario redémarra pour le conduire dans la vieille ville où se déroulait le marché dominical. On y vendait surtout des fruits et des légumes, cependant Lassiter dénicha un marchand de vêtements à qui il acheta un Levi's et un T-shirt orné de l'inscription : *I love Ljubljana.*

Il se changea à l'arrière du camion qui continuait à rouler, et décida de descendre devant le Grand Hôtel.

— *Arriverdici*, dit-il à Mario, en lui serrant à nouveau la main.

— A la prochaine ! répondit l'Italien avec un grand sourire.

L'instant d'après, le camion disparaissait au coin de la rue.

Le réceptionniste de l'hôtel avait des moustaches en guidon de vélo et un nez rouge tomate. Quand Lassiter lui demanda une chambre, il opina avec raideur.

— Passeport ?

— Excusez-moi, je ne l'aurai pas avant demain matin.

L'homme le regarda ; une expression peinée s'inscrivit sur ses traits.

— Vous avez eu un accident ? s'enquit-il en se tapotant la figure du bout des doigts. De voiture ?

Excellente idée, se dit Lassiter.

— Oui, je...

— Ooohh ! Je suis... désolé ! Voulez-vous voir un docteur ?

— Non, je rentre aux Etats-Unis demain. J'aspire seulement à me reposer un peu.

— Mais comment donc ! dit le réceptionniste en lui tendant le registre.

Le lendemain matin, dans la vieille ville, Lassiter acheta un costume italien et les affaires dont il avait besoin. Tandis qu'on lui faisait l'ourlet du pantalon, il déjeuna d'un café et de croissants, lut le *Herald Tribune*, puis se rendit dans une pharmacie pour y choisir une canne. Il s'arrêta ensuite chez un maroquinier qui lui vendit une petite valise dans laquelle il rangea ses emplettes.

Il était midi lorsqu'il retourna à l'hôtel. Il se changea rapidement, et ressortit aussitôt pour chercher un Photomaton. Ses photos d'identité en poche, il alla à pied jusqu'à l'ambassade américaine.

Là, il mentit comme un arracheur de dents. La veille, il avait passé la soirée au casino. Il avait rencontré une fille. Il s'était querellé avec un autochtone. A son réveil, dans sa chambre d'hôtel, il avait constaté la disparition de son passeport et le piteux état de sa figure (mais, franchement, il ne se souvenait pas de s'être bagarré).

L'employée avait une vingtaine d'années et une âme de saint-bernard, cela se lisait sur son visage.

— Vous pensez qu'on vous a volé votre passeport ?

— Je n'en sais rien. La nuit a été plutôt... agitée.

— Vous avez porté plainte ?

— Non...

— Mais pourquoi ?

— J'ai le sentiment, voyez-vous, que ma femme ne comprendrait pas.

— Oh...

A sa grande surprise, on le crut sur parole. Et, à son grand soulagement, les ordinateurs et les téléscripteurs de l'ambassade ne se mirent pas à crépiter pour signaler qu'un touriste répondant au nom de Joseph Lassiter était recherché en Italie pour meurtre. Aucune sirène d'alarme ne se déclencha. Une heure plus tard, il repartait nanti d'un passeport provisoire valable pour une année.

Ensuite, tout s'enchaîna sans anicroche. Il réserva une place sur un vol d'Air Adria et atterrit à Paris en fin d'après-midi. Là, un bus l'emmena d'Orly à l'aéroport Charles de Gaulle, où il embarqua à bord d'un appareil de l'United en partance pour Washington. Dès qu'il fut assis dans son fauteuil de première classe, il réclama un bloody mary, s'installa confortablement et ferma les yeux.

Il se sentait déjà chez lui. Les hôtesses avaient un si merveilleux accent du Midwest qu'il leur aurait volontiers donné un pourboire, rien que pour le plaisir de les écouter parler.

Le 747 roula sur la piste, les moteurs rugirent. L'avion décolla, survola une forêt, et prit de l'altitude. Bientôt les signaux lumineux recommandant aux passagers de garder leur ceinture attachée s'éteignirent. Une hôtesse s'approcha de Lassiter.

— Mon Dieu ! s'exclama-t-elle en posant le cocktail sur la tablette. Mais que vous est-il arrivé ?

— En fait, j'ai dégringolé dans un ravin.

Elle lui tendit un sachet de cacahuètes et, mutine, lui assena une petite tape sur le bras.

— Oh, vous vous moquez de moi ! dit-elle avec un sourire radieux.

— Pas du tout, je vous assure.

Elle s'assit sur le siège voisin, croisa les jambes dans un crissement de bas nylon.

— Comment avez-vous fait votre compte ?

Lassiter haussa les épaules.

— C'est très simple, vous savez : je me suis laissé tomber.

Il saisit son verre, le choqua doucement contre le hublot, trinquant à la santé de Roy Dunwold.

— A l'aventure et aux aventuriers, dit-il.

— Tchin-tchin !

Chapitre 30

— Il a fait un temps de chien, monsieur ! Affreux. On a eu du blizzard.

— Oui, je vois ça, rétorqua Lassiter qui contemplait les congères baignées de lune, moutonnant sur le bord de la route. Ça a dû être quelque chose.

— Oh oui, monsieur ! Je ne vous dis que ça ! Justement, je suis en train d'écrire chez moi pour leur raconter la tempête de 96.

— Et où est-ce ?

— Quoi donc, monsieur ?

— Chez vous.

— Oh... en Grèce. A la télé, c'est comme ça qu'ils l'appellent : la tempête de 96. Affreux, vraiment.

— Au prochain carrefour, vous prendrez à gauche.

— Je peux vous poser une question, monsieur ? Vous revenez de loin ?

— D'Italie.

Le chauffeur opina d'un air entendu.

— Et on vous a dévalisé ?

— Non, on m'a fait subir une foule de choses, mais on ne m'a rien volé.

— Alors, je vous félicite.

— Pourquoi ?

— Parce que vous voyagez léger. Même moi, en tant qu'immigrant...

— C'est là qu'il faut prendre à gauche.

— Très bien. Je disais que même moi, en tant qu'immigrant,

328

j'avais des tas de paquets quand je suis arrivé en Amérique. Tandis que vous, monsieur, vous ne vous encombrez pas. Une veste de rechange, pas plus. Vous êtes un sage.

— Merci. J'aime me sentir libre, en effet.

— Je vois ça, monsieur.

— Tournez à droite, dans l'allée.

— Vous habitez cette immense maison ?

— Oui.

— Ben dites donc ! Ce qu'elle est... moderne...

— Merci.

Lassiter tendit un billet de vingt dollars au chauffeur et le pria de garder la monnaie. Puis il pivota et grimpa les marches du perron.

Devant la porte, il hésita. La maison était plongée dans une totale obscurité — ce n'était pas normal. Quand il s'absentait, il laissait toujours une ou deux lumières allumées, non pas tant pour décourager les cambrioleurs que pour se sentir accueilli à son retour. Or il distinguait seulement le voyant rouge du système d'alarme, sur le boîtier en aluminium fixé près de la porte. Heureusement qu'il était équipé d'une batterie, laquelle prenait le relais en cas de coupure de courant.

Joe cachait toujours une clé sous une plante en pot, au pied des marches. Malgré la neige, il la récupéra sans difficulté et déverrouilla la porte. Son premier réflexe fut de déconnecter l'alarme.

Puis il referma la porte et resta immobile dans le noir, à l'affût. Depuis Naples, il avait appris à se méfier. Mais, apparemment, il n'y avait personne dans la demeure. Il actionna l'interrupteur, sans résultat. L'électricité ne fonctionnait pas, et le chauffage non plus.

Il soupira. Il ne faisait guère plus de cinq degrés dans les pièces, néanmoins il se refusait à aller à l'hôtel. Il avait une cheminée dans le bureau, et un confortable canapé-lit. Il dormirait là ; si le problème n'était pas réglé le lendemain matin, il aviserait.

Avant de se coucher, il décrocha le téléphone pour signaler à qui de droit qu'il n'avait plus d'électricité. La femme qui lui répondit se mit à rire.

— Mais d'où sortez-vous ? A McLean, le courant est coupé

depuis trois jours. Il devrait être rétabli très vite, ne vous inquiétez pas.

Quand il se réveilla, le feu dans la cheminée était éteint, cependant les radiateurs fonctionnaient. La température commençait à se réchauffer. Il se leva et, pieds nus, gagna la salle de bains. Après une douche tiède, il s'habilla rapidement. Il passait devant le bureau, lorsqu'il perçut un léger bourdonnement.

Durant la nuit, après qu'on avait rétabli le courant, l'ordinateur s'était remis en marche. Lassiter s'en approcha et l'éteignit. Puis il réfléchit.

En toute logique, l'appareil devait marcher lorsque était intervenue cette panne d'électricité — trois jours auparavant. Par conséquent, soit Joe avait oublié de l'éteindre avant son départ pour l'Italie, qui remontait à près d'un mois, soit quelqu'un s'était introduit dans la maison.

— Je ne l'ai pas laissé allumé, marmonna-t-il. Je ne le fais jamais.

Donc, quelqu'un était venu ici durant son absence. Cela semblait pourtant invraisemblable. A son arrivée, le système d'alarme était branché, or il s'agissait d'une installation extrêmement perfectionnée. Seul un professionnel aurait pu la déjouer.

Lassiter fit un rapide tour d'inspection. On ne lui avait rien volé. Sa montre Breitling à deux mille dollars était toujours posée en évidence sur la commode. La stéréo était intacte, de même que sa réserve de vins et d'alcools. Dans la petite bibliothèque vitrée du bureau, aucun livre — des éditions originales évaluées à plus de vingt-cinq mille dollars — ne manquait. Les lithographies du salon, qui avaient encore plus de valeur, étaient à leur place.

On n'avait touché à rien. Sauf à l'ordinateur.

Lassiter s'assit à la table et ralluma l'appareil. Un message s'afficha bientôt sur l'écran : *Mot de passe ?*

En réalité, ce n'était pas un mot, mais une combinaison de lettres, de chiffres et de signes de ponctuation, un charabia impossible à deviner, précisément parce qu'il n'avait aucun sens. Sans cette clé, le disque dur demeurait inaccessible : on ne pouvait effectuer aucune opération.

Néanmoins un individu particulièrement doué avait réussi à

déconnecter le système d'alarme et à allumer l'ordinateur. S'était-il laissé décourager par un mot de passe, si compliqué fût-il ?

Il se baissa pour vérifier l'unité centrale, posée sur le sol, chercha d'un geste machinal le commutateur. Il lui fallut quelques secondes pour le trouver, ce qui l'étonna. S'accroupissant, il s'aperçut que l'ordinateur avait été déplacé d'un ou deux centimètres. On distinguait une marque sur le tapis, là où la machine reposait depuis plus d'un an.

Tu hallucines, se dit-il. Tu as sans doute oublié de l'éteindre quand tu es parti. Ça expliquerait tout.

Mais ce n'était pas vrai. Et il le savait pertinemment.

— Salut, Joe !
— Mon Dieu, mais que vous est-il arrivé ?
— Vous voilà enfin de retour, monsieur Lassiter !
— Heureux de vous revoir...

Répondant aux saluts, aux sourires et aux paroles aimables, Lassiter se dirigea vers son sanctuaire. Il referma la porte derrière lui, jeta son pardessus et sa canne sur le divan, et appela sa secrétaire par l'interphone pour lui demander si Murray Fremaux était dans les parages.

— L'informaticien ?
— C'est ça.
— Je vais vérifier, mais... il y a une cinquantaine de messages qui...
— Envoyez-moi Murray, ordonna-t-il d'un ton impérieux.

Deux minutes plus tard, Murray Fremaux franchissait le seuil, une tasse de café à la main. Il paraissait nerveux.

— Quelque chose ne va pas ? demanda Lassiter.
— Je n'étais jamais entré dans votre bureau.
— Ah bon ? Asseyez-vous.
— Dites...
— Quoi donc ?
— Je ne... vous n'avez pas l'intention de me virer ?
— Pas du tout.
— Tant mieux, rétorqua Murray en se laissant tomber dans un fauteuil. Je viens juste de me payer une Camry.
— Félicitations. Je vous ai fait appeler parce que je crois que quelqu'un s'est introduit chez moi pendant mon absence.

Murray fronça les sourcils.

— Je pensais que vous aviez un bon système d'alarme.

— En effet, mais ils ont réussi à le court-circuiter.

— On vous a volé quelque chose ?

— Non, du moins je ne m'en suis pas rendu compte. Mais... j'ai l'impression qu'ils ont tripoté mon ordinateur.

— Possible...

— Seulement, je ne vois pas comment ils auraient pu accéder aux données. Il y a un mot de passe...

— Les mots de passe, ça craint.

— ... et tout le matériel sensible est crypté.

— Quel programme utilisez-vous ? s'enquit Murray, sceptique.

— *N-cipher.*

— Excellent programme.

— Dans ce cas... ils en ont été pour leurs frais ?

— Je ne sais pas. Avez-vous remarqué autre chose ?

— Pas vraiment, mais je... j'ai l'impression qu'ils ont déplacé l'unité centrale.

— Qu'est-ce qui vous fait penser ça ?

— Parce que je me suis aperçu qu'elle avait bougé d'un ou deux centimètres.

Murray hocha la tête.

— Alors, ils vous ont eu.

— Quoi ! ?

— A mon avis, ils ont retiré le disque dur, ils en ont copié le contenu et ils l'ont remis en place. S'ils ont procédé de cette manière, ils n'avaient pas besoin du mot de passe. Il est dans le secteur d'amorçage.

— Et les fichiers cryptés...

— Ça dépend, répondit Murray d'un air navré. Où gardez-vous votre clé de chiffre — sur une disquette ou sur votre disque dur ?

— Sur le disque dur.

Murray grimaça.

— Grave erreur...

— Si je vous comprends bien, ils ont tout...

— Probablement.

Lassiter émit un grognement. Il songeait aux messages envoyés à Judy depuis Montecastello pour lui communiquer la liste des

patientes de la clinique Baresi et lui ordonner de contacter Riordan au plus vite. Par chance, il avait utilisé son portable — en
principe, ces messages n'avaient donc pas été interceptés.

— Vous paraissez soulagé, dit Murray.

— Un peu... Quand j'étais en Italie, j'ai transmis des informations on ne peut plus confidentielles et...

Murray détourna les yeux avec embarras.

— Quoi ? Qu'est-ce qu'il y a ?

— Je crains qu'elles ne soient maintenant en leur possession.

— Mais comment ? C'est impossible !

— Pas vraiment. Laissez-moi vous poser une question : quand
vous vous connectez au réseau Internet, que faites-vous ?

— Pas grand-chose. En gros, j'appuie sur la touche *Alt-E,* et
l'ordinateur fait le reste.

— C'est bien ce que je pensais. Vous utilisez une procédure
de début de session automatique qui inclut le mot de passe, n'est-
ce pas ?

— Et alors ?

— La personne qui s'est introduite chez vous a récupéré tout
ça.

— Je n'ai qu'à changer le mot de passe.

— Bonne idée, rétorqua Murray, sarcastique.

Il se mordit les lèvres, de plus en plus gêné.

— Ce que je veux dire, c'est que... ils ont récupéré votre E-
mail — même si vous avez utilisé votre portable.

Lassiter le dévisagea avec stupéfaction.

— C'est archivé sur votre serveur Internet, expliqua Murray.
Quiconque possède le mot de passe peut accéder à vos messages.

Joe renversa la tête sur le dossier de son fauteuil et ferma les
yeux. Voilà comment ils ont su que j'étais à Montecastello, à
l'Aquila, pensa-t-il.

— Merci, dit-il. Vous m'avez été d'un grand secours.

Murray se leva gauchement.

— Je suis désolé.

— Ce n'est pas votre faute. Murray...

— Oui, monsieur ?

— Puisque vous passez devant le bureau de Judy, dites-lui
que j'aimerais la voir un instant.

L'informaticien s'immobilisa, la main sur la poignée de la
porte.

— Judy ?

— Oui, Judy Rifkin, répondit Lassiter avec une pointe d'irritation. Votre supérieur hiérarchique.

— Ah, mais je... je ne crois pas qu'elle soit là, bredouilla Murray.

— Comment ça ? s'étonna Lassiter.

Il consulta sa montre : dix heures et demie.

— Elle ne sort de l'hôpital que cet après-midi, me semble-t-il.

— Quel hôpital ?

— Sibley, je crois.

— Elle est malade ?

— Elle a eu un accident.

— Quel accident ?

— Eh bien, elle fêtait je ne sais trop quoi, elle a ouvert une bouteille de champagne et... elle s'est blessée à l'œil.

— Avec quoi ? demanda Lassiter, sidéré.

— Le bouchon.

— Vous rigolez ?

— Ah non, pas du tout. Je vous accorde que, pour une yuppie, c'est le comble, mais... en réalité, c'était assez grave. D'après Mike, on a dû la bourrer de sédatifs pour mettre l'œil au repos. On craignait que la rétine ne soit endommagée.

— Quand cela s'est-il passé ?

— Vendredi soir, répondit Murray avant de sortir.

Lassiter demeura immobile, contemplant les objets qui se trouvaient sur sa table, cherchant celui qu'il allait jeter par terre pour se défouler. Peut-être l'agrafeuse ou le rouleau de Scotch. Ou les ciseaux.

Finalement, il se refréna, s'extirpa du fauteuil et, oubliant sa canne, boitilla jusqu'au box de Freddy, un cube de deux mètres sur deux, qu'envahissait une immense affiche de *Metropolis,* le film de Fritz Lang.

— Salut, patron ! Ça fait plaisir de vous revoir.

— Merci, marmonna Lassiter en approchant une chaise du bureau. Vous avez une minute ?

Freddy opina et se croisa les bras.

— J'ai une tâche urgente à vous confier.

— Vous êtes au courant pour Judy ?

— Oui, justement. Ce week-end, je lui ai envoyé un mémo qu'elle n'a sans doute pas reçu.

— C'est fort probable.

— Murray a accès à tout le matériel informatique. Dites-lui de vous donner une copie de ce mémo. Il doit dater de vendredi soir.

— D'accord.

— Dès que vous aurez le document, laissez tomber votre travail en cours. Vous contacterez toutes les femmes figurant sur la liste — si je me souviens bien, elles sont treize. Et vous constituerez un dossier sur un scientifique nommé Baresi — livres, articles de presse, toute la documentation que vous pourrez trouver.

— Compris. Je commence par quoi ?

— Les femmes.

— Je demanderai aux enquêteurs de faire les recherches. Ensuite je les appellerai moi-même.

Lassiter le remercia, puis regagna son bureau. Avant de téléphoner à Judy, il voulait parler à Riordan et aux patrons de l'Aquila.

Il laissa un message à Riordan, lui demandant de le rappeler dès que possible ; après quoi il composa le numéro de la pension.

— *Pronto !*

— Hugh ?

— Non, c'est Nigel.

— Ici Joe Lassiter.

Il y eut un long silence, à l'autre bout du fil.

— Comment allez-vous ?

— Un peu secoué, j'avoue.

— Nous aussi, nous avons eu quelques émotions.

— Je m'en doute.

— Vous êtes au courant, pour l'abbé Azetti ?

— C'est moi qui ai découvert son corps dans l'église.

— On a trouvé une deuxième victime...

— Dans la pépinière.

Nouveau silence, qui se prolongea.

— En effet.

— Ce n'est pas une victime, il a essayé de me tuer. Ecoutez, je vais me mettre en rapport avec l'ambassade italienne, faire une déposition...

— Avant ça, je pense que vous auriez intérêt à consulter un avocat.

— Pour quelle raison ?

— Eh bien, parce que... quand on a découvert ce type dans le bois... Hugh et moi avons cru que c'était vous. Vous comprenez, comme vous aviez dit que vous rendriez visite à Azetti et que vous n'êtes pas rentré à la pension... Enfin bref, nous nous sommes précipités chez les flics. Je suis désolé, Joe.

— Ne vous faites pas de souci pour ça.

— Vous n'imaginez pas à quel point nous avons été soulagés en voyant que... le mort n'était pas vous. Seulement, la police veut vous interroger.

— Ça ne me surprend pas. Un instant, ajouta Lassiter, on m'appelle sur une autre ligne.

Il appuya sur le bouton qui clignotait.

— Lassiter.

— Joe ! C'est Jim.

— Je vous reprends tout de suite. Nigel ? Prévenez les policiers que je me mettrai en relation avec l'ambassade, ici à Washington. Autre chose : je pense qu'il serait préférable de leur confier votre registre.

— Le registre ? Mais pourquoi ?

— Les assassins d'Azetti pourraient tenter de le récupérer. Si vous ne l'avez pas, vous serez plus en sécurité.

— D'accord, je vais suivre votre conseil.

— A bientôt, Nigel. Bonjour, Jim, enchaîna-t-il.

— J'ai une nouvelle à vous annoncer, dit Riordan.

— Bonne ou mauvaise ?

— Plutôt bonne, ma foi. On tient votre type.

— C'est-à-dire ?

— Grimaldi.

— Quoi ? !

— On doit le cueillir dans une heure. Ça vous plairait de nous accompagner ?

Vingt minutes plus tard, la voiture banalisée de l'inspecteur fonçait à cent quarante à l'heure vers le Maryland.

— J'ai une liste de noms pour vous, dit Lassiter. Je vous la donnerai quand nous rentrerons au commissariat.

— Ah bon ? Quel genre de liste ?

— Des cibles à abattre, des femmes et des enfants. Il faudrait alerter les polices locales, que ces gens soient placés sous protection.

Riordan plongea une main dans la poche intérieure de son veston et en sortit un cliché qu'il tendit à Lassiter.

On y voyait Grimaldi, immobile sur le perron d'une vieille demeure victorienne. Malgré les affreuses cicatrices qui lui couvraient une moitié du visage, il était tout à fait reconnaissable. Lassiter esquissa un sourire.

— Où avez-vous eu ça ?

— C'est le FBI qui a pris cette photo avant-hier, au téléobjectif.

— Comment l'ont-ils situé ?

— Vous vous souvenez de l'infirmière ?

— Absolument.

— Eh bien, il se trouve qu'elle habite... un genre de foyer. A la sortie de Frederick.

— Un foyer, voyez-vous ça. Laissez-moi deviner...

— Ne vous donnez pas cette peine. Contentez-vous de dire « je vous l'avais bien dit ». Ça suffira amplement.

— Elle vit dans un monastère ?

— Je ne sais pas comment ils appellent ça. Un lieu de retraite, quelque chose dans ce goût-là. Concrètement, c'est une grande maison dans un coin tranquille.

— Et elle appartient à Umbra Domini ?

— Tout juste.

Lassiter poussa un soupir. Durant une dizaine de kilomètres, il ne prononça pas un mot. Puis, ce fut plus fort que lui, il se tourna vers Riordan.

— Je vous l'avais bien dit.

Vingt minutes après, ils s'engageaient dans une rue bordée d'arbres, à l'ouest d'Emmitsburg, où cinq voitures banalisées, une ambulance et un fourgon radio attendaient déjà, au-delà du ruban de plastique jaune qui en barrait l'accès. Un autre fourgon, noir et blindé, occupait le milieu de la chaussée, tandis qu'un hélicoptère survolait lentement le périmètre, ses rotors brassant l'air.

Tout ce petit monde concentrait son attention sur une imposante demeure victorienne, entourée de jardins enneigés et de chênes dénudés. Sur la pelouse, devant la maison, se dressait une statue de la Vierge, l'enfant Jésus dans les bras.

Riordan se gara dans le virage et, flanqué de Lassiter, se dirigea vers le fourgon radio aux portières ouvertes. Un homme au visage franc, vêtu d'un coupe-vent bleu, était assis sur le siège avant, un téléphone cellulaire à la main. Sans interrompre sa conversation, il salua Riordan d'un mouvement du menton. Dix autres hommes piétinaient autour du véhicule. Tous portaient des coupe-vent bleus, avec les lettres FBI imprimées dans le dos.

— C'est Drabowsky, dit Riordan. Le numéro deux du Bureau, à Washington.

— Où est passé le fameux Derek ?

Riordan plissa les paupières, d'un air faussement surpris.

— Vous avez une sacrée mémoire.

— Alors, où est-il ?

— J'en sais rien... On lui a confié une autre mission, je suppose. Maintenant, j'ai Drabowsky. Il connaît mieux son affaire.

— Je n'en doute pas, mais qu'est-ce qu'il fabrique ici ?

— Je dirais qu'il s'occupe de la mise en scène.

— Je vois bien, mais pourquoi ?

— Vol de voiture et prise d'otage. Ça relève de la juridiction du FBI.

— Je ne vous parle pas de ça, je vous demande depuis quand des types comme lui se chargent des arrestations ?

Avant que Riordan ait pu répondre, Drabowsky reposa son téléphone et sauta à terre. Il frappa dans ses mains.

— Votre attention, s'il vous plaît ! Ils vont sortir dans trois minutes, un par un ! Ils sont huit ! C'est compris ? Huit !

Les agents marmonnèrent un vague oui.

— Une fois qu'ils seront dehors, LaBrasca et Seldes les feront monter dans le fourgon pour prendre leur identité. Quand je donnerai le feu vert, et seulement à ce moment-là, l'unité spéciale pénétrera dans la maison pour l'inspecter de fond en comble. Ensuite nous procéderons à la perquisition. Des questions ?

Comme personne ne se manifestait, Drabowsky ajouta :

— Encore une chose. Nous ne sommes pas chez des dealers, mais dans une communauté religieuse. Ne l'oubliez pas ! Un seul de ces individus est recherché pour meurtre. Alors, messieurs, gardez votre sang-froid ! D'accord ? Parfait, on y va !

Les agents s'animèrent brusquement et coururent se poster derrière les divers véhicules. Drabowsky s'avança vers Riordan pour lui serrer la main.

— Merci d'être passé, j'apprécie.

— J'étais dans le quartier, dit Riordan avec nonchalance. Permettez-moi de vous présenter Joe Lassiter. Joe... Tom Drabowsky.

Celui-ci fronça les sourcils.

— La sœur de Joe..., commença Riordan.

— Je sais. J'espère que vous n'avez pas l'intention de faire un scandale ? dit Drabowsky en serrant la main de Lassiter.

— Non, je veux juste voir ce salaud.

— Tant mieux, parce que je...

— Ah ! l'interrompit Riordan. Ça y est !

La porte de la maison s'ouvrit, et une femme d'âge mûr apparut, les mains sur la tête. Un jeune homme nerveux, qui ne pouvait s'empêcher de ricaner, la suivait, ainsi qu'un vieillard appuyé sur un déambulateur. Un à un, les occupants de la demeure descendirent l'allée pour rejoindre la rue, où les agents du FBI les prenaient par le bras et les conduisaient vers le fourgon, afin de contrôler leur identité.

— La voilà, murmura Riordan, quand l'infirmière franchit le seuil, les yeux baissés.

Sortirent ensuite un Coréen corpulent, un homme en tenue de facteur, un Hispanique élégamment vêtu, et une jeune femme en sarrau.

Fin du défilé.

— Où est-il ? demanda Lassiter.

Riordan, qui battait la semelle, coula un regard en direction de Drabowsky, lequel avait repris son téléphone portable et parlait d'un ton calme, quoique pressant.

— Je ne sais pas, grommela Riordan.

Soudain, trois agents du FBI se précipitèrent vers les portes, à l'avant comme à l'arrière de la demeure, et s'accroupirent sous les fenêtres. Puis, courbés en deux, ils pénétrèrent à l'intérieur. Un silence de plomb s'installa dans la rue.

Lassiter s'attendait à ce qu'éclate une fusillade, mais rien ne se produisit. Plusieurs minutes s'écoulèrent avant que les agents ne ressortent. Avec une mimique dépitée, ils rengainèrent leurs armes.

— Bon, allons-y pour la perquisition ! cria Drabowsky.

Deux agents sur les talons, il rejoignit ses hommes. Lassiter se tourna vers Riordan.

— Je croyais que Grimaldi était dans cette maison.

— Je le croyais aussi.

— Ils l'ont pris en photo. Il était là.

— Exact.

— Alors qu'est-ce qui se passe, bon Dieu ?

— J'en sais rien !

Côte à côte, Lassiter et Riordan suivirent Drabowsky dans l'allée. Ils gravissaient les marches du perron, quand un type du FBI leur barra le passage.

— Vous ne pouvez pas entrer.

Riordan lui fourra sa carte sous le nez.

— Police de Fairfax, nous sommes chargés de l'enquête, dit-il à l'agent qui s'écarta à contrecœur.

L'intérieur de la maison se distinguait par son extrême simplicité : des murs blancs et quasiment nus, des planchers cirés, luisants comme des miroirs, pas de téléviseur ni de stéréo, quelques vieux meubles. Dans chaque pièce, un crucifix fixé au-dessus de la porte, et le portrait encadré d'un Silvio della Torre souriant attiraient le regard.

Les parties communes, fonctionnelles et spartiates, n'offraient que peu d'intérêt. Une grande table en bois, flanquée de bancs, constituait tout le mobilier de la salle à manger. Dans la cuisine, une soupe au chou mijotait sur un antique fourneau en faïence. Huit chaises à dossier droit, disposées en cercle, occupaient le salon ; apparemment, cet espace était réservé aux discussions de groupe.

La plupart des agents du FBI s'affairaient à fouiller les chambres. Riordan et Lassiter passèrent d'une pièce à l'autre, à la recherche de Drabowsky.

Ils le trouvèrent dans une chambre meublée d'un matelas et d'un lampadaire. Un pot de Silvadène gisait sur le sol et la corbeille à papiers débordait de pansements souillés.

— C'est là qu'il dormait, dit Lassiter en ramassant un exemplaire de L'Osservatore Romano. Il était là.

Drabowsky lui lança un bref coup d'œil.

— Nous l'avons loupé de peu.

— Pas de chance, marmonna Riordan.

— Vous devriez voir la salle de bains au bout du couloir, dit Drabowsky. Un véritable hôpital de campagne. Elle le soignait rudement bien.

340

— Je peux poser une question ? dit Lassiter.

Drabowsky le dévisagea puis haussa les épaules.

— Comment expliquez-vous qu'il ait filé, bordel de Dieu !

— Inutile de jurer, rétorqua Drabowsky, pincé.

— Il était sous surveillance ! poursuivit Lassiter. Comment a-t-il pu s'enfuir alors que vous faisiez le planton devant la porte !

— Il n'était pas sous surveillance !

— Quelle merde ! s'exclama Riordan, perdant brusquement son calme.

— J'ai vu la photo !

— Nous avons mis un terme à cette surveillance hier soir.

Riordan manqua s'étouffer.

— Vous... quoi ?

— Qui a eu cette idée géniale ? demanda Lassiter.

— Moi, répondit Drabowsky.

Lassiter et Riordan se regardèrent ; l'inspecteur secoua la tête.

— Tom, nom d'une pipe... mais pourquoi vous avez pris cette décision ?

— Parce qu'on est dans un quartier tranquille, quasi à la campagne ! s'écria Drabowsky. Les gens entraient et sortaient de la maison, ils ne pouvaient pas ne pas remarquer le fourgon. Il se voyait comme le nez au milieu de la figure. Je ne voulais pas effaroucher le gibier. D'accord ?

— Non, pas d'accord ! hurla Lassiter. Ce fumier s'est tiré.

— On le dirait bien, en effet, répliqua Drabowsky.

Lassiter tourna les talons et sortit de la chambre. Riordan lui emboîta le pas.

— C'est incroyable, dit Joe.

— Je sais.

— C'est complètement dingue.

— Je sais.

— Même s'il s'était senti surveillé, en quoi ça posait problème ? Il n'aurait pas creusé un tunnel pour sortir !

— Je ne comprends pas ce qui leur est passé par la tête, marmonna Riordan.

Comme ils regagnaient la rue, Lassiter avisa l'infirmière près du fourgon. Menottes aux poignets, elle répondait avec un sourire extatique aux questions de l'agent du FBI.

Lassiter se figea, hésitant.

— Ne faites pas ça, murmura Riordan.

Mais Joe ne put se contenir. Il marcha droit sur la jeune femme, l'agrippa par le bras et l'obligea à se retourner.

— Votre ami a massacré ma famille. Vous le savez, n'est-ce pas ?

— Hé ! brailla l'agent en le repoussant. Hé, ça suffit !

La dénommée Juliette leva vers Lassiter un regard angélique.

— Je suis désolée, mais... qu'espériez-vous ?

Riordan s'interposa, agitant les mains.

— Allons, allons... ne restons pas là.

D'autorité, il entraîna Lassiter vers sa voiture.

— Ce que j'espérais ? murmura Joe. Vous avez entendu, Jim ? Elle m'a demandé ce que j'espérais !

Judy ne reprit le travail que le jeudi, un bandeau noir sur l'œil.

— C'est terminé, annonça-t-elle en entrant dans le bureau de Lassiter.

— Quoi donc ? Tu renonces à ta carrière ?

— Non, c'est toi qui renonces à la tienne.

— Vraiment ?

Il feignait le détachement et se serait volontiers giflé pour cette coquetterie.

— Oui, voilà pourquoi j'ai ouvert cette maudite bouteille de champagne. L'affaire est conclue.

Elle s'assit dans un fauteuil et croisa les jambes.

— Dès que leurs avocats auront rédigé les documents et que les nôtres les auront épluchés, tu seras libre.

— Magnifique. Comment va ton œil ?

— Il survivra. Je te dis combien tu vas toucher ? Ça t'intéresse ?

Lassiter éclata de rire.

— Oui, j'avoue que ça m'intéresse énormément.

— Je m'en doutais. Ça fera dans les cent quatre-vingt-cinq mille.

— Non ! !

— Cent vingt pour toi, le reste réparti entre les actionnaires minoritaires.

— Comme toi.

— Comme moi, en effet. Comme Leo, Dunwold, et tous les

342

autres. Même Freddy a une ou deux parts, de quoi se payer une voiture.

— C'est ce qu'on appelle l'intéressement des travailleurs aux bénéfices de l'entreprise.

— Exactement.

A cet instant, l'interphone sonna. Lassiter décrocha.

— Oui... Quand on parle du loup..., murmura-t-il à Judy. Très bien, qu'il vienne.

Judy lui lança un regard interrogateur.

— C'est Freddy... Ça ne t'ennuie pas ?

— Je repasserai tout à l'heure, répondit-elle en se levant.

— Reste là. Ça ne prendra qu'une minute, ensuite je te dirai comment il faudra annoncer la nouvelle.

On tapa un coup bref à la porte, et Freddy entra, la mine sombre.

— Bonjour, Judy. Vous allez mieux, j'espère ?

Il se tourna vers Lassiter :

— Je me suis occupé de la liste...

— Je l'ai transmise à Jim Riordan, vous pouvez laisser tomber.

Freddy secoua la tête.

— J'ai fini, de toute façon.

— Et alors ?

— Elles sont toutes mortes.

Lassiter le dévisagea longuement, en silence.

— Quoi ? murmura-t-il.

— Je... je suis désolé, bredouilla Freddy. Elles sont toutes mortes.

Chapitre 31

Lassiter demeura sans voix. Elles étaient toutes mortes...

Il avait tant espéré que certaines de ces femmes fussent encore vivantes. Son enquête aurait alors eu un but plus élevé que le simple besoin d'assouvir sa soif de vengeance, ou de satisfaire une curiosité morbide. Tant qu'il restait des survivantes, il pouvait les sauver. Et elles, en retour, l'aideraient peut-être à découvrir pourquoi Kathy et Brandon avaient été assassinés.

Mais à présent... il n'y avait plus personne, plus rien à faire. Cette réalité le laissait désemparé, complètement perdu.

Pourquoi fallait-il que les humains fussent si démunis, si vulnérables ? Ce monde ne valait pas plus qu'un grain de poussière. Voilà ce qui poussait les gens à prier : ils se donnaient ainsi l'illusion que la vie avait un sens, ou du moins qu'elle était supportable — et qu'à condition de prendre les bonnes précautions, de connaître la bonne formule magique, on pouvait se préserver et protéger les siens. Mais c'était impossible, parce qu'il n'y avait personne pour entendre les prières des hommes.

Pourquoi Kathy ? Pourquoi Brandon ?

Pourquoi pas eux, au fond ?

— Euh... Joe ? bredouilla Freddy. Ça va ?

— Oui... Excusez-moi, j'ai eu un choc.

— Je comprends. Comme je vous le disais... j'en ai quasiment terminé avec cette liste et...

Lassiter l'interrompit d'un geste.

— Une petite minute... Pourquoi quasiment ? Vous avez terminé, oui ou non ?

— Il y a une femme que je n'ai pas encore réussi à contacter. Je ne peux donc pas affirmer qu'elle est morte, mais...

— De qui s'agit-il ?

— Marie Williams, de Minneapolis.

— Vous avez tout essayé ?

— Eh bien... nous avons procédé comme pour les autres.

— Expliquez-moi ça.

Freddy sortit un dossier de sa serviette et le posa sur le bureau.

— Vous trouverez là un rapport sur chacune de ces femmes. Judy s'est chargé d'une moitié, et moi de l'autre. Du travail de routine. Après tout, nous n'enquêtions pas sur des terroristes. C'était facile.

— C'est-à-dire ?

— Eh bien, quand nous disposions de coordonnées téléphoniques, nous avons appelé. La plupart des numéros ne sont plus attribués, mais une ou deux fois, nous avons pu parler au mari. Nous avons aussi contacté les voisins, grâce à nos annuaires sur CD-ROM. Il suffit de taper l'adresse, et vous obtenez le nom des habitants de la rue. Ils nous ont tous raconté la même histoire, à quelques détails près. Ces femmes et ces enfants sont morts dans un incendie. Dans certains cas, la famille entière y est passée.

— Il y avait chaque fois un enfant, vous en êtes sûr ?

— Oui, un petit garçon. Les enfants étaient tous des garçons, et aucun n'avait plus de quatre ans.

— Vous vous êtes renseigné sur les affaires de Tokyo et Rabat ?

— Oui. Elles sont identiques aux autres.

— Il me faut des certitudes. Jusqu'à quel point avez-vous contrôlé la véracité de vos informations ? Je ne peux pas me contenter de simples...

— Commérages ?

Lassiter hocha la tête.

— Pour chaque femme, nous avons demandé la date exacte de sa mort et nous avons consulté la presse locale pour vérifier. Nous avons interrogé les assureurs, les pompiers, les entrepreneurs de pompes funèbres. Elles sont toutes mortes.

— Sauf cette Marie je ne sais plus quoi...

— Oui, sauf elle. Peut-être.

Lassiter prit le dossier et jeta un coup d'œil aux rapports qui n'excédaient pas une page.

Helene Franck
302 23 Börke S.W.
Vasterhojd, Suède
Née le 11 août 1953, décédée le 3 septembre 1995

August Franck
Même adresse
Né le 29 mai 1993, décédé le 3 septembre 1995

Cause du décès : intoxication par l'oxyde de carbone

Confirmation du décès :
1. Registre d'état civil (001987/8), Stockholm
2. Annelie Janssen, Vasterhojd (voisine)
033-107003
3. Mäj Christianson, Stockholm (mère et grand-mère des défunts)
031-457911

Enquêteur :
Fredrik Kellgren
Agentur Ogon Försiktig, Stockholm
031-997444

Lassiter parcourut rapidement les autres rapports, cherchant celui qui l'intéressait.

Marie A. Williams
9201 St. Paul Blvd
Minneapolis, Minnesota
Tél. 612-453-2735 (jusqu'au 09/09/91)

— Alors, qu'avez-vous appris sur elle ? demanda-t-il à Freddy.
— Voyons... ce numéro n'est plus en service. Attendez, non... ce n'est pas tout à fait exact. C'est maintenant un numéro de fax, attribué depuis environ deux ans à un agent d'assurances.
— Ce qui signifie qu'elle a déménagé voici deux ans.
— Minimum. Ensuite j'ai vérifié dans mon annuaire. Il y a quelque deux cents abonnés à cette adresse.
— Une résidence ?
— Exactement. « Les Fontaines », si ma mémoire est bonne. J'ai contacté le gardien qui s'est renseigné. Elle a vécu là pendant près de deux ans. Elle a quitté les lieux en 1991, sans laisser ses coordonnées. En fait, d'après le gardien, elle n'a pas même récu-

péré sa caution — ce qui semblerait indiquer qu'elle est partie précipitamment.

— Il se souvient d'elle ?

— Non, il a été engagé après son départ. Les voisins ne la connaissent pas non plus.

— Et c'est tout ce que vous savez ?

— Oui, je... vous comprenez, elle était la deuxième sur ma liste. Jody venait de commencer ses recherches. A ce moment-là, nous pensions réussir à joindre certaines de ces femmes. Je ne me suis pas attardé, je n'ai même pas demandé un rapport de solvabilité.

Freddy marqua une pause.

— Vous voulez que je m'en occupe ?

Lassiter se leva et s'approcha de la cheminée.

— Non, Freddy. Je vous félicite, vous avez fait du bon travail. Je pensais que cela réclamerait une semaine ou deux.

— Pour vous dire la vérité, j'ai moi aussi été surpris que ça aille si vite. Mais quand on y réfléchit... la plupart de ces femmes avaient la quarantaine. Elles s'en sortaient bien, elles ne truandaient pas, beaucoup étaient mariées, stables. En principe, sur une douzaine de personnes, un tiers au moins est difficile à localiser. Elles ont déménagé, leur conjoint a été muté, etc. Tandis que ces femmes étaient vraiment faciles à trouver. Elles étaient si bien intégrées dans la société qu'il suffisait de suivre la piste.

— Sauf pour Marie Williams.

— Oui, sauf pour elle.

Lassiter s'empara du tisonnier et piqua les bûches d'où jaillirent des gerbes d'étincelles.

— Très bien, Freddy. Je vais prendre le relais.

— A votre place...

— Oui ?

— A votre place, je ne me ferais pas trop d'illusions, parce que... ceux qui sont derrière tout ça n'ont rien laissé au hasard. Pourquoi serait-elle l'unique survivante ?

Lassiter haussa les épaules. Et pourquoi pas ? se disait-il.

Il commença par comparer les dates de naissance des enfants avec les dates notées sur le registre de la pension. Cela confirmait son hypothèse. A l'évidence, tous ces petits garçons avaient été conçus à la clinique Baresi. Quant à Marie Williams, elle devait être enceinte de quelques mois lorsqu'elle avait quitté son appartement de Minneapolis.

Il tisonna à nouveau le feu, puis se campa devant la baie vitrée. La dernière tempête remontait à une semaine, cependant, le thermomètre affichant des températures polaires qui battaient tous les records enregistrés à Washington, la neige n'avait toujours pas fondu. Le long des trottoirs, les voitures étaient ensevelies sous des monceaux de glace. En ce moment même, le propriétaire d'un des véhicules, après avoir planté un petit drapeau américain au sommet de la congère géante, s'évertuait à écrire VOITURE sur la neige grisâtre à l'aide d'une bombe de peinture rouge. Ceci fait, il recula et pencha la tête, comme un artiste jaugeant son œuvre. Puis il s'éloigna, satisfait de son ingéniosité : les chasse-neige ne risquaient plus d'écrabouiller sa voiture — en admettant que ces engins sortent un jour de leur hangar. Le district n'avait plus un sou, et la moitié des chasse-neige attendaient des réparations qui ne venaient pas. Résultat, les rues n'étaient pas plus larges que des allées, et les trottoirs ressemblaient à des sentiers étroits et glissants. Les artères de la ville rétrécissaient, et cela n'allait pas s'arranger : la neige recommençait à tomber.

Le bourdonnement de l'interphone le fit sursauter.

— L'inspecteur Riordan sur la une, annonça Victoria de sa voix mélodieuse.

Il faillit répondre qu'il ne souhaitait pas lui parler, mais se ravisa.

— D'accord, passez-le-moi.

— Vous avez appelé Conway ? demanda Riordan sans autre préambule.

Lassiter soupira.

— Je m'apprêtais à le faire.

— Vous déconnez complètement, j'espère que vous en avez conscience. Après ce qui s'est passé en Italie...

— Je n'ai pas eu une minute à moi.

— Ne me racontez pas de bobards, vous finiriez par y croire. Grimaldi est dans la nature, et on ne sait pas ce qu'il mijote. Alors, rendez-moi un service. Ne m'obligez pas à vous coller deux de mes hommes sur le dos — parce que je n'hésiterai pas,

Joe, je vous le garantis. Offrez-vous un garde du corps, vous en avez les moyens.

— D'accord, dit Lassiter. J'appellerai Terry.

— Parole d'honneur ? Je vérifierai, je vous préviens.

— Vous avez ma parole.

— Bon, voilà qui est mieux.

— Vous avez des nouvelles ?

— De Grimaldi ?

Riordan émit un reniflement de mépris.

— Rien. Le néant. Ce type pourrait donner des leçons à Houdini.

— On l'a bien aidé, vous ne trouvez pas ?

— Si, d'ailleurs nous sommes en train d'interroger la fille.

— Je ne parlais pas de l'infirmière, mais des agents chargés de la surveillance.

— Que voulez-vous que je vous dise ? Il semblerait que Drabowsky soit un vrai crétin.

— Vous en êtes sûr ?

Riordan ne répondit pas tout de suite.

— Que... vous pensez qu'il a reçu des ordres du Bureau ?

— Je ne sais plus très bien ce que je pense, mais... passons. En ce qui me concerne, j'ai du nouveau.

— A quel propos ?

— La liste que je vous ai remise.

— Ah oui, les femmes qui ont fréquenté cette fameuse clinique. Nous commençons les recherches.

— Vous pouvez arrêter.

— Pourquoi ?

Lassiter tourna son regard vers la fenêtre. La neige tombait dru, à présent.

— Ils sont morts.

— Qui ?

— Les femmes et leurs enfants.

Cette fois, le silence se prolongea.

— Ils sont tous morts ? demanda Riordan.

— Probablement. Il n'y en a qu'une que nous n'avons pas encore localisée. Marie A. Williams.

— Je vais voir ce que je peux faire, mais... un instant, s'il vous plaît.

Deux personnes, sans doute dans le bureau de Riordan, vocifé-

349

raient en espagnol. L'inspecteur couvrit de sa main le micro du combiné et hurla : « La ferme ! », ce qui eut pour effet de couper instantanément le sifflet aux deux autres.

— Tenez-moi informé, d'accord ? reprit Riordan d'un ton aimable.

— Mais oui, je vous tiendrai informé.

— Et contactez Terry Conway.

— Je le ferai.

— Dites-moi, Joe...

— Oui ?

— Vous croyez que c'est terminé, n'est-ce pas ? Ils sont tous morts, excepté cette Marie Machinchose — qui, entre nous, a dû y passer aussi. Alors vous considérez que c'est terminé. Je me trompe ? Non, je ne me trompe pas, enchaîna-t-il sans attendre de réponse. Mais laissez-moi vous dire une chose : nous n'avons toujours pas le fin mot de l'histoire. Donc nous ne pouvons pas savoir si c'est fini ou non. Eux seuls le savent.

— J'appellerai Terry.

— Faites-le tout de suite, dit Riordan, et il raccrocha.

Mais, avant d'appeler Terry, Lassiter chercha les coordonnées de son agence d'information favorite, en Floride — la Mutual General Services. La femme qui lui répondit décrocha dès la première sonnerie. C'était justement pour cette raison qu'il appréciait ces gens-là : ils étaient efficaces, rapides et discrets.

— Ici Joe Lassiter, de Lassiter Associates. Nous avons un compte chez vous.

— Oui... Que puis-je pour vous ?

— Je cherche des renseignements sur une certaine Marie A. Williams, il me faut son historique bancaire. Dernière adresse connue...

Il lui communiqua l'adresse de Minneapolis, puis demanda :

— Dans combien de temps pouvez-vous m'envoyer ce rapport ?

— Tout dépend de la somme que vous pouvez mettre, répliqua-t-elle du tac au tac.

Terry Conway, qui dirigeait Gateway Security, était un homme charmant ; ancien tight end[1] de la National Football League, il était diplômé en droit et avait la bosse des affaires. Sa société lui rapportait beaucoup plus d'argent que ne l'avait fait le football — ce qui n'était pas peu dire, car Terry avait été un excellent joueur, jusqu'à ce que ses genoux le trahissent.

Gateway s'était taillé sur le marché de la sécurité une place de choix en se spécialisant dans la protection des dirigeants de ce monde, de leurs familles et de leurs biens. Conway procurait des gardes du corps aux milliardaires, aux gens célèbres et à ceux qui l'étaient moins — diplomates, politiciens et PDG. Les hommes qui travaillaient pour lui étaient des professionnels triés sur le volet, et non de vulgaires videurs.

Malgré tout, l'idée d'engager un gorille déplaisait fortement à Lassiter. Il allait débourser une fortune pour qu'un inconnu envahisse son intimité et surveille ses moindres mouvements — puisque, par définition, un garde du corps était toujours sur vos talons, avec ses mots de passe, son téléphone portable et son encombrante présence.

Il savait très bien comment cela se passait, dans la mesure où il avait souvent fourni ce type de service à ses clients. Au début, ceux-ci se sentaient rassurés et flattés d'être l'objet de tant d'attention. Mais, au bout d'un moment, ils commençaient à se plaindre. Puis ils protestaient : est-ce vraiment nécessaire ? Combien de temps cela va-t-il durer ?

A contrecœur, il composa le numéro de Gateway et, dès qu'il eut Terry en ligne, lui expliqua succinctement la situation.

— J'ai un PDG à protéger, ici à Washington — célibataire, trente-cinq ans...

— Des liens avec le gouvernement ?

— Non. Il semblerait que sa vie soit sérieusement menacée...

— C'est-à-dire ?

— On a déjà essayé de l'abattre.

— En effet...

— Nous pensons donc qu'il vaudrait peut-être mieux...

— Qui est cet homme ?

---

1. Tight-end : terme de football américain désignant un joueur polyvalent qui peut participer au jeu d'avants ou attendre la passe du quaterback (N.d.T.).

— Moi.

Il y eut un long silence à l'autre bout du fil.

— Ça, c'est une mauvaise nouvelle : si vous vous faites tuer, je perds l'un de mes meilleurs clients. Bon, ajouta Terry après une nouvelle pause, je vous envoie Buck Dector. Il est très discret, vous l'aimerez.

— Comment dites-vous ? Buck ou Beurk ?

— Très drôle. Il sera à votre bureau vers six heures, et je chargerai un autre de mes hommes d'aller inspecter votre maison. En attendant, je crois que vous devriez passer la nuit à l'hôtel. Avec Buck.

Lassiter marmonna un juron.

— Eh bien, espérons que votre Buck me plaira.

Il reposait le téléphone, quand le fax se mit à bourdonner. Il reconnut l'en-tête de Mutual General Services et fut ravi de constater que le document comportait la date de naissance de Marie Williams (8 mars 1962), ainsi que son numéro de Sécurité sociale.

Avec ces éléments, il pourrait avoir accès à ses relevés bancaires, son dossier médical, ses déclarations fiscales, ses contrats de crédit, etc. De même, les trois premiers chiffres de son numéro de Sécurité sociale indiquaient son lieu de naissance, ce qui lui permettrait peut-être de la retrouver plus facilement.

Il prit un gros répertoire de données administratives sur l'étagère et l'ouvrit à la rubrique « Sécurité sociale » pour vérifier à quel Etat correspondait le code 146. Marie Williams était née dans le Maine.

Après quoi, il lut attentivement le fax. D'emblée, plusieurs particularités le frappèrent.

Tout d'abord, ce rapport de solvabilité ne présentait aucun point noir : pas de découvert ni de chèques sans provision. Ce n'était pas ordinaire. Plus étrange encore, l'historique ne commençait qu'en 1989, ce qui signifiait — en admettant que la date de naissance soit exacte — qu'elle avait tout payé en liquide jusqu'à son vingt-sixième anniversaire, date à laquelle American Express lui avait attribué une carte Gold. A la même époque, elle avait brusquement disposé de deux autres cartes Visa.

Comment était-ce possible ? Elle semblait avoir surgi un beau jour, armée de ses cartes de crédit, du crâne du grand argentier. D'où venait-elle ?

Et qu'était-il advenu d'elle ? En 1991, elle avait fermé ses comptes bancaires. Depuis, plus rien. Elle avait disparu.

Mais ce n'était pas tout. En principe, les rapports de ce genre comprenaient un certain nombre de demandes de renseignement. Si par exemple vous décidiez de louer un appartement, le propriétaire s'enquérait de l'état de vos finances. De même, si vous souhaitiez ouvrir un compte chez Macy's, acheter une voiture ou postuler un emploi, on se renseignait à votre sujet, et ces démarches figuraient dans votre dossier.

Or, à une exception près, nul ne s'était intéressé à la solvabilité de Marie Williams depuis 1991 — comme si, depuis cette date, elle ne prenait plus aucune part à la vie économique. Cela paraissait peu vraisemblable : même les faillis s'arrangeaient pour obtenir un crédit-réserve, faute de quoi ils se trouvaient dans l'impossibilité de louer une voiture, de faire une réservation quelconque ou d'encaisser un chèque.

Qu'elle se fût mariée ou installée à l'étranger n'expliquait pas ce dossier vierge. Peut-être était-elle entrée dans une secte ou vivait-elle de troc, échangeant les pommes de terre de son jardin contre des paquets de Pampers. Peut-être tout simplement n'avait-elle pas besoin de louer une voiture, de faire des réservations ou d'encaisser des chèques.

Quoi qu'il en soit, ce rapport n'apportait aucune information utile. La seule demande de renseignement enregistrée datait du 19 octobre 1995 — deux semaines avant l'assassinat de Kathy et Brandon — et émanait d'une société de Chicago, Allied National Products, qui, à en juger par sa raison sociale, devait être une agence comparable à la Mutual.

C'était décidément bizarre. Si le rapport avait signalé plusieurs vérifications de la solvabilité de Marie Williams, Lassiter en aurait conclu que la jeune femme reprenait le cours de son existence après un long congé sabbatique. Mais ce n'était pas le cas.

Il repoussa le dossier et appela Judy.

— Oui ! aboya-t-elle.

— Mazette, quel accueil ! Rassure-moi : je suis toujours le patron ?

— Excuse-moi, répondit-elle en riant, je ne sais plus où donner de la tête. Que puis-je pour...

Elle pouffa à nouveau.

— Bon, je me calme. Qu'est-ce que tu veux ?

— Nous avons un sous-traitant à Minneapolis ?

— Bien sûr. Tu te souviens de l'affaire Cowles ? Notre homme nous avait fourni les renseignements en un temps record. George... ou Gerry...

Judy s'interrompit pour pianoter sur le clavier de son ordinateur.

— Gary Stoykavich ! Agence Twin Cities Research[1].

Elle lui dicta le numéro de téléphone et raccrocha.

La voix de Gary Stoykavich, grave et rocailleuse, fut pour Lassiter une véritable surprise. Bien qu'il portât un nom à consonance slave et eût basé sa société à Minneapolis — qui était indiscutablement la ville la plus blanche de l'hémisphère Nord —, il possédait le timbre de baryton, à la Fats Domino, et l'accent chantant caractéristiques des Afro-Américains.

— Twin Cities Research, bonjour ! Gary à l'appareil.

— Ici Joe Lassiter. Vous avez travaillé pour nous il y a quelque temps...

— Tout à fait, tout à fait ! Je dirais même que c'était un gros travail. Pour Mlle Judy Rifkin.

— En effet.

— Que puis-je pour vous, monsieur Joseph Lassiter ? Je suppose que je parle au grand patron — ou serait-ce une extraordinaire coïncidence ?

— Non, c'est bien moi.

Stoykavich éclata d'un rire tonitruant.

— Alors je vous écoute !

— Je recherche une femme qui vivait à Minneapolis en 1991, dit Lassiter.

Il communiqua à son interlocuteur les informations dont il disposait.

— Cette Marie Williams... est-ce qu'elle a déménagé ou disparu ? Et, dans ce cas, est-ce qu'elle se cache ?

Question pertinente...

— Je n'en sais rien, répondit Lassiter.

---

1. Twin Cities : Saint Paul et Minneapolis, villes jumelles situées sur le Mississippi, dans le Minnesota (*N.d.T.*).

— Parce que, sur un plan budgétaire, ça pourrait faire une grosse différence.

— J'en suis conscient, mais... voyez-vous, monsieur Stoyka-vich, vous risquez de découvrir que Mme Williams est morte.

— Ah...

Lassiter l'informa des démarches qu'avait entreprises Freddy, et ajouta qu'il lui faxerait le rapport de solvabilité. Stoykavich rétorqua qu'il se renseignerait auprès des autorités et consulterait la presse locale.

— Encore une précision, ajouta Lassiter. Quand elle a quitté Minneapolis, elle devait être enceinte. De quatre mois environ.

— Ce détail me sera peut-être utile. Vous avez autre chose qui vous vient à l'esprit ?

— Pas pour l'instant.

— Alors, je fonce !

Joe épluchait les projets de contrat pour la vente de Lassiter Associates, lorsque Victoria lui annonça que Deva Collins, du service de recherche, demandait à le voir.

— Qu'elle vienne.

Deva Collins était jeune et nerveuse. Les bras chargés d'une pile de documents, elle ôta ses lunettes, repoussa en arrière ses longs cheveux blonds et se planta au milieu du bureau. Joe la pria de s'asseoir, ce qu'elle fit précipitamment.

— Je vous apporte la documentation, bredouilla-t-elle. Une première compilation, plus exactement.

— A quel propos ?

La question la surprit, et une expression de vulnérabilité se peignit sur son visage. Elle s'empressa de remettre ses lunettes, ce qui parut lui redonner un peu d'assurance.

— Eh bien... le docteur italien : Baresi.

— Vous avez apparemment trouvé une foule de choses.

— Oh, il s'agit surtout de références à son travail émanant d'universitaires ou de chercheurs. J'ai fait le tri... La deuxième moitié de la pile, à partir de l'intercalaire jaune, ne présente pas beaucoup d'intérêt : ses ouvrages sont cités dans de nombreuses publications, sans autres détails. J'ai néanmoins noté ces informations, au cas où...

— Et les publications de Baresi ?

— Cela prendra un peu plus de temps, quoique j'aie déjà abattu pas mal de travail. Enfin... je ne suis pas seule, rectifiat-elle, nous planchons tous là-dessus. Les bibliothèques universitaires détiennent certains de ses essais, mais il faut chercher un peu partout, dans la mesure où il avait deux spécialités. En fait, je le connaissais.

— Vraiment ?

— J'ai une licence de théologie, répondit-elle en rougissant, et on ne pouvait pas ouvrir un manuel sans que son nom figure dans la bibliographie ou dans les notes de bas de page.

— C'est formidable, cela devrait vous aider.

Il voulait la mettre à l'aise, mais ne parvint qu'à l'angoisser davantage.

— Peut-être, marmotta-t-elle sans conviction. Je sais au moins où se trouvent les fonds les plus importants. Mais, pour la génétique, nous avons eu des problèmes. Il a fallu contacter Georgetown.

— Parfait.

Son regard s'éclaira, et elle retira à nouveau ses lunettes.

— Nous pouvons nous procurer la majeure partie de ses travaux et de ses articles. Toutefois vous souhaiterez sans doute qu'ils soient résumés — à moins que vous ne préfériez les faire traduire.

— Combien de temps faudrait-il ?

Elle secoua vigoureusement la tête.

— Pour les résumés... je ne sais pas. Les traductions exigeraient des mois. Vous comprenez, il ne s'agit pas de traduire un petit roman. Ce sont des sujets scientifiques extrêmement ardus.

— Et son livre ?

— Plusieurs bibliothèques universitaires l'ont dans leurs fichiers, mais il est écrit en italien. J'arriverai peut-être à dénicher un compte rendu.

— Eh bien, je vous remercie, Deva. Et je vous félicite.

Il se leva pour lui serrer la main. La jeune femme rougit de plus belle ; l'espace d'un instant, il craignit qu'elle ne lui fasse la révérence.

Quand elle fut sortie, il prit le premier document de la pile : un article publié dans le *Journal of Molecular Biology* et signé par un certain Walter Fields.

Le Rôle des enzymes de restriction dans la transcription de l'ARN polymérase. Commentaires sur les travaux d'Ignazio Baresi, Ezra Sidran, et *alii,* présentés à la conférence annuelle de génétique moléculaire de Berne, Suisse, le 11 avril 1962.

Lassiter déchiffra péniblement le premier paragraphe et dut se rendre à l'évidence : il n'y comprenait goutte. Agacé, il passa au deuxième document.

Recombinaison des gènes des eucaryotes (sous les auspices du King's College de Londres). Remarques sur le colloque.

Illisible.
Le suivant s'intitulait :

Caractères sexuels : chromosome X, allèles récessifs, syndrome de Kleinfelter et de Turner. Commentaires sur les études récentes de I. Baresi, S. Rivele et C. Wilkinson.

Il arriva péniblement au bout de la première page, puis renonça. Frustré, il jeta le document sur le bureau, se carra dans son siège et ferma les yeux. Manifestement, il n'était pas au bout de ses peines. Il lui fallait un vulgarisateur, quelqu'un qui sache renoncer au jargon scientifique pour l'initier aux mystères de la génétique.

Mais cela ne suffirait peut-être pas. Il se pouvait que les publications de Baresi fussent incomplètes. Et si, après avoir soi-disant abandonné la recherche, il avait poursuivi ses travaux dans sa clinique, en secret ? La presse se faisait souvent l'écho des questions d'éthique que soulevaient les progrès de la génétique. Baresi n'aurait-il pas joué les apprentis sorciers ?

Au diable ces spéculations qui ne le menaient nulle part ! Il n'existait aucune preuve que Baresi eût continué ses expériences.

De plus en plus agacé, il partagea la pile de documents en deux, écartant tout ce qui se rapportait à la génétique pour s'intéresser aux papiers concernant la théologie. Ce serait sûrement plus accessible.

Premières communautés chrétiennes et Kérygme[1]. Etude comparative des sources régionales contemporaines de l'Evangile selon saint Marc. I. Baresi, *Journal of Comparative Religion,* vol. 29, 11 août 1971.

Tout bien considéré, la théologie ne semblait pas moins hermétique que la génétique. Par chance, à cet instant, l'interphone sonna. Lassiter s'empressa de décrocher.

— J'ai un certain M. Stoykavich pour vous, ligne deux, annonça Victoria.

— Je le prends.

Il appuya sur le bouton.

— Gary ? Vous avez un problème ? Des questions à me poser ?

— Que nenni ! rétorqua Stoykavich avec entrain. Au contraire : j'ai une réponse à vous donner !

— Je vous ai appelé voici à peine deux heures. Ne me dites pas que vous avez déjà localisé Marie Williams !

— Oh non, pas encore. Vous vous souvenez que je vous ai demandé si cette femme se cachait. Eh bien, c'est à cette question que je peux apporter une réponse.

— Et alors ?

— Elle se cache et ne veut absolument pas qu'on la retrouve.

— Allons bon... Que comptez-vous faire, Gary ?

— Cela me fend le cœur car, voyez-vous, je m'apprêtais à vous facturer un nombre d'heures de travail assez considérable. Mais je suis honnête, mon cher. Marie Williams s'est enfuie le 19 septembre, parce que la veille — le 18 septembre — on avait découvert sa véritable identité.

— De quoi parlez-vous ? Quelle identité ?

— Marie Williams n'est autre que Callista Bates ! Qu'est-ce que vous dites de ça ?

— Vous vous fichez de moi ?

Des images s'imposèrent à l'esprit de Lassiter : Callista à Cannes ; Callista au café du Dôme ; Callista ici ou là... L'actrice n'avait pas posé pour les photographes depuis sept ou huit ans, pourtant son visage — aussi beau que par le passé — faisait toujours la une des tabloïds. A l'instar de Garbo, elle était deve-

---

1. Kérygme : du grec *keryssein* : proclamation au nom de Dieu (*N.d.T.*).

nue un mythe après avoir, à l'apogée de sa gloire, renoncé au cinéma pour mener une existence retirée. Mais elle était encore plus mystérieuse que la Divine, et plus tragique. Le nom de Callista Bates, comme celui de Lindbergh ou de Sharon Tate, évoquait une sinistre histoire, connue de tous.

Un détenu de la prison de Lompoc en Californie, qui purgeait une peine de dix-huit années pour viol, coups et blessures, et vol avec effraction, s'était pris d'une passion délirante pour Callista. Il s'était inscrit à son fan club, avait réclamé des photos dédicacées au studio et collectionné avec un soin maniaque tous les articles qui parlaient d'elle — tant et si bien que sa cellule avait fini par devenir un sanctuaire consacré à l'Incomparable, la Sublime Callista Bates.

Libéré en 1988, l'homme prit un bus pour Beverly Hills, en compagnie de touristes avides de voir les maisons des stars, dont celle de Callista. Durant les mois suivants, il hanta le quartier et déposa une série de cadeaux douteux devant les grilles de sa propriété — notamment une vidéo sadomaso tournée en Allemagne, et la photo d'un haltérophile adepte du piercing, qui portait pour seul vêtement une cagoule noire.

Mais il n'en était pas resté là. Nuit après nuit, elle était dérangée par l'interphone ; quand elle décrochait, personne ne se manifestait. Son numéro était sur liste rouge, pourtant le téléphone sonnait sans arrêt. Le message ne variait pas : *Callista, espèce de petite salope, laisse-moi entrer.*

A deux reprises, l'homme escalada le mur de clôture, mais Kerouac, le vieux labrador de l'actrice, l'obligea à battre en retraite. Un jour, en ouvrant sa boîte aux lettres, elle découvrit des enveloppes imbibées de sang. Une autre fois, alors qu'elle sortait de la résidence, son persécuteur avait surgi devant la voiture et secoué furieusement la poignée de la portière.

Les policiers se montraient aimables, attentifs et totalement inefficaces. Pendant plusieurs semaines, ils firent des rondes nocturnes dans le quartier, braquant leurs projecteurs sur les jardins. Sans résultat. Callista suivit leur conseil et s'abonna à un service téléphonique permettant d'identifier le numéro de ses correspondants, malheureusement l'homme l'appelait toujours d'une cabine. Après des mois de fausses alarmes et de surveillance inutile, les policiers baissèrent les bras. On avait affaire à des petits voyous, décrétèrent-ils, comme si cela pouvait expliquer le sang, le film pornographique et le reste.

La nuit où l'homme tua le chien et força la porte de l'actrice, celle-ci était en train de lire dans son salon. Elle entendit le grognement de l'animal, puis un râle d'agonie et un bruit de verre brisé. Elle se précipita sur le téléphone pour composer le 911. Durant une semaine entière, les chaînes de télé rediffusèrent son appel au secours : « Je suis Callista Bates... 211 Mariposa... il y a un homme armé d'un poignard... il a tué mon chien... il entre dans le salon... »

Il ne fallut à la police que quatre minutes pour arriver sur les lieux, mais l'homme avait eu le temps de jouer du couteau et de la blesser sérieusement au poignet droit.

Les dernières images de Callista Bates avaient été prises sur les marches du palais de justice, après le procès. Elle était incroyablement belle dans son tailleur bleu ciel et avait simplement dit : « C'est terminé. »

Par la suite, elle avait donné quelques rares interviews. On murmurait qu'elle envisageait de recommencer à tourner. Les tabloïds avaient cependant raison d'affirmer qu'elle souhaitait se retirer du monde. Au cours de l'année qui suivit, elle vendit sa maison et ses meubles — et elle disparut.

On ne la revit jamais, ou plutôt on crut la voir partout, comme si elle avait le don d'ubiquité.

Dans l'imagination populaire, Callista Bates tenait à la fois de Marilyn et de JFK, les tagueurs dessinaient son visage sur les murs.

Il y avait autre chose à propos de cette femme... Lassiter se raidit, sur le qui-vive. Un souvenir flou lui traversa l'esprit, et s'effaça avant qu'il ait pu le saisir. Tant pis...

— Je ne me moque pas de vous, monsieur Lassiter, reprit Gary. J'ai déniché l'ancien gardien de l'immeuble, qui vit maintenant en Floride. Quand je l'ai appelé, il m'a demandé si je travaillais pour le journal. Quel journal ? je lui dis. Ben, l'*Enquirer*, qu'il me répond. Et ainsi de suite. Il se souvient très bien de Marie Williams et, quand il a appris que c'était Callista Bates, il en est tombé — je cite — sur le derrière. On l'a photographié dans l'appartement, il m'a même proposé de me montrer les articles et de...

— Gary, coupa Lassiter, sceptique, l'*Enquirer* n'est pas exactement...

— Bien sûr, je me doute de ce que vous allez dire ! Mais figurez-vous que je me rappelle cette histoire. Ça ne vous a pas marqué parce que vous ne vivez pas à Minneapolis et qu'il ne se passe pas une semaine sans que quelqu'un croie avoir aperçu Callista Bates ici ou là. N'ai-je pas lu quelque part, l'autre jour, qu'elle se trouvait à Norfolk ou Dieu sait où...

— Et qu'elle était leucémique, à l'article de la mort.

— Oui, ils ont truqué la photo pour qu'elle ait l'air ravagé et maigre comme un clou. Mais je ne vous parle pas de ça. Moi, je suis de Minneapolis, et je me souviens de la femme qui affirmait avoir reconnu Callista Bates. Elle est passée à la télé, à l'époque. Seulement, elle n'a pas parlé de « Marie Williams ».

— Dans ce cas, qu'est-ce qui vous fait supposer qu'il s'agissait bien d'elle ?

— Parce que j'ai discuté avec le journaliste.

— De l'*Enquirer* ?

— Exactement.

Lassiter émit un reniflement de mépris.

— Attendez, protesta Gary, ces types sont beaucoup plus prudents que vous ne l'imaginez. Ils sont obligés, on les traîne en justice à tout bout de champ. Bon... vous m'écoutez ?

— Mais oui, je suis tout ouïe.

— Voilà comment ça s'est passé. Une femme a appelé la ligne spéciale réservée aux gens qui ont des tuyaux sur Callista Bates...

— Une ligne spéciale ?

— Eh oui... Bref, cette femme a dit : « Je l'ai vue, avec un agent immobilier de Century 21 ! » C'était une bonne femme de banlieue, vous voyez, qui fourre son nez partout.

— Je croyais que Callista habitait un immeuble du centre-ville.

— Oui, mais elle voulait acheter une belle maison dans un quartier agréable. Elle payait comptant et, d'après l'agent immobilier, l'affaire était quasiment conclue. Là-dessus, un enquêteur de l'*Enquirer* se pointe à l'agence et extorque le nom de Williams à la réceptionniste. Après quoi il fonce aux Fontaines et frappe à la porte de notre amie. Toc, toc, toc ! Qui est là ? C'est l'*Enquirer* ! Et voilà pourquoi elle a pris la poudre d'escampette.

— Une histoire passionnante. Mais je vous repose la question :

comment pouvez-vous être certain qu'il s'agissait de Callista Bates ?

— L'enquêteur — il s'appelle Michael Finley — l'a photographiée. Il l'a surveillée un moment avant de se présenter chez elle. J'ai vu les clichés. D'accord, elle a les cheveux bruns, une coupe différente, des lunettes. Mais c'est très ressemblant, je vous assure.

— Une ressemblance ne suffit pas.

— Finley m'a garanti que c'était Callista Bates.

— Et quelle preuve a-t-il ?

— Il s'est procuré son numéro de Sécurité sociale, il a fait quelques recherches et découvert que Callista Bates était son nom de scène, inventé par son agent. Seulement, pseudonyme ou pas, elle devait s'acquitter des cotisations sociales, comme n'importe qui.

— Alors, tout le monde pouvait se renseigner sur son compte et savoir qui elle était ?

— Pas vraiment, et d'ailleurs à cette époque elle ne se cachait pas. Son agent la payait par l'intermédiaire d'une société, il n'avait jamais affaire à elle directement. Pour sa comptabilité et ses déclarations fiscales, elle se débrouillait seule. Par conséquent, à mon avis, ces informations sont demeurées confidentielles.

— Résumons-nous. Elle s'appelle donc...

— Marie Williams.

— Au début de sa carrière d'actrice, elle a pris le pseudonyme de Callista Bates.

— Et quand elle a quitté la Californie, elle a repris son vrai nom : Marie Williams. Elle s'est donné un mal de chien pour brouiller les pistes, ajouta Stoykavich après une pause. C'est un caméléon, cette fille. Une comédienne fabuleuse.

— Qu'est-il advenu de Finley ?

— Oh, ne vous inquiétez pas pour lui, il se porte comme un charme. Il a toujours son os à ronger, et il en vit grassement. Les restaurants favoris de Callista, les refuges de Callista... Vous voyez le genre.

Lassiter sentit une bouffée de panique lui monter à la gorge. Il entendait déjà les présentateurs de télé : *Un tueur en série traque Callista et son enfant !* On programmerait une émission spéciale ; on montrerait Riordan dans son bureau, un dossier ouvert devant lui, bataillant avec ses téléphones ; on s'attarderait sur le visage ravagé de Grimaldi ; on ferait défiler des photos de petits garçons égorgés, de mères assassinées, de maisons en flammes. Et on lancerait un appel à témoins : *Composez le numéro qui s'affiche sur l'écran ! Aidez-nous à la retrouver avant eux !*

— Dites-moi, Gary... Qu'avez-vous raconté exactement à ce journaliste ? Avez-vous prononcé mon nom ?

— Non, bien sûr que non. J'ai prétendu avoir été engagé par une association de femmes victimes de harcèlement. J'ai également dû allonger deux cents dollars pour qu'il consente à desserrer les dents.

Lassiter réfléchit un instant.

— Très bien, mais... je ne sais pas trop où tout cela va nous mener. Il me semble que si on n'a pas réussi à la retrouver jusqu'ici...

— Ce sera encore plus difficile maintenant. Je suis d'accord avec vous, toutefois nous avons quelques pistes. D'après le gardien, elle travaillait comme bénévole à la bibliothèque. Et elle était enceinte. Peut-être a-t-elle suivi des cours d'accouchement sans douleur. Je pourrais vérifier.

— Oui, pourquoi pas ? Au fait, donnez-moi le numéro de téléphone du journaliste. Finley, c'est ça ?

Stoykavich s'exécuta.

— Si vous appelez Finley, cramponnez-vous à votre portefeuille, il est gourmand ! conclut-il, et il éclata d'un rire pareil à un roulement de tonnerre.

Callista Bates.

Joe ne savait trop s'il fallait se réjouir ou se désoler. Qu'elle eût décidé de disparaître de la circulation lui compliquait évidemment la tâche, mais la rendait moins vulnérable. S'il ne parvenait pas à la retrouver, les tueurs ne le pourraient pas non plus.

Il se leva pour s'approcher de la baie vitrée. Le crépuscule tombait, il faisait si froid que la neige avait cessé. Derrière le Pentagone, le ciel était d'un bleu de saphir et d'une transparence presque surnaturelle. Le dôme illuminé du Capitole se découpait avec tant de netteté qu'il évoquait ces objets d'ivoire ciselé vendus dans Chinatown. Un fin croissant de lune se perdait au milieu des étoiles étincelantes, reflets de l'univers infini.

Lassiter poussa un soupir ; il se sentait beaucoup mieux. Peut-être Callista Bates était-elle encore en vie.

L'interphone sonna.

— Vous avez une visite, lui dit Victoria d'un ton nettement réprobateur.

— Qui est-ce ?

— Un certain Buck.

Chapitre 32

L'homme qui franchit le seuil paraissait âgé d'une quarantaine d'années. Moins grand que Lassiter, il avait le teint olivâtre, des cheveux coiffés en catogan et, en guise de cou, un triangle de chair dont ses épaules formaient la base. Dans un mauvais film d'action, il aurait été idéal pour tenir le rôle du méchant.

— Je suis Buck, dit-il en tendant la main.

— Merci d'être venu.

— Ça vous ennuie si je jette un coup d'œil ?

— Je vous en prie.

Nonchalant, le garde du corps fit le tour du bureau, enregistrant tous les détails.

— Qu'est-ce qu'il y a, là-dedans ?

— La douche.

Buck ouvrit la porte et passa la tête dans le cabinet de toilette.

— C'est bien, dit-il.

Puis il se campa devant la baie vitrée, étudia la rue un long moment avant de baisser les stores. Il se retourna et fouilla à nouveau la pièce d'un regard parfaitement indifférent.

Enfin, satisfait, il se posa sur le bord du fauteuil, près de la cheminée, et fit craquer ses doigts.

— Terry m'a déjà briefé, vous pouvez donc reprendre votre travail. Je me contenterai de... surveiller.

Sur quoi, il sortit un livre de son attaché-case — un manuel de japonais — et se mit à lire.

Retournant à ses documents, Lassiter acheva de les trier. D'un côté les papiers concernant les travaux scientifiques de Baresi, de l'autre ceux qui se rapportaient à ses études théologiques. Quand il eut terminé, à cinq heures et demie, il pria Victoria de lui passer la jeune femme du service de recherche.

— Vous croyez qu'elle est encore là ?

— Certainement, mais... c'est qui, ce type ? demanda la secrétaire avec un petit rire.

— Buck ? Ma baby-sitter.

Le dénommé Buck ne daigna pas lever les yeux de son bouquin.

— Oh... un gorille ? souffla Victoria, manifestement très excitée. Ça alors... Bon, j'appelle Deva Collins.

Quelques secondes après, Lassiter avait la jeune enquêtrice en ligne.

— J'ai besoin d'un indic, lui dit-il.

— Pardon ?

Deva ne maîtrisait pas encore le jargon de la maison. Au début d'une enquête, il n'était pas rare qu'on fasse appel à un journaliste ou parfois un universitaire — un « indic », selon l'expression de Judy —, qui servait en quelque sorte de cicérone aux enquêteurs et les familiarisait avec le domaine qu'ils auraient à explorer : l'industrie du vêtement, la métallurgie, etc. Dans l'immédiat, expliqua Lassiter, il cherchait quelqu'un qui puisse lui parler de génétique dans un langage simple.

— Oui, bien sûr. Je vous trouverai quelqu'un.

— Parfait. Quant à vous, vous pourriez peut-être m'aider en ce qui concerne la théologie. Je me noie dans les documents, je ne m'en sors pas.

Elle émit un gloussement nerveux.

— Mais je... je ne suis pas une spécialiste...

— Peu importe.

— Eh bien... j'essaierai. Vous voulez un mémo ?

— Pourquoi ne pas en discuter ?

— Oh non, dit-elle, affolée. Je préfère rédiger mes exposés, ça me permet de mieux structurer mes idées.

Il la remercia et lui demanda de charger l'un de ses collègues du service d'élaborer un dossier sur Callista Bates.

— D'accord, marmonna-t-elle sans conviction.

Mais la curiosité la tenaillait.

— C'est pour une autre affaire ?

— Non, répondit-il après une hésitation.

— Bon... vous aurez le mémo demain soir. Cela vous convient-il ?

— Ce serait formidable, assura-t-il avant de raccrocher.

Buck tourna une page de son manuel.

— Callista Bates... ça, c'était une belle nana, dit-il.

Une heure après, Lassiter se casait tant bien que mal sur le siège inconfortable d'une Buick grise, garée devant l'immeuble.

— Dès demain, vous aurez Pico comme chauffeur, dit Buck. Il est amoureux de ce bolide. Moi, j'ai peur d'appuyer sur l'accélérateur. Le moteur est une vraie bombe.

Tout en traversant le Potomac gelé, Buck lui décrivit en détail les particularités de la voiture. Extérieurement, elle paraissait normale, mais, par rapport au modèle standard, l'habitacle était exigu et si bien insonorisé que Lassiter en avait les oreilles qui bourdonnaient. On avait, expliqua Buck, sacrifié une partie de l'espace intérieur pour installer un blindage, ainsi que pour équiper la Buick d'un énorme réservoir d'essence et de mécanismes hydrauliques capables de surélever le châssis s'il fallait rouler hors des routes.

— J'ai l'impression d'être James Bond, bougonna Lassiter.

Buck esquissa un sourire.

— Tous les clients disent ça.

Ils s'arrêtèrent d'abord pour acheter un pack de bières puis dans un vidéoclub pour louer deux films de Callista Bates. Quand ils arrivèrent au Comfort Inn, tandis que Buck se rendait à la réception, Lassiter attendit dans la voiture — avec le sentiment d'être enfermé dans un coffre-fort.

Enfin, Buck revint, marchant avec précaution sur le sol verglacé, et s'engouffra dans la Buick.

— Je me suis arrangé pour avoir deux chambres communicantes et un magnétoscope.

Il alla se garer derrière l'hôtel et obligea Lassiter à gagner le troisième étage par l'escalier de service.

— On aurait quand même pu descendre au Willard, grommela Joe.

Buck secoua la tête.

— Nous sommes beaucoup mieux ici. Si on veut mettre la

main sur Joe Lassiter, on ne le cherchera pas au Comfort Inn. En tout cas, on ne commencera pas par là.

Leurs chambres se trouvaient au bout du couloir. Plutôt spacieuses et bien meublées, elles offraient une vue panoramique sur l'autoroute 95.

— J'ai négocié le prix, dit Buck avec fierté. Soixante-quatre dollars la nuit, TVA et petit déjeuner compris !

Il s'approcha des fenêtres et tira les rideaux.

— Dans les établissements de ce type, les conditions de sécurité sont excellentes. Ils bouclent les portes à minuit, ensuite il faut sonner pour entrer. Et il y a un vigile armé dans le hall. Alors qu'au Willard, ils n'ont qu'un portier.

Le garde du corps haussa les épaules.

— Comme si un portier pouvait servir à quelque chose...

Lassiter s'étendit sur le lit, prit les vidéocassettes et lut le texte imprimé au dos.

La voie royale — comédie — 114 minutes, 1987. Callista Bates, Matthew McBride.
Harvard est en effervescence : des étudiants mijotent une opération boursière qui doit assurer leur fortune.
« Callista Bates maîtrise à la perfection la mécanique du rire. Elle mérite un coup de chapeau » *(New York Times)*.
« On se tord de rire ! » (Siskel & Ebert).

Suivait une courte pub : *Si vous avez aimé ce film, vous apprécierez sans doute* Un poisson nommé Wanda. *Disponible dans tous les vidéoclubs.*

Lassiter reposa la cassette et s'empara de la deuxième.

La Fille à l'harmonica — science-fiction — 127 minutes, 1986.
La célèbre légende du joueur de flûte, située à notre époque et dans la ville de Hamlin (Ohio). Callista Bates — nominée aux oscars pour ce rôle — incarne Penny, une zonarde punk qui, grâce à son harmonica, sauve la ville d'une invasion de rats porteurs d'un virus mortel. Mais les membres du conseil municipal ne tiendront pas la promesse faite à Penny. Ils s'en repentiront amèrement.
« Epoustouflant » *(New York Daily News)*.
« Terrifiant ! » *(Première)*.
« Callista est irrésistible. Tout le monde a envie de la suivre ! » *(Rolling Stone)*.

Lassiter se souvenait de ce film, qu'il aurait voulu voir lors de sa sortie. Il avait suivi la cérémonie des oscars en compagnie de... comment s'appelait-elle ? Gillian. Elle avait d'adorables fossettes et des seins d'un blanc nacré. Qu'était-elle devenue ?

L'émission était d'un ennui mortel, mais Gillian avait insisté pour la regarder. Il avait cédé de mauvaise grâce et enduré des heures de discours oiseux, de remerciements mielleux et de musique insipide — une soirée d'autant plus affligeante que Gillian repoussait obstinément ses caresses. Elle était scotchée au canapé et faisait des bonds chaque fois que l'un de ses favoris entrait en lice. Quand on avait enfin remis le prix de la meilleure actrice, la caméra avait accompagné la lauréate qui montait sur scène, puis s'était à nouveau braquée sur Callista Bates. Gillian était révoltée de sa défaite, mais elle avait adoré (comme Lassiter et tous les autres téléspectateurs) la réaction de Callista : fixant un regard pétillant de malice sur la caméra, elle avait porté un harmonica à ses lèvres. Penny se vengerait, semblait-elle dire.

Au bout du compte, il n'avait jamais vu le film. Cette année-là, il fondait sa société. Il cherchait des bureaux, engageait des collaborateurs à tour de bras et travaillait comme un forcené, seize heures par jour. Il ne conservait de 1986 et de Gillian que des bribes de souvenirs.

Buck décrocha le téléphone pour commander des pizzas à un restaurant voisin qui se vantait de posséder un « authentique four à bois » et de livrer à domicile.

— Appelez-moi de la réception, je descendrai chercher la commande. Et n'oubliez pas les salades.

Puis Buck téléphona à Pico et Chaz — les deux autres membres de « l'équipe » qui surveillaient la maison de Lassiter à McLean. Ils échangèrent quelques mots et, tout à coup, Buck laissa échapper un rire flûté des plus surprenants.

— Non, dit-il, rassure-toi. Bon, je vous rappelle demain matin.

Il reposa le combiné et se tourna vers Lassiter.

— Vous vivez à la campagne ?

— Non, pas vraiment. Pourquoi ?

— Pico a vu un cerf, ça lui a flanqué une trouille bleue. Vous savez ce qu'il m'a demandé ? pouffa Buck.

Joe secoua la tête.

— Il m'a dit : Ça mord, ces bêtes-là ?

Ils s'installèrent sur le divan pour regarder *La Voie royale* et déguster leur dîner. La bière était bien fraîche, la salade croquante à souhait et la pizza scandaleusement bonne.

Quant au film, il était hilarant — une réussite qui aurait pourtant pu, avec un réalisateur moins habile et des acteurs moins doués, tourner au désastre.

Tout reposait sur Callista. Avec un sens fabuleux du comique, elle tirait le maximum d'un rôle banal, à la limite du cliché, et incarnait, au lieu de la traditionnelle blonde nunuche, une petite maligne qui jouait les dindes pour parvenir à ses fins.

Buck semblait connaître le film par cœur, et assenait à Lassiter de grands coups de coude dès que s'annonçait une scène particulièrement drôle. Vers la moitié du film, il manqua lui casser une côte.

— Vous allez voir, c'est génial !

Vêtue d'un tailleur noir et coiffée d'une toque agrémentée d'une voilette, Callista se détachait d'un groupe de personnes réunies dans un salon funéraire, pour s'avancer vers le cercueil ouvert, entouré de fleurs, où gisait son complice prétendument mort. Elle s'agenouillait et commençait à prier. Mais, dans le plan suivant, on la voyait se quereller à voix basse avec le « défunt ».

— Donne-moi la clé, commandait-elle.

— Je ne peux pas bouger !

— Alors dis-moi dans quelle poche tu l'as mise. Je vais la prendre.

— Et après tu me laisseras ici. Merci bien !

Au grand dam de l'entrepreneur des pompes funèbres et de l'assistance, Callista fouillait frénétiquement le mort.

— Si tu ne me files pas cette fichue clé, je te tue !

— Tu ne peux pas me tuer, ripostait le défunt en se redressant sur un coude. Je suis déjà mort ! Ah, tu es bien attrapée, ma vieille !

Là-dessus, l'entrepreneur des pompes funèbres tombait dans les pommes, Callista s'emparait de la clé et...

— Attendez ! s'exclama Lassiter en saisissant la télécommande pour arrêter la cassette et revenir en arrière.

— Oh, mais qu'est-ce que vous fabriquez ? protesta Buck. On arrive au moment le plus tordant.

Lassiter le fit taire d'un geste et, soudain, Buck parut comprendre qu'il ne regardait pas le film dans le simple but de s'amuser.

— Je vais boire un coup, dit-il, vexé. J'essaierai de rapporter des glaçons.

Lassiter opina distraitement, tripotant la télécommande pour retrouver la séquence qui l'avait frappé. Quand le visage de Callista, dissimulé par la voilette, apparut sur l'écran, il appuya sur le bouton « pause ».

Il ne s'était pas trompé. Cette femme assistait aux obsèques de Kathy et Brandon.

Callista Bates...

La scène lui revenait, les images défilaient dans son esprit comme sur un écran. Les deux cercueils de bois verni, posés côte à côte près de la fosse et couverts de roses blanches.

Lassiter se tient à l'écart, prêt à recevoir les condoléances des amis et relations venus rendre un dernier hommage à Kathy et Brandon. Une inconnue s'avance vers lui, une femme blonde, séduisante, vêtue de noir et coiffée d'un chapeau démodé, orné d'une fine voilette.

Il a l'impression de l'avoir déjà vue, mais ne parvient pas à la situer. Peut-être une voisine de Kathy, ou la mère d'un camarade de Brandon. Son petit garçon doit avoir le même âge que Brandon, il a les cheveux noirs et bouclés, le teint mat des Méditerranéens. Lassiter se sent gêné de ne pas se rappeler le nom de cette femme, il lui demande s'ils se sont déjà rencontrés. « Non, répond-elle. J'ai connu votre sœur en Europe. »

D'un geste brusque, il éteignit la télévision et essaya de réfléchir. Elle s'était certainement présentée, mais il avait beau fouiller sa mémoire, son nom ne lui revenait pas. Rien à faire.

Soupirant, il se rassit sur le divan et ouvrit une canette de bière. Callista Bates, Marie Williams... quel que fût son nom, elle était encore vivante au mois de novembre, ainsi que son fils. Avaient-ils été épargnés, et si oui, où se cachaient-ils ?

Buck reparut bientôt, un seau à glace dans les mains. Ils terminèrent leur pizza et le pack de bières, regardèrent ensemble le journal télévisé, après quoi Buck se retira dans ses appartements.

— Je vais me coucher. Salut, bonsoir.

Lassiter esquissa un sourire. *Salut, bonsoir.* C'était la formule de Woody, au temps de leur jeunesse.

Pourquoi pensait-il brusquement à Woody ? Une idée lui trottait dans sa tête sans toutefois parvenir à sa conscience.

Décidément, il était perturbé. Quelque chose le tracassait —

371

un autre détail en rapport avec Callista, *alias* Marie Williams — mais il n'arrivait pas à mettre le doigt dessus.

Et tout à coup, alors qu'il s'allongeait sur le lit, le déclic se produisit. Se redressant d'un bond, il saisit son attaché-case et en sortit le rapport de solvabilité concernant Marie Williams. Il relut la dernière page : *Demandes de renseignements : 19/10/95 — Allied National Products (Chicago).*

C'était à l'Embassy de Chicago que Grimaldi avait loué une chambre, sous le nom de Juan Guttierez. Et la demande avait été faite deux semaines avant l'assassinat de Kathy.

Cela ne prouvait pas que Grimaldi en fût l'auteur — après tout, Lassiter passait par une agence de Miami pour se procurer des informations. Cependant... si Grimaldi ou ses acolytes cherchaient Marie Williams, ils avaient peut-être commencé par réclamer un rapport de solvabilité, afin d'obtenir les numéros de ses cartes de crédit, ce qui leur permettrait de suivre sa piste. Mais Marie Williams fuyait le monde, elle s'était débarrassée de ses cartes de crédit — et ce geste lui avait probablement sauvé la vie.

Pico, le chauffeur — un Cubain séduisant et taciturne — les conduisit au bureau en un temps record ; malgré les congères et le verglas, il pilotait la Buick avec la maestria d'un Michael Jordan fonçant vers le panier du camp adverse.

Tandis que Buck s'installait dans le box de la secrétaire et mettait la pauvre Victoria dans tous ses états, Lassiter appela le service de recherche. Il voulait, expliqua-t-il, un rapport de solvabilité sur Kathleen Anne Lassiter.

Il y eut un silence stupéfait à l'autre bout du fil.

— Mais c'est votre...

— Oui, effectivement.

— Bon... je m'en occupe tout de suite.

Puis il téléphona à Woody, au ministère des Affaires étrangères.

Il avait quand même fini par comprendre pourquoi, la veille, il avait tout à coup songé à Woody. En réalité, c'était à l'un de ses frères qu'il pensait. Andy ou Gus. Ou Oliver, il ne savait plus.

Lorsqu'ils faisaient leur études à St. Alban, la famille de Woody défrayait la chronique. On la considérait comme un phénomène de foire, car elle comptait onze enfants, sept garçons et quatre filles — du jamais vu dans les écoles privées de Washington, si bien que partout où passaient les Woodburn, on chuchotait dans leur dos : « Ils ont onze enfants ! Et ils ne sont même pas catholiques ! Vous vous rendez compte ? C'est incroyable ! »

On lui passa immédiatement Woody qui, en reconnaissant sa voix, déclara tout à trac :

— Je n'ai pas le temps de te parler, je suis en réunion.

— Ce n'est pas toi qui m'intéresses, je voudrais contacter ton frère.

— Lequel ? En principe, les devinettes m'amusent, mais là...

— Le journaliste.

— Gus ? Eh bien, tu vois, je n'aurais pas deviné. Attends, je te donne son numéro.

Augustus Woodburn, rédacteur en chef du *National Enquirer*, s'avéra beaucoup plus difficile à joindre que son frère, lequel dirigeait pourtant l'un des services les plus occultes du gouvernement américain. Lassiter ne réussit pas à forcer le barrage des secrétaires et dut se contenter de leur promesse : on transmettrait son message au patron.

Gus avait toujours eu la passion du journalisme. Il avait créé la *Gazette* de St. Alban, puis signé des piges pour le *Post* et pour le journal universitaire de Yale. Durant sa dernière année d'études, il s'était marié avec une championne de ski qu'il avait suivie en Floride. C'est à cette époque-là que l'*Enquirer* lui avait offert un poste.

Dès lors, il aurait pu devenir le mouton noir de la famille. Mais le clan Woodburn prônait la tolérance et, ainsi que le disait Woody : « On n'imagine pas les relations qu'a ce gamin. »

Lassiter se souvenait de l'avoir vu à la télévision, un soir qu'il zappait à la recherche d'une émission intéressante. Gus participait à un débat houleux — sur la déontologie des médias — entre d'éminents journalistes, arbitré par un présentateur qui, à coups de sarcasmes, s'ingéniait à mettre de l'huile sur le feu.

A l'évidence, on avait invité Gus pour le jeter en pâture à ses vertueux confrères de *Harper's*, du *Washington Post*, du *Times* et autres. Mais Gus était séduisant, il avait une trentaine d'années, des yeux bleus et perçants, des traits énergiques. Il leur avait sans difficulté volé la vedette. Sommé de s'expliquer sur « le caractère sordide de la presse qu'il représentait », il avait allégrement volé dans les plumes de l'establishment.

D'un ton mesuré et aimable, il avait rappelé à ses chers confrères que l'*Enquirer* devait son chiffre d'affaires à la vente de ses exemplaires, et non aux encarts publicitaires pour les fabricants de tabac ou de spiritueux. Quant au contenu du journal, Gus admettait que l'*Enquirer* ne remporterait jamais le prix Pulitzer — qui, par parenthèse, avait beaucoup perdu de sa crédibilité à la suite de scandales fâcheux. Ce dernier point l'amenait d'ailleurs à poser la question de l'éthique journalistique. Il s'interrogeait en effet sur l'objectivité de certains articles, par exemple sur le programme de santé publique, lorsque l'auteur desdits articles touchait trente mille dollars de l'American Medical Association pour donner une conférence. « Nos collaborateurs, avait-il conclu, ne donnent pas de conférences. Et même s'ils le faisaient, nous n'en rendrions pas compte dans les colonnes de l'*Enquirer*. »

A la fin de l'émission, le public s'était levé pour ovationner Gus.

Deux heures allaient sonner lorsqu'il rappela. Lassiter entreprit de lui expliquer qui il était, mais le frère de Woody lui coupa la parole.

— Je me souviens de toi. Quand j'étais en deuxième année et que tu passais ton diplôme, Elizabeth Goode m'a plaqué pour sortir avec toi.

— Désolé...

— Oh, je m'en suis remis. Mais j'avoue que ton coup de fil m'a surpris. Qu'y a-t-il pour ton service ?

Gêné, Lassiter demanda s'il pouvait compter sur sa discrétion. Gus éclata de rire.

— On me pose cette question dix fois par jour. Oui, tu peux compter dessus. Parole de scout.

— Il s'agit de Callista Bates.

— Mon actrice préférée. Et alors ?

— Je la cherche.

— Tu n'es pas le seul. Il n'y a guère qu'Elvis pour exciter à ce point les esprits, tu n'imagines pas le nombre de tuyaux percés qu'on nous refile à propos de Callista. Note que, pour ma part, j'espère qu'on ne la retrouvera pas. Si elle revenait dans le circuit,

374

on en parlerait pendant une semaine, et ensuite elle ne serait plus qu'une actrice comme les autres, occupée à courir le cachet. Elle ne nous ferait plus vendre un seul exemplaire.

Sur le ton de la plaisanterie, Lassiter l'assura que, s'il retrouvait Callista, il n'ébruiterait pas la nouvelle. Il expliqua qu'il s'intéressait à elle pour des raisons personnelles et ne pouvait malheureusement pas en dire plus. Si le journal avait des informations valables, des pistes...

— Je suis flatté, l'interrompit Gus. Qu'un investigateur de ton envergure s'adresse à un journaliste comme moi... Mais, pour être franc, je crois que depuis son départ de Minneapolis, nous n'avons rien eu de consistant à nous mettre sous la dent. Or ça remonte à... combien ? Cinq ou six ans ?

— Oui... Eh bien, si jamais tu as vent de quelque chose...

— On ne sait jamais. Nous avons un collaborateur qui s'est fait une spécialité de Callista Bates et...

— Finley ?

— Tu l'as déjà contacté ?

— L'un de mes enquêteurs lui a parlé.

— J'espère qu'il a été discret, parce que Finley est un vrai requin. Bon, voilà ce que je te propose : je vais demander à ce qu'on vérifie les archives et les messages que nous recevons sur notre ligne spéciale, sous prétexte de faire une mise à jour. Je chargerai Finley de ce travail, ça l'occupera. Et s'il y a quelque chose d'intéressant, je te rappellerai.

— Merci, Gus. Je te revaudrai ça.

— Je te signale que tu as deux dettes envers moi. N'oublie pas Elizabeth Goude.

Dans l'après-midi, on lui transmit le rapport de solvabilité concernant sa sœur. Le document comprenait six pages, mais Lassiter ne lut que la dernière, où étaient notées les diverses demandes de renseignements. C'était écrit noir sur blanc. *19/10/95 — Allied National Products.*

Voilà qui confirmait ses soupçons. Le 19 octobre, l'officine de Chicago s'était renseignée à la fois sur Marie Williams et sur Kathy. Il s'agissait forcément de Grimaldi.

Pensif, il tambourina sur la table, puis appela le service de recherche.

— Il me faut l'extrait de naissance de Marie A. Williams, née le 8 mars 1962 dans le Maine, je ne sais pas où exactement. Voyez si, à Augusta, il n'y aurait pas un bureau de recensement. Qu'ils nous faxent toutes les informations dont ils disposent.

On lui communiquerait au moins le lieu de naissance et le nom des parents. Callista avait peut-être conservé des liens avec eux ou avec ses amis d'enfance. Cela pouvait en tout cas lui fournir une piste.

Que faire, maintenant ? Gary Stoykavich enquêtait à Minneapolis, Gus Woodburn fouillait les archives de l'*Enquirer*, Deva Collins planchait sur les études théologiques de Baresi. Lassiter n'avait plus qu'à attendre.

Il en était là de ses réflexions, quand l'un des jeunes enquêteurs du service de recherche l'appela.

— Je voulais vous dire que les gens de Katz et Djamma se mettent en quatre pour nous aider...

— Qu'est-ce que c'est que ça ?

— L'agence de relations publiques qui s'occupait de Callista Bates.

— Ah... ils sont bien aimables de nous donner un coup de main.

— Ils sont très motivés. C'est qu'il y a beaucoup d'argent à la clé, vous comprenez. Tristar voudrait engager Callista pour tourner une biographie de Garbo et, d'après Nicky Katz, le cachet serait faramineux. Bref, je leur ai promis que, si nous découvrions quelque chose, nous les tiendrions au courant.

Lassiter passa le reste de l'après-midi à naviguer d'un bureau à l'autre, d'une réunion à l'autre, discutant avec ses associés et épluchant avec les avocats les contrats afférents à la vente de l'agence. Buck le suivait comme une ombre, attentif et silencieux. A en juger par les regards inquiets qu'on lui lançait, le garde du corps mettait tout le monde mal à l'aise, pourtant Lassiter ne se donna pas la peine d'expliquer les raisons de sa présence. La situation commençait à l'amuser.

Il était éreinté lorsque, vers six heures, Deva Collins pénétra dans son bureau et, d'un geste théâtral, posa un dossier sur la table.

— Et voilà !

— Qu'est-ce que c'est ?

Cette question la laissa pantoise.

— Mon... exposé, bredouilla-t-elle.

Comme il levait vers elle un regard interrogateur, elle rougit jusqu'aux oreilles.

— Sur Ignazio Baresi... ses écrits théologiques...

— Ah oui, dit-il en se frottant les yeux. Oui, formidable.

Son enthousiasme sonnait faux. De fait, il n'avait qu'une envie : rentrer chez lui, boire un verre et regarder les films de Callista Bates avec son copain Buck.

En réalité, l'essentiel pour lui à présent était de retrouver Callista et son enfant. Morts ou vifs. Ensuite, il reprendrait sa quête de la vérité, il essaierait de résoudre le mystère, de comprendre pourquoi et comment Baresi était impliqué dans cette histoire.

Mais la jeune femme qui se tenait devant lui avait travaillé dur, il ne sentait pas le droit de faire fi de son mémo. Résigné, il ouvrit le rapport à la première page et, le menton dans les mains, commença à lire. *Ignazio Baresi (1927-1995)* — A. *Biographie et bibliographie.*

Lassiter parcourut rapidement ce chapitre. A trente-sept ans, Baresi s'était inscrit à la Sorbonne pour suivre des cours de philosophie et de théologie. L'année suivante, il continuait ses études en Allemagne, à l'université de Münster. Puis en 1980, après avoir enseigné durant quelques mois à l'Institut de théologie de Harvard, il renonçait subitement au professorat pour rentrer en Italie.

Suivait une liste chronologique des publications de Baresi que Lassiter survola, relevant distraitement quelques titres : *L'Essence humaine du Christ : doctrine ou réalité historique ?* (1974) ; *Culte de la déesse et culte marial* (1977)... La bibliographie s'achevait avec *Relique, totem et divinité,* l'unique ouvrage de Baresi publié en 1980.

B. *Herméneutique et christologie.* Deva présentait ces disciplines qui depuis le XIXᵉ siècle, expliquait-elle, avaient évolué vers la critique historique. Les exégètes s'efforçaient en effet de déterminer ce qui, dans les évangiles, relevait du mythe et du dogme, et ce qu'on pouvait considérer comme une « vérité démontrable ». Pour résumer, et bien qu'on mît en œuvre des méthodes analytiques de plus en plus sophistiquées, on s'interrogeait toujours sur la véracité des textes sacrés relatant la vie et la mort de Jésus.

C. *L'œuvre de Baresi.* Dans sa thèse de doctorat, Baresi analysait l'évolution de la doctrine, liée selon lui à des facteurs historiques. Il expliquait comment le dogme de l'incarnation du Christ avait été élaboré en son temps dans le but de contrer le docétisme — les hérétiques docètes affirmant que le corps du Christ n'était qu'une apparence. Les évangélistes, pour leur part, ne s'attardaient guère sur la naissance de Jésus ni sur ses souffrances physiques. L'art sacré témoignait également de cette évolution doctrinale : du IVe au VIIe siècle, on était passé du Christ en gloire au Crucifié montrant ses plaies.

Après ce premier essai, qui s'inscrivait dans la tradition des études théologiques, Baresi avait radicalement changé de cap. En préambule à sa deuxième publication, il avouait se désintéresser des questions de critique biblique et disait en substance : « Alors que mes honorables confrères s'attachent à rechercher la quintessence du christianisme, je préfère me pencher sur la pérennité de la foi. »

Il exposait dans cet article sa théorie sur le syncrétisme de la religion chrétienne ; l'Eglise avait, au cours de son histoire, absorbé des éléments d'autres croyances, et cette capacité d'assimilation faisait sa force. Si elle voulait continuer à prospérer, elle devait rester ouverte aux influences extérieures.

Sa démonstration s'articulait autour de plusieurs thèmes. Il expliquait notamment que l'avènement de l'art religieux était dû à l'expansion géographique du christianisme qui, né en Palestine, avait ensuite gagné Rome. Il y avait supplanté l'art païen, omniprésent dans l'Empire romain, car les chefs de l'Eglise avaient compris qu'il constituait un formidable outil de propagande, apte à soutenir l'essor de la foi.

Selon Baresi, on retrouvait dans la religion chrétienne des caractéristiques liées à l'animisme et au culte des ancêtres : par exemple, les pèlerinages aux lieux saints, devenus monnaie courante dès le IVe siècle. De même, la dévotion mariale — alors que les évangiles n'accordaient pas une place prépondérante à la Vierge Marie — rappelait le culte voué jadis aux déesses-mères. On pouvait admettre que Marie fût la variante chrétienne de figures primitives, comme Ishtar et Cybèle. Quant à l'allégorie de l'étoile apparue dans le ciel pour annoncer au monde la naissance du Sauveur, elle évoquait des traditions religieuses fondées sur l'adoration de dieux solaires comme Mithra.

Dans son livre *Relique, totem et divinité*, Baresi étudiait le développement du culte des martyrs et des saints, ainsi que la croyance populaire dans le pouvoir des reliques — vraisemblablement issus des systèmes animistes et totémiques.

Mais totems et fétiches différaient des reliques en ceci que, s'ils conféraient de la puissance à leurs possesseurs, ils n'étaient que des symboles ; les reliques, en revanche, étaient des fragments on ne peut plus concrets, prélevés sur la dépouille des saints, ou des objets sanctifiés par le contact de leur chair.

Baresi associait le totémisme et la vénération des reliques à des rites primitifs — qui incitaient par exemple le chasseur à boire le sang du lion qu'il venait de tuer dans l'espoir d'acquérir sa force. De même les cannibales buvaient le sang et mangeaient la chair de l'ennemi vaincu pour s'approprier son esprit et sa bravoure. Baresi mettait en perspective le pouvoir totémique, dans de nombreuses religions, des objets rituels — et montrait comment, dans certaines cultures, on avait conféré ce pouvoir à des représentations abstraites : mots, incantations, voire, comme dans le judaïsme et l'islam, lettres et nombres.

La seconde partie de l'ouvrage traitait du rôle des reliques dans la Chrétienté. La croyance dans le pouvoir magique des reliques, réputées capables de repousser les démons et de guérir les maladies, était apparue très tôt dans le monde chrétien. Dès le IXe siècle, des marchands prospères, établis à Rome, vendaient des reliques dans toute l'Europe. Au Moyen Age, il n'existait pas une église qui ne possédât, conservé dans une précieuse châsse, un fragment d'os, d'ongle ou de dent attribué à tel ou tel saint.

Les plus renommées et les plus puissantes reliques étaient celles de Jésus et de Marie. Plusieurs églises s'enorgueillissaient de détenir le prépuce de Jésus ; d'autres possédaient des brins de paille provenant de la crèche, des cheveux, une dent de lait, une parcelle du cordon ombilical. Ailleurs on gardait, dans une fiole, quelques gouttes du lait de Marie, et des éclats du rocher, devenu d'un blanc de neige, sur lequel ce lait s'était répandu.

Quant aux reliques de la Passion, elles étaient innombrables : clous, épines de la couronne (la Sainte-Chapelle, à Paris, avait été construite pour abriter la couronne d'épines dans son intégralité). On connaissait trois exemplaires de la lance qui avait transpercé le flanc du Christ, et diverses étoffes que les traits du Christ auraient « impressionnées », dont la Véronique de Saint-Pierre de Rome et le saint suaire de Turin.

Baresi analysait ensuite les miracles attribués à ces diverses reliques. Quoique les mystifications fussent flagrantes (il existait assez de morceaux de la sainte croix pour bâtir plusieurs édifices), le culte des reliques était trop ancien et instinctuel pour se laisser entamer par un raisonnement logique. Si les hommes des temps modernes admettaient sans barguigner qu'une apparition de la Vierge puisse révéler une source miraculeuse (comme à Lourdes), pourquoi leurs aïeux auraient-ils mis en doute l'authenticité des reliques de la Passion ?

Pour conclure, Baresi se penchait sur l'Eucharistie, les espèces — pain et vin — qui, selon la doctrine catholique, contiennent substantiellement le corps, le sang, l'âme et la divinité de Jésus-Christ. Il voyait dans le dogme de la transsubstantiation un héritage de croyances animistes primitives.

Au bas de la dernière page, Deva Collins avait noté :

Je me suis appuyée, pour rédiger ce résumé des études théologiques d'Ignazio Baresi, sur une thèse de doctorat présentée à Georgetown, en 1989, par Marcia A. Ingersoll. Si vous le souhaitez, je peux vous donner son adresse.

Chapitre 33

Durant la semaine qui suivit, Lassiter piétina.

D'après le sous-traitant d'Augusta contacté par le service de recherche, aucune Marie A. Williams n'était née dans l'Etat du Maine le 8 mars 1962.

— Elle a peut-être changé de nom, expliqua-t-il à Lassiter. Seulement, comme les changements d'identité ne sont pas notifiés, nous n'avons aucun recours. Et il n'est pas question de répertorier toutes les filles nées le 8 mars 1962, ne comptez pas sur moi. Par contre, j'ai essayé de chercher une Mary Williams, au cas où vous auriez mal orthographié le prénom.

— Résultat ?

— J'en ai trouvé dix-sept, dont quatre Mary A. Williams. Malheureusement, les dates de naissance ne correspondent pas.

Cette piste ne menait donc nulle part. Gus Woodburn et Gary Stoykavich, quant à eux, ne donnaient pas signe de vie. Les seules bribes d'informations que Lassiter avait réussi à glaner, il les devait à un jeune homme du service de recherche ; celui-ci avait débarqué un beau matin dans son bureau et posé devant lui une grosse boîte en carton — le « dossier » sur Callista Bates, élaboré avec l'aimable concours de l'agence Katz et Djamma : coupures de presse, vidéocassettes, photographies, articles de fanzines, scénarios, minutes du procès de l'homme qui avait failli la tuer, copies des interviews données à *Rolling Stone* et *Première*, etc.

Le jeune homme s'était excusé.

— On a essayé de structurer tout ça, mais comme on ne savait pas ce que vous cherchiez... on a opté pour le classement chronologique.

— En réalité, je ne saurai ce que je cherche que quand je l'aurai trouvé. Eh bien, je vous remercie, il ne me reste plus qu'à me plonger dans cette paperasse.

Il avait tout lu de la première à la dernière ligne, depuis les critiques vacardes parues dans *Cinéma aujourd'hui* jusqu'aux récits ébouriffants de sa vie amoureuse. Il savait combien elle avait touché pour chaque photo, et aussi qu'elle adorait la fleur de la carotte sauvage et les produits bio. Il pouvait réciter par cœur les témoignages de gens qui l'avaient aperçue dans une fumerie d'opium de Shanghai, ou dans une clinique suisse où elle se mourait d'une atroce maladie qui la défigurait, ou bien encore dans les rues de Calcutta, vêtue de l'habit des clarisses. Il savait tout de Callista Bates — hormis où elle était née, où elle habitait et comment elle se faisait appeler.

Le soir, il regardait les films de Callista en compagnie de Buck et Pico. Il y avait encore trop de neige et de verglas pour qu'il pût s'adonner au jogging, aussi passait-il des heures avec ses anges gardiens, à plat ventre sur le tapis du salon. Il rongeait son frein.

En tant qu'actrice, Callista était un caméléon — ceci expliquant sans doute qu'elle ait pu disparaître sans laisser de trace. Quel que soit le rôle qu'elle interprétait, elle donnait au spectateur le sentiment d'avoir affaire, non pas à un personnage, mais à la vraie Callista.

C'était peut-être ce qui faisait d'elle une grande actrice. Beaucoup affirmaient même qu'elle avait du génie. Néanmoins, quelle était la part, dans ce jugement, de l'illusion et du mythe ? Au fond, comme pour tant d'autres artistes morts prématurément, le public avait attendu sa disparition pour la porter aux nues.

De l'avis de Lassiter, en ce qui concernait Callista, le mythe se fondait cependant sur une indiscutable réalité. Elle possédait une incroyable présence, dont on ne prenait conscience que quand le film s'achevait. A aucun instant on ne discernait les ficelles de la comédienne — et tout à coup, après le générique de fin, on réalisait que, pendant deux heures, on n'avait pas quitté des yeux son visage.

Un matin, Victoria annonça :
— Un certain M. Coppi, de Rome, voudrait vous parler. Je vous le passe ?
Lassiter hésita, ignorant qui était ce Coppi.

382

— Bon... d'accord.

— Monsieur Lassiter ? Joseph Lassiter ? demanda une voix grave.

— Oui...

— Excusez-moi, mais... je veux être certain de m'adresser à la bonne personne. Vous avez bien séjourné récemment à la pension Aquila de Montecastello di Peglia ?

Lassiter sentit les battements de son cœur s'accélérer.

— Qui êtes-vous ? dit-il après un long silence.

— Pardonnez-moi, monsieur Lassiter, je ne me suis pas présenté. Je m'appelle Pino Coppi, je suis avocat à Pérouse.

— Oui..., fit Lassiter, qui avait toutes les peines du monde à conserver un ton neutre.

— Je... j'ai eu votre numéro de téléphone par l'un de mes amis carabinier.

— Hmm... De quoi s'agit-il ?

— Je crains d'avoir de mauvaises nouvelles à vous annoncer.

— Monsieur Coppi, je vous en prie, venez-en au fait.

L'Italien se racla la gorge.

— La police va demander votre inculpation pour les meurtres de... un instant, s'il vous plaît... ah, voilà... Giulio Azetti et Vincenzo Varese.

Lassiter en eut un haut-le-corps.

— C'est absurde ! Si j'avais eu l'intention d'assassiner Azetti, je n'aurais pas crié sur les toits que je comptais lui rendre visite ! Il était déjà mort quand je suis arrivé à l'église !

— Je ne doute pas de votre innocence, monsieur Lassiter, toutefois je vous conseillerais de ne pas développer votre système de défense au téléphone. Si je vous ai appelé, c'est uniquement pour vous signaler que vous auriez intérêt à vous faire représenter par un avocat, ici en Italie... et pour vous offrir mes services.

Lassiter inspira à fond.

— Je vous assure que j'ai les meilleures références, monsieur Lassiter. Si vous voulez vous renseigner auprès de l'ambassade...

— C'est incroyable.

— Oui, je vous accorde que c'est assez inhabituel. Normalement, la police aurait pu se montrer plus souple et accepter que vous restiez à Washington pour être interrogé, mais là... je sais que, sitôt l'inculpation prononcée, on réclamera votre extradition. C'est très surprenant, je l'avoue.

— Et comment expliquez-vous ça ?

— Je n'ai pas d'explication. Peut-être ont-ils subi des pressions.

— Oui, et je devine d'où ça vient. Ecoutez, ajouta Lassiter après une pause, pour l'instant ça ne m'arrange pas du tout d'être extradé...

— Vous plaisantez, je suppose ?

— Oui, j'ai un grand sens de l'humour. Ma question est la suivante : si je vous choisis, pouvez-vous retarder la procédure ?

— Eh bien... c'est sans doute possible, mais...

— Il vous faut une avance sur honoraires.

— Eh bien... oui.

Ils convinrent de la somme, après quoi Coppi promit de tenir son client informé des moindres développements de leur affaire. Lassiter, pour sa part, s'engagea à prendre un avocat qui le représenterait aux Etats-Unis et se mettrait en relation avec son confrère italien.

Quand il eut raccroché, Lassiter renversa la tête sur le dossier de son fauteuil.

— Merde, marmonna-t-il. Merde...

Il n'avait pas épuisé son stock de jurons, lorsque Victoria entrebâilla la porte.

— Joe ?

— Oui, entrez.

Elle s'avança et lui tendit une enveloppe.

— Ça vient d'arriver du *National Enquirer.*

— Ah... merci.

Elle fit demi-tour, mais au moment de sortir, s'immobilisa sur le seuil.

— Joe ?

— Oui...

— Il m'intrigue.

— Qui donc ?

— Buck.

— Il nous intrigue tous, rétorqua Lassiter, sarcastique. Qu'avez-vous en tête, au juste ?

— Je me demandais si... il est marié ?

— Je l'ignore, nous n'avons pas abordé le sujet. Voulez-vous que je lui pose la question ?

— Non ! dit-elle en rougissant. C'est sans intérêt !

384

Sur quoi, elle se hâta de refermer la porte. Lassiter soupira et enfouit son visage dans ses mains. Cette histoire d'extradition était une catastrophe. S'il mettait les pieds sur le sol italien, il signait son arrêt de mort.

Il faut que je les prenne de vitesse. Mais comment faire ? Garde ton sang-froid, se tança-t-il. Attends la dernière extrémité, et ensuite... fonce.

Redressant les épaules, il déchira l'enveloppe qui contenait un mot de Gus Woodburn, ainsi que la photographie d'une femme souriante, accroupie devant un petit garçon dont elle boutonnait la parka. Tous deux se trouvaient devant un McDonald's. Le sol était couvert d'une épaisse couche de neige, on distinguait des voitures dans la rue et des montagnes en arrière-plan.

Lassiter étudia longuement la photo, un agrandissement d'un cliché pris avec un appareil bon marché. On la voyait de trois quarts, ses traits étaient légèrement flous.

C'est elle, pensa-t-il. Ou une femme qui lui ressemblait comme une sœur.

Non, c'était forcément elle — il reconnaissait le petit garçon, campé devant sa mère, un bonnet de ski dans une main, et un Big Mac dans l'autre. Il avait des cheveux noirs et bouclés, des yeux pareils à deux puits d'encre.

Et voilà Jesse... Il se souvenait à présent que, ce jour-là, près de la tombe de Kathy, elle lui avait présenté son fils. Elle lui avait également dit son nom. Elle s'appelait...

Rien à faire. Ce maudit nom s'était effacé de sa mémoire.

Réprimant un grognement de frustration, Lassiter lut le billet de Gus :

> Joe,
> Les spécialistes de Callista estiment qu'il s'agit bien d'elle, mais comment en être sûr ? Cette photo nous est parvenue voici environ un an, malheureusement la lettre qui l'accompagnait s'est volatilisée. Nous ignorons donc où et par qui a été pris ce cliché. J'espère quand même qu'il te sera utile. (On dirait bien qu'elle a un gosse ! L'enfant de l'amour ? Le fruit d'une liaison coupable ? Si tu découvres de quoi il retourne, n'oublie pas de m'en informer !)
> Gus.

Lassiter prit une loupe pour examiner les détails de la photographie. Manque de chance, le cadrage empêchait de voir les plaques minéralogiques des deux voitures garées sur la gauche ; on ne distinguait que la partie supérieure des véhicules.

Armé de sa loupe, Lassiter étudia les sillons qui se devinaient sur les montagnes enneigées : des pistes de ski. Quelqu'un, parmi ses quarante collaborateurs, reconnaîtrait peut-être la station.

Il appela Victoria et la pria de venir dans son bureau.

— Nous lançons un concours, décréta-t-il en lui tendant le cliché. La personne qui pourra me dire où cette photo a été prise gagnera un week-end pour deux à New York, tous frais payés.

— Et où a-t-elle été prise ?

— Si je le savais, ma chère Victoria, je n'organiserais pas de concours. A mon avis, il faudrait attirer l'attention des gens sur les pistes, en arrière-plan.

Victoria, le nez collé au document, fronça les sourcils.

— Quelles pistes ?

— Là, derrière le McDo. On les distingue nettement.

— Pour moi, le négatif a été rayé.

— Pas du tout. Un skieur verrait tout de suite que ce sont des pistes.

— Je fais du ski, et je vous garantis que ce ne sont pas des pistes.

Lassiter leva les yeux au ciel.

— Photocopiez cette photo et distribuez-la dans les bureaux. D'accord ?

— D'accord ! chantonna Victoria en tournant les talons.

Ce soir-là, Lassiter et ses anges gardiens commandèrent leur dîner à un traiteur chinois. Ils vidèrent plusieurs bouteilles de bière et, une fois de plus, regardèrent un film de Callista. Quand Joe se coucha, sa dernière pensée fut : je vais avoir besoin d'un bon avocat.

Un de plus, rectifia-t-il. Car il en avait déjà tout un bataillon qui travaillait pour l'agence. Mais, à présent, il lui fallait un spécialiste du droit criminel. Quand un homme commençait à avoir plus d'avocats que d'amis, ce n'était pas bon signe...

Le lendemain matin, sur le chemin du bureau, Lassiter demanda à Pico de s'arrêter à la teinturerie ; il avait sa veste en cuir et ses chemises à récupérer. Sur le paquet qu'on lui remit était épinglée une enveloppe. Elle renfermait la lettre de Baresi à l'abbé Azetti, constata-t-il avec stupéfaction. Dans sa fuite mouvementée de Montecastello, il l'avait complètement oubliée. Il y jeta un bref coup d'œil et la fourra dans la poche intérieure de son veston.

La Buick roulait sur l'autoroute en direction de Key Bridge. Lassiter, assis à l'arrière, lisait le *Washington Post*. Pico et Buck, à l'avant, papotaient à mi-voix. Soudain, Buck se retourna.

— Je crois que nous avons un problème, dit-il.

— Sans blague, ironisa Lassiter.

— Je ne plaisante pas. On nous file depuis deux jours.

Machinalement, Lassiter regarda par-dessus son épaule. Un bon millier de voitures les talonnaient.

— Je ne vois rien de particulier.

— Buck a raison, dit Pico. Hier soir, j'ai remarqué une bagnole près de la maison.

— Elle n'a pas bougé de la nuit.

— Et tout à l'heure, ils se sont arrêtés à la station-service en face de la teinturerie. J'ai l'impression qu'ils nous collent au train depuis hier matin.

Lassiter reposa son journal.

— Vous n'avez pas appelé les flics ? Pourquoi ?

Buck haussa les épaules.

— Ce sont les flics.

— Comment ça ?

— Ils ont des plaques du FBI, expliqua Pico. La municipalité les a fait fabriquer en bloc, les numéros se suivent. Du coup, on les repère à dix kilomètres, comme s'ils se baladaient avec une crécelle.

— Cric, cric, cric ! fit Buck.

— Attention, voilà les lépreux ! s'esclaffa Pico.

Lassiter poussa un soupir et ferma les yeux.

— Il faudrait peut-être nous dire ce qui se passe, suggéra Buck.

— J'ai des ennuis en Italie. D'où, je présume, l'intérêt que me porte la police.

Parvenus à destination, Pico gara la Buick dans le parking souterrain de l'immeuble, tandis que Buck escortait Lassiter au neuvième étage. En pénétrant dans l'ascenseur, le gorille rejeta en arrière ses longs cheveux et dit tout à trac :

— Cette Victoria, quand même... elle est rudement chouette, non ?

Sitôt qu'il fut dans son bureau, Lassiter se précipita vers la fenêtre. Une Taurus bleue s'était rangée le long du trottoir, en face de l'immeuble, sous un panneau de stationnement interdit. On ne distinguait pas les passagers de la voiture, mais un léger panache de fumée s'échappait du tuyau d'échappement. Grinçant des dents, Lassiter tira les rideaux.

Il s'asseyait à sa table quand le téléphone sonna. C'était Riordan.

— J'ai du nouveau, dit-il.

— Ah bon ? L'infirmière a parlé ?

— Non, l'infirmière ne parle pas, elle prie. Elle ne lâche pas son rosaire.

— Quoi, alors ? Vous avez retrouvé Grimaldi ?

— Non, mais je crois savoir comment il a réussi à se tirer. Et ce n'est pas réjouissant.

— C'est-à-dire ?

— On s'est procuré les factures téléphoniques détaillées du foyer d'Emmitsburg pour les six derniers mois, pour voir un peu à qui ces gens avaient téléphoné. Ça aurait pu nous mettre sur la piste de Grimaldi.

— Excellente initiative.

— C'est aussi mon avis. Bref, j'ai vérifié quelque deux cents numéros... et devinez quoi !

— Jimmy...

— Allez, creusez-vous la cervelle !

— Le foyer abritait un service de téléphone rose ?

— Pe-er-du ! claironna Riordan, imitant avec un certain talent les présentateurs de jeux télévisés. J'ai remarqué, figurez-vous, qu'ils appelaient fréquemment un particulier résidant à Potomac. Et là, vous ne devinerez jamais de qui il...

— Ne me sous-estimez pas, s'il vous plaît.

— Non, vous ne devinerez jamais. Parce que ce particulier n'est autre que notre ami Thomas Drabowsky.

— Le gars du FBI ? demanda Lassiter après un temps de réflexion.

— Tout juste !

— Vous... vous pensez que Grimaldi était en relation avec Drabowsky ?

— Non, non ! Ces appels remontent à quelques mois — août, septembre et octobre —, avant que Grimaldi n'apparaisse dans le tableau. Et ils ont cessé au moment de son arrestation.

— Et alors... ça nous donne quoi ?

— Presque toutes ces communications ont eu lieu le soir ou le week-end. Ce qui semble indiquer que notre ami avait des liens personnels avec les gens d'Emmitsburg. Vous me suivez ?

— J'essaie.

— Donc, je suis allé leur rendre visite avec Derek...

— Derek ? !

— Eh oui, Derek est de retour parmi nous. Bref, je suis allé là-bas, et je les ai interrogés un par un. Et voilà que le quatrième, un type au museau de fouine, me sort : « Oui, c'est moi qui téléphonais à Thomas. » Je lui demande ce qu'ils avaient à se raconter, tous les deux. « Nous discutions de notre programme apostolique. Le week-end, Thomas nous aide à distribuer des repas aux nécessiteux. Thomas est un saint. » Ah bon, je lui fais, mais qui est ce Thomas ? « Un membre de notre confrérie, parmi tant d'autres. » Quelle confrérie ? « Umbra Domini. » Tiens, tiens... Alors je lui dis : Et quand il ne sert pas la soupe aux pauvres, comment il gagne sa vie, votre Thomas ? « Je n'en sais rien, nous ne parlions pas de nos activités séculières. »

Riordan éclata d'un rire tonitruant.

— Un inspecteur de la Criminelle l'interroge, et lui, il répond : « Nous ne parlions pas de nos activités séculières ! » C'est dingue, non ?

Lassiter garda le silence un long moment.

— Que s'est-il passé, selon vous ?

— Je ne peux pas le prouver, mais je sais ce qui s'est passé : Grimaldi est hospitalisé, quelqu'un vend la mèche, aussi sec la Juliette se fait engager dans le service des grands brûlés du Fairfax General, elle aide son camarade à s'enfuir, et il se réfugie à Emmitsburg.

— Vous ne m'apprenez rien.

— Attendez la suite ! Sur les factures téléphoniques, j'ai relevé des communications avec l'Italie. Naples, exactement. Devinez qui ils ont appelé ?

— Je devine.

— Eh oui, Grimaldi a appelé Umbra Domini. J'ai vérifié.

— Il a pris ce risque ?

— Quel risque ? Ces gens sont membres de la confrérie, ils téléphonent à leurs supérieurs de temps en temps. Quoi de plus normal ? Moi, c'est le moment qui m'intéresse. Le premier appel a eu lieu le lendemain du jour où Grimaldi s'est carapaté de l'hôpital. Je suppose qu'il a fait son rapport à qui de droit.

— Probable.

— Le deuxième coup de fil date de quelques semaines — tout de suite après la mise en place du dispositif de surveillance. Ils ont dû repérer les voitures. Ce n'était pas très compliqué, il n'y a pas beaucoup de circulation dans ce coin-là.

— Grimadi a donc téléphoné à Naples et...

— Abracadabra ! Drabowsky reprend l'enquête, les flics en planque lèvent le camp et Grimaldi aussi.

— Que comptez-vous faire ? demanda Lassiter après un nouveau silence.

— Moi ? Je vais vous expliquer ce que je compte faire. Je vais embarquer dans la prochaine fusée en partance pour la planète Mars.

— Je parle sérieusement.

— Moi aussi. Mettez-vous un peu à ma place : dans trente-quatre jours, je suis à la retraite. Pourquoi je m'enquiquinerais avec cette histoire de merde ? Surtout que je ne peux rien prouver. Ce ne sont que des suppositions.

— Vous avez quand même les factures téléphoniques !

— Justement, ce sont des factures, pas des comptes rendus d'écoutes. On ignore ce que ces gens se sont raconté, même si on a quelques idées sur la question. Et Drabowsky ? Après tout, il est libre d'avoir des convictions religieuses. Réfléchissez deux secondes. Qu'est-ce que je peux dire contre lui ? Arrêtez cet homme, parce qu'il donne à manger aux sans-abri ? Je vois ça d'ici. D'autant que Drabowsky n'est pas précisément le flicard de base. Il fait partie des galonnés du FBI et, si on lui cherche des poux dans la tête, on est sûr d'avoir de gros ennuis. (Riordan soupira.) Et vous ? Vous n'avez rien pour moi ?

— Non... Enfin si, peut-être. J'ai une lettre... de Baresi.

— Il vous a écrit ?

— Sa lettre était adressée à un curé. Dès que je l'aurai fait traduire, je vous en enverrai une copie.

Après cette conversation, Lassiter demeura pensif, le regard dans le vide. Le FBI a les moyens de retrouver Callista Bates, se disait-il. Et si quelqu'un de chez eux veut ma peau, il a aussi les moyens de se l'offrir.

— Joe ? appela Victoria. Dick Biddle est là. Vous pouvez le recevoir ?

— Bien sûr.

Retraité du ministère des Affaires étrangères depuis cinq ans, Biddle était l'un des seniors de l'agence. Grand et mince, aristocatrique, il affichait un goût marqué pour les costumes anthracite, les cravates bordeaux et les boutons de manchette en or. En outre, il fumait comme un pompier et avait la déplorable habitude de ne jamais utiliser de cendrier, si bien que ses interlocuteurs finissaient par ne plus l'écouter, tant ils étaient hyponotisés par la cendre de sa cigarette.

Il entra dans la pièce, posa la photo de Callista sur la table, s'assit et croisa ses longues jambes. Une cigarette grillait entre ses doigts, et Lassiter nota que la cendre avait déjà deux centimètres de long. Mais comment fait-il ? se demanda-t-il.

— J'ai toujours aimé le Lowell, dit Biddle, mais il paraît que le Peninsula est très bien aussi. Les deux me conviennent.

Comme Lassiter le dévisageait d'un air interrogateur, Biddle, en aspirant une bouffée de tabac, ajouta :

— Le week-end à New York... j'ai gagné le concours.

— Vous savez où cette photo a été prise ?

— Tout à fait.

— Et vous pouvez me dire où ?

— Absolument. Elle a été prise quelque part dans le Maine.

— Dans le Maine, répéta Lassiter, estomaqué. C'est un peu vague, non ?

Biddle esquissa un sourire.

— Sunday River ou Sugarloaf. L'un ou l'autre.

Il tira à nouveau sur sa cigarette ; la cendre frémit mais ne tomba pas.

— Pourquoi en êtes-vous si sûr ? s'enquit Lassiter.

— Eh bien, d'abord, il y a de la neige. C'est un premier indice.

— Mmoui...

— Ensuite, on distingue les pistes d'une station de ski. Or, dans l'Etat du Maine, on trouve des stations de ski.

— Mmoui...

— Et enfin, il y a les ours.

Lassiter sursauta et saisit la photo pour l'examiner.

— Quels ours ? Je ne vois pas d'ours.

— Oh que si, rétorqua Biddle, montrant la loupe d'un coup de menton. Des ours polaires.

Joe s'empara de la loupe.

— Mais où sont-ils ?

— Sur la vitre du break.

Sur la couche de poussière qui recouvrait la vitre arrière du véhicule, quelqu'un avait gribouillé : *Beurk !* et *Allez, les ours !*

— Vous parlez des graffitis ?

— Non, de l'ours polaire, en bas à droite.

Lassiter déplaça la loupe et discerna en effet une tache ovale et blanche au bas de la vitre.

— Ce machin-là ?

— Ce n'est pas un machin, mais un ours blanc qui galope sur la banquise.

— Comment pouvez-vous être aussi catégorique ?

— Parce que j'ai fait mes études à Bowdoin, c'est mon *alma mater*. Je connais cet ours.

— Des tas d'universités ont cet animal pour...

— Totem, acheva Biddle.

— Merci, dit Lassiter, cherchant des yeux un cendrier, car la cendre de la cigarette formait à présent une inquiétante parabole.

— Les autres universités ont choisi l'ours brun, ou gris ou noir. Quant au cri de guerre des étudiants, c'est généralement *Vive les ours !* ou une banalité du même tonneau. Tandis que nous, à Bowdoin, nous disons : *Allez, les ours !* Nous sommes les seuls à dire ça.

— Biddle...

— Ce slogan est quasiment une marque déposée. Voilà pourquoi je vous affirme que ce machin blanc, pour reprendre votre expression, est sans aucun doute possible un ours polaire. *Ursus maritimus.* Croyez-moi sur parole.

Lassiter reposa la loupe.

— Cela ne prouve pas que ce break ait été photographié dans le Maine. Nous pouvons tout au plus en conclure qu'il est immatriculé dans le Maine.

Biddle tapota sa cigarette et sourit benoîtement lorsque la cendre se répandit sur le tapis.

— Je présume que vous cherchez cette femme ? demanda-t-il.

Lassiter acquiesça. Biddle décroisa les jambes et, du bout du pied, étala les cendres.

— Avez-vous une raison de penser qu'elle se trouve ailleurs que dans le Maine ?

— Non... En fait, elle est née là-bas.

— Vraiment ?

— Oui...

Biddle se redressa.

— Eh bien, dans ce cas, puis-je réserver mon billet pour New York ?

Lassiter reprit la loupe, étudia à nouveau la photo, puis leva les yeux vers son collaborateur.

— D'accord. Amusez-vous bien.

Quand Biddle fut sorti, Joe s'approcha de la fenêtre. La Taurus bleue n'avait pas bougé.

Il réfléchit un instant, revint à sa table et appuya sur le bouton de l'interphone.

— Victoria... Envoyez-moi Buck, s'il vous plaît. Et dites à Freddy que je veux le voir.

Il se rassit et, soudain, se rappela qu'il devait contacter un certain David Torgoff, professeur de microbiologie au Massachusetts Institute of Technology. L'agence l'avait à plusieurs reprises engagé comme expert pour des enquêtes impliquant des analyses ADN. D'après Deva, c'était l'homme idéal pour expliquer à Lassiter, dans un langage accessible à un profane, les travaux de Baresi en matière de génétique.

Il composa le numéro que lui avait donné Deva. Son correspondant décrocha à la deuxième sonnerie.

— *Was ist ?*

Ça commençait bien.

— Professeur Torgoff ? Ici Joe Lassiter, de Washington.

A cet instant, la porte s'ouvrit, livrant passage à Buck et Freddy. Joe leur fit signe de s'asseoir.

— Oh, excusez-moi ! dit Torgoff. J'ai cru que c'était mon partenaire de squash.

— Il est allemand ? rétorqua Lassiter, soulagé.

— Non, pas du tout, mais nous avons l'habitude de... Enfin, peu importe. Il faut être d'ici pour comprendre.

— Justement, je serai à Boston cet après-midi et je souhaite-rais vous rencontrer. Si vous aviez un moment, samedi...

— Je crains de ne pas être disponible. Par contre dimanche, je pourrais vous voir vers deux heures... Cela vous convient-il ?

— Ce serait parfait.

Lassiter nota le lieu du rendez-vous, remercia Torgoff et reposa le combiné. Il se tourna vers Buck et Freddy.

— Pico est en bas ? demanda-t-il.

— Il attend au parking, répondit Buck. Vous voulez qu'il monte ?

— Non, je veux que, tous les deux, vous descendiez le rejoin-dre. J'aimerais que la Buick fasse une sortie remarquée du par-king. Essayez de ne pas provoquer d'accident, mais appuyez sur le champignon.

— Où devons-nous aller ?

— Je m'en fiche, du moment que la Taurus qui poireaute dans la rue vous suit.

— Vous tenez à ce que je sois du voyage ? demanda Freddy.

— Oui... Vous vous assiérez à l'arrière. Vous servirez d'appât, en quelque sorte.

Freddy hocha pensivement la tête.

— Un appât... comme à la chasse aux canards ?

— Non, plutôt comme un trompe-l'œil. Mettez ça, ajouta Las-siter en lui tendant son pardessus, et faites-vous prêter un chapeau.

Buck l'observait d'un air soucieux.

— Franchement, Joe, je ne sais pas si... Terry m'a bien recom-mandé de ne pas vous quitter d'une semelle.

Lassiter enfila la veste de cuir récupérée le matin même chez le teinturier.

— Quand vous verrez Terry, dites-lui de ma part que la pompe à fric est en panne. Allons, dépêchez-vous ! marmonna-t-il en poussant vers la porte le garde du corps et le malheureux Freddy qui n'en menait pas large.

Il empoigna son attaché-case, y fourra le paquet de coupures de presse concernant Callista et éteignit la lumière. Puis il s'ap-procha de la fenêtre, en ayant soin de ne pas se montrer, et scruta la rue. A cette heure de la journée, la circulation était fluide.

Quelques minutes s'écoulèrent. Soudain, la Buick surgit en trombe du parking, manqua faire un tête-à-queue pour gagner le milieu de la chaussée, et se propulsa vers le carrefour. Une seconde après, la Taurus démarrait sur les chapeaux de roues pour se lancer à sa poursuite.

Sa mallette à la main, Lassiter sortit du bureau et se dirigea vers les ascenseurs au bout du couloir.

— Joe ! l'interpella Victoria. J'ai la réception du rez-de-chaussée en ligne... Il y a un officier de la police fédérale et quelqu'un de l'ambassade d'Italie qui demandent à vous voir. Qu'est-ce que je fais ?

— Priez-les de monter.

Tandis que Victoria transmettait le message, il avança le pied pour empêcher les portes de la cabine de se refermer, les yeux rivés sur les chiffres lumineux, au-dessus du deuxième ascenseur.

4... 3-2-1... 2-3-4-5... 6...

C'était le moment.

Il pénétra dans la cabine, se retourna pour saluer Victoria.

— Dites-leur que je me suis absenté un instant. Je reviens tout de suite.

Chapitre 34

Il descendit au Marriott, régla sa note d'avance et versa une provision de cinquante dollars pour couvrir ses éventuelles dépenses téléphoniques. Il n'était pas encore un fugitif, mais il ne pouvait plus se permettre de traîner en route. Si les gens d'Umbra Domini voulaient le faire inculper en Italie, ils avaient les moyens de parvenir à leurs fins. Le fait même qu'un officier de la police fédérale ait jugé nécessaire d'escorter l'attaché d'ambassade prouvait que ses homologues italiens considéraient Lassiter comme un individu dangereux.

Il avait donc intérêt à se montrer prudent, du moins tant qu'il n'aurait pas retrouvé Marie Williams.

Comme il n'avait rien de précis à faire avant son rendez-vous avec Torgoff, il se balada dans les rues enneigées de Boston. Il s'arrêta dans une gargote pour manger des falafels, puis rentra à l'hôtel. Vautré sur le divan, les pieds sur la table basse, il entreprit de relire les articles sur Callista qu'il avait emportés.

Ces papiers n'étaient pas passionnants. La presse avait la manie du recyclage et n'hésitait pas à resservir des reportages datant d'un ou deux ans, avec des photos et un habillage différents. Lassiter en lut ainsi une dizaine qui sentaient fortement le réchauffé. C'était un travail assommant, cependant il s'obstina. Faute de lui fournir une piste, ça lui occupait au moins l'esprit.

Il se plongea dans le script d'un talk-show — baptisé « Clepsydre » — de la fin des années quatre-vingt. Destinée aux couche-tard, l'émission se voulait branchée et intello, ce qui avait fini par provoquer sa disparition. Lassiter se souvenait très bien du décor high-tech et de la petite table où venaient s'asseoir acteurs, cinéastes, scénaristes et critiques pour s'entretenir, sur le ton de la confidence, avec la présentatrice.

Callista, invitée le 27 avril 1988, assurait à cette époque la promotion d'un thriller — *La Rose rouge* — et Valery Fine, qui l'interviewait, avait manifestement résolu de ne pas s'en tenir à l'habituel laïus publicitaire.

V.F. : *Horizon perdu* vous a valu un oscar, votre dernier film remplit les salles... Vous planez dans les hautes sphères, très loin du commun des mortels. Qu'est-ce qu'on éprouve, quand on est là-haut ?

C.B. (riant) : Je ne sais pas.

V.F. : Vous semblez si... tranquille et équilibrée. Vous choisissez vos rôles avec soin, vous en refusez énormément, jamais vous ne tombez dans les pièges de la gloire.

C.B. : Je ne dirais pas ça...

V.F. : Mais si, vous êtes tellement raisonnable. Au point que je me demande s'il vous est arrivé de faire des bêtises.

C.B. (riant) : Bien sûr ! Raisonnable... mon Dieu ! Je vous parais donc si ennuyeuse ?

V.F. : Le public vous idolâtre, vous êtes une star. Pourtant, quand je vous vois là, assise à cette table... j'ai l'impression de bavarder avec ma voisine de palier.

C.B. (riant) : De mieux en mieux !

V.F. : D'accord, je retire la comparaison. Vous cultivez trop le mystère pour être ma voisine de palier. Parlez-nous un peu de vous... de la vraie Callista Bates.

C.B. : Non...

V.F. : Comment ça, non ?

C.B. : Eh bien... parce que je veux rester mystérieuse.

V.F. : Mais pourquoi ? Oh, rassurez-vous, j'ai bien compris la règle du jeu : on ne pose pas de questions sur votre famille, votre enfance, etc. Seulement, je ne saisis pas pour quelle raison vous tenez tant à élever ces barrières autour de vous. Vous êtes une femme intelligente et très cultivée. Vous lisez beaucoup, vous vous intéressez à une foule de choses. Pourquoi ne pas permettre aux gens de vous connaître mieux ?

C.B. : Je ne veux pas qu'ils me connaissent...

V.F. : Pourquoi ?

C.B. (soupirant) : Parce que... Regardez ce qui se produit dès qu'il y a une caméra quelque part... à la fin d'un match de base-ball, par exemple, quand le journaliste interviewe les joueurs. Tous ces gens qui sautent et gesticulent dans son dos...

V.F. (agitant les mains) : Coucou, maman ! Je suis là !

C.B. : Exactement. Et quand ils se voient à la télé, ils sont fous de joie. Ça leur donne le sentiment d'être quelqu'un. Mais d'autres personnes fuient la caméra, car elles ont l'impression que cette machine infernale les dépossède de quelque chose. Comme ces hommes primitifs qui ne se laissent pas photographier, de crainte qu'on ne leur vole leur âme.

V.F. : Et moi je crains que nous ne nous égarions ! Nous sommes censées parler de vous !

C.B. (riant) : J'y viens ! J'essaie d'expliquer que je suis partagée entre deux tendances. Quand je fais l'actrice, moi aussi je saute et je gesticule, j'ai envie que tout le monde me voie. Par contre, quand je redeviens moi-même... je suis un peu primitive. Je n'aime pas me dévoiler ni parler de ma vie privée. Il me semble chaque fois que j'y perds un peu de moi-même.

V.F. : N'êtes-vous pas un peu trop... orgueilleuse ? Je n'ai aucune intention de vous voler votre âme. Je veux juste une confidence, une petite anecdote.

C.B. (soupirant) : Vous ne comprenez pas... Evidemment, vous n'êtes pas à ma place, c'est vous qui posez les questions.

V.F. : Qu'à cela ne tienne ! Je propose de renverser les rôles. Posez-moi une question, n'importe laquelle.

C.B. : D'accord. Dites-moi... vous vous masturbez souvent ?

V.F. (hurlant de rire) : C'est déloyal ! Je n'ai jamais été aussi indiscrète !

C.B. : Je connais des interviewers qui n'hésiteraient pas.

V.F. : Mais vous refuseriez de répondre, n'est-ce pas ?

C.B. : Oui, et on me reprocherait de ne pas jouer le jeu, d'être trop mystérieuse. Pardonnez-moi, je n'essaie pas de vous couper l'herbe sous le pied. Il fut une époque où je me livrais davantage. Et puis je me suis rendu compte que c'était un piège. Les gens que je rencontrais croyaient me connaître déjà. Tout était faussé... Quand vous parlez de votre vie privée, elle ne vous appartient plus.

V.F. : Mais n'est-ce pas la rançon de la gloire ? Si vous voulez que les spectateurs déboursent cinq dollars pour vous voir, vous leur devez quelque chose en échange.

C.B. : Je ne suis pas de cet avis. Il paient pour voir un film, pas pour savoir quel est mon joueur de base-ball préféré.

V.F. : Alors vous êtes résolue à ne rien me dire ?

C.B. : Vous êtes têtue !

V.F. : S'il vous plaît ! Juste une petite anecdote !

C.B. (soupirant) : Bon... je vais vous raconter une petite histoire. C'est complètement idiot, je vous préviens, mais si cela pouvait dissuader une jeune fille de faire la même bêtise... Encore que l'expérience d'autrui ne nous serve jamais de leçon...

V.F. : Vous recommencez à vous égarer ! Nous brûlons d'impatience !

C.B. (soupirant à nouveau) : C'est vraiment stupide, je vous le répète. Stupide et dangereux. Quand je suis arrivée sur la côte Ouest, j'avais dix-neuf ans et pas un sou en poche. J'ai traversé tout le pays avec Gunther...

V.F. : Qui est Gunther ?

C.B. : Un van Volkswagen. Un vieux machin avec des pneus lisses, des freins défectueux et un problème de radiateur. Il chauffait sans arrêt, il fallait quasiment que je le pousse dans les côtes. Et, pour faire des économies, je dormais à l'arrière, sur le bord de la route ou sur des parkings. Quand je repense aux risques que j'ai pris, je me dis que j'étais folle...

V.F. : Vous avez été en danger, à certains moments ?

C.B. : En fait, les gens m'ont témoigné une incroyable gentillesse, mais... j'ai parfois frôlé la catastrophe.

V.F. : Par exemple ?

C.B. : Un soir, un type s'est couché sur le toit du van. Il refusait de descendre, il était complètement défoncé.

V.F. (riant) : Vous êtes quand même arrivée à bon port. Ça me paraît l'essentiel.

C.B. : J'ai eu de la chance. Ce n'est pas une raison pour m'imiter.

V.F. : Merci pour cette anecdote. Maintenant, je suis obligée de vous poser la question : quel est votre joueur de base-ball préféré ?

La suite de l'interview ne présentait aucun intérêt. Lassiter reposa les feuillets, perplexe. Cette histoire de van Volkswagen lui rappelait quelque chose... mais quoi ?

Ah oui, il se souvenait. Fouillant dans son attaché-case, il en sortit un article paru dans *L.A. Style* à l'époque de la disparition de Callista, et intitulé : « La star tire sa révérence ! »

L'interview s'était déroulée au Beverly Hills Hotel, où Callista occupait une suite après la vente de sa résidence. Le papier regorgeait de détails, de remarques plus ou moins pertinentes, destinées surtout à mettre en valeur le talent du journaliste qui, à l'évidence, se prenait pour un écrivain. Les yeux de Callista, notait-il, étaient « d'un bleu émouvant ». Elle répondait aux questions « avec l'ironie décalée d'une femme amoureuse qui s'est brûlé les ailes » (ce qui signifiait ? se demanda Lassiter).

Le texte était disposé autour d'une photographie de l'actrice en short et débardeur, pelotonnée dans un fauteuil.

Elle a déjà largué les amarres. La maison et les meubles sont vendus, la Bentley restituée aux studios. Une valise attend dans le vestibule de la suite.

Je demande à Callista quels sont ses projets. Elle ne répond pas, enfermée dans ce cocon de silence où elle se réfugie depuis le procès. Puis elle rejette en arrière sa magnifique chevelure et me dit qu'elle trouvera bien de quoi s'occuper. Tout en parlant, elle remue une paille dans son cocktail et regarde une gouttelette d'eau glisser le long du verre.

— Vous ne souhaitez rien garder de votre passé ? Aucune robe de soirée, aucune photo ? Et votre Mercedes, qu'en avez-vous fait ?

— Je m'en suis débarrassée.

Sur le mur du bungalow, un lézard se gorge de soleil. Tout à coup, il disparaît, si vite que je crois l'avoir rêvé. Callista sourit. Elle remet ses lunettes, se lève. Je comprends que l'entretien est terminé.

— Je vais partir, me dit-elle. Sans doute dans le carrosse qui m'a amenée ici autrefois.

Elle se détourne et s'éloigne. C'est fini.

Les sourcils froncés, Lassiter reposa l'article. Le « carrosse » qui l'avait amenée en Californie ne pouvait être que Gunther, le van Volkswagen.

Il saisit le téléphone et composa le numéro de Gary Stoykavich.

— Gary ? C'est Joe Lassiter. Vous avez du nouveau ?

— Non, hélas.

— J'ai un service à vous demander : essayez de savoir quel genre de voiture Marie Williams conduisait quand elle habitait Minneapolis.

— Je le sais déjà. En fait, elle possédait deux voitures : une Honda Accord et une Volkswagen.

— Une Coccinelle ?

— Non, un van. Le plus drôle, c'est que, quand elle a pris la fuite, elle a abandonné la Honda dans le parking de l'immeuble pour emmener ce van pourri. Peut-être qu'elle avait pas mal d'affaires à emporter et que c'était plus pratique. Finley le pense, en tout cas.

Lassiter grimaça.

— Finley est donc au courant...

Il voûta les épaules, découragé. La piste qu'il croyait tenir aboutissait à une nouvelle impasse. Car, si Finley connaissait l'existence de Gunther, il avait dû remuer ciel et terre pour en retrouver la trace.

— Oh oui, confirma Stoykavich. Il a cherché ce van dans tous les Etats-Unis, y compris en Alaska.

— Et il a fait chou blanc ?

— En gros, oui. Il a bien trouvé quelques Marie Williams propriétaires d'un van Volkswagen, mais elles n'avaient rien à voir avec la nôtre.

Merde ! pesta Lassiter.

— Je ne vous casse pas la baraque, au moins ?

— Ce n'est pas grave. Merci, Gary, à bientôt.

Mais, en réalité, c'était grave. Grimaldi et ses copains avaient trois ou quatre mois d'avance sur Joe. Nul doute qu'ils avaient d'ores et déjà exploré et éliminé toutes les fausses pistes.

Ne panique pas, se dit-il. Tu les vaux largement et si, toi, tu galères pour localiser cette femme, Grimaldi ne doit pas s'amuser non plus.

A moins que Drabowsky et le FBI ne lui prêtent main-forte. Auquel cas...

Il s'étendit sur le divan et ferma les yeux. Peut-être Marie Williams (si elle s'appelait encore ainsi) avait-elle abandonné Gunther au fond d'un bois ou dans une rue. Peut-être s'en était-elle débarrassée, comme de tout le reste.

Non, non. Elle l'avait gardé, il en était presque sûr, elle y tenait trop. Par conséquent, si elle l'avait gardé, le van était enregistré sous son nouveau nom. Dans le Maine.

Sa théorie ne reposait sur rien de concret, il en avait conscience. Il se laissait guider par son instinct. Sous prétexte qu'elle était née dans le Maine, et qu'une femme qui lui ressemblait avait été photographiée dans un paysage rappelant ceux du Maine, il en concluait qu'elle vivait là-bas. Mais après tout... il fallait bien qu'elle soit quelque part. Alors pourquoi pas dans le Maine ?

Cet Etat ne comptait qu'un million d'habitants. Combien y avait-il dans la population de femmes possédant un van Volkswagen ? Probablement pas des milliers. Dès lundi matin, il contacterait le Bureau des immatriculations, à Portland.

Avec un soupir, il fouilla dans son attaché-case et en extirpa un autre article sur Callista, publié par un magazine féminin qui avait demandé à plusieurs chiromanciennes d'étudier les lignes de la main de quatre personnages célèbres. Selon ces dames, Callista souffrait d'une « sévère tendance à la mélancolie ».

Le lendemain, il se rendit au MIT en métro. Dès qu'il sortit de la station, il se repentit de n'avoir pas pris un taxi. Les trottoirs étaient quasiment impraticables. On y avait répandu des tonnes de sel pour faire fondre la neige, si bien que de véritables mares s'étaient formées, qui obligeaient les piétons à faire de longs détours ou à exécuter des sauts acrobatiques.

Torgoff l'attendait dans son bureau, au département de biologie du Whitaker College. Il se leva à son entrée, un grand sourire aux lèvres. Jeune et très brun, il était vêtu d'un jean, d'un T-shirt rouge vif et chaussé de rangers.

— Excusez ma tenue, dit-il. Mais, entre nous, je ne sais pas m'habiller autrement.

La pièce était petite et encombrée de livres. Sur les murs, des graphiques voisinaient avec un calendrier tibétain, une collection de Post-it et des caricatures de savants fous. Une maquette poussiéreuse et cabossée de la double hélice d'une molécule d'ADN, construite avec du carton blanc et du fil métallique vert, pendait du plafond comme un ruban de papier tue-mouches. Sur la table, au milieu des dossiers, Lassiter aperçut un Rubik's Cube — gadget qu'il croyait disparu depuis des lustres.

D'un geste, Torgoff l'invita à s'asseoir, puis se laissa tomber dans son fauteuil, un imposant siège ergonomique capitonné de velours vert pomme.

— Que savez-vous au juste de la génétique ? demanda-t-il. (Lassiter grimaça.) Ce n'est pas une colle, mais si je commence à vous parler des acides ribonucléiques messagers, je risque de vous perdre en route. Ce serait dommage, avouez. Voilà pourquoi je suggère de procéder d'abord à un petit contrôle de vos connaissances.

Joe réfléchit un instant.

— Je connais Mendel et ses lois de l'hérédité...

— Excellent début !

— Les caractères dominants et récessifs... L'ADN, ajouta Las-

402

siter, levant les yeux vers la maquette. En réalité, je connais surtout les analyses ADN. Je ne me sens pas de taille à vous expliquer ce qu'est exactement l'acide désoxyribonucléique.

— Essayez quand même...

— Eh bien... le noyau de chacune de nos cellules renferme l'ADN. Et cet ADN diffère d'un individu à l'autre. Un peu comme les empreintes digitales.

— Oui... poursuivez.

— C'est tout. Je ne serais pas fichu de distinguer un chromosome d'une Pontiac.

— Bien, bien, bien !

Torgoff dodelinait de la tête. On aurait dit un professeur de golf confronté à un élève peu doué ; il réalisait qu'avant de parler de swing et de put, il fallait commencer par : ceci est un club, ça sert à frapper la balle...

— Bon ! Autrement dit, vous ne savez rien du tout. Tant mieux.

Torgoff clappa de la langue et joignit les mains sous son menton.

— Votre assistante m'a signalé que vous vous intéressiez à Baresi.

— En effet.

— De quoi dois-je vous parler ? De la génétique ou de Baresi ?

— Disons des recherches qu'il a menées dans ce domaine.

— D'accord ! Nous pouvons donc oublier Mendel. Quoique... Mendel et Baresi se ressemblaient beaucoup. Tous deux se sont penchés sur des questions fondamentales. Et tous deux étaient en avance sur leur temps.

— Comment ça ?

— Eh bien, à l'époque où Mendel se promenait dans le jardin de son monastère en prenant des notes sur les petits pois, les autres savants ne juraient que par Darwin. Celui-ci, vous ne l'ignorez pas, expliquait la variabilité des espèces par l'action directe du milieu — même s'il ne pouvait pas démontrer comment ça se passait.

— Tandis que Mendel, lui, le pouvait ?

— Pas vraiment, mais il avait compris une ou deux choses. Par exemple que les caractères héréditaires se transmettent indépendamment les uns des autres. De même pour le principe de la dominance. Il avait constaté que, quand on croise des plantes de haute taille avec des spécimens de petite taille, on obtient des plantes de haute taille — et non des plantes moyennes. Mais, à la deuxième génération, les caractères récessifs réapparaissent. On a des petites et des grandes plantes. Vous me suivez ?

— Pas à pas.

— Bref, Mendel a posé les principes fondamentaux de l'hérédité et résolu l'un des plus vieux mystères de l'univers. Seulement, personne ne lui a prêté la moindre attention. Ses confrères se focalisaient sur Darwin, et ils ont continué pendant trente ans ! Jusqu'à ce que d'autres savants aient l'idée lumineuse de mener des expériences similaires. Ils ont alors découvert qu'ils étaient en train de réinventer la roue. Mendel les avait devancés. C'est en gros ce qui est arrivé à Baresi. A l'époque où il accomplissait l'essentiel de son travail, le monde scientifique avait les yeux rivés sur Watson et Crick.

Tout en parlant, le professeur du MIT saisit le Rubik's Cube et se mit à le manipuler.

— Il a fini son doctorat de biochimie en 1953. Une année formidable ! On savait d'ores et déjà que l'ADN était le support de l'hérédité. Mais comment fonctionnait-il ? Par quel mécanisme pouvait-il être à l'origine de la synthèse des protéines, ces macromolécules composées d'acides aminés et qui contrôlent les activités cellulaires ?

Torgoff s'interrompit.

— Vous me suivez toujours ?

— Plus ou moins.

— Fort bien. Pour répondre à ces questions majeures, il fallait d'abord comprendre la structure de l'ADN. C'est en 1953, justement, que les fameux Watson et Crick ont élaboré le modèle en double hélice. Celui-là même qui est suspendu au-dessus de votre tête, ajouta Torgoff, désignant la maquette. Dès lors, on était fondé à espérer comprendre un jour comment la molécule d'ADN pouvait servir de matrice pour sa propre copie. A ce moment-là, Baresi travaillait à l'Institut Le Bange...

Lassiter écarquilla les yeux.

— A Berne, en Suisse, précisa Torgoff. Le haut lieu de la recherche. Au début, de manière assez conventionnelle, il s'est concentré sur cette chère *Escherichia coli*...

— Une bactérie, si je ne m'abuse.

— Exactement. Un organisme très simple, facile à cultiver et qui se reproduit à tire-larigot, ce qui en fait le chouchou des labos. Au bout d'un an ou deux, il est passé à l'étude des hématies ou, pour simplifier, les globules rouges. Comme les bactéries, ces cellules sanguines ne possèdent pas de noyau. Baresi sortait déjà des sentiers battus. Et il s'apprêtait à faire un gigantesque pas en avant.

Torgoff s'interrompit à nouveau.

— Voyez-vous, Baresi n'était pas simplement un génie. C'était un créateur, capable d'imaginer des hypothèses extraordinaires. Comme la plupart des hommes de cette trempe, il n'attachait pas grande importance à l'opinion de ses confrères et ne courait pas après les lauriers. Il travaillait comme il l'entendait et traçait son propre chemin.

— Quel chemin ?

— Eh bien, il décida de laisser tomber les hématies pour s'intéresser aux organismes eucaryotes, c'est-à-dire dont les cellules contiennent un noyau.

— En quoi était-ce tellement révolutionnaire ?

— Il s'attaquait à une tâche extrêmement ardue. Ces cellules sont difficiles à cultiver et elles ne vivent pas longtemps. Baresi risquait de se heurter à des obstacles infranchissables. En réalité, je ne sais pas trop comment il a fait... Mais il l'a fait. Parce qu'il voulait étudier la différenciation cellulaire et que ce phénomène concerne uniquement les cellules nucléées.

Torgoff hocha vigoureusement la tête, l'air satisfait. Lassiter le considéra avec perplexité.

— Je vais sans doute vous choquer, mais cette « différenciation » ne m'évoque rien du tout.

Un sourire réjoui éclaira le visage du professeur.

— Ah ! Je vous explique. Au départ, l'être humain est un œuf fécondé — le zygote. Le noyau de cette cellule initiale contient les chromosomes qui portent l'information génétique. Au cas où vous vous poseriez la question, chaque espèce a un nombre spécifique de chromosomes. Le chien en a soixante-dix-huit, le poisson quatre-vingt-douze. Vous et moi, nous en avons quarante-six — la moitié nous viennent de notre mère, et l'autre moitié de notre père. Vingt-trois chromosomes pour l'ovocyte, et autant pour le spermatozoïde qui l'a fécondé. Vous saisissez ?

Lassiter acquiesça.

— Nos gènes, et nous en possédons des centaines de milliers, sont arrangés de manière stable le long des chromosomes. Le gène « couleur des yeux », le gène « groupe sanguin », etc. Ce n'est pas aussi simple que ça, mais... passons. Tout est là, dès le départ, dans l'œuf fécondé. Puis la cellule mère se divise pour donner naissance à deux cellules filles qui, à leur tour, se divisent en deux, et ainsi de suite. Au cours du développement embryonnaire, elles commencent à se différencier, c'est-à-dire à acquérir une forme et une fonction particulières : cellules nerveuses, cellules du sang... Ce qui pose une passionnante question : dans la mesure où ces cellules contiennent le même matériel génétique, il serait logique de penser qu'elles possèdent les mêmes capacités. Seulement, ce n'est pas le cas. Les cellules embryonnaires non différenciées sont totipotentes, elles peuvent engendrer un organisme entier — un chat, une girafe, un être humain. Tandis qu'une cellule nerveuse ne peut donner naissance qu'à une autre cellule nerveuse. Ça va toujours ?

— Vous voulez vraiment que je réponde ?

— Non... Bref, Baresi travaillait sur le processus de la différenciation et les mécanismes qui le régissent. Il avait trente ans d'avance.

Torgoff soupira.

— Si on sortait boire un café ?

— Excellente idée.

— Je connais un endroit tout près d'ici.

Le professeur baissa les yeux sur son Rubik's Cube, réfléchit un instant. En trois coups, il eut raison du casse-tête qu'il reposa au milieu des papiers. Puis il se leva, enroula une écharpe autour de son cou, enfila un vieux caban et enfonça une casquette sur sa tête.

— Allons-y, dit-il.

Dehors, il faisait un froid de canard. Tout en marchant, Torgoff continua son exposé.

— Vous avez suivi le procès d'O.J. Simpson ? demanda-t-il.

— On en a parlé à la télé ? ironisa Lassiter. Vous m'étonnez...

Torgoff éclata de rire.

— Vous vous rappelez que les avocats se sont donné un mal fou pour contester l'unicité des empreintes génétiques.

Il pointa un doigt agressif, martelant d'un ton impérieux :

— Vous ne pouvez pas affirmer que ce segment d'ADN

appartient à Nicole Brown Simpson, n'est-ce pas ? Vous préten-dez simplement qu'il existe une probabilité d'ordre statistique. Oui ou non ?

Torgoff rentra la tête dans les épaules, mimant le témoin.

— Oui, en effet, mais... il faudrait examiner huit milliards de segments d'ADN pour en trouver un identique. La population de la terre n'y suffirait pas, et... Objection, Votre Honneur, le témoin ne répond pas à la question ! Je lui demande s'il est possi-ble d'affirmer sans l'ombre d'un doute que ce segment d'ADN appartient bien à Nicole Brown Simpson. Oui ou non ?

Le professeur s'interrompit pour pousser la porte du café, une longue et étroite salle où flottait une capiteuse odeur de café fraîchement moulu. Un drapeau italien drapé avec art ornait l'un des murs. Torgoff et Lassiter s'installèrent près de la vitrine cou-verte de buée. Trois étudiants, chacun assis à une table, lisaient. Tous trois avaient quelque chose de Raskolnikov, remarqua Las-siter.

— Toutes les cellules de notre corps contiennent le même ADN, reprit Torgoff. Une goutte de sperme ou de sang, un bout de cheveu, un lambeau de peau peuvent donc servir à identifier un individu ; il suffit de les comparer avec un prélèvement san-guin fait sur cette même personne. Quelle que soit leur fonction, les cellules portent le patrimoine génétique d'un être, qui lui est spécifique.

Le serveur leur apporta leur café. Torgoff s'empara du sucrier et mit quatre morceaux de sucre dans sa tasse.

— Dans les cellules différenciées — je schématise, bien sûr, pour que ce soit plus clair — l'ADN « indique » aux gènes que telle cellule va se spécialiser dans un tissu particulier. Par exem-ple, elle formera le cheveu. Elle peut donc oublier des caractères comme la couleur des yeux, le groupe sanguin, etc. Imaginez l'ADN comme un piano pourvu d'une centaine de milliers de touches, chacune représentant un caractère génétique. Dans une cellule différenciée, la plupart de ces touches ne fonctionnent pas. Seules sont opérationnelles celles qui concernent la fonction de la cellule. Le cheveu sera raide ou bouclé, brun ou blond, épais ou fin... Mais les autres touches sont hors service.

— Définitivement ?

— Pour autant qu'on sache, le processus est irréversible. Une cellule nerveuse reste une cellule nerveuse. Elle ne deviendra jamais autre chose.

— Mais comment ça marche ? demanda Lassiter qui commençait à se piquer au jeu, même si ces questions lui paraissaient très éloignées de son enquête. Comment une cellule décide-t-elle qu'elle sera ceci ou cela ?

— Nous l'ignorons. Voilà justement ce que Baresi s'efforçait de découvrir, il y a trente ou quarante ans.

— Il a réussi ?

— Pas à ma connaissance.

Torgoff secoua pensivement la tête.

— Le problème, c'est qu'au bout d'un moment, il a arrêté de publier, de soumettre ses travaux au jugement de ses pairs. A-t-il poursuivi ses recherches dans ce domaine ? Et pendant combien de temps ? On raconte qu'ensuite il est parti en Allemagne, pour étudier...

— La théologie.

— Tout à fait ! Je constate que vous êtes bien renseigné.

Torgoff consulta sa montre et fronça les sourcils.

— Il faut que j'aille chercher mon fils... Pour revenir à nos moutons, la biologie moléculaire est à l'heure actuelle un sujet plus que sensible. Or Baresi, à l'époque, avait choisi de se concentrer sur une question particulièrement brûlante.

— La différenciation ?

— Exactement. Il étudiait les cellules totipotentes d'embryons de grenouille. D'après ses dernières publications, il travaillait sur l'embryon au stade de morula — l'œuf est alors segmenté en seize cellules appelées blastomères. Il cultivait ces embryons, avec un matériel très rudimentaire, pour voir s'ils donnaient naissance à des organismes identiques.

— Il clonait des grenouilles ?

— Non, il les « gémellisait », si je puis dire.

— Quelle est la différence ?

— Eh bien, le patrimoine génétique des jumeaux homozygotes provient de deux sources : la mère et le père. Tandis que celui des clones provient de la mère *ou* du père. Pour obtenir un clone, il faudrait prélever le matériel génétique d'un ovocyte...

— Le noyau, donc...

— Et le remplacer par le noyau d'une cellule totipotente, au premier stade du développement embryonnaire. On aurait alors un clone, dont le patrimoine génétique proviendrait d'une seule source.

— On est en mesure de réaliser une telle manipulation ?

— Oui, ça a été fait avec un mouton, au Roslin Institute d'Edimbourg.

Lassiter le dévisagea longuement.

— Cela signifie que c'est également possible avec les humains ? N'est-ce pas ?

Torgoff haussa les épaules.

— Dans l'absolu, oui.

— Donc, dans l'abolu, on pourrait me cloner.

— Non, répondit le professeur. Impossible.

— Pourquoi ?

— Parce que toutes vos cellules sont différenciées. Quand vous possédiez encore des cellules totipotentes, vous n'aviez même pas la taille d'un grain de poussière. Par contre, en théorie du moins, on pourrait cloner l'un de vos enfants. A condition de le prendre au tout début du développement embryonnaire. Quand l'œuf se divise en quatre, puis huit, puis seize cellules totipotentes. Pas plus tard.

— Et c'est réalisable ?

Torgoff leva les yeux au plafond, s'agita sur son siège.

— Peut-être... Au Roslin Institute, ils en auraient certainement les moyens, mais s'ils s'avisaient de le faire, ils se retrouveraient en prison.

— Pourquoi ?

— En Grande-Bretagne, quoique la question ne se pose guère, la loi interdit de cloner les humains. Tout ça pour dire que Baresi était un génie. De nos jours, dans les centres de procréation médicalement assistée, on fabrique des embryons à tour de bras, mais à la fin des années cinquante...

Lassiter tressaillit.

— Qu'est-ce qui vous arrive ? demanda Torgoff.

— Savez-vous ce qu'a fait Baresi après avoir abandonné la recherche scientifique ?

— Il a étudié la théologie.

— Pas seulement... Il a passé son diplôme de médecine alors qu'il frôlait la cinquantaine, et ouvert un centre de procréation médicalement assistée.

Torgoff, pensif, termina son café.

— Ah... il était très expérimenté dans ce domaine, il a dû obtenir d'excellents résultats.

— C'est ce que j'ai cru comprendre, en effet.

— Quel dommage ! soupira Torgoff.

— Pourquoi ?

— Baresi était un scientifique d'une envergure exceptionnelle. Quand on songe aux expériences qu'il menait... quel gâchis !

— Que voulez-vous dire ? Quelles expériences ?

— Ses travaux sur la différenciation avaient pour but de trouver un moyen de renverser le processus, de restituer leur totipotence aux cellules différenciées.

— Quel intérêt ?

— Ça équivaudrait à découvrir le Saint-Graal.

— Comment ça ?

— Parce que, pour être bassement matérialiste, une telle découverte rapporterait à son auteur... des centaines de milliards. Mais surtout, quiconque parviendrait à renverser le processus de la différenciation changerait à jamais la face du monde.

— Pourquoi ? Je ne vous suis pas très bien.

— Il deviendrait alors possible de vous cloner. De cloner Beethoven, Elvis Presley ou votre propre mère et de les avoir pour enfants. Ou bien, si vous aviez besoin d'une greffe de cœur ou de poumon, de prélever ces organes sur votre clone. Vous imaginez les problèmes moraux et sociaux que cela poserait : qu'adviendrait-il de l'adoption, par exemple, si les gens étaient en mesure de commander un rejeton qui soit leur copie conforme ? Et il suffirait de quelques manipulations pour fabriquer des clones pas tout à fait humains : des esclaves, de la chair à canon. Des marchandises qu'on jetterait après utilisation.

— Je crois que vous délirez, professeur, dit Lassiter.

Torgoff se mit à rire.

— Mais non... On aurait simplement besoin d'une cellule nucléée avec un ADN intact — un peu de sang, une infime parcelle de peau... Il n'en faudrait pas davantage. Une fois la totipotence de la cellule restaurée, on pourrait engendrer un organisme entier. Ensuite on transférerait le noyau dans un œuf dont on aurait retiré le noyau originel, et on passerait à la phase de culture. Ingénieux, n'est-ce pas ?

Lassiter réfléchissait.

— La phase de culture ? C'est-à-dire ?

— Eh bien, on procéderait comme pour un don d'ovocyte.

Comme Lassiter écarquillait les yeux, Torgoff enchaîna :

— Il s'agit de...

— Je sais, coupa Joe. Ma sœur a eu son enfant de cette manière.

— Oh... Alors, je n'ai rien à vous apprendre sur ce sujet.

Torgoff regarda à nouveau sa montre et repoussa sa chaise.

— Je suis vraiment obligé de vous quitter. J'ai promis d'emmener mon fils au match de hockey.

— Encore une minute, s'il vous plaît. Si Baresi avait trouvé le moyen de renverser le processus de différenciation... ça se saurait, n'est-ce pas ?

— Absolument, répondit Torgoff en se levant. Une découverte de cette importance... on en aurait entendu parler. A moins que...

— Oui ?

Le professeur noua son écharpe, remonta le col de son caban et renfonça sa casquette.

— Allez savoir, dit-il. Il a peut-être été saisi par le doute. La peur. Après tout, n'était-il pas profondément croyant ?

Dans le métro qui le ramenait au Marriott, Lassiter essaya de faire le point. Il se sentait déboussolé.

Dieu s'était-il révélé à Baresi, alors que celui-ci poursuivait ses travaux sur la cellule ? Etait-ce pour cette raison qu'il avait abandonné la recherche pour étudier la théologie ? Quel rapport cela avait-il avec Umbra Domini et les meurtres perpétrés aux quatre coins du monde ?

Lassiter ébaucha un mouvement d'impatience. Pourquoi supposait-il que la passion de Baresi pour la science et la théologie jouait un rôle dans cette affaire ?

Parce que, sur ce point, l'abbé Azetti s'était montré catégorique.

Pourtant, la religion n'avait rien à voir là-dedans. Il fallait se concentrer sur la clinique de Baresi, c'était là que se trouvait la clé de l'énigme. Ce lieu représentait le seul lien existant entre les victimes.

A ce propos, pourquoi s'obstinait-il à courir après un fantôme, au lieu d'interroger les femmes dont le séjour à la clinique n'avait

411

pas excédé une semaine ? Aucune d'elles n'avait bénéficié d'un don d'ovocyte et aucune d'elles — à sa connaissance — n'était morte. Or il n'avait même pas pris la peine de leur parler.

Mais Riordan l'avait fait, lui. Et ce qu'il en avait retiré pouvait se résumer en une phrase : *la vie est belle*. A l'évidence, aucune de ces femmes n'était en danger.

Il se pencha en avant, fourragea dans ses cheveux et émit un grognement. Quand il releva les yeux, l'homme assis en face de lui le dévisagea avec circonspection. Lassiter n'eut aucun mal à deviner sa pensée : *allons bon, encore un fou furieux...*

Soudain, une idée lui vint à l'esprit, tellement ahurissante qu'il sursauta violemment.

Et si Baresi avait réussi à renverser le processus de différenciation des cellules ? S'il avait utilisé la clinique pour cloner...

Qui aurait-il cloné ? Lassiter grogna à nouveau. L'homme qui lui faisait face se leva en maugréant et se réfugia à l'autre bout du wagon.

Même si Baresi avait mené ce genre d'expérience, cela n'expliquait pas les meurtres. Avait-il eu des remords et décidé que ces enfants devaient être égorgés ?

Absurde, marmonna Joe entre ses dents. De toute façon, ces petits garçons ne pouvaient pas être des clones. Ils ne se ressemblaient pas. Brandon n'avait aucun trait de Jesse, ni de Martin Henderson ni du fils de Jiri Reiner. Ces enfants étaient tous différents.

A moins que Baresi n'ait cloné les membres d'un groupe.

Quel groupe ? Les cardinaux du Sacré Collège ? L'équipe de l'AC Milan ?

Ridicule... Pourquoi Baresi aurait-il fait une chose pareille ? Les femmes qui s'inscrivaient chez lui pour un don d'ovocyte venaient de leur plein gré dans sa clinique et repartaient enceintes. Pour ce que Joe en savait, Baresi n'avait même jamais réclamé une photo des bébés qu'elles mettaient au monde. Il s'en désintéressait, il se contentait d'accomplir son travail de médecin et d'appliquer une technique médicale somme toute banale. *A priori,* il n'y avait rien de plus normal.

Sauf que toutes ses patientes avaient été assassinées...

Chapitre 35

Il faisait un froid de loup, dans ce pays.

Garé devant le centre administratif de Portland, dans le Maine, Lassiter se frictionnait les mains. Il était préoccupé. Il n'aurait pas dû régler la location de cette voiture, une Taurus, avec sa carte de crédit. Mais l'agence Hertz n'acceptant pas de liquide, il n'avait pas eu le choix. Heureusement, il avait pu payer l'essence en espèces. Cela suffirait peut-être à brouiller sa piste.

Malgré le chauffage, il avait les doigts gourds. Je ne suis pas équipé pour un climat pareil, songea-t-il. Quand on est au pôle Nord, on ne se balade pas en veste de cuir. Il me faudrait des moufles et une combinaison de cosmonaute.

Il jeta un coup d'œil à la pendule du tableau de bord. Huit heures cinquante-six. Encore quatre minutes avant l'ouverture.

J'aurais dû aller directement à Sunday River, se dit-il, et montrer la photo à tout le monde. Aux loueurs de skis, aux moniteurs, à tous les employés. Mais à quoi bon ? Le week-end, des milliers de personnes fréquentaient Sunday River. Le cliché datait de deux ans, et rien ne prouvait que Callista fût une habituée de la station.

Pourtant la photo avait bien été prise à Sunday River. A l'hôtel, il avait consulté les dépliants touristiques que la direction mettait à la disposition de ses clients. Aucun doute, les pistes qu'on apercevait derrière Callista étaient bien celles de Sunday River. Elle était donc passée par là deux ans auparavant. Peut-être s'y trouvait-elle encore.

Il alluma la radio. A cet instant, une femme replète, dont la silhouette évoquait la forme d'une poire, émergea du bâtiment qui abritait le Bureau des immatriculations. Un drapeau sous chaque bras, trottinant avec précaution sur le sol verglacé, elle s'approcha du mât et y accrocha la bannière étoilée qu'elle hissa sans plus de cérémonie. Le drapeau du Maine, orné du pin emblématique de l'Etat, suivit bientôt le même chemin, après quoi la femme rentra précipitamment se mettre à l'abri.

« Ce matin, il fait moins quinze, annonça le présentateur de la météo. Ça se réchauffe ! »

A neuf heures tapantes, la femme ouvrit les portes. Les gens qui, comme Lassiter, attendaient sur le parking sortirent un à un des voitures ; emmitouflés dans de confortables doudounes, ils se dirigèrent en file indienne vers le bâtiment. Joe leur emboîta le pas. Quelques minutes plus tard, il se plantait devant le guichet « Informations ».

Il avait toujours estimé que seule la police devrait être en mesure de se procurer certains renseignements. Mais cette idée était complètement démodée, le temps où les gens avaient le droit de garder pour eux certains détails de leur vie privée n'existait plus. A l'ère de l'informatique, le fichier était roi et rapportait beaucoup d'argent. Le Maine, comme les autres Etats, s'était lancé dans le lucratif commerce de statistiques et vendait des informations à quiconque avait les moyens de payer.

De nombreux organismes constituaient ainsi des fichiers répondant à tous les besoins possibles et imaginables du client. Si vous désiriez le listing des personnes sans enfant dont les revenus dépassaient cent mille dollars, il suffisait de demander. Et si vous souhaitiez limiter la recherche aux hommes de race blanche, résidant dans tel ou tel secteur, qui avaient tendance à faire des dettes, ça ne posait pas davantage de problèmes.

Lassiter n'eut qu'à inscrire sa demande sur un formulaire : nom, date de naissance et adresse des propriétaires de vans Volkswagen mis sur le marché entre 1965 et 1975. L'employée du guichet, d'une voix chantante, lui posa une seule question :

— Vous préférez un tirage sur papier ou des étiquettes ? C'est pour un mailing ?

— Un tirage sur papier me conviendra parfaitement, répondit-il en lui tendant cent trente dollars.

— Vous n'aurez qu'à venir le chercher demain matin après dix heures.

Puisqu'il avait toute une journée devant lui, il alla récupérer sa voiture au parking et décida de faire une balade dans la campagne. Le Maine lui plaisait, il appréciait la pureté et le calme qui émanaient de ces étendues enneigées, semées çà et là de rochers et de pins. Quoique les centres commerciaux fussent encore trop nombreux à son goût, on rencontrait au hasard des routes des villages blottis autour d'un étang gelé, avec leurs kiosques à journaux et leurs bassins de radoub. Certains paraissaient abandonnés, d'autres trop bien restaurés, mais tous avaient du charme, contrairement aux villes nouvelles, dénuées de personnalité, qui se succédaient le long de la côte. Il devait faire bon vivre ici, se disait Joe.

La nuit tombait lorsqu'il regagna sa chambre d'hôtel. Il s'installa confortablement, les pieds sur la table basse, et se replongea dans la lecture du dossier de presse de Callista.

Il attaquait à présent l'année 1986. A cette époque, Callista Bates titillait fortement l'imagination des journalistes qui, dans leurs articles, émettaient les hypothèses les plus délirantes. Les mêmes questions revenaient sans cesse : qui était-elle ? D'où sortait-elle ? Pourquoi gardait-elle le silence sur son passé ?

Elle était apparue dans le paysage hollywoodien en 1984, au moment de la sortie d'*Horizon perdu*, un film à petit budget qui, contre toute attente, triomphait dans les salles. Ce succès était essentiellement dû à l'actrice, inconnue et fascinante, qui tenait le premier rôle. Elle crevait l'écran et sauvait de la médiocrité un film qui, comme tant d'autres, aurait pu n'être qu'un affligeant mélodrame pétri de philosophie new age. Le directeur de casting, en l'engageant, avait fait preuve de génie.

Par la suite, les journalistes s'étaient résignés à passer sous les fourches caudines de la star et à ne plus l'interroger sur sa vie privée. Mais en 1986, bien sûr, le mystère qu'elle se plaisait à entretenir fournissait aux tabloïds du grain à moudre. Elle avait déclaré que la liberté de la presse s'arrêtait là où commençait la sienne ; ceux qui franchiraient cette limite le regretteraient. Cette déclaration de guerre avait suscité diverses réactions. Tandis que les uns s'inclinaient, les autres, moins élégants, chargeaient des enquêteurs de fouiller le passé de l'actrice. La pudeur de Callista Bates, estimaient-ils, n'était qu'une façade : sans publicité, elle pouvait dire adieu à sa carrière.

Peu de temps après, alors que *La Fille à l'harmonica* était à l'affiche, le journal *Startrak* publiait une interview de la secrétaire

415

de Callista. L'article s'intitulait : *Le drame secret de Callista : elle est orpheline !*

L'actrice ne daigna pas confirmer ni démentir. Elle se contenta de renvoyer la secrétaire indiscrète ; sa remplaçante reçut l'ordre de rayer *Startrak* de ses tablettes.

Pendant deux ou trois ans, des papiers du même acabit continuèrent à paraître. On y laissait entendre que Callista avait vécu une jeunesse tellement épouvantable qu'elle n'en supportait pas le souvenir. Une dizaine de parents au moins se manifestèrent, clamant que Callista était leur fille unique. La rumeur se répandait également sur le réseau Internet ; on y racontait que la star avait eu une enfance tragique, qu'elle avait noyé son jeune frère, tourné dans des films pornographiques, subi plusieurs condamnations pour vol à l'étalage, trafic d'armes, etc.

Un journal alla même plus loin. Il publia une série de photos truquées censées représenter l'actrice à l'âge de seize, huit et quatre ans, et lança un appel à témoins : *Connaissez-vous cette petite fille ? Si vous êtes sa mère, contactez-nous au...* Suivait un numéro vert.

C'était si lamentable et blessant que le milieu journalistique s'en émut. Le *New Yorker* consacra un long dossier aux « effets pervers de la célébrité », ce cancer qui rongeait la vie intime des vedettes. D'autres organes de presse prirent la défense de Callista. Son attitude forçait le respect, disait-on, malheureusement elle payait — pour reprendre les mots d'Andy Warhol — l'inévitable rançon de la gloire.

Il n'y avait rien à tirer de cette prose, décréta Joe en rangeant les articles dans son attaché-case. Tous ces journalistes avaient une mentalité de charognard, il comprenait pourquoi Callista les fuyait comme la peste. Et il craignait fort, quand il sonnerait enfin à sa porte, de n'être pas le bienvenu.

Le soir, il dîna à la Boussole, un petit restaurant qui proposait des homards, lesquels, selon la serveuse, étaient « bien plus goûteux en hiver ».

A dix heures, il était de retour dans sa chambre. Pour s'occuper l'esprit, il se mit à feuilleter le *Boston Globe*. Il tournait distraitement les pages, quand il découvrit, dans la rubrique locale, une photo de Silvio della Torre, souriant de toutes ses dents blanches.

Brockton — Malgré le froid et les routes verglacées, plus de mille personnes se pressaient, hier dimanche, dans l'église Notre-Dame pour entendre la messe en latin, célébrée par Silvio della Torre, leader du mouvement traditionaliste.

La plus vive émotion régnait parmi les fidèles. Les uns se disaient bouleversés par « la majesté et la beauté de l'office », les autres évoquaient le lien mystique qui, depuis la nuit des temps et grâce au latin, la langue religieuse par excellence, unit les catholiques.

Dans son sermon, Silvio della Torre a appelé de ses vœux un « catholicisme plus vigoureux » et mis ses contemporains en garde contre « les abominations de la science ».

Le traditionaliste italien dirige une congrégation, Umbra Domini, qui connaît actuellement un essor considérable. Il est arrivé à Boston vendredi pour inaugurer un nouvel hospice financé par la confrérie.

D'après un membre de son entourage, Silvio della Torre veut profiter pleinement de son séjour américain. Il ne s'est pas fixé de programme précis et n'a pas encore arrêté la date de son retour en Italie.

Le cœur battant, Lassiter relut l'article plusieurs fois. Puis il se servit un scotch et, les yeux rivés sur le portrait de della Torre, vida son verre d'un trait.

Le lendemain matin, il retourna au Bureau des immatriculations. Le ciel était chargé de nuages et, quoique le mercure fût remonté, il faisait un froid humide qui vous transperçait jusqu'à la moelle des os et vous donnait une furieuse envie de plages ensoleillées.

L'employée du guichet « Informations » lui tendit une enveloppe en papier bulle. Il s'en saisit, se dirigea vers une longue table appuyée contre le mur, et s'assit près d'une fille blonde et boutonneuse qui remplissait un formulaire.

Le listing, qui comportait dix pages, répertoriait tous les vans Volkswagen, sortis d'usine entre 1965 et 1975, enregistrés dans l'Etat du Maine. Pour chaque véhicule, on indiquait son année de fabrication, son numéro d'immatriculation, ainsi que le nom, l'adresse et la date de naissance de son propriétaire. Ce dernier élément était particulièrement important pour Lassiter, car il lui permettrait de circonscrire sa recherche aux jeunes femmes d'une trentaine d'années.

Callista était née le 8 mars 1962.

Il s'était préparé à passer des heures sur ce pensum. D'abord il faudrait éliminer les hommes et les femmes trop âgées. Ensuite, quand il aurait effectué ce premier tri, il rendrait visite à chaque personne, une par une.

Le stylo en main, il s'attela à la tâche. Il avait déjà coché dix-sept noms, quand, tout à coup, il lut :

Sanders, Marie A.
Née le 08/03/62
Boîte postale 39
Cundys Harbor, Maine 04010
Volkswagen (van) : 1968
EAW-572

Marie... Née le 8 mars 1962.

Bonté divine, c'est elle. Je l'ai trouvée.

Surexcité, il abattit son poing sur la table. La blonde boutonneuse lui décocha un regard empli d'une telle aigreur qu'il grimaça un sourire d'excuse. Fourrant la liste dans la poche de sa veste, il se rua hors du bâtiment. Dans sa hâte, il manqua s'étaler sur une plaque de verglas.

C'était forcément elle. Combien pouvait-il y avoir, dans l'Etat du Maine, de femmes prénommées Marie, nées le 8 mars 1962, et propriétaires d'un vieux van Volkswagen ?

Il s'engouffra dans sa voiture, prit une carte dans la boîte à gants et consulta l'index. *Cundys Harbor : K-2.* Il promena son doigt sur la surface rose et uniforme du Québec, descendit jusqu'à la frontière du Maine, contourna les lacs du nord pour s'arrêter finalement sur un petit point proche de la côte, au sud-ouest de Brunswick.

Une heure plus tard, il passait devant Bowdoin College et tirait mentalement son chapeau à Dick Biddle. Une centaine de mètres plus loin, un panneau planté à un carrefour indiquait : *Orrs Island.* Joe tourna à droite.

Même sous ce ciel plombé, le paysage ne manquait pas de charme, avec ses rochers gris et ses grands pins d'un vert sombre qui semblaient toucher les nuages. La lumière opalescente avait cet éclat particulier que lui confère la proximité de la mer. Les villages qu'il traversait paraissaient dormir de leur sommeil hivernal, les restaurants, les boutiques de souvenirs avaient fermé leurs volets.

A mesure qu'il approchait de sa destination, la route se rétrécissait. Enfin, au détour d'un long virage, elle déboucha dans le hameau de Cundys Harbor. Elle n'allait pas plus loin.

Lassiter se gara sur une petite aire de stationnement près d'un bazar qui faisait également office de bureau de poste et que signalait un drapeau.

Ce fut alors qu'il vit, à l'autre bout du parking, un van Volkswagen bleu. Avant même de regarder la plaque minéralogique, il sut que c'était le bon. EAW-572.

Il descendit de voiture et fit quelques pas sur la jetée. Et maintenant ? se dit-il. Callista... ou plutôt Marie était probablement dans le magasin. Mais cette femme avait été harcelée, traquée pendant des années. Il ne voulait pas l'effaroucher.

Peut-être reconnaîtrait-elle en lui le frère de Kathy Lassiter, rencontré lors des obsèques, mais cela ne la rassurerait pas forcément. Que faire ? Il s'était tellement démené pour la retrouver qu'il n'avait même pas songé à la manière de l'aborder. Indécis, il s'immobilisa, observant distraitement le décor qui l'entourait.

Quoique pittoresque et digne de figurer dans les guides touristiques, Cundys Harbor n'avait rien perdu de son âme. C'était toujours un village de pêcheurs. Dans le petit port bien abrité des vents, les bateaux aux vives couleurs s'alignaient le long des pontons encombrés de casiers à homards. Deux ou trois embarcations flambant neuves voisinaient avec un chalutier rouillé, hérissé de treuils.

Une fine pellicule de glace, craquelée par endroits, tapissait les rochers découverts par la marée. Le ciel s'assombrissait de plus en plus. Lassiter frissonna. Il devait absolument s'acheter un manteau. Ou se décider à entrer dans le bazar...

L'intérieur du magasin ressemblait à la caverne d'Ali Baba. Les murs disparaissaient sous des étagères chargées de marchandises diverses : articles d'épicerie, cartes, calendriers, matériel de pêche, couteaux pliants, lampes de poche, journaux, bonbons. Une antique et imposante glacière, pleine de bouteilles de lait, d'œufs et de canettes de bière, ronronnait dans un coin. Un bureau de poste miniature occupait le fond de la boutique ; il se résumait à un comptoir, une boîte aux lettres et une cinquantaine de petits casiers en bronze.

En entendant tinter le carillon, une femme aux cheveux gris leva le nez de son magazine.

— Bonjour ! dit-elle.

Ce mot sonnait comme un avertissement.

Lassiter lui sourit et s'approcha du poêle à bois pour se réchauffer les mains. Il jeta un regard alentour.

Pas de Callista Bates ou de Marie Sanders en vue.

— Je peux vous aider ? demanda la vieille dame.

Elle avait l'accent traînant, presque chantant, des habitants de la région.

Lassiter n'hésita qu'une fraction de seconde.

— Oui, je l'espère. Je cherche Marie Sanders.

La femme secoua la tête d'un air si désolé que Joe en frémit.

— Mon pauvre monsieur, vous n'avez pas de chance.

— Il me semble pourtant avoir aperçu sa voiture, dehors.

— Ah oui, vous avez raison. Mais elle n'est pas là. Vous êtes un ami ?

— En effet... Quand pensez-vous la voir ?

— Dans un mois, peut-être six semaines.

— Je croyais qu'elle vivait ici, dit Joe, affreusement déçu.

— Bien sûr qu'elle vit ici.

— Mais alors... elle est en voyage ou...

La vieille dame pouffa de rire comme une gamine ; ses yeux bleus pétillaient derrière ses lunettes.

— Voilà que je parle par énigmes, maintenant, comme le sphinx. Venez, je vais vous montrer.

Elle enfila un ample chandail bleu et, d'un geste, invita Lassiter à la suivre hors du bazar dont elle referma la porte d'un coup de hanche.

Tous deux longèrent la jetée, baissant la tête pour se protéger du vent.

— Ils sont là-bas, dit-elle, montrant trois îles qui se devinaient à l'horizon. Tout au bout.

— Ils vivent là-bas ? bredouilla Lassiter, médusé.

La vieille dame gloussa à nouveau.

— Eh oui ! Par temps clair, on voit la fumée sortir de leur

cheminée. Rentrons, ajouta-t-elle en frissonnant. Je vais nous faire une bonne tasse de thé.

Tous deux se hâtèrent de regagner le magasin.

— Elle doit avoir une radio ? demanda Joe.

— Un téléphone portable.

— Dans ce cas, je...

— Il ne marche pas.

— Vous plaisantez ?

— Eh non, répondit-elle, tout en branchant la bouilloire électrique. Jonathan a essayé de la joindre avant la dernière tempête, mais il n'a pas réussi. Il n'entendait que de la friture. Elle a peut-être oublié de le recharger, ça lui est déjà arrivé. Regardez...

Elle s'approcha d'une grande carte marine placardée au mur et posa le doigt sur une échancrure du littoral, dont la forme rappelait celle d'un cimeterre.

— Nous sommes ici. Et votre amie est là, dit-elle en faisant glisser son doigt jusqu'à l'une des trois îles.

— Sanders Island, lut Joe, stupéfait.

— Eh oui, c'est ce qui est marqué. Quand le capitaine Sanders a acheté l'île, il y a longtemps de ça, il voulait absolument que son patronyme soit inscrit sur les cartes. Et, vous ne le croirez jamais, il a obtenu ce qu'il voulait ! Mais les gens d'ici continuent à l'appeler Rag Island, parce qu'ils l'ont toujours connue sous ce nom.

Elle retourna derrière son comptoir et débrancha la bouilloire.

— Du sucre ? Du lait ?

— Oui, merci.

— Vous êtes comme moi : je l'aime bien blanc et bien sucré.

Elle versa le thé dans de jolies tasses en porcelaine de Chine.

— Pour que le thé soit bon, il faut le servir dans de la porcelaine, décréta-t-elle.

Durant le quart d'heure qui suivit, Lassiter la fit parler d'elle-même. Il apprit ainsi qu'elle s'appelait Maud Hutchison et avait passé toute son existence dans ce village, dont elle connaissait l'histoire sur le bout des doigts.

Quand Lassiter revint au sujet qui l'intéressait, Maud et lui attaquaient leur deuxième tasse de thé.

— Marie vit seule dans son île ?

— Elle a son petit garçon. C'est le premier hiver qu'elle y passe. Je crois que personne n'y avait mis les pieds depuis vingt-cinq ans, vous vous rendez compte ? Quand j'ai revu Marie, après tout ce temps, je ne l'ai pas reconnue. Pourtant, je me souvenais bien d'elle.

— Vous... vous la connaissiez quand elle était enfant ?

— Oh oui ! Et je connaissais aussi ses parents. Toute la famille adorait cette île. Même le frère de Marie, qui était si malade. Le pauvre... on l'enveloppait dans une couverture et on le portait jusqu'au bateau. Le vieux John était un sacré marin. A la belle saison, ils venaient chaque week-end. A l'époque, Marie était haute comme trois pommes. Quel âge pouvait-elle avoir ? Cinq ans, pas plus. Et maintenant, elle a un fils.

— Ses parents habitent toujours la région ?

Maud écarquilla les yeux.

— Mon Dieu, non... Ils sont morts depuis longtemps. Marie ne vous l'a pas dit ?

— Non...

— Ah, ça ne m'étonne pas. Elle est secrète, cette petite.

Maud prit une inspiration.

— John était parti faire la fête à Portland. Amanda est allée le récupérer, mais John a voulu prendre le volant. Je suppose qu'il n'était pas en état de conduire. Quand ils sont arrivés au passage à niveau... Les avocats ont prétendu que les signaux ne fonctionnaient pas, mais ils n'ont jamais pu le prouver. Et puis, pour vous dire la vérité, John était une tête brûlée. Je l'imagine très bien faisant la course avec le train.

Elle soupira.

— La sœur d'Amanda a emmené Marie dans le Connecticut. On n'a plus revu la petite jusqu'à...

— Jusqu'à ce qu'elle reparaisse un beau jour...

— Eh oui ! Elle a débarqué au village sans crier gare, jolie comme un cœur, en pleine forme. Tout de suite, elle a engagé des ouvriers et les a expédiés dans l'île. Ils lui ont installé une fosse septique, une salle de bains, une chaudière à bois, tout ce qu'il fallait.

La vieille dame clappa de la langue.

— Les gens d'ici la critiquaient, ils lui reprochaient de jeter l'argent par les fenêtres. Entre nous, ils n'avaient pas tort. Si elle décide de revendre un jour, jamais elle ne rentrera dans ses frais.

— Pourquoi ?

— Parce qu'il n'y a pas l'électricité sur l'île, et qu'il n'y en aura sans doute jamais.

Pensive, Maud but une gorgée de thé.

— Les temps changent, mon pauvre monsieur.

— Que voulez-vous dire ?

— Autrefois, à l'époque où le capitaine a acheté Sanders Island, les vacanciers qui venaient par ici fuyaient la civilisation. Ils rêvaient de retourner à la nature. Plus c'était rustique, plus ça leur plaisait. Pas de téléphone ni d'appareils électriques, des bougies pour s'éclairer, du bois pour se chauffer et de l'eau de pluie pour se laver. Mais aujourd'hui, on ne supporte plus de vivre à la dure. Personne n'aurait l'idée de s'installer dans nos îles. Sans la télé, que deviendrait-on ? conclut-elle en riant.

— Marie passe donc tout l'hiver là-bas, sans électricité.

— Elle est d'abord venue l'été, ensuite elle est restée de mai à novembre. Et cette année, elle a décidé de ne pas bouger.

La vieille dame fronça les sourcils.

— Au village, il y en a qui n'approuvent pas du tout. Pourtant je vous assure que, par ici, on n'a pas l'habitude de se mêler des affaires d'autrui.

— Les gens pensent peut-être que l'île est trop isolée ?

— Ce sont surtout les hommes qui la critiquent. Vous comprenez... elle coupe son bois, elle pose ses filets, elle mène sa vie... Les hommes simples ont du mal à admettre qu'une jolie fille puisse se débrouiller sans eux. Les femmes, elles, s'inquiètent pour le gosse.

— Et vous ?

Elle haussa les épaules.

— Au début, moi aussi je me faisais du souci pour le petit. Mais Jesse est un enfant merveilleux, et il est tellement heureux là-bas. Marie l'adore, vous savez. Alors j'ai réfléchi et je me suis dit : au fond, de quoi est-il privé ? De dessins animés, de jeux vidéo ? Il ne perd pas grand-chose...

— Malgré tout, s'il y avait une urgence...

— Oh, je suis d'accord avec vous ! soupira-t-elle. Seulement, quand on lui en parle, elle se contente de répondre : « Si j'ai un problème, je lancerai une fusée de détresse, et vous viendrez à ma rescousse. » Quand même, si elle avait un bateau, je serais plus rassurée.

— Elle n'a pas de bateau ? rétorqua Lassiter, stupéfait.

— Elle a un canot, mais en hiver, elle ne peut pas le sortir. Ce serait de la folie.

Maud Hutchison marqua une pause.

— Et vous, comment se fait-il que vous connaissiez Marie ?

Elle avait posé la question d'un ton détaché, sans parvenir toutefois à dissimuler sa curiosité. Joe eut l'impression qu'elle le soupçonnait d'être le père de Jesse.

— Je l'ai rencontrée aux obsèques de ma sœur. Comme j'étais à Portland pour mes affaires, j'ai eu envie de lui rendre visite. Elle avait oublié de me dire qu'elle habitait dans une île.

Il lui sourit puis demanda, comme si cette idée venait juste de lui traverser l'esprit :

— Savez-vous s'il me serait possible de louer une vedette ?

— A cette époque de l'année, mon pauvre monsieur, vous ne trouverez personne qui accepte de vous en louer une.

— Pourquoi ? Il y a des icebergs ?

— Oh non, ce n'est pas le problème. On ne voit pas beaucoup d'icebergs par ici, les courants sont trop forts.

— Alors pourquoi refuserait-on de me louer une vedette ?

— Mais parce qu'il fait trop froid. Il faut un bateau avec une cabine et un bon chauffage. On ne sait jamais ce qui peut arriver. Imaginez que le moteur tombe en panne... vous gèleriez sur pied, mon pauvre monsieur. Et si jamais vous passiez par-dessus bord, vous ne tiendriez pas plus d'une minute.

— Personne ne sort en mer pendant l'hiver ?

— Seulement les pêcheurs de homards et d'oursins. Et, croyez-moi, ils ne le font pas par plaisir.

— On pêche l'oursin, dans le coin ?

— Oui, ces bêtes-là aiment le froid, et il paraît que les Japonais en raffolent. Moi, ça me dégoûte, je n'y toucherais pas pour un empire.

— Vous pensez qu'un de ces pêcheurs accepterait de m'emmener ?

— Peut-être, répondit-elle avec une moue sceptique. Mais je vous préviens, ça risque de vous coûter cher.

— Vous savez où je pourrais rencontrer ces hommes ? Juste pour leur poser la question.

— Vous n'avez qu'à aller chez Ernie. Il tient le magasin de fournitures pour bateaux. Ce serait bien le diable si vous n'y trouviez pas quelqu'un.

Lassiter la remercia chaleureusement pour le thé et pour son agréable compagnie.

Rose de confusion, elle débarrassa le comptoir d'une main preste.

— Ça m'étonnerait que vous puissiez aller dans l'île aujourd'hui. Il y a du gros temps qui se prépare.

Ernie, le propriétaire du magasin qui faisait également office de capitainerie, était de l'avis de Maud Hutchison. Il l'exprima sans détour, ponctuant ses propos de vigoureux hochements de tête. Un incroyable fatras occupait l'espace : accessoires divers rangés dans de petits casiers, flotteurs, cartes, gilets de sauvetage, fusées de détresse... Une invisible radio grésillait.

— La météo a lancé un avis de tempête, dit Ernie. Pas pour aujourd'hui, mais moi, je trouve que le ciel a mauvaise mine. Si quelqu'un me demandait mon avis, je lui répondrais qu'il vaut mieux rester au chaud.

— J'aurais pourtant voulu...

Ernie pointa le doigt vers une porte, au fond du bâtiment.

— Vous pouvez toujours essayer d'en parler aux gars qui sont là.

— Vous me déconseillez de sortir parce que vous avez besoin d'un quatrième pour la belote ! dit Roger aux hommes assis autour de la table. Mais je partirai quand même. A Tokyo, les oursins se vendent cent dollars la livre, et il me faut de l'oseille pour faire réparer le pot d'échappement de la fourgonnette.

Ce géant débonnaire, aux longs cheveux noirs et à la barbe poivre et sel, avait des yeux pétillants sous des sourcils broussailleux et un sourire étincelant. Il était affublé d'une combinaison jaune vif et chaussé de lourdes bottes.

Il venait d'empocher trois cents dollars pour emmener Lassiter à Rag Island, où il le reprendrait le lendemain.

L'un des hommes secoua la tête d'un air réprobateur.

— On ne coupera pas à la tempête. Regarde le baromètre.

— On a encore du temps devant nous. Si j'attends que le coup de chien soit passé, l'eau sera trouble et je ne remonterai pas un oursin de toute la semaine.

— Ton passager a besoin d'une tenue de plongée.

— Et si tu lui prêtais la tienne, puisque tu restes ici ?

Roger se tourna vers Lassiter.

— Vous voulez une tenue de plongée ? Ça tient chaud.

— Je ne sais pas... C'est vous qui commandez.

— Ben, vous n'en avez pas vraiment besoin. Je suppose que vous n'avez pas l'intention de vous baigner. D'un autre côté, si le vent se lève, vous risquez d'être trempé comme un canard et de geler jusqu'au trognon. Et comme je serai responsable, je pourrai dire adieu à ma licence.

— Il fait si froid, en mer ?

— Ça oui... Vous êtes plutôt grand, je vais vous prêter ma vieille combinaison.

— Tu parles d'une idée lumineuse ! s'esclaffa un autre homme. La dernière fois que je l'ai vue, cette combinaison, elle était déchirée aux fesses. Tu ne l'as pas mise à la poubelle ?

— Elle a un accroc, c'est vrai, répondit dignement Roger. Mais je n'ai pas l'intention de demander à ce monsieur de plonger pour me donner un coup de main. La combinaison lui tiendra chaud. Et quand je le débarquerai, si jamais il se casse la figure, elle l'empêchera d'attraper une pneumonie.

— Roger a raison, décréta un pêcheur coiffé d'une casquette de base-ball. On ne tue pas les moustiques à coups de canon, et on n'a pas besoin d'une combinaison impeccable pour faire une balade en bateau.

Quelques minutes après, Roger apportait à Joe la fameuse combinaison ainsi que des sous-vêtements molletonnés.

— Ça ne sent pas la rose, dit-il en lui tendant un caleçon long. Désolé.

— Aucune importance.

Lassiter se changea, plia ses vêtements, puis enfila sa veste en cuir. Il glissait son portefeuille dans la poche intérieure, quand ses doigts rencontrèrent une enveloppe.

La lettre de Baresi.

— Un problème ? demanda Roger, voyant qu'il grimaçait.

— Non... juste un truc que j'oublie sans arrêt...

Il rabattit la patte qui fermait la poche et fourra les vêtements dans un sac en plastique. Il était prévu que Roger revienne le chercher le lendemain matin, à marée haute, si la météo le permettait.

Lassiter savait qu'en débarquant ainsi, sans s'être annoncé, dans la propriété privée d'une femme comme Marie Sanders, il prenait de grands risques. Mais elle le reconnaîtrait forcément, et ensuite il lui expliquerait tout. Le fait même d'être bloqué dans l'île, sans possibilité de regagner le continent, jouerait en sa faveur. Elle ne pourrait pas lui claquer la porte au nez, elle serait bien obligée de l'écouter.

De plus, le temps pressait. S'il avait réussi à retrouver sa trace, les autres — surtout si Drabowsky les épaulait — ne tarderaient pas.

Il suivit Roger sur le dock, auquel était arrimée une longue rampe flottante que les vagues soulevaient gentiment.

— Attendez-moi là, lui dit Roger. J'arrive.

Il mit à l'eau un dinghy rouge et sauta souplement dans l'embarcation. Vrombissant et pétaradant, le canot pneumatique fila vers un bateau blanc, le *Fend-la-Bise*. Roger prit pied sur le pont, hissa le dinghy qu'il attacha solidement, et mit le moteur en route. Bientôt, le bateau venait se ranger le long de la rampe, et Lassiter montait à bord.

Le cockpit était encombré de bouteilles de plongée, de masques, de lignes, de bouées et de tout un matériel dont Joe ignorait l'usage. Un petit radiateur, posé sur le sol, ronflait allégrement.

Tout en manœuvrant pour sortir du port, Roger parla de ce qui lui tenait le plus à cœur : la pêche aux oursins.

— C'est un boulot dangereux, mais les bons jours, je peux en prendre dans les cinq cents kilos. A un dollar vingt-cinq la livre.

— Mais pourquoi les pêchez-vous en hiver ? demanda Lassiter, élevant la voix pour couvrir le rugissement du moteur.

— Parce que c'est la meilleure saison. Si vous les récoltez en été, la chair ne représente que trois pour cent du poids total. Tandis que de septembre à avril, ça va jusqu'à quinze pour cent. C'est beaucoup plus rentable, vous comprenez.

— C'est la chair qu'on vous paie ?

— Ouais, les Japonais en sont très friands.

Ils avaient atteint la haute mer, et Lassiter commençait à apprécier la balade. Le bateau, remarquablement bien conçu, semblait surfer sans effort sur les vagues.

— Et vous aimez ça ? cria Lassiter.

— Quoi donc ?

— Les oursins !

— Vous me demandez si je les mange ?

— Oui.

— Certainement pas ! dit Roger avec dégoût. Il n'y a que les Japonais pour... Attention !

Plaquant son bras sur la poitrine de Lassiter, il barra brutalement à bâbord. Un choc sourd ébranla le bateau et fit vibrer le plancher de la cabine.

— Merde ! pesta Roger entre ses dents.

L'air furibond, il coupa le moteur. Le bateau se mit à tanguer.

— Qu'est-ce qui s'est passé ?

— On a heurté du bois flotté.

— Comment le savez-vous ? Je n'ai rien vu.

— Parce que cette saleté n'était pas à la surface. Quand le bois est complètement imbibé, il s'enfonce et il reste là, entre deux eaux. Il n'y a pas moyen de le repérer.

Il relança le moteur, tendit l'oreille.

— Ça ne tourne pas rond, j'ai l'impression que l'hélice en a pris un coup.

Roger abattit un poing vengeur sur le gouvernail.

— Merde ! C'est la troisième fois cette année.

Avec un soupir d'affliction, il relança le moteur, remit le cap sur Sanders Island, et le bateau reprit sa course, fendant gaillardement les flots.

— Où j'en étais avant cette interruption intempestive ? demanda Roger.

Sa mauvaise humeur envolée, il éclata d'un rire sonore.

— Vous parliez des Japonais !

— Ah oui ! Ils ont de drôles de goûts, ces gens-là. Sur tous les plans. Ils cultivent des bonsaïs, alors que les arbres sont faits pour grandir. Dans leurs jardins, il n'y a pas une fleur, rien que des cailloux ! Et ils mangent des choses bizarres, notamment des oursins.

Roger se tut, scrutant le ciel. Une ride s'imprima entre ses sourcils.

— Je crois que la tempête arrivera plus tôt que prévu. Regardez-moi ça.

Il montrait les crêtes écumantes des vagues qui se creusaient de plus en plus tout autour du *Fend-la-Bise*.

— Si ça empire, je vous déposerai dans l'île et je ferai demi-tour. Cette année, on a un hiver pourri !

— Vous craignez d'avoir des difficultés pour accoster ?

— Non, ce n'est pas ça qui m'ennuie. Je vous laisserai dans la crique, c'est bien abrité. Mais pas question que je plonge dans ce bouillon, je ne suis pas fou à ce point.

Il ouvrit le hublot latéral et y passa la tête. Un air glacial s'engouffra dans la cabine dont les parois se couvrirent aussitôt de buée. Roger referma le hublot.

— Il fait un vent à décorner les bœufs, dit-il, haussant ses massives épaules. Il vaudra mieux que je rentre. J'en profiterai pour jeter un coup d'œil à cette hélice.

Dépité, Roger n'avait plus envie de bavarder. Il fouilla dans une boîte pleine de cassettes, en choisit une qu'il glissa dans le lecteur. Dès que la musique s'éleva, il se mit à fredonner et à danser sur place. Malgré sa taille et sa corpulence, il bougeait bien. Et il avait une fort belle voix.

— Vous auriez pu faire une carrière de chanteur de rock ! lui cria Lassiter.

Roger sourit d'une oreille à l'autre.

— Pine Island ! dit-il, montrant un point à bâbord.

Puis il se remit à chanter et à se trémousser. Lassiter, lui, s'absorba dans ses pensées. Il se demandait comment Marie Sanders allait l'accueillir. A coups de revolver ?

— On aperçoit Rag Island ! brailla Roger. Là-bas ! Vous voyez ?

Lassiter tourna la tête et aperçut une sombre masse rocheuse hérissée de pins.

— Oui !

Roger ne lui prêtait plus attention. Il écoutait la musique — un morceau de Dire Straits — et grattait une guitare imaginaire. Les yeux mi-clos, il semblait aux anges. Lassiter aurait légitimement pu s'en inquiéter, mais cela ne le troubla pas.

Il vivait un moment exaltant, parfait. Bien à l'abri dans cette cabine chaude comme un œuf, la tête pleine de musique, il volait au secours d'une belle dame en détresse. Le bateau blanc filait comme le vent, son étrave fendant les vagues qui s'écartaient docilement devant lui. Et Roger, le joyeux pêcheur d'oursins à la voix de rocker et aux opinions bien arrêtées sur la culture japonaise, Roger qui connaissait cette mer comme sa poche, les emmenait droit vers...

Un mur de pierre...

L'île avait brusquement surgi devant eux. Lassiter tourna un regard interrogateur vers Roger, pensant qu'il s'amusait à lui faire peur. Mais le pêcheur d'oursins ne plaisantait plus. Une expression de panique se peignait sur son visage.

— Bon Dieu de bon Dieu ! hurla-t-il d'une voix étranglée.

L'instant d'après, le bateau percutait les rochers tapissés d'algues. La coque se déchira avec un bruit strident, sinistre. L'eau s'engouffra dans la cabine qui craquait de toutes parts.

Des ténèbres liquides les submergèrent. Lassiter sentit une main agripper sa manche. Brusquement une vague souleva le bateau, l'arrachant aux récifs sur lesquels il s'était empalé. Durant une fraction de seconde, tout se figea. Le *Fend-la-Bise* flottait dans l'air, délivré des lois de la pesanteur. Puis il retomba lourdement sur les rochers.

Cette fois, le choc fut si violent que Lassiter fut projeté en avant. Son crâne heurta une surface dure, une lumière rouge et aveuglante fulgura derrière ses paupières closes. La main qui lui broyait le bras lâcha prise. Il se sentit glisser et se retrouva dans l'eau, étourdi, endolori.

Quelque chose s'était brisé dans sa tête. Les bruits qui lui parvenaient étaient assourdis, distordus, étrangement lointains.

Ses pieds rencontrèrent la terre ferme, mais celle-ci se déroba aussitôt. D'instinct, il se mit à pédaler. L'eau était glacée. Elle s'insinuait dans sa combinaison déchirée, le mordait, le fouaillait. Il allait mourir. Dans un instant il serait mort, noyé ou gelé jusqu'à l'os.

A cette pensée, il eut un haut-le-corps. Il rouvrit les yeux et, à travers un voile de larmes, vit des flammes orange s'élever dans le ciel et se tordre comme des furies. Il les entendit ronfler et crépiter.

Le froid lui comprimait la poitrine, se refermait tel un étau sur son cœur et ses poumons. Des récifs qui semblaient surgis de nulle part se dressèrent soudain devant lui. Dans un ultime sursaut d'énergie, il fit un pas, puis un autre.

Il lui sembla que la mer reculait. L'eau ne lui arrivait plus qu'à la taille. Aux genoux, aux chevilles... Les galets roulaient bruyamment sous ses pieds, entraînés par une force invisible vers les vagues. Hagard, il se retourna.

Un mur gris et écumant s'écroula sur lui.

Chapitre 36

— Maman... je crois qu'il se réveille !

— Tu en es sûr, cette fois ? demanda une femme avec une tendresse distraite.

— Voui. Tu veux savoir pourquoi ?

— Non.

— Parce que... hé, tu as dit non !

Un rire clair.

— Tu triches, maman ! Tu veux savoir !

— D'accord, je veux savoir.

— Parce qu'il a les yeux qui bougent sous les paupières. On dirait des billes.

Lassiter sentait un souffle léger sur sa joue. Un souffle d'enfant. Brandon...

— Ça ne prouve pas qu'il est réveillé. J'ai laissé tomber une poêle, il a dû entendre le bruit, même dans son sommeil. Simple réflexe.

— C'est quoi, un ré-flesse ?

— Réflexe, chéri.

— C'est quoi ?

— Une réaction physique incontrôlable. Imagine par exemple que, tout d'un coup, je te mette le doigt dans l'œil. Tes yeux se fermeront malgré toi.

— Nan... je les garderai ouverts, parce que je sais bien que tu me feras pas de mal.

— N'empêche que tu aurais le réflexe de fermer les yeux. Pour te protéger.

— Essaie de me mettre le doigt dans l'œil, maman. Enfin...
pour de rire.

— Laisse-moi d'abord finir de laver la vaisselle.

— D'accord.

L'enfant se mit à fredonner à mi-voix. Lassiter ne bougeait
pas. Il avait l'impression de planer dans l'espace, très loin du
monde. Des bribes de souvenirs lui revenaient peu à peu : une
musique, des rochers, une vague géante...

Il souleva les paupières, discerna vaguement un petit visage
qui, brusquement, disparut de son champ de vision.

— Maman, maman ! Il est réveillé ! s'écria l'enfant, ravi et un
peu effrayé.

— Oh, Jesse... Tu veux tellement qu'il se réveille que tu
prends tes désirs pour des réalités.

— Non ! Il m'a regardé, je te jure !

La lumière le blessait. Il referma les yeux, sans parvenir toutefois à réintégrer son cocon. Il entendit un bruit de pas, puis la
voix de la femme, toute proche.

— Jesse... tu vois bien qu'il dort.

— Ah... peut-être que c'était un ré-flesse.

— Petit malin, va ! dit-elle avec indulgence.

Elle dut le chatouiller ou le soulever dans ses bras, car il éclata
de rire. Un rire cascadant de pur bonheur.

— Encore, maman !

Lassiter rouvrit les yeux.

La femme tenait l'enfant par les poignets et le faisait tournoyer.
Quand elle s'immobilisa, il se blottit contre elle, étourdi et hilare.
Puis il tourna la tête vers Lassiter, croisa son regard. Une expres-
sion grave et solennelle se peignit sur ses traits.

— Regarde, maman.

Sa mère pivota.

— Je te l'avais bien dit, souffla l'enfant.

Le sourire de la femme s'effaça.

— Tu avais raison, Jesse, murmura-t-elle d'un ton circonspect.
Il est réveillé.

Le petit garçon s'approcha.

— On t'a sauvé. Tu ne respirais plus du tout, alors maman t'a
fait du... bouche-à-bouche. C'est moi qui ai compté, parce qu'il
faut compter pour que ça marche. Et après tu as craché de l'eau.

432

On a été obligés de couper ta combinaison de plongée, c'est embêtant parce qu'on pourra pas la réparer, et que...

— Tais-toi, mon chéri...

Lassiter sentit une petite main se poser sur son front et le caresser doucement.

— Tu vas guérir, dit l'enfant.

Joe entendait sa propre respiration, sifflante et laborieuse.

— Vous êtes resté deux jours inconscient, murmura la femme.

Il poussa un gémissement.

— Vous amener jusqu'ici n'a pas été facile...

— Tu étais tout bleu, enchaîna Jesse. A cause du froid. On t'a sauvé.

Des bruits étranges résonnaient dans son crâne. Puis il comprit. C'était le vent qui mugissait ainsi, et la pluie qui tambourinait sur le toit de la maison. Il ouvrit la bouche, mais aucun son ne franchit ses lèvres.

— Jesse, va chercher un verre d'eau.

— D'accord ! rétorqua-t-il joyeusement.

Il trotta jusqu'à l'évier, se hissa sur un tabouret. Quand il revint avec le verre, sa mère souleva légèrement la tête de Lassiter qui but une gorgée et retomba sur le lit, épuisé.

— Il y avait un homme avec moi..., articula-t-il.

Comment s'appelait-il ?

Perplexe, la femme fronça les sourcils.

— Non, vous étiez seul...

Roger. Il s'appelait Roger...

Ce fut comme si un voile se déchirait. Kathy. Brandon. Bepi. Le curé. Tant et tant de morts.

Un frisson le secoua.

— Callista, bredouilla-t-il.

Elle tressaillit, son regard se fit plus tranchant qu'une lame. Saisissant son fils par l'épaule, elle l'obligea à s'écarter du lit. Durant de longues minutes, on n'entendit plus que la pluie et le vent.

Puis, d'un ton âpre, la femme demanda :

— Mais qui êtes-vous ?

Quand il se réveilla pour la seconde fois, la nuit était tombée. Deux lampes à pétrole accrochées au mur diffusaient une onctueuse lumière dorée. Joe rouvrit les yeux avec peine. Il se trouvait dans une vaste pièce lambrissée du sol jusqu'à la charpente qui soutenait le toit. Une gigantesque cheminée, aménagée en insert, occupait le fond de la salle.

Il ne vit pas la femme ni le petit garçon, pourtant il entendait un murmure, derrière lui.

Il faut que je me lève.

Ahanant, il se redressa sur un coude, déplaça ses jambes pour poser les pieds par terre et s'assit sur le bord du lit. Une amère nausée lui tordit l'estomac, ses dents s'entrechoquaient. Il se mit debout, hagard, vacillant comme un ivrogne.

— Vous êtes fou ou quoi ? dit-elle en l'aidant à se recoucher. Vous êtes trop faible pour vous lever.

— J'ai la figure abîmée ?

Elle lui lança un regard surpris, repoussa en arrière ses cheveux bruns.

— Non... Vous croyez que c'est le moment de jouer les coquets ?

— Ce n'est pas ça, je...

Elle était encore plus belle que dans son souvenir et, malgré la lumière avare, il pouvait voir à quel point elle avait changé. Elle était plus mûre, on la sentait plus forte et plus épanouie.

— Je... vous ne me reconnaissez pas ?

— Non, répondit-elle d'un ton méfiant. Qui êtes-vous ?

— Nous nous sommes rencontrés dans un cimetière, en Virginie. Le jour des obsèques de ma sœur et de son fils. Kathy Lassiter... et le petit Brandon.

Elle ne broncha pas.

— C'était au mois de novembre. Vous portiez un chapeau avec une voilette. A l'époque, vous étiez blonde.

Il lut dans son regard qu'elle le reconnaissait à présent, mais s'efforçait de rester impassible. Il devinait ce qu'elle pensait : *que vient-il faire ici ?*

— Vous avez connu ma sœur en Italie... à la clinique Baresi.

— Quoi ?

Nerveuse, elle se redressa d'un bond.

— Tranquillisez-vous, je ne m'intéresse pas à Callista Bates. J'ai trouvé votre nom dans le registre...

— Quel registre ?

— Celui de la pension Aquila. Je me suis mis à la recherche de Marie Williams et j'ai découvert... que c'était vous.

Elle se rassit au bord du lit, à distance respectable de Lassiter.

— Je ne comprends pas... pourquoi êtes-vous allé à la clinique ?

Il fallut plus d'une heure à Joe pour raconter toute l'histoire. Il dut s'interrompre à deux reprises, la gorge en feu, et réclamer un verre d'eau. Elle fut obligée d'éteindre les lampes à pétrole qui commençaient à fumer et d'en allumer deux autres.

Quand il eut terminé son récit, elle murmura :

— Je ne comprends toujours pas.

— Quoi donc ?

— Pour quelle raison des êtres humains commettraient-ils des abominations pareilles ?

— Je n'en sais rien. Mais ces femmes et ces enfants sont tous morts. Vous êtes les seuls survivants.

Elle fourragea dans ses cheveux, en fit une torsade qu'elle enroula sur le sommet de son crâne. Elle paraissait si fragile soudain qu'il eut envie de la serrer dans ses bras pour la réconforter.

— Comment puis-je être sûre que vous ne mentez pas ?

— Vous vous souvenez de moi, ne prétendez pas le contraire. Vous savez qui je suis.

Sans répondre, elle s'approcha de la cheminée pour mettre une grosse bûche dans l'âtre. Son ombre glissa sur le mur, dans la lumière tremblotante des lampes. Puis Marie se laissa tomber dans un rocking-chair et croisa les jambes. Son pied battait la mesure.

— Vous n'avez qu'à vérifier, dit-il. Il suffit d'appeler la pension, d'interroger Nigel ou Hugh. Ou encore Jimmy Riordan, l'inspecteur chargé de l'enquête.

— Je n'ai pas le téléphone. D'ailleurs, Jesse et moi sommes en sécurité dans cette île. Je me sens en sécurité. Personne ne viendra nous chercher ici.

— Pourquoi ? Moi, j'ai bien fini par vous trouver.

Elle lui décocha un regard noir.

— La tempête s'apaise, dit-elle, changeant délibérément de sujet. Dès demain matin, les gardes-côtes s'inquiéteront de votre sort. Ils vous ramèneront sur le continent et... vous n'aurez plus qu'à nous oublier. Ce qui est arrivé à votre sœur et aux autres me remplit d'horreur et je... je vous remercie de vous être donné tant de mal pour nous retrouver, mais... Jesse et moi, nous ne risquons rien.

Découragé, Joe réprima un soupir.

— Si vous refusez mon aide, peut-être pouvez-vous m'accorder la vôtre.

— Comment ? rétorqua-t-elle, surprise.

— Je me suis lancé dans cette aventure parce que je voulais comprendre pourquoi on avait assassiné Kathy et Brandon. Malheureusement, je n'ai toujours pas élucidé le mystère. Alors... si vous m'autorisiez à vous poser certaines questions...

— Quel genre de questions ?

— Eh bien, par exemple... Pourquoi avez-vous choisi la clinique Baresi ?

Callista, ou plutôt Marie, haussa les épaules.

— Pour les mêmes raisons que Kathy, je suppose. Je me suis renseignée. Baresi jouissait d'une excellente réputation, et sa clinique était l'un des premiers centres à pratiquer la méthode qui m'intéressait. Le fait qu'elle se trouve à l'étranger ne me dérangeait pas, au contraire. Ça me donnait l'occasion de retourner en Italie.

— D'y retourner ?

— Oui, j'ai vécu là-bas quand j'étais très jeune. Près de Gênes.

— Vous avez grandi en Italie ?

— Non, je n'y suis restée que trois ans. Si ma tante n'était pas tombée malade, j'y aurais passé mon baccalauréat.

— Mais comment...

— Mon oncle travaillait dans le bâtiment, expliqua-t-elle. Il devait être très compétent, parce que nous n'arrêtions pas de déménager. Le Pakistan, l'Arabie Saoudite... et les Etats-Unis, bien sûr. Je changeais d'école tous les ans ou presque. Ensuite nous sommes partis pour l'Italie. En fait, c'est là-bas que j'ai vécu le plus longtemps.

— La femme qui tient le bazar, au village, m'a dit qu'à la mort de vos parents, vous étiez toute petite.

— Mon oncle et ma tante m'ont recueillie. Contraints et forcés... je n'avais plus qu'eux au monde.

— Ils s'appelaient Williams ?

— Oui... tante Alicia et oncle Bill.

— Vous ont-ils adoptée ? Je veux dire... légalement ?

Elle se raidit.

— Quel rapport avec votre sœur ?

— Aucun, pour l'instant nous parlons de vous. Or, s'ils vous ont adoptée, il existe fatalement des documents quelque part.

— Ils souhaitaient que je porte leur nom. D'après tante Alicia, c'était beaucoup plus simple. Sinon, chaque fois qu'on prenait l'avion, il fallait des heures pour franchir la douane.

Elle secoua la tête.

— Ils m'ont adoptée, dit-elle en riant, parce que c'était moins compliqué. Moins embêtant.

Elle s'interrompit, rit à nouveau.

— Et après, on se demande pourquoi j'étais tellement paumée...

— Je suis sûr qu'ils tenaient à vous. Sans doute vous ont-il présenté les choses avec maladresse.

— Hmm..., marmonna-t-elle, les lèvres pincées. Vous savez, je ne leur reproche rien. A cinquante ans, ils se retrouvaient brusquement avec une gamine à élever. Ils ont fait de leur mieux.

— Pourquoi dites-vous que vous étiez paumée ?

— Un rien m'effrayait, j'étais d'une timidité maladive. J'avais perdu mes parents dans un accident, peu de temps après la mort de mon frère. Tante Alicia et oncle Bill ne m'accordaient pas beaucoup d'attention. Je me suis repliée sur moi-même. Je m'efforçais de passer inaperçue, ça me semblait plus confortable. A ce jeu-là, je suis devenue championne.

— J'ai du mal à croire que vous ayez pu un jour passer inaperçue.

— Je ne mens pas, je vous assure. Si vous m'aviez vue à l'époque... j'étais un vilain petit canard. J'avais les oreilles décollées, des yeux qui me mangeaient la figure, un nez trop long, une bouche trop grande, des pieds comme des péniches. Je ne ressemblais à rien.

Lassiter se mit à rire.

— Souvent, ma tante me regardait d'un air navré et disait : elle s'arrangera en grandissant... Mais je sentais bien qu'elle n'en pensait pas un mot.

Elle s'interrompit brusquement, le dévisagea avec circonspection.

— Je ne vois pas en quoi tout ceci pourrait vous aider.

437

— Parlez-moi de la clinique Baresi. En quoi différait-elle des autres centres ?

— Eh bien... premièrement, Baresi ne demandait pas à ses patientes de choisir. Certaines s'en plaignaient, moi je considérais que c'était un avantage supplémentaire.

— Attendez, je ne vous suis pas. Choisir quoi ?

— Le donneur de sperme. Ou la donneuse d'ovocyte.

— Il est possible de choisir ? rétorqua Lassiter, stupéfait.

— Dans certains établissements, oui. Je me suis rendue une fois dans un centre de Minneapolis, simplement pour me renseigner. Bien entendu, ils m'ont expliqué en détail la méthode qu'ils pratiquaient. Puis ils m'ont demandé si j'étais mariée et si je souhaitais qu'on utilise le sperme de mon époux. Quand j'ai répondu que j'étais célibataire, ils m'ont fourré dans les mains un répertoire des donneurs. Un vrai catalogue commercial.

Sa voix grimpa dans l'aigu.

— Et maintenant le donneur numéro 123 ! dit-elle, singeant un camelot en train de haranguer les badauds. Ingénieur en aéronautique, sportif... un lot de tout premier choix ! Mon Dieu... quelle horreur !

— Si je comprends bien, plaisanta-t-il, vous n'êtes pas partisane de l'eugénisme.

— Non, pas vraiment. A la clinique Baresi, les choses se passaient autrement. On ne vous donnait pas la moindre information sur le donneur ou la donneuse. Ça me convenait parfaitement, je n'éprouvais aucune curiosité. Comme disait Baresi : ce sera *una piccola sorpresa*. Une petite surprise.

Elle esquissa un sourire attendri.

— J'aimais beaucoup cet homme...

Elle paraissait plus détendue, plus confiante. Il décida de tenter à nouveau sa chance.

— Marie, vous devez me croire. Rester ici vous mettrait en danger.

— Oh, voilà que vous recommencez...

— Ces gens sont très puissants, insista-t-il. Ils ont de l'argent, des contacts un peu partout, et notamment au FBI. Si j'ai réussi à vous retrouver...

— A propos, comment avez-vous fait ?

— C'est Gunther qui m'a mis sur la voie.

Elle haussa un sourcil interrogateur.

— Mon van Volkswagen ?

— Oui...

— Je ne l'appelle plus Gunther depuis longtemps, dit-elle d'un air buté.

— Peu importe. A mon tour de poser une question : comment vous y êtes-vous prise pour vous forger une nouvelle identité ? Je dois admettre que, pour un amateur, vous avez fait du bon boulot.

— Merci... Figurez-vous que je me suis contentée d'acheter un manuel. De nos jours, on publie toutes sortes de guides, sur les sujets les plus divers : comment fabriquer des explosifs, comment improviser un repas ou bâtir une maison...

— Vous avez tout bêtement suivi les instructions du manuel ?

— En gros, oui. L'auteur conseillait de se rendre dans un cimetière et d'examiner les pierres tombales. Le but, c'est de trouver un enfant mort avant sa première année et de lui chiper son nom. Pour ma part, j'ai pu me dispenser de cette corvée, puisque j'avais déjà un nom : le mien. Je possédais même un acte de naissance.

— L'acte de naissance de Marie Sanders.

— Oui, le mien. Mon oncle me l'a remis pour mon dix-huitième anniversaire, dans une vieille enveloppe qui contenait aussi l'une de mes dents de lait, la photo de mariage de mes parents, un article sur mon grand-père, et quelques bons d'épargne achetés par mon père pour me constituer un petit pécule. J'ai toujours cette enveloppe dans mon sac. Il n'y manque que les bons d'épargne ; je les ai vendus autrefois pour partir en Californie.

— Mais vous...

— Ça suffit, dit-elle d'un ton brusque. A présent, il faut vous reposer.

Elle se leva, éteignit les deux lampes à pétrole, et quitta la pièce.

Joe dormit comme une souche. Ce fut la voix fraîche de Jesse qui le réveilla.

— Je n'ai pas froid du tout, maman. Je n'ai pas besoin de mes gants, je te jure. Je peux les enlever, dis ? S'il te plaît ?

— Je préférerais que tu les gardes.

— Mais il fait presque chaud, maman. Tu n'as qu'à sortir, tu vas voir. Il fait chaud ! Et il y a du brouillard partout !

Quand la porte se fut refermée, Lassiter jeta un coup d'œil autour de lui. Constatant qu'il était seul, il s'enveloppa dans la couverture et se leva. Il fit quelques pas prudents dans la salle avant de s'installer dans un fauteuil près de la cheminée.

Quelques minutes s'écoulèrent. Soudain, la porte s'ouvrit à la volée, livrant passage à Jesse.

— Tu es debout ! s'écria le petit garçon. Tu veux bien jouer au Mikado avec moi ? Maman en a assez de ce jeu. S'il te plaît !

La partie de Mikado dura toute la matinée. Marie en profita pour inspecter les malles du grenier. Elle y dénicha de vieux vêtements, mités et moisis, qu'elle donna à Joe. Ils étaient à sa taille.

Lassiter allait de surprise en surprise. Marie et son fils vivaient en parfaite autarcie et semblaient ne manquer de rien. Ils avaient des cannes à pêche et des nasses pour attraper les anguilles. Une cave pour conserver les légumes et les fruits secs. Des tresses d'ail et d'oignons, des guirlandes de piments, des bouquets d'herbes aromatiques étaient suspendus aux poutres de la cuisine. Sur les étagères s'alignaient de grosses boîtes métalliques pleines de riz, de pâtes, lait en poudre, farine, sucre et flocons d'avoine. Une pompe installée au-dessus de l'évier amenait l'eau du puits dans la cuisine.

— Ça gèle quelquefois, lui expliqua Jesse. Mais c'est pas grave, parce qu'on a des tas de bouteilles d'eau minérale. Et on a un bassin qui se remplit quand il pleut. Tu veux voir ?

Le petit garçon était franchement irrésistible et, souvent, Lassiter surprenait sur le visage de Marie l'expression d'adoration et de fierté qui l'émouvait tant chez Kathy. N'ai-je pas un fils merveilleux ? semblait-elle dire.

Après le déjeuner, Marie donna à Jesse sa leçon de lecture, tandis que Joe s'installait sur le porche pour contempler l'océan. Puis le petit garçon le rejoignit, pressé de lui montrer comment sa mère et lui se débrouillaient pour transbahuter de lourdes charges.

— On fait comme les « Gyptiens », dit-il.

Il extirpa de sous le porche un traîneau grossier formé d'une plaque de métal rouillée sous laquelle était fixée une traverse en bois. Un trou était percé à chaque extrémité du morceau de bois

440

pour y passer une corde. Il suffisait ensuite de positionner le rudimentaire véhicule sur deux bûches bien rondes. Sérieux comme un pape, Jesse déposa un gros caillou sur le traîneau, agrippa la corde et, soufflant et ahanant, tira le tout jusqu'au bord de l'eau, s'arrêtant à chaque instant pour remettre les bûches en place.

— C'est comme ça que les « Gyptiens » ont transporté les pierres pour construire les pyramides. Parce qu'ils avaient pas de roues, tu comprends.

Le soir, au dîner, Marie déclara que si le brouillard se levait, les gardes-côtes leur rendraient certainement visite dans la matinée.

— Et ils ramèneront M. Lassiter sur le continent, ajouta-t-elle. Je suppose qu'il a hâte de retrouver la civilisation.

— Pourquoi il reste pas ici ? demanda Jesse. On s'amuse bien avec lui.

— Ce n'est pas possible, mon chéri. Il a sa vie. N'est-ce pas, monsieur Lassiter ?

Il la dévisagea longuement.

— Oui, bien sûr, mentit-il.

Lorsque Jesse fut couché, les deux adultes s'assirent devant la cheminée. Marie semblait triste, et Joe lui en fit la remarque.

— Jesse est tellement content depuis votre arrivée, murmura-t-elle. Je me rends compte que... je suis égoïste.

Il garda le silence.

— Mais ça ne durera plus très longtemps, ajouta-t-elle, comme pour se justifier. A l'automne, il ira à l'école maternelle et... il nous faudra trouver une maison au village.

— Vous ne craignez pas qu'on vous reconnaisse ?

— Non, pas vraiment. Hollywood est très loin, sur une autre planète... et j'ai beaucoup changé.

— Physiquement ?

— Moralement. En réalité, tout cela n'a plus d'importance pour moi. L'essentiel, c'est Jesse.

Joe hocha la tête.

— Vous avez raison. Voilà justement pourquoi vous devez partir d'ici.

Elle lui lança un regard irrité.

— Vous aviez promis de ne pas revenir là-dessus !

— D'accord, soupira-t-il. Mais accordez-moi une faveur :

quand les gardes-côtes arriveront, dites-leur que vous ne m'avez pas vu.

— Pourquoi ? rétorqua-t-elle avec méfiance.

— Parce que les gens qui vous cherchent sont aussi à mes trousses. Et, croyez-moi sur parole, il vaut mieux pour vous qu'ils ne retrouvent pas ma trace. Si les gardes-côtes me ramènent sur le continent, ils rédigeront forcément un rapport — avec mon nom écrit noir sur blanc. Les journaux locaux s'intéresseront à l'affaire, puisqu'un autochtone est mort dans l'accident. Dans la minute qui suivra, des inconnus débarqueront à Cundys Harbor pour interroger les pêcheurs : « M. Lassiter avait loué un bateau ? Alors que la tempête menaçait ? Mais où voulait-il aller, le savez-vous ? »

Il s'interrompit pour reprendre son souffle.

— Il est préférable que je regagne la terre ferme par mes propres moyens.

— Comment ?

— Vous avez un canot. Vous pourriez me ramener.

— Et vous abandonner sur la côte, au milieu de nulle part ?

— Oui.

— C'est de la folie. Que ferez-vous ensuite ?

— Ne vous inquiétez pas de ça.

Elle secoua la tête.

— J'ai remisé le canot. Quant au ponton, il n'est même pas en place.

— Pourquoi ? s'étonna-t-il.

— Parce que, en hiver, il faut le retirer. La crique gèle une ou deux fois par an. A la fonte des glaces, le ponton risquerait d'être emporté.

— Pour le moment, il n'y a pas de glace.

— Pas pour l'instant, mais...

Elle poussa un soupir.

— D'accord, je vous ramènerai.

— C'est tout ce que j'attends de vous.

— Très bien, entendu, rétorqua-t-elle d'un ton brusque.

Lassiter détourna les yeux.

— Je peux vous poser une question ? dit-il après un long silence.

— Encore ! Vous êtes aussi insatiable que Jesse !

— Pour en revenir à la clinique Baresi..., commença-t-il avec

442

embarras, je me demandais... pourquoi vous aviez eu recours à cette méthode.

— Quelle méthode ? Le don d'ovocyte ?

— Oui... Les autres femmes, comme Kathy, frôlaient la quarantaine. A votre âge, il me semble que...

Il grimaça.

— Excusez-moi, je deviens indiscret.

— Nous n'en sommes plus à une confidence près, ironisat-elle. Je ne suis pas stérile, voyez-vous, je peux avoir des enfants. Et je désirais profondément faire l'expérience de la grossesse. Cependant... il n'était pas question que je lègue à cet enfant mon patrimoine génétique.

— Pourquoi ?

— Myopathie de Duchenne.

Comme il la dévisageait d'un air interrogateur, elle expliqua d'une voix sourde :

— C'est une maladie héréditaire transmise par les femmes et qui touche seulement les garçons. Malheureusement, elle est incurable. Les myopathes meurent jeunes. Mon frère n'avait que treize ans.

Maud Hutchison, se souvint Lassiter, lui avait effectivement parlé du frère de Marie qu'on enveloppait dans des couvertures pour le porter jusqu'au bateau.

— Je suis désolé, murmura-t-il.

Elle se pelotonna dans son fauteuil et, d'un ton presque détaché, lui expliqua comment évoluait cette terrible maladie. Elle affectait d'abord les muscles des membres inférieurs, rendant la marche difficile puis impossible, et gagnait peu à peu tout le corps. Quand le diaphragme était atteint, le malade souffrait d'insuffisance respiratoire et cardiaque. Dès lors la fin était inéluctable.

— J'avais une vingtaine d'années quand j'ai passé le test et découvert que j'étais porteuse.

— Vous auriez forcément transmis la maladie à votre enfant ?

— Il y avait une « chance » sur quatre. Un peu comme à la roulette russe. Mais là, vous jouez avec la vie d'un petit être qui n'a pas demandé à naître.

Elle se tut, les yeux rivés sur les flammes qui crépitaient dans l'âtre.

— Je suis vraiment désolé, répéta-t-il.

— Ça ne me tourmente plus. Maintenant, j'ai Jesse et je l'aime plus que tout au monde.

— Oui, je sais.

— D'ailleurs, quand on m'a appris que j'étais porteuse du gène, je n'en ai pas été réellement désespérée. Je n'avais pas d'homme dans ma vie, je ne songeais pas à faire un bébé. S'il me fallait renoncer à la maternité, j'étais prête à me résigner.

— Qu'est-ce qui vous a fait changer d'avis ?

Elle haussa les épaules.

— A l'époque, j'habitais Minneapolis. Je me cachais, je menais une existence absurde, et j'étais dans une solitude effroyable. J'ai commencé à penser à l'adoption, mais... je traînais la défroque de Callista Bates... jamais on ne m'aurait confié un enfant. Un beau jour, j'ai lu un article sur les nouvelles techniques de procréation médicalement assistée, sur le don d'ovocyte. Ça m'a galvanisée. Quelques semaines plus tard, je m'envolais pour l'Italie, et deux mois après j'étais enceinte.

Le lendemain, lorsque les gardes-côtes arrivèrent en fin de matinée, Lassiter et Jesse se trouvaient à l'autre bout de l'île. Ils « exploraient », comme disait le petit garçon.

La température était anormalement douce, quasi printanière ; des lambeaux de brume s'accrochaient encore aux branches hautes des arbres. Joe suivit son jeune guide le long d'un sentier jonché d'aiguilles de pin, qui serpentait à travers bois. Bientôt ils firent halte dans le « port ». Deux embarcations — un skiff et un dinghy — étaient rangées au sec sur une corniche rocheuse tapissée de coquilles de clams brisées. Les bateaux étaient renversés et arrimés par une corde solide au tronc d'un pin sylvestre. Tout près se dressait un appentis abritant le matériel : moteur hors-bord, jerricanes d'essence, rames, gilets de sauvetage, bouées, ancres, etc.

Le ponton, peint en gris, paraissait tout neuf. Sa partie fixe était placée à bonne hauteur, afin que la marée ne la submerge pas. L'autre partie, constituée d'une courte rampe et d'une plate-forme flottante, était repliée en attendant le retour du beau temps.

Ils poursuivirent leur promenade, d'une crique à l'autre, libérant au passage deux malheureux crabes qui s'étaient pris dans une nasse. Enfin ils atteignirent l'extrémité de l'île, où se trouvaient un vieux hangar et l'ancien ponton.

— Avant, c'est là qu'on mettait les bateaux, expliqua Jesse.

Il s'interrompit, pencha la tête.

— Ecoute...

Tendant l'oreille, Joe perçut le sourd ronflement d'un moteur.

— Les gardes-côtes, dit Jesse. Est-ce que je t'ai montré mon château fort ?

— Non...

— Viens.

Prenant Lassiter par la main, le garçonnet l'entraîna vers une clairière enchâssée dans un fouillis de jeunes épicéas et de sapins. Sur le sol spongieux, à l'aide de branches mortes, Jesse avait dessiné le plan de sa forteresse. Il conduisit Joe dans le « salon », s'assit sur une souche pourrie — le « canapé » — et, sans lâcher la main de son nouvel ami, lui raconta l'histoire d'un petit phoque perdu que des gens très méchants recherchaient d'un bout à l'autre de la planète.

Quand il eut terminé son étrange récit, tous deux entendirent un long sifflement modulé. C'était Marie qui les appelait. Lassiter n'eut pas de peine à déchiffrer le message : la voie est libre, vous pouvez revenir.

— Ils ont retrouvé Roger ? demanda-t-il.

— Non... Mais, un jour ou l'autre, les courants finiront par ramener son corps sur le rivage.

— Ils ont parlé de moi ?

— Ils m'ont dit que Roger avait un passager à son bord. On a découvert la voiture de cet homme abandonnée sur le parking de Cundys Harbor.

Joe marmonna un juron.

— Ensuite ils m'ont demandé si je connaissais un certain Lassiter.

— Qu'avez-vous répondu ?

— Que vouliez-vous que je réponde ? Que vous étiez là ?

— Non, soupira-t-il, bien sûr que non.

— De toute façon... quelque chose clochait. Ces types n'étaient pas des gardes-côtes, j'en mettrais ma main à couper.

— Qu'est-ce qui vous fait penser ça ?

— Deux d'entre eux étaient en costume de ville.

— A quoi ressemblaient-ils ?

Elle haussa les épaules.

— A des gorilles.

— C'étaient des policiers, selon vous ?

— Peut-être.

— Vous ne semblez pas très convaincue.

— Non... Ils m'ont paru bizarres... inquiétants.

Lassiter réprima un grognement.

— Quelles questions vous ont-ils posées ?

— Eh bien... ils voulaient savoir si j'avais vu le bateau couler. Et puis... ils m'ont demandé où était Jesse.

— Que leur avez-vous raconté ?

— Que je dormais au moment de l'accident. Et je leur ai dit que Jesse faisait la sieste.

— Vous pensez qu'ils vous ont crue ?

— Oui, je suis une bonne actrice. Enfin... je l'étais.

L'après-midi, ils installèrent le ponton. Il leur fallut près de trois heures pour venir à bout de cette délicate entreprise. Quand la rampe fut enfin en place, Lassiter s'accroupit sur ses talons, secouant la tête d'un air médusé.

— Comment vous débrouillez-vous, toute seule ?

— Elle est pas toute seule ! protesta Jesse, offensé. Je l'aide, moi !

Le dinghy étant assez léger, Joe le transporta sans trop de difficultés. Puis, secondé par Marie, il amena le skiff jusqu'au ponton en le faisant rouler sur des bûches que Jesse surveillait de près et repositionnait toutes les deux secondes. Après quoi, il alla chercher le moteur hors-bord dans l'appentis et s'étonna à nouveau : comment Marie parvenait-elle à soulever des poids pareils ? Quelques minutes plus tard, avec la permission de sa mère, Jesse mettait le moteur en marche pour vérifier son fonctionnement. L'engin toussota et cracha un épais nuage de fumée bleue avant de vrombir allégrement.

Le soir, quand le petit garçon fut couché, les deux adultes s'assirent, comme la veille, devant la cheminée. Marie, blottie dans son rocking-chair, semblait soucieuse.

— Vous avez de l'argent ? demanda-t-elle tout à trac.

— Je ne suis pas dans la misère, bredouilla Lassiter, pris de court.

Elle esquissa un sourire narquois.

— Je ne vous demande pas si vous êtes riche, mais si vous avez de l'argent sur vous. Il vous en faudra, demain, quand je vous lâcherai sur le continent.

Joe hocha la tête. A l'évidence, elle était pressée de se débarrasser de lui. Il n'avait pas réussi à la convaincre...

Il se leva et, d'un pas lourd qui trahissait son découragement, traversa la pièce pour s'approcher du portemanteau. Sa veste en cuir, malmenée par sa baignade forcée, y était accrochée.

— Je crois que j'en ai assez, dit-il. Et, d'ailleurs, c'est le cadet de mes soucis. Je m'inquiète pour vous. Qu'allez-vous faire ?

— Disparaître à nouveau, dans un jour ou deux. Nous nous installerons quelque part, et cette fois je vous jure qu'on ne nous retrouvera pas.

— Je pourrais vous aider à vous perdre dans la nature. Autrefois, j'étais de première force à ce jeu-là. En fait, c'était mon métier.

Il glissa la main dans la poche intérieure de sa veste et en sortit son portefeuille. Une enveloppe humide s'en échappa et tomba sur le sol. Il se pencha pour la ramasser.

La lettre de Baresi.

— Je propose de vous laisser Gunther, dit Marie. Il a besoin de quelques réparations, mais...

— Vous lisez l'italien, n'est-ce pas ?

— Pardon ?

— Vous lisez l'italien ?

— Oui, bien sûr, mais...

L'enveloppe renfermait trois feuillets de papier pelure. Joe retourna près de la cheminée, s'assit aux pieds de Marie et, avec précaution, déplia et décolla les pages.

— Heureusement qu'on a inventé le stylo à bille, marmonna-t-il. Traduisez-moi ça, s'il vous plaît.

— Qu'est-ce que c'est ?

— Une lettre que Baresi a envoyée au curé de Montecastello. Celui-ci me l'a donnée avant d'être assassiné, et... Allez-y, je vous en prie.

Avec réticence, elle prit les feuillets et commença à déchiffrer.

2 août 1995

Mon cher ami,

Au moment de mourir, c'est d'un cœur confiant que je vous écris, car je serai bientôt devant le Seigneur, qui a seul le pouvoir de juger nos âmes.

Je suis venu à vous dans un moment de faiblesse et de désarroi, poussé par un impérieux besoin de m'épancher. Je me rends compte aujourd'hui que je n'implorais pas seulement le pardon de l'Eglise ; je cherchais à la rendre complice. Le terrible secret de mon existence, l'énormité de ce que je pensais être mon péché, m'écrasait. Je n'avais plus la force de porter ce fardeau, il me fallait le partager.

Je me suis confessé à vous, et je le regrette.

On me dit que vous avez fermé notre petite église, que vous êtes parti pour Rome où vous êtes resté de longs jours. Mon cher Giulio... que de tourments vous ai-je causés !

Je reconnais à présent que j'ai péché par orgueil en imaginant que mes actes puissent aller contre la volonté du Créateur. Je comprends maintenant ce que vous, qui êtes un serviteur de Dieu, savez depuis toujours : nous ne sommes que des instruments entre les mains du Seigneur. Sur cette terre, nous nous bornons à exécuter les décrets de la Providence.

Il était écrit que les hommes trouveraient le moyen de restituer aux cellules leur...

Marie s'interrompit.

— J'ignore le sens de ce mot...

Lassiter se pencha sur le feuillet.

— Totipotence... c'est un terme de génétique.

La jeune femme poursuivit sa lecture.

... de restituer aux cellules leur totipotence. Si Ignazio Baresi n'avait pas fait cette découverte inouïe, un autre y serait parvenu. A Edimbourg ou ailleurs.

Cela s'inscrivait dans les impénétrables desseins de la Providence, qui gouvernent le monde. C'était inéluctable.

De même, quelle force, sinon la volonté de Dieu, aurait pu inciter un spécialiste de biologie moléculaire à consacrer des années de sa vie à l'étude des reliques ? Je vous le demande, mon cher Giulio.

Les reliques... De quoi parlons-nous au juste ? De talismans, de vulgaires fétiches ? De symboles grossiers destinés à rendre accessibles aux esprits frustes des questions métaphysiques extraordinairement complexes. Ce clou a transpercé la main de Jésus, cette écharde

448

a meurtri sa chair. Cela prouve qu'il a vécu parmi nous, qu'il était bien réel.

Pourtant, l'examen de ces objets fut pour moi une véritable révélation. Le mépris que tout scientifique voue à l'irrationnel me quitta, et j'accédai alors à une compréhension plus profonde. Il m'avait fallu près d'un demi-siècle de labeur et de réflexion pour saisir ce que n'importe quel paysan sait d'instinct : les reliques constituent le lien concret et essentiel qui nous rattache à Dieu.

Vous n'ignorez pas qu'à Rome, on ne défend pas ce point de vue. Le Vatican préférerait oublier le temps où le commerce des reliques était florissant, où l'on déboursait des fortunes pour un lambeau de chair ou un morceau de bois. Le Saint-Siège a toujours considéré le culte des reliques comme une menace. Les pèlerins parcouraient des milliers de kilomètres pour aller se recueillir devant telle ou telle relique réputée miraculeuse. Ils partaient les poches pleines d'écus, naturellement, et c'était autant d'argent qui ne tombait pas dans l'escarcelle du Vatican.

Ma tâche, en tant que consultant scientifique, se limitait donc à démontrer que certains de ces objets étaient des faux. Pour les autres, je devais réserver mon jugement. C'est précisément ce que je fis. Je révélai ainsi que la « clavicule de saint Antoine » n'était qu'une côte de mouton. Quant au linge qui aurait essuyé le front du Christ, il fut tissé au XVe siècle.

Je découvris que, comme le soupçonnait le Vatican, beaucoup de ces reliques n'étaient que de grossières contrefaçons. Mais pas toutes... Certaines soutenaient l'examen. Elles semblaient authentiques, ou du moins je n'avais pas les moyens de prouver qu'elles n'étaient pas ce qu'elles prétendaient être.

Ce fut alors que je me tournai vers la médecine. Il m'était apparu que je pouvais servir de maïeuticien au Seigneur et que ce serait là mon grand œuvre.

Marie s'interrompit à nouveau.
— Mais qu'est-ce qu'il raconte ? murmura-t-elle.
— Continuez...

Dès lors, je ne rencontrai plus d'obstacle sur ma route. J'achevai mes études de médecine et j'ouvris la clinique. Mystérieusement, les femmes accoururent des quatre coins du monde. De leur plein gré. Dix-huit d'entre elles portèrent un embryon conçu à partir du matériel génétique prélevé sur la dizaine de reliques que je jugeais authentiques.

Qui peut dire ce qu'il adviendra ? Ces dix-huit enfants ne seront peut-être qu'une bande de paysans revenus d'un lointain passé. Leur résurrection ne rendra pas le monde meilleur. Mais peut-être le Christ sera-t-il parmi eux. Je ne le saurai jamais, vous ne le saurez pas non plus. Nous pouvons cependant espérer.

Il est temps pour moi de vous dire adieu, mon ami. Puisse cette lettre apaiser votre cœur. Ce jour-là, dans votre église, le doute me torturait, c'est humain. Le Christ aussi connut le doute. Mais à présent, je suis serein.

Cette affaire est entre les mains de Dieu. Il est le seul maître de la Création.

Ignazio Baresi.

— Joe ? balbutia Marie d'une voix tremblante. Mais de quoi parle-t-il ?

Il ne répondit pas, abasourdi.

— Vous avez quelque chose à boire ?

Marie se leva d'un bond pour aller prendre dans le buffet une bouteille de cognac et deux verres qu'elle remplit à ras bord.

— De quoi parle-t-il, Joe ? Répondez-moi !

Joe but une lampée d'alcool.

— Jesse...

— Eh bien ?

— Baresi cherchait à... il a essayé de cloner Jésus.

— *Quoi ?!*

Lassiter la dévisagea et poussa un long soupir.

— Jesse est peut-être le Christ.

Il lui répéta ce que lui avait expliqué le professeur du MIT.

— Donc, si je comprends bien, conclut-il en se servant un troisième cognac, il a réussi à prélever des cellules sur les reliques qui lui paraissaient authentiques. Il les a manipulées et leur a restitué leur totipotence. Après cela, il avait simplement besoin d'un ovocyte et d'une femme qui souhaitait avoir un bébé.

— *Una piccola sorpresa*, murmura Marie.

Une bûche rongée par le feu s'écroula dans l'âtre, crachant une gerbe d'étincelles.

— Je n'y crois pas, dit Marie. Comment pouvait-il décréter, au bout de deux mille ans, qu'une relique était authentique ? Personne ne peut affirmer une chose pareille avec certitude.

Lassiter objecta que, dans le domaine de la biologie moléculaire, Baresi était un génie et qu'il avait mené des études approfondies sur la provenance des reliques.

Marie secouait obstinément la tête.

— C'était un spécialiste, d'accord. Mais il n'avait pas les moyens de vérifier sa théorie. Ce n'était qu'une hypothèse de travail, un pari.

Comme il ouvrait la bouche pour répliquer, elle l'interrompit d'un geste impérieux.

— Attendez... Votre neveu, Brandon, ressemblait-il à Jesse ?

— Non, il...

— Et les autres ? Etaient-ils tous identiques ?

— Apparemment, non. Je n'ai pas réussi à me procurer la photo de tous ces enfants, mais...

— Vous voyez bien ! dit-elle, comme si la question était réglée. Ce ne sont pas des clones, puisqu'ils ne se ressemblent pas. Baresi a tenté une expérience, voilà tout, rien ne prouve qu'il l'a menée à bien. On peut admettre, à l'extrême limite, qu'un de ces enfants soit porteur du matériel génétique du... d'une relique. Mais les autres sont les rejetons d'individus quelconques. Le boucher, le boulanger ou le facteur.

Elle agita les mains.

— Ce que vous avancez est... absurde !

Lassiter acquiesça. Il reconnaissait la justesse et la logique de son raisonnement. Baresi s'était en effet fondé sur de simples convictions, impossibles à vérifier.

— Mais cela ne change rien, Marie.

— Que voulez-vous dire ?

— Que Baresi ait cloné Jésus ou Al Capone importe peu.

— Je ne vous suis plus...

— On ne peut pas catégoriquement exclure l'hypothèse qu'une de ces reliques était authentique. Or, pour certaines personnes, ce postulat est intolérable. Voilà pourquoi ma sœur, mon neveu et tous les autres sont morts. Et voilà pourquoi vous devez fuir cette île.

— Je me refuse à y croire.

— Les faits sont là, pourtant. Ces gens-là ont tout mis en œuvre pour détruire le patrimoine génétique que ces petits garçons portaient en eux. Ils les ont brûlés, réduits en cendres. Il les ont exorcisés.

— Oh, je vous en prie...

— Quand Grimaldi a tué Brandon et mis le feu à la maison, j'ignore ce qui s'est passé... mais il a eu un problème. Le corps de mon neveu n'a pas été complètement anéanti. Alors ils l'ont exhumé et brûlé une seconde fois.

— Mais... ce sont des *enfants* ! Des bébés. Comment l'Eglise pourrait-elle...

— L'Eglise n'a rien à voir là-dedans, coupa-t-il. Il s'agit d'Umbra Domini. De catholiques fanatiques qui font sauter les cliniques où l'on pratique l'IVG, qui ont enfermé les Musulmans bosniaques dans des camps...

Il soupira.

— Pour Umbra Domini, Baresi a commis un acte abominable.

— Mais *pourquoi* ? gémit-elle.

— Parce que c'est Dieu qui crée l'homme à son image, et non le contraire.

Les larmes ruisselaient sur les joues de Marie, et il comprit qu'il avait enfin vaincu sa résistance.

— Laissez-moi vous aider, murmura-t-il. Ils ne s'arrêteront pas avant d'avoir trouvé Jesse.

— Si ce que vous dites est vrai, je crains que personne ne puisse m'aider.

— Figurez-vous que, quand j'étais dans l'armée... je faisais un drôle de boulot.

Elle le regarda d'un œil circonspect, comme s'il avait perdu l'esprit.

— Je dirigeais un service de l'ISA.

— Allons bon, marmonna-t-elle. Qu'est-ce que c'est que ça ?

— Intelligence Support Activity. Ça ressemble à la CIA, en beaucoup plus sérieux. Bref, je suis capable de vous forger une nouvelle identité, à vous et à votre fils, et de brouiller définitivement les pistes. Je les trimbalerai d'un bout à l'autre de la terre et jusqu'à la planète Mars. Je vous jure qu'ils ne vous retrouveront jamais. Mais il faut me faire confiance. Et il faut partir d'ici.

— Maman ? dit soudain une petite voix.

Jesse se tenait sur le seuil, en pyjama. Il se frottait les yeux.

— Coucou, mon petit chéri..., murmura Marie avec une tendresse bouleversante. Qu'est-ce qui t'arrive ?

Ensommeillé, le garçonnet s'élança vers sa mère, grimpa sur ses genoux et se pelotonna dans ses bras.

— J'ai fait un cauchemar...

— Oh, mon pauvre poussin, dit-elle en lui ébouriffant les cheveux. C'est fini, maintenant.

— Dans mon rêve, il y avait des messieurs très méchants...

— Oublie-les, mon amour. Tu veux que je te lise une histoire ?

Jesse pointa un doigt potelé vers Lassiter.

— Non, lui...

— Je ne sais pas si...

— Avec grand plaisir, dit Joe. Mais d'abord, je propose un tour de cheval ! Tu montes sur mon dos ?

Il s'accroupit pour que Jesse s'installe sur ses épaules. Marie dardait sur lui un étrange regard, qu'il ne put déchiffrer.

— Hé ! s'exclama Jesse quand Lassiter se redressa. Je suis un géant !

Joe empoigna les chevilles de son cavalier et, se courbant pour éviter les poutres, trottina jusqu'à la chambre. Là, Jesse décréta qu'il n'avait pas envie que Lassiter lui lise une histoire. C'était lui qui allait faire la lecture.

— D'accord, je t'écoute.

L'enfant prit un livre — un abécédaire — sous son oreiller, l'ouvrit avec solennité et se pencha pour déchiffrer le premier mot :

— Un poisson.

Il releva la tête, repoussa le livre.

— Deux poissons !

Un sourire espiègle illumina son visage.

— Poisson rouge !

Ravi, il se laissa tomber à plat dos sur le lit.

— Poisson bleu ! dit-il en éclatant d'un rire plus clair que le jour.

Chapitre 37

Accroupi sur le ponton, Lassiter détachait le dinghy, lorsque Jesse dit à sa mère :

— Regarde... un bateau.

Joe scruta l'horizon, plissant les paupières pour se protéger des embruns et de la bruine. D'abord il ne vit rien, hormis le ciel d'un gris d'ardoise, l'océan houleux, les récifs, les pins. Puis soudain, dans le lointain, il aperçut un bateau blanc qui émergeait du creux d'une vague. Jesse avait une vue étonnamment perçante.

— Vous connaissez ce bateau ? demanda-t-il à Marie.

La main en visière, la jeune femme grimaça.

— Non, je ne crois pas.

Jurant à voix basse, Lassiter rattacha l'amarre du dinghy. Eux qui s'apprêtaient à quitter l'île... Il était trop tard, maintenant.

— Vous avez des jumelles ?

— Oui, dans la maison.

Prenant Jesse dans ses bras, elle s'élança vers le chalet. Joe lui emboîta le pas.

Une fois dans la maison, il s'empara des jumelles accrochées à un clou près de la bibliothèque, et s'approcha de la fenêtre. Le bateau était encore trop loin, mais Joe crut voir trois passagers à son bord.

— Ce sont eux ? demanda Marie.

— Je ne sais pas...

Il n'avait pas plus tôt prononcé ces mots qu'il distingua à l'arrière du bateau un homme massif, reconnaissable entre mille. Puis les traits des deux autres se précisèrent.

— Oui, ce sont eux. Le Mastodonte, Grimaldi et della Torre.

Marie inspira bruyamment et, d'un geste instinctif, attira Jesse contre elle.

— Il ne faut pas rester ici, dit Lassiter. Y a-t-il un endroit où nous pourrions nous cacher ?

— Dans le vieux hangar, répondit-elle après réflexion. Ils ne connaissent pas l'île, ils ne nous chercheront peut-être pas là-bas.

— D'accord... Prenez une lampe torche, ordonna-t-il en se précipitant vers le placard où elle rangeait son fusil. Où sont les munitions ?

— Dans la boîte à pain.

Il aurait dû s'en douter. Empoignant l'arme, il ouvrit la boîte métallique qui contenait plusieurs pains au levain, des muffins et, tout au fond, un paquet de cartouches.

Un paquet beaucoup trop léger.

Inquiet, Lassiter déchira le carton et lâcha un grognement. Il n'y avait qu'une cartouche.

— Où sont les autres ?

— Je ne sais pas, balbutia-t-elle, atterrée. Je... je les ai sans doute utilisées.

— C'est pas vrai !

— Je me suis entraînée, se justifia-t-elle. Ici, en hiver, on se distrait comme on peut !

Il secouait la tête, furieux et incrédule.

— Et maintenant, je me débouille comment, moi ? Je leur demande gentiment de s'aligner pour me permettre de les dégommer avec une seule balle ?

C'en était trop pour Marie qui baissa le nez, ravalant ses larmes. Bouleversé, Jesse noua ses petits bras autour de la taille de sa mère.

— Ne pleure pas, maman, murmura-t-il. Ne pleure pas...

— Excusez-moi, grommela Lassiter, je suis désolé. Emmenez Jesse au hangar, je vous rejoindrai dans un instant.

Marie acquiesça et poussa l'enfant vers la porte. Sur le seuil, elle se retourna.

— Que... qu'allez-vous faire ?

— Je n'en sais rien... Les descendre !

Il attendit que la jeune femme et son fils aient disparu dans le bois pour sortir sur le porche. Il s'accroupit, un genou à terre, et cala le fusil sur la balustrade. Fermant l'œil gauche, il fit décrire au canon de l'arme un arc de cercle, jusqu'à ce que le bateau soit dans sa ligne de tir.

Della Torre était debout à l'avant, indifférent à la pluie et au vent qui lui fouettaient le visage. Une vraie figure de proue en soutane noire.

Lassiter ne pouvait pas manquer son coup. Il inspira et souffla lentement, visant la poitrine de l'ecclésiastique. Son doigt se crispa sur la détente.

Une balle, et tout serait terminé. En tuant della Torre, il décapiterait le serpent qui, dès lors, ne serait plus en mesure de mordre.

Mais cela ne suffirait peut-être pas.

Il déplaça légèrement le canon sur la gauche, immobilisa le viseur sur le mufle du Mastodonte. L'Italien parlait à della Torre, sans se douter que sa vie ne tenait plus qu'à un fil, à la pression d'un doigt sur une petite pièce de métal.

Tire, se dit Joe. Vas-y ! Ce type est une brute. Il a failli t'avoir à deux reprises. Il a assassiné Azetti et probablement torturé Bepi. Descends-le.

Pourtant, presque malgré lui, il fit glisser le canon vers la gauche. Et, soudain, Grimaldi lui apparut.

Il était assis à l'arrière, sinistre, le regard fixe. Le bateau fonçait vers le rivage, droit sur le ponton en contrebas du chalet.

Tue-le. Fais-le pour Kathy et Brandon.

Pour Jesse et Marie.

Pour tous les autres. Pour toi.

Il crispa son doigt sur la détente.

Mais ce n'est pas toi qu'ils cherchent. Ils ne savent même pas que tu es là. S'ils trouvent la maison vide... qui sait, peut-être qu'ils s'en iront.

Il n'était pas convaincu, mais s'accrocha à ce fragile espoir. De toute façon, comme il disposait d'une seule cartouche, il ne parviendrait pas à les abattre tous les trois. Mieux valait attendre.

Le bateau avait presque atteint le ponton, et ses occupants piaffaient d'impatience, pressés de sauter à terre. Lassiter se redressa, encore indécis. Il longea le mur de la maison, accéléra le pas et s'engagea dans le sentier qu'avaient emprunté Marie et Jesse.

Dans le bois, il faisait sombre. Un brouillard pâle, pareil à de la fumée, flottait au-dessus du sol, les arbres dégouttaient de pluie. Une pénétrante odeur de résine saturait l'atmosphère.

Joe avançait sans bruit, ses pieds s'enfonçant dans l'épais tapis d'aiguilles de pin qui jonchait le chemin.

Il déboucha bientôt, trop tôt à son gré, sur la corniche où se dressait le vieux hangar. Les marées en avaient sapé les fondations, si bien que la bâtisse semblait sur le point de basculer dans l'eau. Cette ruine, au toit crevé et aux fenêtres arrachées, n'était vraiment pas la cachette idéale.

Lassiter regarda à droite et à gauche. L'île n'avait-elle pas de refuge plus sûr à leur offrir ? Non, il ne voyait que le bois, derrière un rideau de pluie grise, et l'océan houleux.

Découragé, il poussa la porte et se glissa dans le hangar.

— Marie ? appela-t-il.

A l'intérieur, il faisait plus noir que dans un puits. Il s'immobilisa, essayant d'accommoder, quand brusquement une lumière crue l'aveugla.

— Jesse ! s'écria Marie. Eteins cette lampe !

L'enfant obéit aussitôt, et Joe se retrouva dans l'obscurité.

— Où êtes-vous ? demanda-t-il, désorienté.

— Je lui ai permis de porter la lampe, parce que...

— Ce n'est pas grave.

Il cligna des paupières ; des taches rouges dansaient devant ses yeux. Peu à peu, cependant, il distingua des formes : un billot, des casiers à homards, des filets de pêche accrochés aux murs. Blottie dans un coin, Marie serrait son fils contre sa poitrine.

— On va s'en sortir ? dit-elle.

— Oui...

— Vous en êtes sûr ?

A quoi bon mentir ?

— Non, soupira-t-il, pas vraiment. Le sentier part de la maison et mène tout droit ici. S'ils le suivent... Il n'y a pas d'autre endroit où nous pourrions nous cacher ?

— Malheureusement... non.

— Réfléchissez bien.

— C'est une petite île... Ils penseront peut-être que nous sommes partis ?

— Les cendres, dans la cheminée, sont encore chaudes. Ils ne sont pas idiots, ils comprendront que nous ne sommes pas loin. Ou, en tout cas, que vous êtes là.

Jesse s'amusait avec la lampe.

— Arrête, lui ordonna Joe à voix basse.

— Pardon ! chantonna l'enfant.

Lassiter s'accroupit sous la fenêtre, près de la porte. Il se reprochait de n'avoir pas appuyé sur la détente, quand il avait les trois hommes dans sa ligne de tir. Il aurait pu en tuer un. Della Torre ou Grimaldi. Ou le Mastodonte.

— Qu'est-ce qu'on va faire ? demanda Marie.

— Je n'en sais trop rien...

Les minutes s'égrenaient. Le vent hurlait et malmenait le hangar qui craquait de toutes parts. Le crépuscule compliquerait la tâche de della Torre, se disait Joe. Surtout avec ce mauvais temps... S'il avait trois sous de bon sens, il retournerait sur le continent et attendrait le lendemain matin. C'était le plus raisonnable.

Lassiter soupira. Son raisonnement ne valait pas un clou, il en était conscient. Pourtant il s'y cramponnait désespérément, pour ne pas flancher.

Puis soudain, étouffées par le vent et la pluie, des voix se firent entendre. D'abord il ne comprit pas ce qu'elles disaient. Les hommes devaient sortir du bois de pins.

— *Franco ? Dove sta ?*

Lassiter arma le fusil. Marie, recroquevillée dans son coin, étreignait Jesse.

— N'ayez pas peur, murmura-t-il.

Les autres longeaient le hangar, mais Joe ne distinguait même plus le bruit de leurs pas, tant son cœur cognait.

Tout à coup, juste au-dessus de sa tête, un pinceau lumineux troua l'obscurité, balaya les murs. De droite à gauche. De gauche à droite.

Il s'immobilisa sur Marie et Jesse.

— *Ecco !*

Avec un craquement sinistre, les gonds de la porte sautèrent et le panneau de bois rongé par les embruns vola en éclats. Une silhouette massive s'encadra dans le chambranle. Le Mastodonte prenait tout son temps, il savourait la terreur de la femme et de l'enfant qu'il tenait épinglés dans le faisceau de sa lampe. Puis il s'avança.

Lassiter articula :

— Salut, le gros !

Quand celui-ci pivota, avec un rugissement de bête fauve, Lassiter fit feu. La balle atteignit l'Italien à la pommette ; elle traversa le cerveau et emporta la calotte du crâne. Marie poussa un cri. Le Mastodonte fut soulevé de terre puis retomba comme un ballot de linge sale.

Lâchant son fusil, Lassiter rampa jusqu'à lui pour s'emparer de son arme. Il ne put s'empêcher de jeter un coup d'œil à sa figure. Le Mastodonte partait pour l'éternité avec, sur le visage, une expression d'absolue stupéfaction.

— *Ciao*, dit une voix atone.

Joe n'eut pas besoin de se retourner pour savoir à qui appartenait cette voix. Grimaldi, immobile sur le seuil du hangar, le dominait de toute sa taille. Il tenait un Beretta et, à l'évidence, avait la ferme intention de s'en servir.

Je suis mort, pensa Joe. Nous sommes tous morts.

Grimaldi appela della Torre qui le rejoignit et braqua sa lampe sur Lassiter.

— Quelle chance de vous rencontrer ici, mon cher Joe.

Le faisceau lumineux effleura le Mastodonte qui gisait sur le sol, dans une mare de sang et de matière cervicale. Della Torre se signa. Pénétrant dans le hangar, il fouilla l'obscurité et ne tarda pas à repérer Marie et Jesse.

— Savez-vous qui ils sont, Joe ? demanda l'ecclésiastique. Vous avez de mauvaises fréquentations. Bon, ajouta-t-il d'un ton sec. Relevez-vous, tous. Nous retournons au chalet, il y fait moins froid.

Grimaldi lui posa une question en italien.

— *No... portali tutti*, répondit della Torre.

Quelques instants plus tard, ils s'enfonçaient dans le bois. Jesse et Marie marchaient en tête, suivis de Lassiter, puis de Grimaldi et della Torre.

Quoique Grimaldi fût à deux mètres de lui, Joe avait l'impression de sentir le canon du Beretta dans son dos. Si je leur fausse compagnie, pensa-t-il, ils me descendront. Ou bien ils me tueront plus tard. Mais de toute façon, Marie et Jesse sont condamnés.

A moins que ces deux salauds ne commettent une erreur.

C'était leur seul espoir.

Lorsqu'ils atteignirent le chalet, ils étaient trempés comme des soupes. Grimaldi les poussa vers la cuisine ; d'un geste, il leur intima de s'asseoir. Della Torre mit des bûches dans la cheminée pour ranimer le feu et alluma une lampe à pétrole qu'il posa sur la table. Après quoi, il s'assit à son tour, face à Jesse et Marie.

— Bien ! dit-il en joignant les mains. Nous y voilà.

Se tournant vers Grimaldi, il montra d'un coup de menton le rouleau de corde pendu à un crochet, près de la porte. Puis il regarda Marie qui serrait son fils dans ses bras.

— Dites-moi, Joe... Savez-vous qui était Lilith ?

— Non, je ne connais pas cette dame.

Grimaldi alla prendre la corde, tendit le Beretta à della Torre qui s'en saisit et le braqua sur Lassiter. Puis il s'approcha de Marie et la ligota à sa chaise. D'instinct, elle essaya de se redresser, mais il lui agrippa le poignet et le tordit cruellement.

Quand il eut achevé de la ficeler, Jesse remonta sur les genoux de sa mère.

— Ça va s'arranger, maman, lui murmura-t-il. Ne t'inquiète pas.

Della Torre s'éclaircit la gorge.

— Lilith était la première épouse d'Adam — avant Eve.

— Laissez partir Jesse, balbutia Marie. Je ferai tout ce que vous voudrez.

Della Torre la dévisagea.

— Vous devriez écouter cette histoire, elle vous concerne.

Il se tourna à nouveau vers Lassiter.

— Quand Lilith quitta Adam, les anges la supplièrent de revenir.

Lassiter hocha la tête, les yeux rivés sur la lampe à pétrole. Une idée commençait à germer dans son esprit.

— Et alors ? Elle est revenue ?

— Non, hélas. Elle était si malheureuse avec Dieu et Adam qu'elle alla vivre auprès de Satan. Elle porta ses enfants.

L'ecclésiastique esquissa un sourire. Tendant la main, il effleura les cheveux de Jesse.

— Ces enfants étaient des démons, bien sûr.

— Ce ne sont pas les démons qui manquent, de nos jours.

Della Torre clappa de la langue, se pencha en avant.

— « Et les dix cornes que tu as vues à la Bête sont les rois qui haïront la prostituée, qui la rendront désolée et nue, qui mangeront ses chairs et qui la brûleront dans le feu. »

Il se radossa à son siège.

— Livre de l'Apocalypse, chapitre XVII, verset 16.

Se tournant vers Grimaldi, il lui adressa quelques mots en italien. L'autre écarta les bras.

— Ils n'ont plus de corde, expliqua Marie.

— Vous parlez notre langue ? s'étonna della Torre.

— *Chi lasci andare, padre.*

Della Torre feignit de réfléchir un instant.

— Non, je ne peux pas vous laisser partir.

Il appela Grimaldi qui s'approcha, lui murmura quelque chose à l'oreille. Grimaldi se dirigea vers les placards de la cuisine, fouilla dans les tiroirs et en sortit deux couteaux à viande. Il les remit à della Torre qui lui rendit son arme.

Voyant que sa mère pâlissait, Jesse noua ses petits bras autour de son cou.

Della Torre empoigna l'un des couteaux.

— Donnez-moi votre main, dit-il à Joe.

Celui-ci le regardait fixement, incrédule.

— Excusez-moi, mais je refuse.

Aussitôt, Grimaldi se posta derrière Lassiter qui réprima un sursaut. Il s'attendait à recevoir un coup, mais l'autre, d'une légère pression, l'obligea à incliner la tête. Un sinistre déclic se fit entendre, et Joe comprit que Grimaldi allait lui tirer une balle dans la nuque.

Marmonnant un juron, il tendit sa main à della Torre qui la prit dans la sienne, la retourna et la plaça sur la table. Avec délicatesse, il posa la pointe du couteau dans le creux de la paume.

— Vous a-t-on déjà lu les lignes de la main ?

— Non, répondit Joe d'une voix éraillée qu'il ne parvenait plus à contrôler.

— Vous voyez ce sillon ? Regardez comme il est court. C'est votre ligne de vie.

Della Torre se recula légèrement et, de toute sa force, enfonça la lame, clouant la main de Lassiter à la table.

La douleur fut si violente que, par réflexe, Joe rejeta la tête en arrière. Une plainte animale fusa de sa gorge. Il perçut le cri étouffé, bizarrement lointain, de Marie.

Grimaldi lui saisit la main droite, lui écarta les doigts. L'instant d'après, le deuxième couteau lui transperçait la paume. Cette fois, il poussa un hurlement.

Pantelant, il s'affaissa, son front cogna le bois. Il resta prostré un long moment. Enfin, au prix d'un effort surhumain, il redressa les épaules. Della Torre le contemplait, un petit sourire sadique aux lèvres. Jesse sanglotait, Marie était blanche comme un linge.

Il regarda ses mains clouées à la table. Il fut surpris de voir si peu de sang, pourtant une atroce nausée lui tordit l'estomac.

— Espèce de..., grogna-t-il. Vous êtes malade !

— Mais non, nous avons simplement dû improviser.

Ces paroles amusèrent Grimaldi qui gloussa. Lassiter déglutit avec peine ; tout à coup, il se sentit glacé. Je vais m'évanouir, pensa-t-il. Non, il faut tenir !

— Vous ne comprenez pas ce qui est en jeu, reprit della Torre.

— Si, je le sais très bien.

— Permettez-moi d'en douter.

Soudain, un éclair zébra le mur, un tonnerre inouï leur déchira les tympans, et une pluie diluvienne s'abattit sur le chalet, fouettant sauvagement les vitres.

Della Torre sourcilla, l'air préoccupé.

— Je me demande si cette pluie...

Joe, lui, se demandait s'il aurait assez de courage pour tenter de faire basculer la table. C'était le seul moyen de libérer ses mains.

— Vous ne m'écoutez pas, Joe.

— Je suis un peu distrait.

— Oui, bien sûr, d'ailleurs ma remarque ne s'adressait pas à vous.

Della Torre murmura quelques mots à Grimaldi. Celui-ci acquiesça, remonta la fermeture Eclair de son blouson et sortit de la maison.

— Vous prétendez comprendre ce qui est en jeu, poursuivit della Torre. Mais vous ne croyez pas en Dieu, vous ne croyez qu'en la science. Vous ne pouvez donc pas comprendre. Savez-vous qui est ce garçon ?

— Je sais ce qu'il est à vos yeux.

— Vraiment ?

— Oui... Vous le prenez pour Jésus-Christ.

Della Torre pinça les lèvres.

— Non, vous vous trompez. Si je pensais cela, je me prosternerais devant lui. Evidemment ! Mais ce n'est pas lui. Cela ne se peut.

— Vous en êtes certain ?

— Je suis certain que Dieu a créé l'homme à Son image — et non le contraire. Cet enfant est une abomination. Or l'abomination porte un nom.

— Il s'appelle Jesse ! dit Marie.

— Il s'appelle Antéchrist ! clama della Torre, dardant sur elle un regard féroce. Voyez-vous, enchaîna-t-il d'un ton onctueux, Baresi a accompli des prodiges. Il a réalisé en quelques années ce dont les alchimistes et les sorciers rêvaient depuis des siècles.

— C'est-à-dire ? demanda Joe.

Il suffit de te jeter en avant. Ça ne durera qu'une fraction de seconde. La table basculera, et... Non, je ne peux pas. C'est au-dessus de mes forces.

Della Torre l'observait avec attention, comme s'il devinait ses pensées.

— Avec une goutte de sang, il a créé une armée de démons.

La porte s'ouvrit, livrant passage à Grimaldi qui portait un jerricane d'essence. Il s'avança dans la pièce, posa une question à della Torre qui opina.

Tout à coup, la sueur perla sur le front de l'ecclésiastique.

— Je suis un peu nerveux, dit-il, captant le regard de Lassiter. Je n'ai encore jamais fait... une chose pareille.

Vas-y, un peu de courage, se répétait Lassiter. Il voulait désespérément se redresser, mais ses jambes ne lui obéissaient plus. Il ne sentait que ses mains.

— En ce qui les concerne, ajouta della Torre, montrant Jesse et Marie, nous n'avons pas le choix. Mais vous... nous pourrions abréger vos souffrances.

— Non merci.

Grimaldi dévissait le bouchon du jerricane. Lassiter replia les doigts.

— Bien, dit della Torre en se levant. Il est l'heure.

Il frotta son index sur la paume ensanglantée de Joe, puis, s'approchant de Marie, traça sur son front le chiffre 6. Il fit de même pour Jesse et Joe. Enfin il recula pour admirer son œuvre : 666. La Bête.

Della Torre se détourna, prit dans sa poche un flacon que Joe reconnut aussitôt. Il en ôta le bouchon métallique et, tout en marmottant une prière, répandit l'eau bénite aux quatre coins de la pièce.

Grimaldi passa derrière Marie et Jesse, inclina le jerricane et versa l'essence sur leurs têtes.

C'était maintenant ou jamais. Effaré, Lassiter crispa ses doigts sur les lames. Il devait absolument se redresser...

Marie prit la décision pour lui. Se renversant sur sa chaise, elle appuya les pieds contre le bord de la table et, de toutes ses forces, poussa.

Joe hurla quand les couteaux s'arrachèrent. La lampe à pétrole tomba avec fracas sur le sol où elle se brisa, enflammant l'ourlet de la soutane de della Torre. Marie cria à Jesse de s'enfuir.

Della Torre flambait comme une torche. Avec des glapissements aigus, il se rua vers la porte, vers la pluie.

Grimaldi voulut voler à sa rescousse, mais Lassiter le frappa dans le dos. L'Italien lâcha le jerricane, l'essence se répandit. De courtes flammes ondoyantes se mirent à courir sur le plancher.

Lassiter plaqua Grimaldi contre le mur, lui donna un violent coup de tête dans la figure. Il entendit un craquement d'os et de cartilages, l'Italien chancela, s'effondra. Du bout de sa chaussure, Lassiter lui pilonna les côtes.

Mais, roulant sur le flanc, Grimaldi tira à l'aveuglette. D'un coup de pied, Lassiter l'obligea à lâcher son arme. Il tendit le bras et s'emparait du Beretta, quand l'autre se jeta sur lui et le cloua à terre. Il glissa son bras sous la gorge de Joe et commença à serrer.

Il possédait une force inouïe.

Lassiter se débattit comme un forcené, mais Grimaldi l'écrasait de tout son poids. Il sentait ses muscles lâcher, des mouches tourbillonnaient devant ses yeux. Il suffoquait déjà.

Dans un ultime sursaut d'énergie, il réussit à bouger son bras, à la ramener le long de son corps. Lorsque le canon du Beretta rencontra une résistance, Joe appuya sur la détente.

La balle pénétra dans le genou de Grimaldi qui rugit de douleur. Joe en profita pour se dégager, aspira avidement une goulée d'air. Grimaldi criait et se balançait d'avant en arrière, étreignant son genou comme pour le bercer.

Lassiter l'acheva d'une balle dans la tête.

Puis il entendit la voix de Marie qui l'appelait. Les flammes rampaient vers la chaise sur laquelle elle était ligotée. Jesse s'escrimait sur la corde, mais ses petits doigts malhabiles ne parvenaient pas à défaire les nœuds. Joe la détacha, poussa la mère et l'enfant vers le porche.

Une masse de chair, sombre et fumante, gisait dans l'allée, sous la pluie battante.

— Jesse... ne regarde pas, dit Marie en serrant le petit garçon contre sa hanche.

Lassiter s'accroupit près de l'ecclésiastique. Le visage de della Torre était carbonisé, ses yeux semblaient avoir fondu et une infâme substance s'écoulait de ses orbites. Joe le crut mort, mais soudain, della Torre bougea et se mit à gémir.

— Il faut l'emmener à l'hôpital ! dit Marie. Nous n'avons qu'à prendre leur bateau. Vite, dépêchez-vous !

Lassiter lui lança un regard incrédule.

— Il va mourir ! s'écria-t-elle.

— Oui, bien sûr. Je veux qu'il meure.

— Vous n'avez pas le droit de le laisser dans cet état. Il souffre, il est...

— Ecoutez-moi ! Si nous l'emmenons à l'hôpital, ça ne finira jamais. Cet homme a des adeptes partout dans le monde. Quand ils apprendront que Jesse et vous êtes encore vivants — car ils le sauront, n'en doutez pas —, ils se lanceront à votre poursuite. Nous devons fuir. Il n'y a pas une minute à perdre.

Elle secoua la tête.

— C'est un être humain...

Joe la dévisagea longuement, puis il murmura :

— D'accord. Allez devant avec Jesse, je vais le porter jusqu'au bateau.

Prenant son fils par la main, elle s'élança vers la crique. Elle avait presque atteint le ponton, lorsqu'elle entendit le coup de feu.

Épilogue

Durant des jours et des jours, elle refusa de lui adresser la parole. Un mois s'écoula avant qu'elle finisse par admettre qu'il avait eu raison de donner le coup de grâce à della Torre.

A ce moment-là, ils se faisaient passer pour une petite famille des plus ordinaires, voyageant à travers le pays. Lassiter déployait son talent pour leur forger, à tous trois, une nouvelle identité.

Il ne s'agissait pas simplement de changer de nom. Il fallait en quelque sorte créer de toutes pièces une autre histoire, une légende. Un passé crédible, sans la moindre faille et avec tout ce que cela comprenait : dossier médical, diplômes, certificats de travail, comptes bancaires, numéros de Sécurité sociale et passeports. Cette délicate entreprise réclama des semaines de patience et coûta cinquante mille dollars. Quand tout fut réglé, Lassiter se garda de le dire à Marie.

— Encore deux ou trois jours, et vous serez délivrée de ma présence, lui promit-il. Je n'attends plus que le feu vert de la banque du Liechtenstein.

Car, une fois de plus, le cher Max Lang avait accompli des merveilles. Leur argent, après de multiples péripéties, était désormais bien à l'abri dans la principauté du Liechtenstein.

Mais, ainsi que Joe l'espérait, Marie ne semblait plus si pressée de le voir partir. Le printemps refleurissait lorsqu'ils échangèrent leur premier baiser.

Les Shepherd s'étaient installés en Caroline du Nord, dans le piémont appalachien, au pied des Blue Ridge.

Leur nom était inscrit sur une coquette boîte aux lettres plantée au bout d'un chemin qui serpentait à travers des hectares de prairies moutonnantes pour aboutir à une vieille ferme flanquée d'une grange en pierre. Une palissade blanche clôturait la propriété où paissaient une jument arabe et son poulain.

M. Shepherd travaillait à son compte, comme tous les habitants de ce joli coin de campagne. Il faisait commerce de livres rares et d'éditions originales, mais n'achetait et ne vendait que par correspondance. Personne ne s'en étonnait, car les voisins des Shepherd exerçaient eux-mêmes des professions plutôt marginales. Ainsi, dans un rayon de deux kilomètres, vivaient un luthier, réputé dans le monde entier pour la qualité de ses mandolines, un couple qui élevait des autruches, un auteur de livres de cuisine et un tailleur de pierre. Il y avait aussi, un peu plus loin, deux romanciers, un concepteur de jeux, et un homme qui, murmurait-on, s'adonnait à la culture du chanvre indien.

Les Shepherd menaient une existence paisible et modeste. Ils restauraient peu à peu leur demeure, de leurs propres mains. Ils avaient prévu de rester quelque temps ensemble, après quoi ils divorceraient, et chacun poursuivrait sa route. C'était un plan intelligent, propre à étayer la légende qu'ils avaient créée. Mais la vie aux champs tissait entre eux des liens chaque jour plus solides. Le plan fut mis aux oubliettes, et le mariage forcé devint un mariage d'amour.

Le passé ne troubla leur bonheur qu'une seule fois. Ils avaient quitté le Maine depuis deux ans, lorsque l'émission « Mystère » diffusa un docudrame intitulé *L'Ile funeste* et présenté par Robert Stack, qui prétendait reconstituer l'histoire de leur fuite.

Au début du film, on voyait une Taurus bleue s'arrêter sur la place de Cundys Harbor, dans un brouillard à couper au couteau. Un comédien qui ne ressemblait pas du tout à Lassiter parlementait avec un autre comédien censé incarner Roger Bowker. Les deux hommes embarquaient ensuite à bord d'un bateau qui, lui, était identique au *Fend-la-Bise*. La vraie Maud Hutchison témoignait, de même que le capitaine du port : « Ils n'auraient jamais dû sortir par ce temps. Seulement, Roger était têtu comme une mule ! »

Au récit de l'accident et du naufrage succédait une série de photos : les bureaux de Lassiter Associates à Washington, la maison de McLean — jolie maison, commenta Marie — et Lassiter en golfeur fou.

— On ne te reconnaît pas du tout, dit Marie.

— Oui, je sais.

Le narrateur expliqua que la disparition de Lassiter coïncidait avec la vente de son agence. « Pour quelle raison Joe Lassiter voulait-il tant se rendre dans l'île ? Pour une enquête ? Eh bien, oui ! »

Là-dessus, une Mercedes noire se garait dans la marina de Bailey Island. Trois Italiens en descendaient. L'instant d'après, on les voyait se pencher sur des cartes et pointer Sanders Island.

On découvrait ensuite les décombres du chalet, le hangar, le ponton. « Qu'est-ce que ces hommes venaient faire ici ? demandait Stack. Le premier était un éminent ecclésiastique ; le deuxième avait commis un triple meurtre ; le troisième était bien connu des services de la police italienne. Que faisaient-ils ensemble ? Que cherchaient-ils dans cette île perdue ? »

Le chef de la police de Brunswick, le capitaine des gardes-côtes et l'attaché de l'ambassade italienne disaient ne pas avoir de réponse à ces questions.

« On ne sait rien de la femme qui vivait ici avec son petit garçon, poursuivait Stack. Bizarrement, il n'existe aucune photographie de Marie Sanders. Le feu a détruit sa maison, et certains témoins affirment qu'il y eut un autre incendie, cette nuit-là. Selon les policiers, le bateau loué par Silvio della Torre le matin même aurait brûlé. Les experts estiment qu'à cette époque de l'année, il était impossible de regagner le continent à la nage. Pourtant on n'a découvert qu'un seul corps : celui de Franco Grimaldi. Qu'est-il advenu des autres ? Peut-être l'océan les a-t-il engloutis, peut-être sont-ils ensevelis quelque part, au milieu des pins. A moins que Marie Sanders et son enfant ne se soient enfuis dans ce dinghy, retrouvé le lendemain matin le long de la côte. »

Le film s'achevait sur une vue aérienne de Sanders Island, tandis que Robert Stack concluait avec emphase : « Sept personnes sont venues ici, et nul les a jamais revues. L'île funeste gardera à jamais son secret ! »

Cette émission n'eut pas de conséquences, Joe et Marie en furent quittes pour une bonne frayeur. Les rares voisins qui la regardèrent ne firent pas le rapprochement avec les Shepherd.

Cela n'avait rien d'étonnant : les Shepherd étaient désormais parfaitement intégrés dans la communauté, tout le monde aurait juré qu'ils vivaient là depuis toujours. Marie s'était inscrite aux cours d'orthophonie du collège local, Joe entraînait l'équipe de foot des Poussins.

Jesse, contrairement à ses parents, avait gardé son prénom. Mais le plus souvent, on l'appelait Jay ou J.J.

Il avait beaucoup d'amis et travaillait bien en classe. D'après son institutrice, c'était un enfant leader ; quand ses camarades se chamaillaient, il trouvait toujours les mots justes pour les apaiser et régler les conflits. Ce talent le distinguait des autres. « On en fera un diplomate », disait l'institutrice.

Le matin, depuis la fenêtre de son bureau au premier étage, Joe aimait le regarder partir pour l'école. D'un pas guilleret, le petit garçon descendait le chemin pour rejoindre l'arrêt du car de ramassage scolaire. Ce jour-là, cependant, il s'immobilisa brusquement, posa son cartable et fonça vers la maison.

— Tu as oublié quelque chose ? lui demanda Marie, quand il se rua dans le vestibule.

— J'ai pas donné à manger aux poissons !

Jesse ambitionnait de transformer la maison en ménagerie. Il aurait bientôt un chiot, car Moutarde, la chienne bâtarde de son copain Ethan, venait de mettre bas. Jesse attendait son arrivée avec tant d'impatience qu'il avait déjà acheté un panier en tissu rouge au chauffeur du car — celui-ci n'en avait plus l'usage, car son labrador n'acceptait de dormir que sur le canapé. Ensuite il adopterait un autre chien, pour tenir compagnie au premier. Il aurait aussi un chat et une chèvre.

Jesse s'occupait tout seul de ses poissons. Il les nourrissait, nettoyait l'aquarium, rinçait le gravier ; l'hiver, il veillait à ce que l'eau reste à la bonne température.

Il avait sept poissons et chacun d'eux était baptisé. Le soir, couché dans son lit, il adorait les regarder évoluer gracieusement parmi les plantes aquatiques.

Jesse entra en courant dans la chambre, tenaillé par un sentiment de culpabilité. Il avait failli oublier de donner à manger à ses protégés.

— Vous avez faim, mes petits poissons ?

Il prit la boîte de daphnies, remplit une mesure — on lui avait recommandé de bien doser les rations — et répandit la nourriture à la surface de l'eau. Puis il s'accroupit pour mieux profiter du spectacle.

— Allons, ne vous battez pas ! Il y en a pour tout le monde.

Soudain, il fronça les sourcils. L'un de ses poissons rayés ne bougeait plus. Il était couché sur le côté, sa belle nageoire caudale avait perdu ses couleurs et paraissait toute molle. Un gourami tournait déjà autour de lui. Il allait le dévorer !

— Va-t'en de là, toi !

Jesse plongea les mains dans l'aquarium, recueillit le poisson au creux de ses paumes. Du bout du doigt, il caressa le petit corps sans vie.

— Tu es guéri, murmura-t-il.

Puis, avec précaution, il libéra son protégé.

Le poisson frétilla et se remit à nager.

Cet ouvrage a été réalisé par la
SOCIÉTÉ NOUVELLE FIRMIN-DIDOT
Mesnil-sur-l'Estrée
pour le compte des Éditions Albin Michel
en janvier 1998

Ouvrage composé par
Nord Compo (Villeneuve d'Ascq)

Imprimé en France
Dépôt légal : janvier 1998
N° d'édition : 16992 - N° d'impression : 41193